D0504386

Zelfbeeld

Van Toby Litt verscheen eerder bij uitgeverij Anthos

Overspel
Dodenzang

Toby Litt

Zelfbeeld

Vertaald door Hugo Kuipers

Anthos | Amsterdam

Voor Ma en Pa

ISBN 90 414 0775 8

Oorspronkelijke titel *Finding Myself*
Oorspronkelijke uitgever Hamish Hamilton
Omslagontwerp Mariska Cock

Verspreiding voor België:
Veen Bosch & Keuning uitgevers n.v., Wommelgem

VICTORIA'S MANUSCRIPT

GEREDIGEERD

VOORBIJ DE VUURTOREN

~~ZELFBEELD~~

door

Victoria About

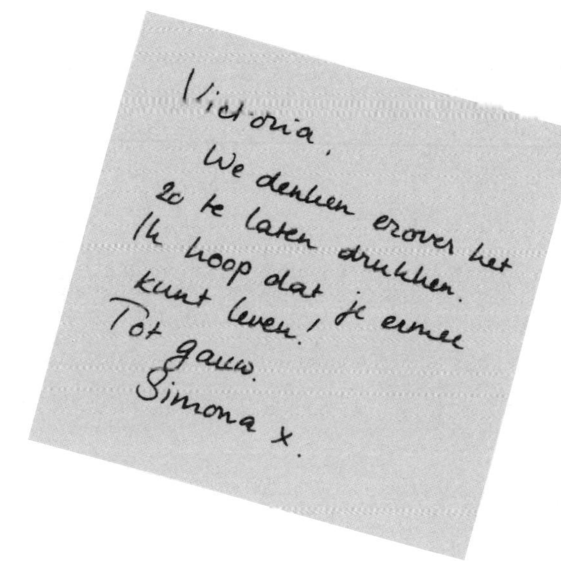

Victoria,

We denken erover het
zo te laten drukken.
Ik hoop dat je ermee
kunt leven!
Tot gauw.
Simona x.

Vanmorgen stuurde ik, na lange gesprekken met mijn literair agent, het volgende aan Simona Princip, mijn redactrice:

Ik kan dit niet systematisch in hoofdstukken indelen – je weet hoe ik ben. Daarom schrijf ik er maar lekker op los en dan moet jij maar zien hoe je het wilt hebben.

VOORBIJ DE VUURTOREN

Ik ben niet van plan een echte roman te schrijven (in elk geval niet als mijn vorige). In plaats daarvan wordt het een fictionalisering van iets wat echt gebeurd is. Niet iets wat al gebeurd ís maar iets wat – op een dag, in een maand, waarschijnlijk augustus – zál gebeuren, omdat ik het laat gebeuren. De helft van het werk aan dit boek (deze docu-roman, dit *real-life*-verhaal of hoe je het ook wilt noemen) zit in het regelen van die op handen zijnde gebeurtenissen.

Mijn idee: je betaalt me een aanzienlijk voorschot, waarvan ik een deel gebruik om een groot huis aan zee (bij voorkeur in het zicht van een vuurtoren) te huren. Vervolgens neem ik contact op met een aantal van mijn vrienden – die ik hierna 'personages' zal noemen. Wat ik aan hén voorstel, is in grote lijnen het volgende:

> Je mag helemaal gratis een maand komen logeren in een prachtig huis aan zee dat ik heb gehuurd. (Lekker eten en veel drank worden ook gratis verstrekt.) Máár je moet me toestemming geven de gebeurtenissen van die maand na afloop in een semi-gefictionali-

seerde vorm op te schrijven. (Met andere woorden: je belooft me dat je niet gaat procederen.) De juristen van mijn uitgever hebben het allemaal uitgezocht. Dat je afstand doet van bepaalde rechten en dat soort dingen. Auteursrechtkwesties. Maar aan het eind van het boek krijg je drie hele pagina's (ongeveer duizend woorden) waarin je precies kunt zeggen wat je wilt. Als je denkt dat ik dingen verkeerd heb weergegeven, klinkklare leugens heb verteld, enzovoort, kun je me tegenspreken. Ik van mijn kant beloof dat ik in geen enkel opzicht iets zal veranderen in je tekst. Ik neem aan dat er in sommige teksten niet gunstig over mij zal worden gesproken, maar ook dan zal ik niet ingrijpen. Ik nodig nog tien andere mensen uit. Sommigen van hen ken je, sommigen niet.

Ik kies mijn personages erg zorgvuldig uit: een paar stelletjes, vier alleenstaande biseksuelen, een stuk of twee egoïsten, een enkele *drama queen*, iemand met zelfmoordneigingen, een excentriekeling, iemand die wat ouder is, minstens één andere professionele schrijver (minder succesvol dan ik). Mix dat alles door elkaar. Giet er alcohol bij. Sprenkel er wat snuifjes wonderpoeder overheen. En – *voilà* – cocktailtijd.

Zodra ze allemaal hun medewerking hebben toegezegd, schrijf ik een synopsis van een bladzijde of tien. Daarin voorspel ik precies wat ik denk dat er gaat gebeuren wanneer al mijn personages bij elkaar komen. Als de synopsis af is wordt hij onder notarieel toezicht verzegeld en aan jou gegeven om uiteindelijk in het boek te worden opgenomen. Dan kunnen de mensen – en nu bedoel ik lézers – het zelf zien: wat had ik goed en waar had ik het mis? Ken ik mijn vrienden echt zo goed als ik denk dat ik ze ken?

Natuurlijk zal ik geen komma aan de synopsis kunnen veranderen – als die eenmaal in jouw handen is. (Misschien wil ik er wel een bijlage aan toevoegen.)

Ten slotte: Mocht je bang zijn dat er helemaal niets gebeurt en ik je met een flop opzadel, dan kan ik je verzekeren dat er zich minstens één grote gebeurtenis zal voordoen. Jammer genoeg kan ik niet zeggen wat dat is. Je zult me gewoon moeten vertrouwen.

Wat het je gaat kosten? Nou, normaal gesproken zou ik zeggen, doe me een aanbod van het soort dat mijn agent 'vrij interessant' zou noemen, maar nu het om zo'n goed idee gaat, moet je misschien zelfs tot 'zeer interessant' gaan.

*

Vanmiddag antwoordde Simona:

> Victoria, je bent geniaal!
> Ik doe mee, als redacteur en als deelnemer.
> (Mag William ook komen? Alsjeblíeft. Hij wil zo graag.)
> 'Zeer' is erg veel, maar ik zal zien wat ik kan doen.

*

Ik heb wel een traktatie verdiend, vind je niet?

MIJN VAKANTIEDAGBOEK

Juni. Athene gaat goed om met het verkeer. Ongeveer even goed, zou ik zeggen, als alle andere steden op de wereld.

Schoenen – schoenen – schoenen. Mijn allesoverheersende, alles verterende fascinatie voor schoenen.

Hotel Stanley. X ligt diagonaal in bed. We zijn gisteravond naar een duur restaurant geweest en hebben daar te veel duur bocht gedronken. X heeft de hele morgen in de badkamer doorgebracht, kotsend als een jong poesje op een nieuw vloerkleed.

De haven van Piraeus. Het Griekse vasteland. Felle zon. We wachten op een draagvleugelboot. X is een paar flessen water voor ons kopen. N.B.: het marmeren standbeeld op het plein, met zijn gepatenteerde 'Nationale Bevrijderssnor'. Je ziet dat in heel Europa (ik reken Rusland mee, ik reken Lenin mee). Die snor verdwijnt als je in Mao-land komt, maar het standbeeld blijft ongeveer hetzelfde. Stijf. Mannelijk. Belachelijk.

Daarnet werd er een 'welkom aan boord'-boodschap in het Grieks omgeroepen. Het enige woord dat ik ervan verstond was 'catastrofe'.

Eiland Naxos. Getoeter, geknal, geschreeuw en geronk. Ik weet dat het een cliché is, maar ze zijn hier zo *gepassioneerd*. Onze kamer ligt in het midden van de bekende *Straat van Elke Nacht om Drie Uur Precies Hooglopende Ruzie*. Vuilnismannen die over de rooie gaan.

Tip voor backpackers: felgekleurde kleren en een ingewikkeld kapsel zijn dé manieren om te laten zien dat je geen persoonlijkheid hebt.

Ik weet dat je een hekel aan voetnoten hebt, maar waarschijnlijk moeten we er hier toch eentje opnemen. Je lezers zullen willen weten waarom je een van je hoofdpersonen 'x' noemt. Ik stel voor dat je een kleine voetnoot opneemt waarin je zegt dat in een bepaalde fase van alle gebeurtenissen – die ze gauw genoeg tegenkomen als ze doorlezen – 'x' zijn toezegging aan Jon dat je zijn naam mocht gebruiken heeft ingetrokken. Hij was, kun je erbij vertellen, ~~een van~~ ~~de~~ de enige gast in wie je zoveel vertrouwen had dat hij het contract niet hoefde te tekenen dat je verstandige uitgevers hadden opgesteld. Je had het gevoel, in je eigen woorden, 'dat ik hem zo'n afschuwelijk Hollywood-achtig huwelijkscontract zou voorleggen'. Je kunt er ook aan toevoegen, al moet je dat helemaal zelf weten, dat je nu beseft dat je, wat dit betreft, naar de raad van je redacteur had moeten luisteren.

De enige andere oplossing voor het probleem 'x' zou zijn dat je het personage een andere, verzonnen naam geeft. Ik kan er wel een paar bedenken, en jij vast ook wel. Sommige van die namen zouden we misschien niet kunnen afdrukken. Maar weet je, ik zie ook wel een zekere romantiek in die anonimiteit van 'x'. Natuurlijk is het wel zo dat iedereen die het afgelopen jaar een roddelrubriek of zelfs maar een voorpagina heeft gelezen, precies zal weten wie de anonieme man is, of was.

Gisteren kwamen we tegen het eind van de middag op Iraklia aan, een van de kleinere Cycladen. Ik voelde me net een klein koffertje waarmee bij elke overstap, het hele eind van Reykjavik naar Delhi, het bagagepersoneel gevoetbald heeft.

Eindelijk, het strand. Wat ik ga schrijven, *Voorbij de vuurtoren*, zal, als het lukt, waarschijnlijk het béste strandboek ter wereld ooit zijn: ondeugend, levendig – precies de juiste mix van ordinair geroddel en serieuze zaken. (Jullie weten wat ik bedoel, schatten, hou je maar niet van de domme.) Niets ten nadele vanVirginia Woolfs brieven (hier in het boodschappennetje), maar je wordt er niet echt opgewonden van, hè? Nu ben ik onredelijk: je wordt er wel opgewonden van, maar dan eerder bovenin dan onderaan. En als ik lekker lig te zonnebaden met Sun Mark 8, mijn Amber S (of Piz Buin – wie is dat nou weer?), heb ik iets met een beetje *oempf* nodig, iets wat wat meer inspeelt op primitievere gevoelens. Anders verlies ik mijn belangstelling en ga ik naar windsurfers kijken en vraag ik me af hoe ze het toch voor elkaar krijgen overeind te blijven – en zo hard te gaan – en waarom ze het überhaupt doen... enzovoort, enzovoort. (Kun je merken dat ik van mijn Woolf heb gespijbeld om X's Wodehouse te lezen?) Ik wou dat ik Bertie Wooster was en een Jeeves had – dat wil natuurlijk iedereen die hem leest. *Bedienden...* Wat een fantastisch idee! Misschien moeten we ook bedienden hebben in het Augustushuis. Een butler en een kok. Of een dienstmeisje en een kok. Of, als dat te duur is, een dienstmeisje dat kan koken. Als ik genoeg geld met *Vuurtoren* verdien, hoef ik misschien nooit meer iets anders te schrijven: ik kan gewoon naar plaatsen gaan waar het hele jaar de zon schijnt en leren windsurfen.

Casting I. Ik heb me afgevraagd wie ik ga uitnodigen. Op dit moment ziet de lijst er zo uit: X; Cecile Dupont (natuurlijk); Simona Princip en haar man William; Cleangirl, haar man Henry en haar kind Edith (dat zijn de twee echtparen); twee vrijgezelle vrouwen (onder wie waarschijnlijk dat biseksuele fotomodel dat X vaag kent – ze is vast ook een *drama queen*; en verder die excentrieke styliste die ik heb leren kennen toen ik mijn research deed voor *Trek lijntjes tussen de stippen* – enorm mmmm); een vrijgezelle man (veel moeilijker te vinden, maar waarschijnlijk Alan Wood – alias de minder succesvolle schrijver), of misschien twee vrijgezelle mannen (een van hen kan de suïcidale zijn), en ten slotte een vertegenwoordiger van zoveel minderheden als ik maar kan vinden (Simona staat erop dat we 'tenminste probéren rekening te houden met de diversiteit van het hedendaagse Groot-Brittannië'), en dat is voorlopig wel genoeg, vind je niet? Maak je geen zorgen. Ik verwacht niet van je dat je al die namen meteen onthoudt. Ik zal, als ik meer in de stemming ben, in het kort de karakters schetsen van degenen van wie ik hoop dat ze meedoen (dat beloof ik). Degenen die niet meedoen kan ik later schrappen. Om de dingen wat minder monotoon te maken wissel ik die beschrijvingen af met mijn indrukken van het schilderachtige Griekse eilandje Iraklia met zijn kleurrijke, excentrieke bewoners – ach! Nee, in plaats daarvan ga ik schrijven over de geweldige seks die ik met X heb – dat zal je zeker bij de les houden.

In recensies ben ik er vaak van beschuldigd dat ik onsympathieke vrouwelijke hoofdpersonen creëer – dat is een grote tekortkoming, zeggen ze. Ik heb het niet in de hand of mensen mij, als verteller of als personage, sympathiek vinden. Ik ga ze niet vleien en ik ga me ook niet arrogant opstellen. In plaats daarvan kies ik voor een originele – of liever gezegd 'conventionele' – benadering: ik ben eerlijk. Ik presenteer me aan de mensen zoals ik ben, dan kunnen ze zich zelf een oordeel vormen.

Enfin, ik hoop dat de mensen me helemaal op het eind krankzinnig goed of goed krankzinnig zullen vinden. En geen bemoeiziek, manipulerend kreng. Waarom? Omdat ze zoveel plezier aan me beleven dat ze het niet over hun hart kunnen verkrijgen me te haten.

Ik heb niets tegen aardigheid. Aardigheid, zeg ik, is prima – maar wat de mensen echt willen, is plezier: als het een strijd is tussen *aardig-maar-saai* en *gemeen-maar-jezus-wat-is-hier-gebeurd*? Nou, dan weet ik aan welke kant ik sta.

Fantastische seks met X – waarna ik wegzink in een diepe slaap, als een zwarte kat in een achterafsteegje.

Ik neem aan dat er wat tijd verstreken is
na de vorige notitie – een dag of twee? Zullen we er

Ik zie het nu duidelijker voor me. Ik word de schurk van het verhaal. Misschien zal men me niet aardig vinden. Misschien loopt het slecht af met mij als personage. Maar dat is de prijs die ik moet betalen. Voor jou, beste lezer, breng ik het offer dat ik me niet sympathiek zal opstellen. Degenen die me begrijpen (via dit gebaar), zullen gek op me zijn; degenen die me niet begrijpen, zullen me uitlachen.

Men – men – dat klinkt goed, nietwaar? 'Dat men zich concentreert'. Laat het woord horen. Laat het galmen. Men spreekt voor zichzelf – zoals men meestal doet. Bijvoorbeeld in brieven. Wat dat betreft, kunnen we veel leren van Virginia. Haar zelfmoord maakt met terugwerkende kracht haar grilligheid des te geloofwaardiger. (Ze méénde het.) Maar al die tijd liep ze bewust het risico dat ze van irrelevantie werd beschuldigd. (De jaren twintig en dertig – marxisme en MacSpaunday-dichters – de algemene staking van 1926, god nog aan toe.) Met enige angst, maar ook met gratie, ging ze een stap opzij – en liet de onstuimige massa demonstranten aan haar voeten voorbijstromen. 'Ga de straat op!' werd uitnodigend geroepen. 'Loop mee in de optocht!' smeekten ze. 'Je kunt helpen!' paaiden ze zwakjes. 'Hartelijk dank voor jullie vriendelijke uitnodiging,' was haar definitieve antwoord, 'maar ik doe niet mee.' Oprecht bevreesd ging Virginia in haar brieven en dagboek de confrontatie aan met de dingen waarvan ze wist dat ze ze niet kon doen – in fictie of anderszins. (Natuurlijk werd dat dilemma van haar pas algemeen bekend toen ze al dood was; maar terwijl het allemaal nog speelde, moet haar reactie erg zelfverzekerd en arrogant hebben geleken.) Zelf zal ik het vanaf de eerste bladzijde duidelijk maken: men is híer, niet overal; men is wat men is, niet iets dat veel minder onuitstaanbaar is. Men moet – omdat men hier nu eenmaal is – worden geaccepteerd zoals men is. Het is graag of niet. En nu nadert het moment waarop sommigen 'graag' moeten zeggen en anderen zich moeten terugtrekken...

zie volgende pagina

En nu Zij weg zijn (de anderen, de *hoi* – degenen die niet 'men' zijn) en Wij met elkaar alleen zijn, zoals We vroeger waren, kunnen We ons opperbest vermaken – zij het niet ten koste van Hen. Daarom hebben We de Niet-O's (Niet Ons) niet weggestuurd – of beter gezegd, laten gaan, in vrijheid gesteld. Nee. Nu kunnen we intenser, naakter, huiselijker Onszelf zijn. (Kom in de tuin, Maud. Kom achter die *Guardian* vandaan, Claude.) Want te lang zijn we bang geweest dat we 'bekakt' werden gevonden – nou, laat ze naar de verdoemenis lopen, zoals papa altijd zei. Wij zullen Ons zijn, samen, militant. We zullen onze eigen slogans hebben: 'Jij en Ik, de Bourgeoisie! Ik en Jij, de Bijna-Nieuwen! En we zullen onze eigen spreuken aan de wand hebben: 'Heb niets in je huis waarvan je niet zeker weet dat het nuttig is of voelt dat het mooi is.' (Wat kunnen citaten soms toch subversief zijn!) De nieuwe militante bovenklasse – en ik wil deel uitmaken van de voorhoede: ik zal de *meanste mean machine* zijn, in de voorste gelederen van de avant-garde!

X heeft nu bijna helemaal geen oog meer voor fraaie naakte borsten op het strand. (N.B. *bijna*.)

Ik vind dat nogal ongeloofwaardig.

Ik ben zo lui geweest dat ik na die aanvankelijke spurt al in geen dagen meer iets geschreven heb... Ik walg van mezelf.

Als je niets hebt om je zorgen over te maken, ga je je zorgen maken over niets.

X en ik hebben dat heerlijk angstaanjagende stadium van vakantie-intimiteit bereikt waarin we niet meer dan zo'n driehonderd woorden per dag wisselen.

Geeuw-morgen. Goed geslapen? O wat erg. Wil je me erover vertellen. Ja, het heeft mij ook wakker gehouden. Ik ga even... douchen. Ontbijt? Ik ben klaar als jij... Zie je die luiken op dat gebouw: mooie kleur... Ja, het is een beetje muf, hè? En de jam hier is zo vies. Ik geloof dat ik vooral een lekkere kop thee mis. En e-mail. Het strand natuurlijk. We kunnen later altijd nog die 'wandeling' maken. Ik heb de zonnebrandcrème. Ga niet te ver de zee in. Ik maak me zorgen om je, schat. Natúúrlijk maak ik me zorgen. Echt waar... Hoe was het? Echt? Niet meteen omkijken, maar... die man daar. Aan het – ja, die. Als hij nog één racistische mop had verteld, had ik... Nou, dat heb jij toch ook niet gedaan? Dit? Het is lang niet zo goed als de vorige keer. Te cerebraal. Geen seks. Ik vraag me af waar die twee daar ruzie over maken. O, een ijsje zou heerlijk zijn. Wil je wat geld... O, wat lief van je. Dank je. Helemaal over je kin. Alleen maar een beetje doezelen. Au. Hé, zou ik daar verbrand zijn of niet? Hotel? Dezelfde plaats als gisteravond. Je kunt nooit avontuurlijk genoeg zijn. Dank je – en jij ziet er ook goed uit. En mogen we nog een paar flessen mineraalwater, alstublieft? Dat vergeet je nou altijd. Wel waar. Nee, ik lonkte niet naar hem – hij is me veel te gespierd. O, zo bedoelde ik het niet. Ja, het is een beetje muf, hè? Ik denk dat ik vooral de e-mail mis. En een lekkere kop thee. Het strand natuurlijk. We kunnen morgen altijd nog die 'wandeling' maken. Het is niet zo goed als met haar vorige. Geen seks. Ik neem de baklava, en noem me nu geen vreetzak – ik ben op vakantie. Ja, dat zei je. Je noemde me een vreetzak. Niet meteen kijken, maar... die man daar. Ja, hem weer. Goedenavond. Ja, prachtig. O, ze konden niks regelen, hè? Ja. En jij. Jezus, ik dacht dat hij ging zitten. Moet je die sterren zien! Ik lonkte niet naar de ober. Mm, ik vind je spieren geweldig. O, wat vind ik die sterren mooi. Oost west, thuis best. Nee. Néé. Alleen een beetje moe. Morgenvroeg gaan we... Slaap lekker. Wat?... Ze zijn toch niet weer begonnen?

(N.B. Ik heb de koosnaampjes die we aan elkaar geven maar weggelaten. Die maken in het begin ongeveer negentig procent uit van de conversatie van stellen die op vakantie zijn, maar zakken daarna tot tien procent – en bereiken een algeheel dieptepunt tijdens de vliegreis naar huis.)

Waren dat driehonderd woorden of waren het er meer? Ik heb geen zin om ze te gaan tellen. Ik ben mijn hele leven al bezig woorden te tellen. (Ik wou dat dit notitieboekje de woorden kon tellen.) Het is hier te warm. De warmste juni in jaren.

Een klein kind (een meisje) zingt op het strand in zichzelf: lief-irritant-lief-irritant-lief-HOU JE BEK!

Ik ga mezelf op een personage trakteren: Cecile. Ik zag Cecile Dupont voor het eerst op de Borough Market op een zaterdagochtend, het zal halftwaalf zijn geweest. Als je nooit op de Borough Market bent geweest, heb je een van de mooiste dingen van Londen gemist. Het is de delicatessenzaak uit je dromen, maar dan in een smeedijzeren Victoriaans station. De sfeer druipt van de markt af, net als het vuile, vettige water. Als ik daar ben, voel ik me een beetje overrompeld – door mensen, door geuren. Je kunt er gekruide olijven kopen, en allerlei soorten vlees (waaronder struisvogelworstjes en everzwijnlapjes), het zwaarste brood ter wereld, ijsdrankjes die je energie geven, anemische ansjovis, felgekleurde wit-met-oranje sint-jakobsschelpen, heerlijke groenten (roze bloemkool, pompoenen met de kleuren van zonsondergang), gedroogd fruit, koffiebonen, kaassoorten, bloemen, koekjes. Het is een burgermanshemel. Te midden van dat alles stond Cecile, erg klein, erg goed gekleed (al kan ik je niet precies vertellen hoe – dat is een van haar raadsels: haar kleren zijn zo goed gekozen dat ze niet meer opvallen) en met een paar strakke lijnen in haar gezicht. Zelfs nu weet ik nog niet precies hoe oud ze is. Ergens tussen... Nee, het is niet netjes om te raden. Cecile is niet meer in de veertig; meer kan ik er niet over zeggen. Zodra ik haar zag, was het of ik als een overbeladen vogelverschrikker rondstrompelde; geen make-up, slordige kleren, twee volle boodschappentassen in elke hand. Ze had me nog niet gezien en liep bijna tegen me op. (Ze is bijziend maar wil geen bril dragen.) Maar op het moment dat ze me wél zag, besefte ze dat zij het was, niet ik, die een stap opzij moest doen. Dat deed ze met de snelle, soepele gratie van een balletlerares – bijna alsof de hele beweging een revérence was. Tegelijk produceerde ze de mooiste glimlach die je je kunt indenken: vriendelijk, gereserveerd, vergevend, vol humor. Sneller dan een Siamese kat die door de bijna dichte deur van een verboden kamer glipt, kwam ze achter me te staan. En ik dacht: *ik moet jou leren kennen*. En dus deed ik iets wat ik nooit eerder had gedaan (behalve met jongens op de universiteit): ik volgde haar. Omdat ik het niet aandurfde om haar gewoon aan te spreken, draaide ik me om en volgde ik haar – volgde haar naar de kaaskraam, waar ze gracieus en zonder een zweem van ongeduld in de rij ging staan. (Ik had daar al kaas gekocht, maar ik wilde die vrouw zo graag ontmoeten dat ik er nog een keer heen ging, hoe gênant ik dat ook vond.) Het leek wel of Cecile blij was dat ze in een rij kon staan, omdat ze dan alle tijd had om te kijken welke kaas ze ging kopen. Een van de mensen voor haar rekende af, draaide zich om en liep weg. Ik besloot nog een stuk Stilton te nemen: X mag graag zijn adem bederven met dat spul. Nadat ze haar keuze had gemaakt, keek Cecile vriendelijk om zich heen, op zoek naar iets dat haar kon afleiden – terwijl ze de *fromager* nog net goed genoeg in de gaten hield om precies te weten wanneer ze aan de beurt zou zijn; Cecile keek om zich heen, en nog eens om zich heen, en keek toen natuurlijk recht in de ogen van ondergetekende. Ik wist niet of ze zich mij herinnerde of niet (van de botsing die we bijna hadden gehad); ik wist ook niet of ik wilde dat ze zich dat herinnerde. Later heb ik haar dat nooit gevraagd. 'Lieve help,' zei ze (daarmee bedoelde ze: *oh, ma chère*), 'waarom zet je die zware tassen niet neer?' Ik had dat niet gedaan omdat ik nog steeds dacht dat ik mijn plan misschien niet zou doorzetten, dat ik me zou omdraaien en als een vogelverschrikker zou wegstrompelen. 'Het is verschrikkelijk,' zei ik. Cecile keek in het rond, en het was of ze had gezegd: 'In je eentje?' De vraag stond zo duidelijk in haar ogen te lezen dat het niet veel scheelde of ik gaf er antwoord op. 'Ik neem een taxi naar huis,' zei ik, 'al is het niet erg ver.' Op dat moment was Cecile aan de beurt. Een ogenblik dacht ik dat het daarmee afgelopen was: ik had mijn enige kans gemist. Maar gelukkig stak Cecile haar hand op naar de *fromager*, haar vingers gekromd. 'Wacht even...' zei dat gebaar – of eigenlijk: 'Neem even pauze... Ik weet dat je hard hebt gewerkt. Je moet tot rust komen. Ik ben niet van plan je op te jagen. Ik winkel op een heel andere manier dan de andere mensen hier: ik winkel alsof winkelen een feest is.' Toen keek ze mij weer aan. 'Ik help je,' zei ze, en ze glimlachte. En voordat ik kon weigeren of haar kon bedanken, begon Cecile tot in detail over de verdiensten van roquefort te praten – in welke kelders, wilde ze weten, werd die kaas opgeslagen? Dit lijkt misschien extreem, maar ik weet nu zeker dat ze dat nooit zou hebben gevraagd als ze niet zeker had geweten dat de jongeman achter de kraam het antwoord zou weten en het prachtig zou vinden dat ze het vroeg. Ze kocht maar één klein stukje van de kaas. Het was in vetvrij wit papier verpakt en ze maakte haar handtas open en deed het er zorgvuldig in – alsof die tas een vakje had dat speciaal bestemd was voor stukjes blauwe schimmelkaas. Stuntelig – ik voelde me weer dertien – vroeg ik om een stukje van dezelfde kaas, ongeveer even groot. Ik hield helemaal niet van roquefort, maar ik had ter plekke besloten ervan te leren houden. Toen ik klaar was, pakte Cecile twee van mijn tassen op. 'Nog iets anders?' vroeg ze. 'Nee,' antwoordde ik, al moest ik nog brood kopen (dat had ik tot het eind uitgesteld omdat die broden zo zwaar zijn). 'Laten we dan gaan.' Toen we naar buiten liepen, praatten we aan een stuk door. We praatten echt, kletsten niet zomaar wat. We hadden het over de absolute noodzaak van het voortbestaan van de Borough Market. Uit dat hele gesprek herinner ik me maar één woord, 'planners', dat door Cecile met filosofische minachting werd uitgesproken, alsof de Mens nooit iets slechters, niets zinlozers had bedacht dan dat je de hele dag kon zitten *plannen*. Het duurde een kwartier voor we een taxi konden krijgen. (We vonden het te ver lopen naar London Bridge.) Al die tijd bleef Cecile bij me wachten; het zou onbeleefd zijn geweest om dat niet te doen. 'Kan ik u een lift aanbieden?' vroeg ik. 'Nee hoor,' antwoordde ze. 'Ik kan lopen – het is vlakbij. We zijn er al bijna.' Ik vertelde haar wie ik was en ook iets over wat ik deed; ze stelde zich voor en zei dat ze 'helemaal niets' deed, en daarbij lachte ze – maar ik wist dat ze loog: ik wist dat ze álles deed en zag en wist. En toen we uit elkaar gingen, had ze me noch haar telefoonnummer noch haar adres gegeven, maar wel het stukje informatie dat ik het liefst wilde hebben: 'Ik ben hier altijd op zaterdag, zo rond halftwaalf. We komen elkaar vast nog wel eens tegen.' (Die woorden maakten Londen tot wat het bijna nooit was geweest, een dorp, waar je elkaar toevallig kon tegenkomen zonder dat je het vreemd vond.) En dat gebeurde inderdaad, dat we elkaar tegenkwamen, bedoel ik – en gauw ook. En we waren daar allebei blij mee, denk ik. En het ene weekend dronken we koffie, en het volgende weekend ook, en toen nodigde ik haar uit bij mij te komen eten, en inmiddels, mag ik wel zeggen, waren we vriendinnen geworden. Maar zo ver was het toen nog niet. Op de zaterdag dat ik haar voor het eerst ontmoette, hield Cecile een taxi voor me aan, hielp ze me mijn tassen erin te zetten, kuste ze me vluchtig op beide wangen (welk parfum zou dat toch kunnen zijn?) en liet ze me – terwijl ik in de taxi zat die hard wegreed – achter met de indruk dat ik een Assepoester was die zojuist haar toverfee had ontmoet.

Dit pennetje is bijna op.

Eerlijk gezegd heb ik zonsondergangen altijd nogal saai gevonden; ze gaan veel te lang door – en het eind is niet bepaald een verbijsterende verrassing.

Het idee van trouwen en kinderen krijgen is ondraaglijk, maar het idee van niet trouwen en geen kinderen krijgen is ondraaglijk.

Ik ben schrijver. Ik houd van woorden – en als je bedenkt hoe goed ze mij hebben beloond, moet het wel wederzijds zijn. Toen ik gisteren onder de douche stond te zingen, kwam ik op een fantastisch idee. Omdat ik op non-fictie ben overgegaan, hoef ik me niet meer achter een min of meer ongeletterde vertelster te verbergen; ik hoef geen woord ongezegd te laten omdat het niet in háár vocabulaire zou voorkomen of daar wel in zou voorkomen maar niet door haar in die context zou worden gebruikt. Als ik wil, kan ik mijn gehavende oude woordenboek pakken en daar naar hartenlust uit putten: orchidectomie, multiplaan, trepaan, scheuchzeria, kookaburra, scurriel... Van hoog naar laag, al wat ik maar wil; bargoens of bekakt, plat of stijf. Het is het literaire equivalent van winkelen in Manhattan met de creditcard van iemand anders, iemand die erg rijk is en erg veel van je houdt. Ik schrijf dit op het strand, op een Grieks eiland (Paros – we hadden alles van het verrukkelijke Iraklia al gezien en gedaan), op de mooiste, zonnigste, blauwste, wit-pittoresk-ste koepelkerkigste juni-ochtend die het Middellandse-Zeegebied ooit heeft meegemaakt. X is ergens aan het snorkelen. (Dat woord moet wel in de top-tien van komische leenwoorden staan, samen met 'anorak' en 'karaoke'. Probeer dat woord maar eens met een half-Zweeds accent in een conversatie te laten vallen – dat wordt gegarandeerd lachen.) En omdat ik werk – ik noteer deze losse gedachten in mijn notitieboekje – is dit alles absoluut, verrukkelijk en volledig fiscaal aftrekbaar. (Ik herhaal bij mezelf de mantra die me van schuld bevrijdt: je verdient het, je verdient het.) Vijf romans in zes jaar – goh, of ik het verdien! Misschien heb je er een paar van gelezen? Misschien ook niet. Als er net zo wordt gekoerd en gekird bij dit baby'tje als ik denk dat het verdient, moet me dat een lading nieuwe lezers opleveren. Hallo jij daar, en jij daar, en vooral hallo jij daar. Nou ja, voor de laatkomers geef ik nog even een samenvatting. Naam: Victoria About (mijn naam wordt uitgesproken als Abut, een analfabetisering van Arbuthnot, schijnt het.) Leeftijd: eh, in de twintig, zullen we zeggen, negenentwintig? Als ik dat zeg, weet je zeker wel wat ik bedoel? Negenentwintig. (Ik moet je waarschuwen dat ik mijn persoonlijkheid ga idealiseren, een beetje maar. Mijn personage moet geweldig zijn. Neem het me maar niet kwalijk; het is waarschijnlijk de enige kans die ik ooit zal krijgen.) Iemand zei eens voor de grap dat ik geboren ben in East Wittering. Eigenlijk was het in Chelsea. Strikt genomen ben ik een Chelsea-meisje. Ik ging eerst naar de nonnen, en toen naar een school in Westminster, de school waar meisjes uit Chelsea heen gaan als ze naar een school in Westminster gaan. Daarna een *moet*-college en een *moet*-universiteit (d.w.z., ik *moet* ik *moet* ik *moet* a. mijn maagdelijkheid verliezen, b. een vriendje krijgen, c. een ander vriendje krijgen, d. vermijden dat vriendje I vriendje II tegenkomt, e. succes hebben). Ik woon in Borough, SE1, en daar woonde ik allang voordat die wijk (en ik) in trek kwam. Huwelijkse staat; nou, X. Dat is bijna alles wat je moet weten. Gewicht: vijftig kilo. (Geïdealiseerd.) Hobby's: kleren. Echt waar, ik kleed me érg goed. Mijn eerste roman, geschreven in de twee jaar nadat ik mijn stoffige oude *moet*-universiteit had verlaten, heette *Trek lijntjes tussen de stippen*. Die was uitdagend niet-autobiografisch. Een jaar later kwam *De heerlijke plek*, het vervolg. Daarna elk jaar een: *Wat hangt daar: een satire op de kunstwereld, De afgewende blik* en mijn nieuwste, *Ruimtelijkheid*. Ik maak literair werk in het genre dat de laatste tijd wel eens 'chick fic' wordt genoemd. Ik ben enorm traditioneel ingesteld. Mijn favoriete Engelse schrijvers zijn Jane Austen, George Eliot en Henry James. Maar mijn favoriete schrijvers zijn allemaal Frans: Laclos, Flaubert, Sagan. Mijn privéleven was, tot aan het succes van *Wat hangt daar*, precies dat: privé, van mij, echt een leven. Ik ging een tijdje met een acteur om. We maken allemaal fouten. Sindsdien ben ik meer dan tweehonderd keer geïnterviewd, maar ik heb nooit mijn ziel en zaligheid blootgelegd in een krantencolumn. Ik ben in *Woman's hour* geweest, maar ik heb nooit een literaire prijs gewonnen. (Ik ben niet verbitterd.) (Dat ben ik wel.) (Dat ben ik niet.) (Wel.) (Niet.) (Wél.)

Hier zit ik dan, met een koude natte handdoek over mijn door de zon geteisterde rug: bijna aangenaam pijnlijk – alsof mensen de uiteinden van twijgjes ronddraaien tegen mijn schouderbladen.

Ik kan het niet laten om een beetje meer over Cecile te vertellen. Ik houd zoveel van haar... Ze klinkt alsof ze in een leerboek thuishoort, *Elementair Frans voor de jaren vijftig. 'Alors! Qui est cette jolie femme là?' 'Cette jolie femme là est Madame Cecile Dupont.' 'Et qui est Cecile Dupont?' 'Cecile Dupont est la femme la plus chique du monde. Voilà.'* Voor zover ik weet, is er niets bijzonder aristocratisch aan haar achtergrond. Als ik kon, zou ik een fabelachtige naam voor haar bedenken, met minstens één *de* of *de la*, één verbindingsstreepje, een stuk of wat obscure accenten en apostrofs, twee *nommes de grandes familles*, en de suggestie van minstens drie *châteaux* – zo niet in haar bezit dan toch wel vroeger door haar bewoond. Er gaat zo'n geweldige bezieling van haar eenvoud uit – ze heeft manieren; manieren waarmee ze alles aankan. Er is in het menselijk verkeer geen situatie waarmee Cecile geen raad zou weten. Ze heeft (leid ik uit diverse zinspelingen af) twee echtgenoten begraven en daarna maar besloten geen derde te nemen. Ik mag me graag voorstellen dat ze niet zozeer door haar zijn vermóórd, maar dat ze niet konden leven met het idee dat zij eerder zou sterven dan zij. Ik heb weduwen gekend die verbitterd waren – erger nog, ik kon het voelen. Maar op de een of andere manier – door een karaktertrek waarvan ik graag wil geloven dat je hem kunt aanleren, maar dat kan natuurlijk niet – heeft ze kans gezien die verbittering te ontwijken, zoals je, als je vlug genoeg bent, de modderspatten kunt ontwijken van een taxi die komt aanrijden. Haar morele schoenen zijn nooit vuil geworden. Ze was te *petite* om fotomodel, te delicaat om actrice te worden – tenzij ze een theater speciaal voor haar zouden verkleinen. (Het zou een echt theater moeten zijn, met verguldsels en een prosceniumboog; anders zou ze daar gewoon niet op haar plaats zijn geweest.) Het witte doek is misschien de enige buitenaardse plaats waar Cecile thuis zou hebben gehoord – ~~dat ze als zilveren miniatuur haar opwachting maakt halverwege *Les enfants du paradis*. (Te belegen. Weg.)~~ Van al mijn vriendinnen, die met boulimia en die met anorexia, is Cecile de enige van wie ik me kan voorstellen dat ze naast ~~Audrey~~ zou durven te staan.

X ligt al de hele ochtend naast me in bed. Hij snurkt en laat knetterende scheten. Ik krijg een dringende behoefte aan ontrouw. Als ik daar niet gauw toe overga, word ik op het eind nog echt ontrouw (d.w.z., dat ik hem er na afloop niet over vertel, terwijl we afgesproken hebben dat wel te doen) – en dat zou vreselijk zijn, want ik houd zoveel van X. Als we terug in Engeland zijn, zal ik daar iets aan moeten doen. Henry Snow? Ik ben er zeker van dat X er precies zo over denkt. We hebben allebei behoefte aan vakantie: even van elkaar verlost zijn.
Misschien is een glimp het allermooiste: intimiteit leidt tot irritatie.

Dialoog. Grote Uitspraken van Onze Tijd. X zegt bla bla bla je ziet er geweldig uit bla, en daarop antwoord ik: 'Probeer me niet te paaien terwijl ik onredelijk ben. Als er iets is waar ik me aan erger, is het dat.' Daarna fenomenale seks.

Ik begin me zorgen te maken: geen van mijn vrienden en vriendinnen schijnt een verhouding te hebben. Tenminste niet voor zover ik weet. En hoe kan dat? Hoe kan het dat ik het niet weet? Want ik kan echt niet geloven dat niemand een verhouding heeft. Statistisch gezien is dat zo goed als onmogelijk. Toch schijnen ze allemaal zo aan elkaar (en zichzelf) verankerd te zijn dat ik me nauwelijks kan voorstellen dat ze nu en dan op kantoor of op een zakenreis buiten de pot pissen... Misschien hebben mijn vrienden zulke interessante banen dat zoiets niet kan gebeuren. Toen ze in de twintig waren, leidden ze een chaotisch leven. Als we in de veertig zijn, met alle onvermijdelijke echtscheidingen van dien, wordt het vast opnieuw een chaos. Maar nu we in de dertig zijn, zijn we blijkbaar allemaal stilzwijgend overeengekomen dat dit de jaren van het decorum zijn. Ik heb theorieën ontwikkeld om te verklaren waarom ik niet op de hoogte ben van de weinige gevallen van ontrouw die zich wél voordoen. 1. Ik vergis me. Die gevallen doen zich echt niet voor – nooit. 2. Mijn vrienden vertrouwen me niet. Ze weten dat als ze me iets pikants vertellen het in druk zal verschijnen. (Dat is waar.) 3. Mensen hebben wel verhoudingen, maar die zijn zo gauw voorbij dat ze niet goed tot iemand doordringen – zelfs niet tot de betrokkenen. 4. Ze hebben verhoudingen. Serieuze verhoudingen. Ze doen het terwijl hun partner barensweeën heeft of in de kamer ernaast zit – dat soort dingen. Maar ze doen er goed genoeg hun best voor (d.w.z., hun liefde en respect voor hun 'officiële' partner is nog groot genoeg) om zich niet te laten betrappen. En het is saai. Ik verdien mijn brood door het tumultueuze emotionele leven van mijn vrienden in de symmetrie van fictie te gieten. Ik bedoel, waar zijn alle klootzakken gebleven? Vroeger liepen daar nog een paar mooie exemplaren van rond. Als het zo doorgaat, schrijf ik uiteindelijk alleen nog maar over onderdrukte hartstochten in religieuze gemeenschappen of subtiele flirts tijdens lange wandelingen door de natuur. Zelfs mijn vrijgezelle vrienden lijken getrouwd; getrouwd met hun carrière, hun huisdieren, het comfort van hun ge-re-renoveerde appartementen, hun weelderige, steriele tuinen.

Een glimp biedt de mogelijkheid van perfectie (omdat de glamour van het moment iets kan idealiseren); intimiteit, echte intimiteit, heeft altijd haar prijs – kennis leidt tot verveling leidt tot ergernis. En dus denk ik er vaak over om X te dumpen. Niet voor iemand in het bijzonder, maar voor de herinnering aan een goed gesneden pak, twee treden boven me op de roltrap; voor een markant gezicht in een wegrijdende

Londense taxi; voor handen – handen die ondemonstratief maar bekwaam dingen doen (o, dokters – dokters); voor alleen maar de gedachte aan een pianist van wereldklasse; ~~voor de rand van een creditcard die een volmaakte K2 van cocaïne in tweeën snijdt;~~ voor – laat ik het eindelijk maar toegeven – romantiek met niet alleen een hoofdletter R maar ook de hoofdletters O, M, A, N, T, I, E, en K. Maar ik denk niet dat ik het doe. Hem dumpen, bedoel ik. Wat ik verder ook mag beweren, ik ben bang voor de lege horizon en het lege bed. (Al lijkt dat laatste me vaak veel verder weg dan het eerste.) Misschien zou X bereid zijn me langdurig met anderen te delen? Ik geloof niet dat hij daar het type voor is. Misschien is dat de hele tijd al het probleem geweest – hij is duidelijk mijn type, maar hij is niet hét type, het type dat het tegelijk doet en niet doet. ('Wat doet en niet doet?' hoor ik je vragen. Als je dat vraagt, doe je het niet; als je het niet doet, doe je het (en niet).) O, als je de waarheid wilt weten: ik wil gewoon dat hij ophoudt met al dit gedoe en me ten huwelijk vraagt...

Bruin genoeg, verveeld genoeg. Sorry als ik niet veel over het schilderachtige Griekse eiland en de excentrieke types heb geschreven.

Tijd om naar huis te gaan.

DAGBOEK

Juli.
Londen.
Nog vier weken.
Ik weet waar het zich gaat afspelen! Niet precies, maar bijna. De titel bracht me op het spoor, zoals altijd. *Voorbij de vuurtoren*... en de enige plaats in Engeland met een vuurtoren? Southwold! Het is ideaal. X en ik gaan er dit weekend heen om huizen te bekijken. We logeren in de Swan, eten in de Crown – dat is het énige dat je daar kunt doen.

We hebben twee geschikte huizen gevonden. Het ene staat in de plaats zelf, het andere zes kilometer ten noorden daarvan. Perfect zijn ze geen van beide. Maar er spelen nog een paar dingen mee. Als ik iedereen midden in Southwold zet, zou er bijna onvermijdelijk iets van de noodzakelijke intensiteit verloren gaan. Telkens wanneer zich onenigheid voordeed of twee geliefden zich wilden afzonderen, zouden mensen zich kunnen verwijderen. En dat staat me helemaal niet aan. We moeten de hele maand op elkaars lip zitten. Als in een broeikas. Dan móéten er wel interessante dingen gebeuren. De huizen buiten de bebouwde kom zijn ook goedkoper. X heeft het huis in het noorden gevonden. Het voldoet, als het moet. Maar mijn hartje ging er niet sneller van kloppen. Ik denk dat ik zoiets voor ogen heb als het huis in *Naar de vuurtoren* van Virginia Woolf – iets wat zowel het oude als het nieuwe Engeland in zich verenigt. Of *Howards End*, met die heksenboom in de tuin. Of Garsington. Of hoe heet dat andere huis? Monks' Hall. Dus ik denk dat de makelaars nog niet van ons af zijn. We hebben nog maar drieënhalve week om het huis te vinden (en in te richten). Het huis moet helemaal goed zijn; is het dat niet, dan mislukt alles. Southwold zelf is fantastisch – het soort plaats waar de toeristen vlugger lopen dan de plaatselijke bevolking.

Casting II. Ik weet dat recensenten, enzovoort, kritiek op me zullen hebben omdat ik alleen trendy Londense mediamensen heb uitgekozen. Maar eerlijk gezegd ken ik geen smeden of mijnwerkers – en de mensen die ik ken, kennen ze ook niet. (Tenzij het hun ouders zijn, die ze maar liever vergeten.) Het is tegenwoordig al moeilijk genoeg om een loodgieter te vinden, laat staan een echte ongeschoolde arbeider. Zo langzamerhand wordt het moeilijk om iemand te vinden die a. Engels spreekt (een vereiste, daar zijn jullie het vast wel mee eens) en b. vuil wordt als hij of zij werkt. Het lijkt wel of iedereen – wat ze ook 'doen' – achter een computer zit en van negen tot vijf een eind weg zit te tikken. Het is me een raadsel waarom de overheid het BNP niet fenomenaal opkrikt door van typen een verplicht vak op alle scholen te maken. Hoe dan ook, iedereen in Engeland die interessant is, komt uiteindelijk in Londen terecht. (Met Engeland bedoel ik Groot-Brittannië / het Verenigd Koninkrijk, enzovoort, hoe je het ook wilt noemen – dus wind je maar niet op.) Ik doe echt wel mijn best om vertegenwoordigers te vinden van een aantal *belangrijke* schuine streep *interessante* categorieën: homo, zwart, gehandicapt, arm. Al mijn voelsprieten zijn uitgestoken, en geloof me: als die eenmaal actief zijn, is het Monster uit 20.000 mijlen onder zee vergeleken met mij een klein wurmpje

Alle uitnodigingen zijn de deur uit. De definitieve lijst is: 1. X, 2. Cecile Dupont, 3. mijn redactrice en 4. haar man, 5. ~~Aurelia Dumfries~~ en 6. ~~Sigmunda Franco~~, 7. Sub Overdale, de regisseur, 8. Vong Po, de acteur, 9. Alan Sopwith Wood, 10. Cleangirl, 11. Henry, de man van Cleangirl en 12. Edith, de dochter van Cleangirl. Verder nog 13. een dienstmeisje en 14. een kok (een echte kok, heb ik besloten).

Even iets over deze personen. 1 en 2 kennen jullie al. Ik moet voorzichtig zijn met wat ik over 3 en 4 zeg. 3 is een schat, vooral nadat ze dat enorme bedrag naar me heeft overgemaakt. ~~4 is een beetje een probleem voor me. 3 heeft ook problemen met hem.~~ 4 en ik hebben ~~nooit goed met elkaar kunnen opschieten; we hebben~~ elkaar maar een paar keer ontmoet. *en ik weet zeker dat hij ook heel leuk is.* 4 is een dure advocaat, gespecialiseerd in auteursrecht; 4 procedeert tegen mensen om grote bedragen van ze los te krijgen. 3 en

Inderdaad ja.

Die toestemming heeft gegeven om zijn naam te gebruiken, zolang maar categorisch wordt verklaard dat hij er geen moment aan heeft gedacht ~~deel~~ te nemen.

… Te denken valt aan Emilia Dump en Itty Squidge of iets in die richting.

4 wonen in een prachtig, groot huis in Highgate; uitzicht, tuin, jaloezie. 5 is mijn garantie dat in ieder geval iemand met iemand naar bed gaat. Ze doet het met beide seksen (6 en 8 trouwens ook). Er is een serieuze kans op drie-in-één-bed – of zelfs vier (7 is misschien over te halen). 5 is ook fotomodel, dus mensen voelen zich tot haar aangetrokken. Ze vindt dat niet erg. Het is waarschijnlijk de reden waarom ze model is geworden. Dat, en ook papa's grijpgrage handen. 6 zit zo omhoog dat ze vast wel een vriendje wil voor zolang als het duurt. Ik zou gokken op 1 of 7. 7 is het waarschijnlijkst, want hij zou erg goed voor haar carrière zijn. 7 zelf zal veel drinken en met alle vrouwen naar bed gaan die zich aanbieden. 8 is al met zoveel mensen naar bed geweest dat hij alleen in is voor een echte uitdaging, zoals die waarvoor Valmont in *Dangerous liaisons* zich gesteld zag. Dat betekent dat hij het zal proberen bij mij, 3 of 10. 9 is min of meer ballast. Wat zijn seksleven betreft, vermoed ik dat hij op mijn redactrice valt – ja dat hij serieus werk van haar zal maken. Dat zou de zaak enorm verlevendigen. 10, 11 en 12 vormen een eenheid. 12 is elf jaar oud, dus er zal met haar geflirt worden, maar (hoop ik vurig) verder zal het niet gaan. Wat dat betreft vormt 8 het enige gevaar. Ik zal hem goed duidelijk maken dat hij niet verder mag gaan dan dat hij haar ervoor zorgt dat zij verliefd op hem wordt. 10 en 11 zijn zo Scandinavisch dat als ze andere mensen seks zagen hebben ze er bij een borrel en fondue over gingen zitten praten. Waar die andere mensen bij waren. En de partners van die andere mensen. En hún minnaars en minnaressen ook. Maar ik ben daar nooit zeker van geweest – van hun relatie. (10 zei een keer in een interview dat ze elke dag seks hadden maar dat was in de tijd dat ze nog als model werkte, en het stond in een mannenblad, dus ze zal wel hebben overdreven om er helemaal bij te horen.) Ik denk niet dat een van hen ooit vreemd is gegaan, maar ik zie wel kleine barsten in hun relatie. Die barsten wil ik wel eens zien opengaan. Zoals ik al zei, neem ik aan dat 13 en 14 oud genoeg zijn om buiten de seksuele verwikkelingen te blijven. Ik wil geen romances tussen gasten en personeel. Dat is al tot vervelens toe gedaan en ik wil dat oude lijk niet meer uit de kast halen.

Ik hoop dat ik niet te veel heb verraden. Als ik op een gegeven moment mijn voorspellingen ga doen, zullen die veel nauwkeuriger zijn dan deze kleine schets. En als iemand besluit om niet te komen, moet ik alles veranderen.

Zoals te verwachten was, heb ik mijn eerste toezeggingen al binnen. Alan Wood doet absoluut mee. Dat verwachtte ik ook wel: hij is ooit verliefd op me geweest en doet nog steeds alles wat ik hem vraag. Hij belde om ja te zeggen en te vragen wie er nog meer kwamen. Ik dacht daar even over na en somde het rijtje toen voor hem op. 'Dus Fleur niet,' zei hij. 'Beslist niet,' zei ik. 'Hm,' zei hij. 'Waarom vraag je dat?' zei ik. 'Omdat ze je zuster is,' zei hij. 'Ik dacht dat je haar zou uitnodigen.' Maar ik wist dat hij het had gevraagd omdat hij hoopte op een tweede kans bij haar.

De volgende bevestiging kwam van Cleangirl, via de e-mail. Omdat ik vanmiddag vrij heb, zal ik haar en misschien ook haar man Henry beschrijven. Ik heb Ingrid (Cleangirls echte naam) op school leren kennen. Ze was de mooiste van alle superslanke blondjes die daar rondliepen. Niemand in onze klas kon aan haar tippen. Ze is een combinatie van prairiegirl en Heidi – Heidi uit Ohio. Een tijdlang, totdat ze een beetje ouder begon te worden en haar tekortkomingen wat meer naar voren kwamen, waren de jongens te bang voor haar om haar mee uit te vragen. En haar maagdelijkheid maakte haar niet extra aantrekkelijk. Het leek wel of ze licht gaf, fel wit licht. Het effect was niet erg sexy. Sexy – dat zijn doffe plekken, krassen, stukjes eraf. (Zo heb ik mezelf altijd getroost, een gebarsten en beschadigde oude theepot.) Wat Ingrid betreft heb ik één grote vraag: wie boent haar schoon? Je kunt er niet zo fantastisch gepolijst (nee, niet gepolijst, ze is niet gespierd) uitzien zonder dat iemand het voor je doet. Een professional. Of een aantal professionals. Het is net als de eerste keer dat ik naar een echte fotosessie voor een tijdschrift ging. Uit de locatiewagen stapte een jonge vrouw, en die zei: 'Ik ben je huid', en ze werd gevolgd door een jongeman, die zei: 'Ik ben je haar', en toen kwam er nog een jonge vrouw, en die zei: 'Ik ben je make-up.' Ik heb een sterk vermoeden dat Ingrid zich overal waar ze heen gaat laat vergezellen door een stel robots die zich over haar uiterlijk ontfermen. Zodra ze uit het zicht van andere mensen is, storten ze zich op haar om haar te reinigen, bij te kleuren, met crèmes te bewerken, vuil te verwijderen, poriën open te maken, enzovoort. (God, hééft Ingrid wel poriën? Daar moet ik eens opletten als ik haar weer zie.) Je kunt het ook zo stellen: ze zou in een tl-buizenwinkel kunnen werken en er nog steeds vlekkeloos uitzien. Haar kleren zijn onberispelijk; haar kapsel en make-up zijn, nou, fantastisch. Ze heeft Edith al van klein af aan geleerd om altijd te spugen op de schouder van iemand anders (drie keer op de mijne.) Ze beweert – echt waar – dat ze er alleen zo goed uitziet doordat ze zich met zeep – z e e p – wast en crème van een onbekend merk aanbrengt voordat ze gaat slapen – s l a p e n. Ingrid en ik voeren soms bizarre gesprekken waarin ik probeer de perfectie door te prikken. 'Maar ik heb problemen,' zegt ze, 'net als ieder ander.' (Dat komt eruit als 'net als jullie gewone stervelingen'.) Maar het zou me niet verbazen als ik op een dag naar het strand zou gaan en haar à la Jezus in de branding over de golven zou zien lopen. Natuurlijk haat en benijd en aanbid en verafgood en haat en benijd ik haar. Wie niet? Ik zal je niet over haar huwelijk vertellen; dat is te erg. Ik beperk me tot twee woorden: huwelijkse gelukzaligheid. Mijn moeder zei vroeger altijd tegen me: 'Victoria, jij hebt overal wat op aan te merken.' En ja, mammie, je had gelijk; het is zo. Ik wil fouten zien in Cleangirl, dat meisje met haar frisse sproetengezicht. Ik kan en wil niet geloven dat iemand zo onberispelijk is. (Implicatie: ik ben dat zelf niet.) Kort gezegd: Cleangirl lijkt te mooi om waar te zijn, en dat is altijd al zo geweest. Maar ik ga de diepe, smetteloze, blonde binnenkant verkennen: ik ga op zoek naar haar innerlijke Oscarwinnaar – het snikkende, neurotische wrak dat zich geen raad weet; ik ga haar smetjes vinden; ze heeft smetjes; iedereen heeft smetjes; de smetjes op haar ziel. (Eerst moet ik haar ziel vinden...) Mijn plan: Sub Overdale zover krijgen dat hij haar verleidt. Mijn theorie: ze zal zich aangetrokken voelen tot haar tegenpool – een slordig type. ~~(Bovendien kan hij misschien een van zijn zeldzame geslachtsziekten op haar overdragen (die heeft hij al hoerenlopend op vijf continenten opgedaan), bijvoorbeeld een opzichtige genitale wrat, iets in groen, roze en geel, of een etterige afscheiding, een grote wolk van spruw.)~~ Overdale ontkent dat hij een geslachtsziekte heeft, of ooit heeft gehad. We weten allebei dat hij liegt (jij, meen ik, uit persoonlijke ervaring), maar de juristen vinden het risico te groot.

X en ik gingen het afgelopen weekend weer naar Southwold en vonden bijna meteen het ideale huis. Het is een schilderachtig oud huis in Georgian-stijl, zo'n drie kilometer ten noorden van de vuurtoren; erg dicht bij het strand; bijna genoeg slaapkamers voor iedereen (al zullen sommigen – o nee! – een kamer moeten delen); en de eigenaars willen het graag voor ons vrijmaken. Het kost een bom duiten, een atoombom kun je wel zeggen, maar het is het waard. Het huis heeft alle sfeer die je zou kunnen wensen. Ik verwachtte elk moment dat Virginia Woolf de hoek om zou komen schrijden, met zijden handschoenen in haar hand. Ik moet nu de onderhandelingen met de eigenaars beginnen. Simona kan me daarbij helpen.

Ik ben begonnen *Naar de vuurtoren* te herlezen, en ook Woolfs dagboeken, vanaf het allereerste begin.

Naar de winkel met spionageapparatuur geweest – opwindend. Maar het is moeilijk om je gezicht in de plooi te houden: de verkoper was een ex-militair en droeg een marineblauw jasje met rijen gouden knopen en met een wapen en een Latijnse nepspreuk op het borstzakje. Maar dit moet ik meneer ~~Strang~~ nageven: hij was erg deskundig en stelde geen lastige vragen. (Ik zag op de achterkant van *Private Eye* hoe hij heette.) Toen ik vertelde wat ik wilde, verzekerde hij me dat dat geen enkel probleem was. Het was een iets groter project dan gebruikelijk (een iets groter huis), maar ze zouden het voor elkaar krijgen. Hij had het over allerlei technische aspecten, maar daar heb ik niet naar geluisterd. Waar het om gaat, is dat ik álles zal kunnen zien en horen wat zich in het huis afspeelt. Ik vroeg hoeveel tijd hij nodig zou hebben. 'Anderhalve dag,' zei hij. 'Kunt u het ook in één heel, heel lange dag?' vroeg ik met een charmant glimlachje. 'Ja,' zei hij, ook met zo'n glimlachje. We werden het eens over de voorwaarden. Ik gaf hem mijn creditcard. Toen ik buiten kwam, kon ik niet geloven dat het zó eenvoudig was gegaan – en dat zonder de wet te overtreden.

Ik ben nu zo blij dat ik op dit idee ben gekomen. Over een jaar of twee gaan al mijn vrienden zich voortplanten en dan zijn ze misschien min-

Hij spant een proces aan als je zijn eigen naam gebruikt of als je details noemt waaruit iets over zijn bedrijf is af te leiden. Wat denk je van Smith?

der met zichzelf bezig (minder door zichzelf geobsedeerd?) – in ieder geval zijn ze dan minder interessant. Vraag maar aan mensen met een kind van twee wat het laatste serieuze boek is dat ze hebben gelezen. En maak dan een gebaar alsof je een boek openslaat om ze eraan te helpen herinneren wat een boek ook alweer was. Rotzooi, misschien. Thrillers en zo. Liefdesromannetjes. Maar geschiedenis of filosofie of politiek of zelfs populair wetenschappelijk werk? De arme schatten hebben – als ze hun lieve kleintjes eenmaal hebben ingestopt – nauwelijks nog de energie om een krant op te rapen, laat staan het concentratievermogen om daar iets uit op te pikken. De eerstvolgende vijftien jaar zijn ze omwille van de kinderen opzettelijk saai. Als ze eindelijk weer een beetje aandacht voor zichzelf krijgen, gebruiken ze die aandacht om verachtelijke verhoudingen zoals kwabbige vijfenveertigjarigen die hebben, aan te gaan. En ik sta niet te trappelen om daarover te schrijven. Al moet dat misschien ook gebeuren, net als die verhoudingen zelf. En dus krijg ik, door nu op dit idee te komen, mijn personages (degenen die verhoudingen aangaan) op precies het juiste moment – zo rond de dertig. Als de vraag met wie ze zich gaan voortplanten nog in de lucht hangt. En tegelijk wil ik mezelf ook als het ware in de lucht laten hangen – voor Henry's neus, om me snel terug te trekken voordat zijn kaken de kans krijgen om toe te happen. (Wat een vreemd beeld! Het doet weer aan honden denken. Ik hoop niet dat je in deze tekst overal honden tegenkomt. De verrichtingen van Rex in *Trek lijntjes tussen de stippen* waren zelfs voor de hondententoonstellingenfreaks een beetje te veel van het goede... Waarom moet ik altijd zo nodig dieren centraal stellen in mijn verhalen?) Dit is het moment; dit zijn de vragen – hoe fel zal ons sint-elmusvuur branden voordat het gedoofd wordt? En hoe kil zal onze *Big Chill* blijken te zijn?

Virginia is zo ondeugend; het verbaast me dat ze ermee weg komt. Wat denk je hiervan: 'De armen maken geen kans; ze hebben geen manieren of zelfbeheersing om zichzelf te beschermen; wij hebben het monopolie op alle edele gevoelens – (dat is misschien niet helemaal waar, maar het bevat wel een kern van waarheid; armoede leidt tot degeneratie, zoals Gissing zei.)' Dat schreef ze op donderdag 13 december 1917 in haar dagboek. En op de bladzijde daarvoor: 'De vrouwen zeiden dat het een voortreffelijke toespraak was; ze zijn al snel onder de indruk van zinnen die vloeiend in elkaar overgaan.' Dinsdag (11 december). Ze is zo'n snob, goddank! Ik voel me nu in sommige opzichten zo nauw met haar verbonden dat ik haar bijna hallucineer. Ik zie haar, Virginia, mevrouw Woolf, op een winterse ochtend over Bloomsbury Square lopen, met haar hoed, haar boodschappenmand & haar handschoenen & haar kwetsbaarheid, al lijkt ze enorm zelfverzekerd. Wat een schat is ze: ik wil haar voor alle kwaad behoeden, & voor al degenen die ons niet begrijpen. Zo delicaat als een ooglid; zo intens als een felle zonnestraal – ze is, besef ik opeens, mijn muze. O Virginia, geef je zegen aan wat ik doe; als je nog steeds je zegen aan dingen geeft. Ik verwacht eigenlijk van niet; ik verwacht dat je je zorgen maakt om het personeel. (Ik ook.) Zo breng ik tegenwoordig een verloren uurtje door: ik word een beetje gek, op papier, omdat ik dat nu eenmaal leuk vind. En net als zij ben ik bang dat ik ze niet allemaal op een rijtje heb. (Ik ben nooit echt gek geweest; al heeft het soms niet veel gescheeld; toen ik net was afgestudeerd heb ik iets gehad, op zijn minst een ernstige depressie, misschien iets anders. Je staat niet opeens met een grote verzameling scheermesjes in een badkamer als er niets schort aan je geestelijke gezondheid.) Snijdende opmerkingen, snijdend in het algemeen. ~~Snij dit eruit.~~ Nee. Ik vind het goed. Het geeft je personage wat broodnodige diepte.

Geweldig nieuws: we hebben onze belangrijke categorie 'Overige' afgewerkt – Alan Wood heeft een vriend van een vriend die een collega heeft die Marcia heet; en of je het nu gelooft of niet, ze is – let op – een arme zwarte gehandicapte lesbienne die in geen zeven jaar op vakantie is geweest! Misschien moeten er een paar aanpassingen komen, bijvoorbeeld spastenhellingen en extra sanitaire voorzieningen op de benedenverdieping – maar als ik haar eenmaal heb ontmoet en met haar in zee ben gegaan, is het allemaal geen probleem meer. Ik heb Alan net een mailtje gestuurd om hem te bedanken. De lieverd. O, ik ben zo blij. We zijn nu representatief! (Min of meer.) ~~Niet vergeten: dat 'spastenhellingen' eruit halen als ik dit corrigeer.~~ Nee. Vind ik niet nodig. En er wordt later nog naar verwezen.

Alles geregeld met eigenaars. Simona pakte hen geweldig aan, vooral hem: vos én rottweiler.

Een ramp. Het schijnt dat een aantal van de genodigden gisteravond in Soho bijeen is gekomen en – collectief – heeft besloten niet mee te doen. (Hoe kenden ze elkaar? En hoe wisten ze wie ik precies had uitgenodigd? Ik heb tegen iedereen gezegd dat het geheim moest blijven. Dat was waarschijnlijk een grote fout: als ik tegen hen had gezegd het aan iedereen te vertellen, zouden ze het stil hebben gehouden om mij te ergeren. Het is allemaal de schuld van de e-mail.) Het zijn/waren ~~Aurelia Dumfries~~, Sub Overdale, S~~igmunda~~ France en Vong Po. Nu zit ik dus met grote lacunes, en ik heb maar drie weken om ze op te vullen. Ik zie het even helemaal niet meer zitten. X probeerde me daarnet te troosten. 'Je hebt vast wel een B-lijst,' zei hij. 'Maar ik wil de A-lijst!' jammerde ik. 'De B-lijst is de B-lijst omdat ze niet zo geschikt zijn – en ik wil ze niet echt hebben.' Hij trok een tweede fles wijn open. 'Wie staan er op de B-lijst?' vroeg hij. 'Die lijst zit alleen in mijn hoofd,' antwoordde ik. 'Vertel eens.' 'Nou, we kunnen een of twee mensen minder nemen.' 'Natuurlijk.' 'Dat zou misschien een goed idee zijn,' zei ik. 'Het waren er dertien of veertien – vooropgesteld dat Marcia komt.' 'Hoe staat het er met haar voor?' 'We ontmoeten elkaar volgende week.' 'Dan hoef je er nog maar één te vinden.' 'Of twee.' 'Nou, wie staan er op je B-lijst?' Ik noemde een paar namen. Een van die mensen was al door mij benaderd en had nee gezegd. Van de ander wist ik dat hij in augustus naar Amerika ging om zijn boek te promoten. 'Nou,' zei ik, 'dan is er altijd nog mijn zús.' 'Wilde jij haar een tijdje geleden niet aan iemand koppelen?' 'Dat probeerde ik. Aan Alan Wood.' 'Probeer het opnieuw,' zei hij. 'Nodig haar uit.' Ik ga hier niet uitleggen waarom ik dat niet wil. Het zou een te lang verhaal zijn. Het had erop geleken dat Alan en Fleur voor elkaar in de wieg waren gelegd; meneer Stuntel ontmoet mevrouw Moederkloek; Klungel ontmoet Stoethaspel. Maar toen ik ze samen te eten had gevraagd, keken ze elkaar amper aan. Dat was een van mijn grootste mislukkingen, wat koppelen betreft. Ik wil dat niet nog een keer meemaken, zeker niet als ik er ook nog over moet schrijven. Toch geloof ik diep in mijn hart nog steeds dat het iets tussen hen

Vind je dat achteraf nog steeds? Ik vond dat we eigenlijk

zou kunnen worden. X heeft gelijk. Als ik erg omhoog zit, kan ik altijd nog mijn zus vragen. Ik ben dronken en ik ga finaal de mist in als ik niet verdomd gauw een stel interessante, sexy personages vind. Ik heb de zaak te lang op zijn beloop gelaten. Ik had dit alles minstens een jaar van tevoren moeten plannen: huis, gasten, alles...

De dingen lijken niet meer zo erg als gisteravond. Al heb ik een verpletterende kater. Je weet wel, als je je ogen half dichtknijpt omdat de zon zo fel is – zoals X en ik op het strand deden als we geen zonnebril op hadden – zo is het ongeveer, maar dan binnen in mijn hoofd, en daar kan ik niets dichtknijpen. De dingen in de echte/fictieve wereld zien er beter uit, want: a. ik had toch al te veel personages, en b. X heeft gelijk, het is misschien best leuk om Fleur erbij te hebben. Maar eerst neem ik contact op met een paar mensen die net niet in de A-lijst zijn gekomen. Misschien hebben ze hun plannen voor de zomer aangepast.

Personeel geregeld via bemiddelingsbureau: dienstmeisje (in de veertig) en kok (vijfentwintig). Die laatste is niet helemaal wat ik zocht (te jong, te aantrekkelijk), maar iets anders was niet beschikbaar.

...je lezers het niet prettig vinden een beeld van het dienstmeisje te ...gen? Ik weet wel waarom je haar niet beschrijft, namelijk om de personeels-

Ik moet nog wat meer vertellen over mijn personages. Als je dat liever overslaat om later te kijken naar wat ik heb gezegd, dan is dat prima. Laat ik het nu eens hebben over... Edith, de elfjarige dochter van Cleangirl. Edith is meer dan leuk om te zien; ze is zelfs meer dan mooi. Als ze alleen maar leuk om te zien was, alleen maar mooi, zou ik haar benijden, en dat doe ik niet: ik aanbid haar. Elke keer dat ze de kamer binnenkomt, denk ik aan advertenties en reclameboodschappen. Ze is blond en je kunt zien dat ze altijd blond zal blijven. Ik kan nu al zeggen dat ze een van die oude vrouwen wordt waarvan de schoonheid niet afneemt maar alleen uitdroogt. Ze zal van een mooie weide in een even-mooie-zo-niet-mooiere woestijn veranderen. Ze kleedt zich – ja *kleedt zich*, niet *wordt gekleed* – zo goed; wat dat betreft, kon ze wel een Française zijn. En ze kan iets wat bepaalde *jeunes filles françaises* kunnen – haar ouderwetse naam (naar Wharton, niet naar Sitwell of Piaf) tot iets *très très chic* maken. Het lijkt wel of haar moeder, door haar zo'n stuntelige

...41 en ze heeft een vriendelijk, tamelijk rond gezicht, roze ...nderarmen, henna in haar haar en een charmant Oost-Engels ...ccent.' (Ik heb geprobeerd jouw stijl te imiteren.)

naam te geven, zichzelf én haar dochter voor een uitdaging stelde: zichzelf om een dochter op te voeden die met zo'n moeilijke naam moet leren leven, en Edith om zo vanzelfsprekend, moeiteloos, schaamteloos bij haar naam te passen dat niemand die dubbele uitdaging ooit openlijk aan de orde stelt. Vanwege dit alles is iedereen gek op Edith; ze vermaakt mensen alleen al door er te zijn. In de komende jaren zal het een bijna sublieme ervaring zijn te getuigen van Ediths onverschilligheid ten opzichte van de mannenharten die ze in vuur en vlam zet – ja dat laatste doet ze nu al, niet harteloos maar gedachteloos. Oude mannen kijken naar haar en wensen dat ze maar vijf jaar ouder zijn dan zij; jonge mannen kijken, huiveren en wenden hun blik af, want hun moed gaat tegelijk met hun hart in vlammen op. Wat dat betreft, is ze net haar moeder. Het is subliem verschrikkelijk. De enige mannen van wie Edith misschien ooit zal houden, zouden haar eigen zoons zijn, als ze die krijgt; en als ze dochters krijgt, zal ze haar eigen intensiteit, en die van haar moeder, en haar onverschilligheid ten opzichte van mannen op hen overdragen. Als ze dochters krijgt, of een dochter, zou dat catastrofaal zijn. Als dit nog een generatie doorgaat, wordt het een vloek. Haar enige hoop, haar enige redding, zou een vroegtijdige verliefdheid zijn die haar laat kennismaken met hopeloosheid. Anders zal de hopeloosheid, tijdens haar leven en dat van haar dochters, altijd alleen maar aan de kant van de mannen te vinden zijn. Ja, dat gevoel krijg ik als ik naar haar kijk: hopeloosheid. Maar ik heb een plan, en dat zal ik je nu vertellen; ik bewaar het dus niet voor mijn synopsis. Ik ben van plan om Edith smoorverliefd te laten. Ik heb een bepaald gevoel over haar en X. Ik weet hoe ik het moet aanpakken. Het houdt in dat ik X interessant maak voor een onkwetsbaar hart. Daarvoor moet hij overkomen als iemand die diep getroffen is, door verdriet overmand. En dat zal na een week precies de staat zijn waarin hij verkeert, om precies te zijn op de tweede maandag, want ik ben van plan hem op die dag te dumpen. (Dat bedoelde ik toen ik Simona beloofde dat er iets groots te gebeuren stond. Dat is het.) Ik zal dat in Ediths bijzijn doen. Ik denk niet dat ze ooit een volwassen man heeft gezien die zoveel verdriet heeft. Of die zo aantrekkelijk is. Hij houdt van me. Echt.

Ik heb hier een P.S. aan toe te voegen: Ediths nagels zijn lelijk afgebeten. Misschien lijkt dat nu onbelangrijk, maar later zal het belang nog duidelijk worden. Dat is altijd een van mijn criteria voor mijn fictieve personages geweest: *weet ik hoe hun nagels eruitzien?* Als ik het weet, hebben ze de realiteitsproef doorstaan. Edith is niet volmaakt; dat is niemand.

Nog één week.

Ik heb tien exemplaren van *Naar de vuurtoren* gekocht. Het lijkt me leuk om een leesclubje te organiseren, en dit boek ligt dan voor de hand. Ik moest vijf boekwinkels af lopen voordat ik genoeg exemplaren van de juiste editie had – die hele goeie ouwe Charing Cross Road door, en toen door ordi Oxford Street. Pas toen ik ze allemaal had, besefte ik dat X ze via internet voor me had kunnen bestellen. Evengoed kon ik meteen kijken hoeveel exemplaren van *Ruimtelijkheid* en van mijn andere titels ze in voorraad hadden. Dat was een beetje teleurstellend, moet ik toegeven, maar de meeste winkels hadden er wel een paar.

Ik heb Marcia ontmoet. Ze is volmaakt. Aan een rolstoel gekluisterd maar erg energiek. (Het is polio, zei Alan.) Verdeling van slaapkamers (~~zie plattegrond hieronder.~~) Marcia zou de kamer op de begane grond krijgen, al voordat ik hoorde dat ze gehandicapt was. Ik heb haar dat uitgelegd om duidelijk te maken dat het hier niet om vooroordelen gaat, en ze zei dat ze het prima vond. Ze spreekt erg goed Engels, maar misschien niet zo kleurrijk als je zou willen. Misschien begint ze wat Jamaicaanser te praten als ze een beetje ontspannen is. (Ik geloof dat ze daarvandaan komt. Ergens in het Caribisch gebied.) Misschien moet ik een patois-woordenboek aanschaffen? Dan volgt nu een beschrijving van haar: Marcia Holmes, dertig, educatief medewerkster, West-Londen. Momenteel heeft ze een relatie (ik geloof dat haar vriendin niet gehandicapt is), maar daar wilde ze niets over vertellen. Ik voelde spanning. Erg leuk gezicht; niet zo'n geweldige teint. Ze maakte een heel serieuze indruk, maar ze zal vast wel lachen en het zonnetje in huis zijn als ze eenmaal een beetje rum binnen heeft. Voorlopig lijkt dit me wel genoeg.

[illegible] gruwel dat je het hebt gedacht, laat staan dat je het opgeschreven. Het blijft staan.

Bij dit alles, bij de samenstelling van het geheel, van al mijn personages, ben ik tot het inzicht gekomen dat ze minstens één ding met elkaar gemeen hebben: ze interesseren of fascineren me niet alleen, maar laten me ook perplex staan. Ik wil weten hoe ze doen wat ze doen, hoe ze zijn wie ze zijn of op zijn minst, hoe ze lijken wat ze lijken. En van niemand wil ik dat meer weten dan van Cecile. Als ik een van mijn gasten zou kunnen zijn, zou ik haar kiezen, ondanks haar leeftijd, of misschien juist daarom. (Cecile te zijn, en jonger! Stel je voor!) Het is wel duidelijk, hè? Ik ben verzot op haar. Ze kan een stuk kaas op een toastje in *cuisine* veranderen. Ze kan zelfs een *béret* origineel laten lijken. Ik heb haar gecultiveerd in de hoop dat ze mij zal cultiveren. Als ik bij haar ben, weet ik altijd dat als ik haar voorbeeld volg ik het goede doe. Ik wil tot een beter milieu behoren; dat is heel onmodieus en snobistisch, dat geef ik toe. Aspiraties om tot de betere kringen te behoren – zijn die niet bezweken in de tijd van de brontosaurus? Toch wil ik dat – ik wil het erg graag. Ik wil leren hoe je een kamer binnenkomt: niet groots, niet als een filmster – nee, hoe je gewoon, zelfverzekerd, precies zoals het hoort een kamer binnenkomt. Ik heb geprobeerd haar te vragen hoe het aanvoelt om haar te zíjn – met haar gaven en verworvenheden – maar natuurlijk geeft ze geen duidelijk antwoord. Ze ís niet, ze valt buiten de is-heid. Ze past net zo precies op haar plekje in de wereld als dat stukje roquefort in haar handtas. Ik herinner me dat ik me een keer liet fotograferen voor een of ander blad – de Japanse *Vogue*, geloof ik – en dat een vrouw vanaf de andere kant van de kamer naar me keek. Ze ging naar een kledingrek en pakte er drie outfits uit die me tot op de millimeter pasten. Zo is Cecile: ze ziet, ze weet, ze handelt. Het enige dat ik me bij haar afvraag, en bij het feit dat ze overal precies past, is hoe ze het uithoudt in dat groezelige oude Engeland. In mijn achterhoofd heb ik het vermoeden dat hoe *chic* ze ook is, de boulevards van Parijs een zedigheid kennen die veel verder gaat dan alles waar Cecile toe in staat is. Als die gedachte mij al bang maakt, moet zij er wel panisch van worden.

Degenen die op mijn alternatieve A-lijst stonden, laten het afweten. Het wordt dus Fleur. Ik twijfel er niet aan dat ze ja zal zeggen. Ze wil al wraak nemen sinds ik haar als Dotty's slonzige zuster in *Trek lijntjes tussen de stippen* heb geportretteerd.

Omdat Fleur geen e-mail heeft, moest ik haar bellen om het te vragen. Ik mocht geen tijd meer verspillen. Het duurde ongeveer vijf minuten voor ze de telefoon opnam – waarschijnlijk was ze ergens aan het bidden of koeien melken of zoiets. Ze had al iets over het project gehoord via mammie – die ik het moest vertellen om uit te leggen dat ik in augustus niet naar haar zou komen. 'Ik neem aan dat iemand op het laatste moment heeft afgezegd,' zei Fleur. Ik kon niet doen alsof ik haar de hele tijd al had willen vragen. 'Ik wilde er eerst geen familie bij hebben,' zei ik. 'Ik was bang dat het te veel zou worden.' 'Ik ben geen "familie",' zei Fleur. 'Ik ben ik.' Jij bent te veel jij, dacht ik. 'Maar misschien ben ík te veel,' zei ze. 'Zeg, doe je nou mee of niet?' vroeg ik. 'Ik zou wel graag willen,' zei Fleur erg langzaam. Wat haar niet zo geslaagde manier is om dreigend over te komen. We praatten nog een tijdje en toen vroeg ik: 'Wil je weten wie er nog meer komen?' Ik wilde haar over Alan vertellen om haar reactie te peilen. 'Nee,' zei ze. 'Ik wil dat het een verrassing blijft. Als het vrienden van jou zijn, zijn ze vast wel... zoals vrienden van jou altijd zijn.' Ik zei maar niets terug; niet weer die discussie.

Drugs.

De alinea die ik eruit heb gehaald, was zo lasterlijk dat ik hem niet eens aan de juristen wilde voorleggen – daarom heb ik hem eruit geknipt, met een schaar.

Alan daarentegen gebruikt nooit iets anders dan medicijnen die hem door de dokter zijn voorgeschreven.

Toen ik het even wat minder druk had, heb ik bruikbare pseudoniemen voor mijn hoofdpersonen bedacht – mochten sommigen erop staan dat ze onder een andere naam vermeld worden. (Dat gaat niet gebeuren, want ik wil het niet; als ze dan niet willen meedoen, doen ze maar niet mee.) Maar het is grappig en het is een manier om het hele project als een farce te zien. Natuurlijk kon ik, zoals altijd, honderden schuilnamen voor mijn grote zus bedenken. Omdat ik twee jaar jonger was dan zij, was het bedenken van namen altijd mijn eerste en ook beste manier om wraak te nemen. Tot nu toe heb ik 'Faye Lear' (niet slecht, spreek het maar eens hardop uit), Jean Poole, Ms. R.E. Guts, Ms. R.A. Bullcow, Sally Fallowfield (wreed maar *très amusant*) en mijn eigen favoriet tot nu toe, Hester Sump (alleen maar beschrijvend). Overigens: misschien vraag je je af of ik me zorgen maak over wat ze zal denken als ze dit in het manuscript leest. Nou, daar zit ik niet mee. Je kunt haar reactie op het eind lezen – bij de Reacties. Maar alsjeblieft, ga daar nu nog niet spieken. Ik denk dat ze eerst haar schouders ophaalt, dan huilt, en dan zichzelf bij een kopje thee en een zacht geworden koekje zal troosten met de gedachte dat ze in moreel opzicht veel en veel beter is dan ik – en altijd is geweest. Met een beetje geluk zegt ze iets tegen Alan dat nog net niet venijnig is. Misschien maakt ze ook een extra trip naar de dorpskerk en gaat ze daar bidden voor de kracht om mij te vergeven. Fleur, geloof me, maak je niet druk, ik ben het niet waard.

Ik besef dat ik nog geen beschrijving heb gegeven van Henry, de man van Cleangirl. Voor een deel heb ik dat niet gedaan omdat ik hem eigenlijk niet goed ken. Ik ken hem niet écht – al hebben we samen op de universiteit gezeten en al heb ik hem aan Ingrid voorgesteld. Hij is theaterproducent en soms regisseur. Ik vind hem, zeker in fysiek opzicht, net iemand uit de catalogus van een postorderbedrijf: modieuze stoppelbaard (als hij zich niet scheert) en modieuze rimpels (als hij glimlacht of pijn heeft, en dat gebeurt bijna nooit). Misschien kom ik meer over hem te weten als hij wat minder op zijn qui-vive is. (Met andere woorden, als het me lukt hem te verleiden.) Hij is al helemaal grijs. Door het vaderschap ziet hij er veel afgeleefder uit dan X. Hij heeft mooie handen – intelligent en zo expressief als Engelse handen maar kunnen zijn; mannelijke handen. Ik stel me hem voor terwijl hij de houding of het kostuum van een knappe jonge actrice verbetert – al geloof ik dat hij sinds zijn huwelijk met Cleangirl lang niet meer zo persoonlijk betrokken is bij zijn producties.

Nog twee dagen. Ik werd gebeld door meneer ~~Strang~~, de man van de spionageapparatuur. Ze zijn zonder problemen het huis in gekomen (ik had de sleutels die de eigenaars me hadden gestuurd aan hen overhandigd). Het was wat lastiger geweest om op de zolder te komen, maar na een paar uur hadden ze de sleutel van het hangslot gevonden. Ze hebben camera's in alle slaapkamers geïnstalleerd, en ook in de keuken en huiskamer; maar niet in de gangen of buiten – dat was te duur. Alles zal klaar zijn als ik daar aankom – ik hoef de boel alleen maar aan te zetten en toe te kijken. Overigens heb ik een besluit genomen: ik ga de surveillance-apparatuur in de eerste week niet gebruiken. (Ik vraag X of hij ervoor wil zorgen dat ik me daaraan houd.) Tijdens die eerste dagen laat ik me helemaal door mijn intuïtie leiden. Misschien gebruik ik de camera's wel helemaal niet. Misschien doe ik het project *au naturel*, maar alleen als ik het gevoel heb dat ik alles binnenkrijg via de Ideeëndoos en de Biecht – plus mijn eigen waarnemingsvermogen.

X heeft me zojuist verteld dat hij met zijn motor naar Southwold wil rijden. Ik heb hem dat verboden. Als hij dat ding daar heeft, houd ik hem nooit binnen. Dan scheurt hij constant met honderdvijftig kilometer per uur naar Cornwall of Aberdeen. Bovendien wil ik niet dat hij zo gemakkelijk kan ontsnappen als ik hem uit tactische overwegingen de bons geef.

Ik heb er tot het laatste moment mee gewacht, maar ik moet nu een beschrijving van mijn zuster geven. Ik ga nu niet haar hele karakter beschrijven, maar beperk me tot haar uiterlijk. In wezen ziet ze eruit als een schaap, en als ze zich opmaakt, ziet ze eruit als een schaap met make-up. Haalt ze haar make-up er weer af, dan ziet ze eruit als een schaap dat zich nodig moet opmaken. Feiten: ze woont op een boerderij bij Hereford. Ze is ooit getrouwd geweest. Dat ging mis. Ik krijg later vast nog wel eens een aanleiding om jullie meer daarover te vertellen. Ik vond haar man geen slechte kerel (Clive, heette hij); eigenlijk was hij beter dan ze verdiende.

SYNOPSIS

Het is Dag Nul. X en ik arriveren om de laatste voorbereidingen te treffen. Ik huil veel en zeg tegen hem dat iedereen die komt de pest aan me heeft. Hij troost me en zegt dat ze niet zouden komen als ze niet van me hielden.

Er zijn tienduizend dingen die ik op het laatste moment met het personeel moet regelen. 'Het moet perfect zijn, begrijp je, perfect!' schreeuw ik tegen het dienstmeisje tot zij ook begint te huilen.

Later op de avond zoek ik haar achter in de tuin op en bied mijn verontschuldigingen aan. Ze zegt dat ze weet dat ik onder grote spanning sta. Ze zegt dat ze een van mijn boeken heeft gelezen, al voordat ze er zelfs maar over dacht om naar deze baan te solliciteren. (Het was *De heerlijke plek.*) Ze lacht als ze daaraan terugdenkt en zegt dat ze nooit had gedacht dat ze me zou ontmoeten. Ik bedank haar in alle oprechtheid en complimenteer haar met alles wat ze tot nu toe heeft gedaan om het huis in orde te maken voor de gasten. We sluiten vriendschap. Ik leen een sigaret van haar, wetende dat ik aan het eind van dit krankzinnige project weer op zestig per dag zit. We sluiten nog wat meer vriendschap.

Als ik in het huis terug ben, ga ik van kamer naar kamer. Ik ben nu niet meer zo gespannen en begin me op het project te verheugen. Als ik door de leegte loop die straks zal worden opgevuld, denk ik aan alle dingen die daar misschien, of misschien niet, gaan gebeuren; dingen die nooit de kans zouden krijgen om te gebeuren, als ik er niet was geweest.

Ik zeg dat tegen X, als hij bij me komt. Hij beschuldigt me meteen van grootheidswaan. Hij zegt dat ik niet te veel het gevoel moet hebben dat ik macht heb. 'Macht,' zeg ik. 'Natuurlijk gaat het om macht. Alles gaat om macht. Een wedstrijd taartenbakken gaat ook om macht.' Zoals altijd kalmeert hij me. Hij zegt dat ik niets anders hoef te doen dan achterover leunen en wachten op de dingen die gaan komen. Het harde werken is voorbij, nu volgt alleen nog de beloning, enzovoort, enzovoort. Ik zeg tegen hem dat hij me niet zo moet bemoederen, want ik weet dat allemaal al.

We gaan naar bed. Hij masseert een hele tijd mijn rug. Hij bedrijft teder de liefde met me. Hij zegt dat hij van me houdt en rolt zich op zijn zij om mij de helft van het bed en driekwart van het dekbed te geven.

De wereld is weer vredig; buiten het raam zingt de zee me tot rust, en ik val in een diepe slaap.

Week Eén, Dag 1

Ik sta vroeg op, deugdzaam en puriteins. (*Heer, ik mag in het verleden dan hebben gezondigd, ik ben dat vandaag niet van plan, voorzover ik daar enige invloed op heb* – dat is ongeveer mijn houding.)

De vlinders in mijn buik voelen aan alsof ze met een netje gevangen, opgeprikt en achter glas met zware houten lijsten gelegd zijn. Maar ze zijn niet dood – o nee, ze fladderen nog rond; ik voel de hoeken van de houten lijsten, ze prikken in mijn ingewanden.

Zonder het mij te vragen geeft X de kok vrijaf en maakt hij een compleet Engels ontbijt voor ons klaar, of zelfs meer dan compleet Engels: totaal Engels – bloedworst, gegrilde tomaten. Als straks iedereen er is, zegt hij, krijg ik misschien pas vanavond weer de gelegenheid om te eten.

Zodra ik de laatste hap geroosterd brood heb genomen, voel ik me misselijk. Erg misselijk. Ik ren naar de gootsteen en geef over.

Ik voel me beter.

Ik voel me weer beroerd.

Ik maak een wandelingetje door de tuin om mezelf tot rust te brengen. De tuin: hij is zo weelderig vol, zo mooi, zo Engels. Het is koel, maar vandaag wordt het warmer. De ochtend is hier het beste deel van de dag. Ik voel me sterk. Ik ben er klaar voor.

Ik ga naar de wc en probeer over te geven; het lukt niet. Ik weet dat ik er klaar voor ben.

Ik neem een beetje sinaasappelsap om het laatste restje vieze smaak weg te spoelen. Voor alle zekerheid poets ik mijn tanden. Buiten stopt een auto. Ik geef over op de vloerbedekking in de hal. Maar het is geen gast, het zijn alleen maar bloemen – gestuurd door Simona om me geluk te wensen.

Met opzet, om me te ergeren, is Fleur de eerste die aankomt. Ze heeft een vroege trein uit Londen genomen (waar ze bij een christelijke vriendin heeft overnacht) en belt vanaf het station. X en ik maken even ruzie wie haar moet afhalen. Hij verliest, maar ik ga toch.

Als ze over het perron naar me toe loopt, heb ik opeens een warm gevoel voor Fleur. In haar afgedragen kleren ziet ze er zo Holly Hobby uit, zo helemaal alleen in een gevaarlijke wereld. Ik herinner me dat ze me vroeger met haar poppen liet spelen, en dat ik dan altijd kans zag ze kapot te maken, en dat ze me dat vergaf, en dat ik dan kwaad op haar was omdat ze zo áárdig was.

We kussen elkaar op de About-meisjes manier, zoals onze moeder ons heeft geleerd: één keer op de kin, één keer op de lippen, één keer op het voorhoofd. Die intimiteit van vroeger vinden we gênant. Ik vraag naar nieuws over onze ouders, en Fleur is nog steeds bezig me over de verschillende ziekten van mammie te vertellen als we in de auto stappen. Ik vertel mijn zus maar niet welke ziekten volgens mij ingebeeld zijn (zo'n negentig procent), maar ik weet wel dat het een bron van onenigheid kan zijn, als ik daar behoefte aan heb.

Als we van het station naar huis rijden, vertelt Fleur me het laatste nieuws uit haar dorp. Als er iemand op een buitengewoon gruwelijke manier aan zijn eind is gekomen, vind ik het wel interessant; verder vraag ik me vooral af hoe Fleur op het huis zal reageren. Ik weet dat ze zal zeggen dat het een nepboerderij is, en dat ze liever iets authentieks had gehad. (Woeste Hoogten misschien – compleet met een berg dode konijnen op de keukentafel.)

We rijden de oprijlaan op en Fleur verrast me door iets onverwacht edelmoedigs te zeggen. Ik ben ontroerd en rijd bijna blind de struiken in.

X komt naar buiten om de eerste gast te begroeten.

Ik breng mijn zus naar haar kamer en laat haar alleen met haar bloemetjeskoffer.

Dan komen... Cleangirl *et famille*. Ze komen uit een enorme Duitse stationcar getuimeld, en wonderbaarlijk genoeg verkeren ze na hun vijf uur durende rit vanuit Brighton in een goed humeur. Ingrid gaat monumentaal naar het huis staan kijken – als een gigantisch standbeeld dat het Sovjet-moederschap moet symboliseren. Ze heeft zoveel persoonlijkheid dat ik moet oppassen dat ze met haar blonde charisma niet de leiding van me overneemt. Henry kust me gedag en ik houd hem iets langer vast dan nodig is – een mini-aarzeling die vooruitloopt op latere, langduriger aarzelingen. Edith is erg enthousiast over het huis; reken maar dat ze er binnenkort verliefd op is. Ze ziet hoe sterk X is als hij haar koffers naar binnen draagt. Misschien heeft hij haar ook even omhelsd en is ze nog niet bekomen van zo'n intieme aanraking die al het andere doet vergeten.

Cecile heeft me al verteld dat ze pas de tweede dag kan komen: ik denk dat het haar bedoeling is om een van haar *entrances* te maken. Ik wou dat ik half zo indrukwekkend was, in plaats van – zoals ik nu vast zal overkomen – een mevrouw de Egel die gasten verwelkomt in haar nederige hol onder de grond.

Dan komen in willekeurige volgorde mijn redacteur Simona en haar
geweldig (of misschien moet ik zeggen vreselijk geweldige?)
√vreselijke man William, en dan Marcia, en dan Alan Sopwith-Wood aan. Ja, ik had wel verwacht dat Alan de laatste zou zijn. ~~Ook hem moet ik van het station afhalen.~~ (De anderen hebben een auto, zelfs Marcia.) Maar ik wíl ook degene zijn die hem naar het huis brengt, want dan ben ik er in elk geval bij als hij zijn eerste (tweede) ontmoeting met Fleur heeft. In het begin had ik tegen hem gezegd dat ze niet kwam en daarna heb ik hem niet verteld dat ze toch zou komen. Hoe meer ik erover nadenk, des te groter lijkt me de kans dat ze verliefd op elkaar worden. Toen ze elkaar die eerste keer ontmoetten, ging er iets mis; er gebeurde iets niet dat had moeten gebeuren. X had gelijk: als ik ze weer bij elkaar breng zonder dat ze het van tevoren weten, zou de vonk best eens kunnen overslaan. Zoals ik hierboven al heb beschreven, wilde Fleur beslist niet weten wie ik nog meer had uitgenodigd. Dat was ergerlijk, want ik wilde haar graag over Alan vertellen om haar reactie te peilen.

De kok arriveert en begint te koken.

Aan het eind van de eerste dag genieten we met zijn allen van een fantastisch diner. Ik houd mijn spontane welkomsttoespraakje, het toespraakje waaraan ik al heb gesleuteld sinds ik op dit krankzinnige idee kwam. Weldoorvoed en vol verwachting gaan we naar bed.

WEEK EEN

Ik verwacht niet dat er heel veel gaat gebeuren; het vuurwerk bewaar ik voor Week Drie.

Dagen Twee tot Vier

Dit is de gewenningsperiode. De gasten leren het huis kennen. Ik heb er veel over nagedacht hoe ik iedereen op de plek zet waar hij of zij zich het meest thuis voelt, en ik verwacht dus geen problemen met de kamerindeling.

~~Om tijd te besparen, en als handig overzicht, volgt hier een kaart van het huis, en wie waar zal zitten.~~

Er is één kamer over, die van de dochter, en die houd ik vrij voor Simona, voor als ze besluit William te verlaten. (Zie hieronder.) ←

Ik ben zo grootmoedig deze verwijzingen te laten staan.

Natuurlijk heb ik niet in alle wensen van alle gasten voorzien. Er moeten speciale gerechten aan de boodschappenlijst van de kok worden toegevoegd; er moet rekening worden gehouden met persoonlijke voorkeuren en allergieën.

De eerste paar dagen gaan de gasten op verkenning uit in Southwold; ze kijken hier en daar wat rond. Het is een mooie omgeving en ze zijn vast wel blij dat ik ze hierheen heb laten komen.

Niet iedereen is het eens met mijn televisieverbod. Het meeste verzet komt van Edith. Om moeilijkheden te voorkomen zal ik X de televisie uit het zicht laten zetten; niet op de zolder – die zouden ze misschien proberen te bestormen om bij het toestel te komen. En dat kunnen we niet hebben, hè? Nee, we verstoppen hem onder wat dekens in de kamer van de dochter.

Als ze de televisie gaan missen, is dat misschien een geschikt moment om de Virginia Woolf-leesclub ter sprake te brengen en exemplaren van *Naar de vuurtoren* uit te delen aan degenen die belangstelling tonen.

Er vormen zich bondgenootschappen. Cecile en ik zijn vaak bij elkaar – precies zoals we altijd hebben gewild. X probeert, na enig aandringen, Edith te leren kennen. Marcia en Fleur zijn goede vriendinnen geworden, omdat ze allebei slachtoffer zijn – er hangt een seksuele spanning tussen hen; Fleurs geheime lesbische geaardheid, waar ze nooit echt iets mee zal doen. (Grapje.)

Simona en William zijn erg op zichzelf en doorstaan elkaars stormen. Cleangirl en Henry behandelen ons allemaal als babysitters en blijven elke morgen lang in bed. (Ja, het duurt even voordat de twee echtparen – het een veilig, het ander onveilig getrouwd – zich opsplitsen en de anderen weer met hun individuele persoonlijkheid laten kennismaken.)

In het begin staan Alan en Fleur verlegen tegenover elkaar. Ze vinden het een beetje gênant dat ze een hele maand bij elkaar moeten zijn. Toch zijn ze eigenlijk ook blij; misschien neemt Alan me zelfs apart om me te bedanken.

Stapje voor stapje werken ze zich naar elkaar toe. Allebei zijn ze erg stuntelig en emotioneel, en dus zal hun liefde – als het zover komt – veel weg hebben van iets wat verfrommeld en beduimeld ergens is blijven liggen. Ik denk dat ze deze eerste week nog niet eens in elkaars gezelschap gezien willen worden. (Er is altijd de mogelijkheid dat Fleur de hele maand niets met Alan te maken wil hebben, dat ze zich inhoudt en zelfs hun eerste contacten uitstelt tot na afloop. Mijn zuster heeft het altijd prachtig gevonden me te dwarsbomen, vooral wanneer ze vindt dat ik me met haar leven bemoei.)

Waarschijnlijk neemt Fleur een groot deel van deze eerste periode een mokkende houding tegenover Alan aan. Als het mooi weer is, gaat ze naar de tuin en het strand; het huis is haar een gruwel, omdat ze het associeert met mij. Maar zoals altijd is ze alweer hard op weg me te vergeven.

Los daarvan voelt mijn zuster zich natuurlijk aangetrokken tot Edith. Een kind, elk kind, hoe irritant ook (en Edith is niet irritant, verre van dat), kan op Fleurs absolute toewijding rekenen. Er komt in het begin een grote scène – dat is onvermijdelijk – waarin mijn zuster gebruik maakt van die toewijding. Ze probeert mensen tegen me op te zetten; misschien slaagt ze daar zelfs een tijdje in.

Na een paar dagen begin ik met de charmante Henry te flirten. Al vanaf de universiteit heb ik willen uitvinden wat hij voor me voelt. Soms denk ik dat ik toen een beetje verliefd op hem was; soms denk ik dat ik dat nog steeds ben. Pas toen hij met Ingrid trouwde, zag ik hoe verschrikkelijk aantrekkelijk hij was geworden. Onwillekeurig vraag ik me af hoe het ons samen zou zijn vergaan; deze maand krijg ik de kans om daarachter te komen – in alle onschuld, uiteraard.

Hij is graag urenlang alleen, en bij een van die gelegenheden betrap ik hem. Ik ga niet naar hun slaapkamer – dat zou te ver gaan, het zou hem afschrikken. Ik geef blijk van meer belangstelling en bewondering voor zijn werk dan Ingrid. Dat is moeilijk, want ze is een en al toewijding, maar het lukt me met mijn ogen en mijn woorden. Ik raak hem veel aan.

Aan het eind van de eerste week is de seksuele jager in Henry weer tot leven gewekt. Hij zal weer schitterend zijn, zoals hij op de universiteit ook was, toen hij korte tijd van mij was. Maar als hij merkt dat hij opgewonden raakt, voelt hij zich schuldig als echtgenoot en vader. Hij wil dat niet aan Ingrid laten blijken en begint mij te ontwijken. Misschien moeten er een paar scènes komen waarin ik met hen tweeën alleen ben. Natuurlijk zou de aanwezigheid van X de *frisson* nog verrukkelijker over de ruggengraat laten glijden.

Tegelijkertijd begint X met Ingrid te flirten. Ze hebben dat altijd al gedaan, in lichte mate en op tamelijk veilige afstand. Maar ik weet dat X altijd graag een ander object van seksuele aantrekkingskracht bij de hand heeft, naast mij. Ingrid is eigenlijk de enige serieuze optie – afgezien van een speelgoedflirt met Edith.

Als ik zie dat er niets tussen X en Ingrid gebeurt, zal ik ervoor zorgen dat ze veel bij elkaar zijn: ik laat ze samen boodschappen doen, vraag ieder van hen om na te gaan wat de ander denkt en voelt. Dat zal vast niet nodig zijn, maar het is een mogelijkheid.

Ingrid staat graag in de belangstelling van mannen en voelt zich daar niet meteen schuldig over.

Dit alles bespreek ik tamelijk uitgebreid met Cecile.

Ik heb geen idee welke positie Marcia zal innemen, tenzij ze zich als vriendin van Fleur ontpopt. Is er iemand die ze aantrekkelijk vindt? Ik weet zo weinig van haar dat het erg moeilijk is om te zeggen welke rol ze zal spelen. Misschien kan ik haar helemaal uit het boek laten, als ze niets doet dat de moeite waard is.

Ik heb een aantal gebeurtenissen op het programma staan voor Week Een (en ook voor de andere weken). Op de avond van Dag Drie of Vier spelen we een paar spelletjes om elkaar beter te leren kennen.

Aan het eind van elke week, op zondagavond, hebben we een groot ceremonieel diner. De menu's zijn al opgesteld. De kok moet zichzelf overtreffen.

De rest van Week Een

Algemeen begint men zich te ontspannen, zoals wanneer een vuist een bloem loslaat die wonderbaarlijk ongeschonden is (want achterstevoren gefilmd).

Rond Dag Vijf is Edith erg gecharmeerd van X, en van het idee van X, maar ze durft nauwelijks tegen hem te praten. Ik vind subtiele manieren om ze bij elkaar te brengen – één of twee keer, met zijn tweeën. Of misschien zou het beter zijn als ze een of ander team vormden. Bordspellen. Ik moet er een paar kopen voordat we gaan. Als ze verliefd op hem moet worden, moet dat erg snel gaan.

Fleur wil lange wandelingen langs het strand en over landweggetjes maken; daarbij krijgt ze waarschijnlijk gezelschap van... Henry? (Ik weet niet of er nog iemand is die vrijwillig gaat wandelen.)

Simona en William hebben hun eerste grote ruzie. Tijdens de eerste dagen, als ze pas zijn aangekomen en met andere mensen samen zijn, gedragen ze zich beleefd tegen elkaar. Maar hij kan zijn gemeenheid niet lang verbergen.

Ik verwijder dit omdat het een van maar enkele verwijzingen in de synopsis is naar de spionagecamera's en als zodanig nogal onelegant overkomt. Toen ik het de eerste keer las, viel het me nogal op.

WEEK TWEE

~~Het is nu eindelijk zover dat ik de spionagecamera's kan aanzetten. Het zal vreselijk verleidelijk zijn om naar de zolder te gaan en te kijken wat de gasten doen als ik er niet bij ben, als er niemand bij is. Maar ik denk dat ik me, met steun van X, zal kunnen inhouden.~~

Ik zal proberen Week Twee een beetje specifieker te behandelen.

Dagen Acht en Negen

Ik heb sterk het gevoel dat zich op de eerste dag van de tweede week een belangrijke gebeurtenis gaat voordoen. Ik weet niet waarom ik dat gevoel heb – misschien alleen omdat de gasten dan al zo lang in het huis zijn dat hun ware persoonlijkheid aan de oppervlakte moet komen. Tot nu toe hebben ze zich allemaal van hun beste kant laten zien, maar rond Dag Acht tonen ze slechter gedrag – of in ieder geval waarachtiger gedrag.

Ik vermoed dat William als eerste in eerlijkheid vervalt. In de eerste week houdt Simona hem tegen; in de tweede week komt hij in opstand. Hij kan dan proberen een mannenkliekje te vormen met X, Henry en Alan. Hij maakt daarvoor gebruik van alcohol. Hij zegt bijvoorbeeld: 'Hé, we zijn op vakantie – we mogen ons toch wel een keertje ontspannen?' Met ontspannen bedoelt hij dronken worden; en bij minstens één gelegenheid wordt hij buitensporig dronken, en dan gedraagt hij zich agressief tegenover een aantal vrouwen in huis – degenen door wie hij zich bedreigd voelt en/of tot wie hij zich aangetrokken voelt; om precies te zijn, mijzelf en Ingrid. ~~Als dat 's middags gebeurt (William gaat graag in de lunchpauze naar de kroeg), moeten we hem van Edith vandaan houden. Het is niet de bedoeling dat ze, wanneer ze later aan deze maand terugdenkt, meteen weer een liederlijke, bebaarde, slonzige, tierende man voor zich ziet.~~ Eigenlijk ben ik wel blij dat William de boel een beetje losmaakt – dat hij Dionysus vrij spel geeft. Zijn schandalige gedrag is een broodnodige reactie op de beleefderige beleefdheid van Week Een.

Henry zoekt me nu op. Dit zijn de tedere eerste dagen van onze ver-

gaat ver. mag el ggen at je niet at hij e gaat laten, aar mag n niet n gruwelijke lingen beschuldigen.

houding – een verhouding die op een verschrikkelijke manier zal worden gedwarsboomd. We gaan samen wandelen, en het scheelt niet veel of hij duwt me in een heg en néémt me. (Tenminste, zulke gedachten gaan er door zijn hoofd; een kus die mijn lippen maar half raakt, is een veel waarschijnlijker resultaat.)

Cecile en ik zijn veel samen. We voelen ons volkomen ontspannen in elkaars gezelschap en praten met absolute vrijheid over alles wat we maar willen. Ze vertelt me haar grootste geheimen, ook over de grote tragische romance die haar hart heeft gebroken.

Marcia kan misschien goed opschieten met het dienstmeisje en de kok; ze praten over... dingen waarin ze geïnteresseerd zijn: eten, sport. (Help.)

Het huwelijk van Simona en William, dat toch al wankelt, begint rond Dag Negen in elkaar te zakken. Simona en ik hebben al enkele keren besproken wat ze zou moeten doen – hoe ze het moet aanpakken om bij hem weg te gaan. Deze vakantie in augustus biedt haar de beste mogelijkheid die ze ooit heeft gehad. Wat zal tot de definitieve breuk leiden? Ik weet het niet zeker. Misschien komt William net één avond te vaak dronken uit de kroeg naar huis. Met een beetje aanmoediging van mij bouwt Simona geleidelijk de kracht op die ze nodig heeft om de confrontatie met William aan te gaan, om hem te zeggen hoe ze erover denkt, om hem te verlaten.

~~Simona verkeert inmiddels in tweestrijd tussen de wens om haar waardigheid niet te verliezen en de wens dat het boek zo sensationeel wordt als maar enigszins mogelijk is. In het begin nam ze er genoegen mee een bijrol te spelen, maar naarmate de dagen verstrijken, ontdekt ze in zichzelf het verlangen om de ster te zijn. Ze beseft dat een daverende breuk met William haar veel tekst in het boek zal opleveren; dat spreekt haar wel aan~~.

Dat was helemaal niet zo, suffie.
Ik heb altijd precies geweten hoe ik wilde overkomen.

William, ~~die minder ingewikkeld in elkaar zit~~, verlangt naar een eenvoudiger, rustiger leven. Hij zou graag een hobbit willen zijn. (Hij lijkt een beetje op een uitgerekte hobbit.) Deze maand is in zijn ogen een kleine stap in die richting. Hij verwacht vast niet dat zo'n korte periode genoeg is om hem zijn doel te laten bereiken – hij is een man van middelbare leeftijd. Zijn Oorlog der Verwachtingen heeft hij al bijna verloren, maar zijn Oorlog der Verleidingen woedt nog.

Ongeveer nu concentreren Alan en Fleur zich op de alledaagse aspecten van hun relatie. Onder hun nogal saaie oppervlakken beklimt Romeo kasteelmuren en palmt Julia haar voedster in.

Op Dag Dertien zet ik X strategisch aan de kant. Hij verwacht dat wel, denk ik. In ieder geval weet hij dat ik een reserveplan moet hebben voor het geval alles verkeerd gaat en er niets gebeurt. Hij weet ook dat het geen serieuze breuk is. Als het dat was, zou hij het huis moeten verlaten. Het is mijn bedoeling hem tijdelijk wat vrijheid te geven – om omzwervingen te maken door jonge en oude harten, en misschien ook door slaapkamers. (Ik denk nu aan Ingrid, niet aan Edith; zelfs ik ben niet pervers genoeg om hem ertoe te brengen een kind te verleiden. Maar een beetje stoeien op de bank zou niet gek zijn.) Het is de laatste keer dat ik dit zal doen, voor lange tijd. Aan het eind van de maand moet hij me een huwelijksaanzoek hebben gedaan. Als hij ontrouw is geweest, is hij altijd ongelooflijk attent – op een schandalige, typisch mannelijke manier. Daarom sluit ik niet uit dat ik hem later in ons leven opnieuw even loslaat, opdat we elkaar, eenmaal getrouwd, in het juiste perspectief blijven zien. Het laatste dat ik zou willen, is dat we zulke mismaakte monogame monsters worden als je overal ziet; monden die in kapotte ritssluitingen zijn veranderd door de koortsachtige vlagen van seksuele furie; ogen die in die van basilisken zijn veranderd door de verwoede pogingen om níet te kijken, níets te zien. We zullen niet kibbelen op de trap in de schouwburg; we zullen niet steevast ruzie krijgen als we in een auto stappen. Nee, nee – het wordt een kwestie van het betreden en verlaten van andermans leven, met veel glamour – het samen beleven van intriges en het lachen om fouten – de keuze tussen bonbons van je minnaar of warme chocolademelk bij de huiselijke haard. Het zal aanleiding geven tot zulke schitterende jaloezie dat we geen van beiden ooit nog iets opmerkelijks hoeven te doen (al zullen we dat natuurlijk wel doen – zo veel als we maar kunnen.) Maar dat is toekomstmuziek. Voorlopig moet ik X verleidelijk abject maken. Tenzij de omstandigheden iets anders vereisen, slaapt hij in deze periode nog in mijn bed en brengt hij me 's morgens koffie. Deze en andere dingen maken hem abject. (Seksuele slavernij is misschien ook een vereiste, in het onwaarschijnlijke geval dat het me niet meteen lukt een ander te onderwerpen.)

WEEK DRIE

is een week van hoogspanning voor Edith. Haar verliefdheid op X is inmiddels te vergelijken met een blauwe plek op zijn hoogtepunt – fel, pijnlijk, iets om trots op te zijn. Ze posteert zich op plaatsen waar hij misschien langs zal komen; er zijn intermezzo's waarin ze heerlijk met elkaar flirten. Ingrid staat daar onzeker tegenover. Ze kan – gesteld al dat ze dat zou willen – haar dochter niet verbieden om in het gezelschap van X te verkeren – daarmee zou ze expliciet te kennen geven dat ze jaloers is. Eigenlijk voelt Ingrid zich min of meer gedwongen hetzelfde te doen als haar dochter. Henry is ook jaloers – jaloers op een andere man die Ediths genegenheid verwerft, jaloers op Ingrids aandacht voor haar dochter. Waarschijnlijk ziet hij dat Ingrid zich tot X aangetrokken voelt en haar best moet doen om geen contact met hem te leggen. In reactie daarop begint Henry haar het hof te maken. Eerst subtiel, maar dan – als hij beseft dat ze behoefte heeft aan uiterlijk vertoon – steeds dramatischer. Henry maakt werk van zijn eigen vrouw; en ze reageert daar positief op, hoe zou het ook anders kunnen? Henry zal zijn gevoelens voor mij omzetten in genegenheid voor zijn vrouw. Hij laat zich daarbij leiden door het schuldgevoel dat hem kwelt omdat hij ontrouw is geweest, al was het alleen maar in gedachten.

Simona verlaat William. Ik kan niet precies zeggen wanneer; ze heeft het al zo vaak uitgesteld. Maar dankzij de aanmoedigingen die ik haar gaf tijdens haar Biecht, neemt ze haar intrek in de kamer van de dochter. William is van streek. Hij smeekt haar terug te keren naar het echtelijke bed. *Nooit*, zegt ze. *Ik heb al genoeg gepikt. Het is uit.* Het komt tot een daverende ruzie, die iedereen kan horen. (Edith is stomverbaasd; is dit de manier waarop volwassenen tegen elkaar praten?) Ten slotte werpt Simona hem alle verschrikkelijke voorvallen uit hun relatie voor de voeten, en William – beschaamd, verslagen – stapt in hun auto en rijdt weg. (Waarschijnlijk alleen maar naar de dichtstbijzijnde kroeg.) Simona brengt de nacht in tranen door. Cecile, die enorm goed is in dat soort dingen, kan haar enigszins troosten.

De volgende morgen blijft Simona lang in bed liggen – en als ze zonder make-up naar beneden komt om te lunchen, lijkt ze vijftien jaar jonger. Ze is mooi – gelouterd door alle bitterheid en woede. Ze pakt zachtjes mijn hand vast, geeft er een kneepje in en zegt *O, Victoria.*

De leesclub komt, denk ik, op de woensdag of de donderdag van deze week bij elkaar. We discussiëren uitgebreid over Virginia's meesterwerk en trekken heimelijk parallellen met onze eigen relaties.

Halverwege Week Drie zullen Alan en Fleur veel tijd met elkaar doorbrengen. Als ze met zijn tweeën zijn en er komt iemand bij, veranderen ze abrupt van onderwerp. Misschien ontmoeten ze elkaar wel in het geheim. Ik zal erop gaan letten of ze elkaar blikken toewerpen aan de eettafel, of hun ogen elkaar zoeken. Ik weet niet of ze tot consummatie komen terwijl ze nog in het huis zijn. Mijn zuster is misschien te trots om me die voldoening te gunnen; Alan is misschien te verlegen om te willen dat iedereen van hun romance afweet. Toch vermoed ik dat hun wederzijdse aantrekkingskracht onverwacht groot zal worden – misschien laten ze hun scrupules varen. Het zou me zo gelukkig maken hen gelukkig te zien – schuchter stralend in postcoïtale omarming, slenterend over het verlaten strand. Ja, ik waag het erop. Ik ga ervan uit dat dit inderdaad gebeurt.

WEEK VIER

Hoe verder ik in de toekomst probeer te kijken, des te moeilijker wordt het natuurlijk om te voorspellen wat er gaat gebeuren.

Nu William weg is, voelt het huis groter en vrijer aan. Simona blijft stralen – ze gaat veel met Edith om en heeft het gevoel dat ook zij een heel leven voor zich heeft.

Alan en Fleur hebben hun verlegenheid overwonnen en zijn helemaal het gelukkige paar. Het staat wel bijna vast dat we ze binnenkort openlijk zien zoenen en elkaars hand zien vasthouden. ~~De spionagecamera's bevestigen dat hun intimiteit nog verder gaat. (Ik zet de beeld-~~

Dit is schandalig, maar ook best grapp[ig]

sc~~hermen uit, al heb ik min of meer het recht om een consummatie te~~ o~~bserveren die in zekere zin net zo goed van mij is als van hen.)~~ De andere gasten genieten van hun liefde – misschien komt het zelfs tot een spontaan feestje om het te vieren. De gasten zijn mij ook dankbaar. Ik verwacht geen officiële verloving: daar is Alan nog niet klaar voor.

X probeert bij me terug te komen. Hij heeft berouw; hij is heel schuldbewust. Toch neem ik hem niet terug – ik maak duidelijk dat hij zijn affectie op een buitengewone manier moet demonstreren. Hij weet precies wat ik bedoel. Op een dag verdwijnt hij met de auto – niemand weet waar hij heen is. 's Avonds komt hij terug. Al zijn verlegenheid is weg en hij vraagt me – in het bijzijn van alle dinerende gasten – of ik met hem wil trouwen. En ik zeg ja. Niet iedereen is blij met deze nieuwe ontwikkeling. Ediths verliefdheid is de bodem ingeslagen, maar ze leert ervan – misschien niet meteen, daar is ze op dit moment te verdrietig voor, maar over een maand of zo kijkt ze op haar eerste grote liefde terug en beseft ze dat mannen haar net zo goed kunnen kwetsen als zij hen. Ook Henry voelt zich bedrogen. Maar waardoor? Hij beseft dat bijna alles waarvan hij dácht dat het tussen hem en mij gebeurde alleen maar verbeelding was. Hij beseft ook dat hij zich niet schuldig hoeft te voelen – binnen de kortste keren verandert hij datgene wat niet gebeurd is (onze verhouding) in iets waaraan hij heldhaftig weerstand heeft geboden (zijn eigen wilde hartstochten). En omdat hij zo zijn best heeft gedaan om Ingrid weer het hof te maken, en omdat ze zich heeft verzet tegen de aantrekkingskracht die X op haar en haar dochter uitoefende, zijn ze eensgezinder dan ze sinds hun trouwdag ooit zijn geweest.

De maand bereikt zijn hoogtepunt op de avond van de zevenentwintigste dag. Op de laatste avond die we samen in het huis doorbrengen, laat ik de beroemde maaltijd opdienen die ook in *Naar de vuurtoren* wordt opgediend: *boeuf en daube*. Daarbij zal ik waarschijnlijk worden geassisteerd door de kok, maar ik ben van plan om zelf als *chef de partie* op te treden. Na de leesclub begrijpt iedereen in het huis deze verwijzing naar Virginia; ze zullen lachen en applaudisseren. Ik zorg dat er veel alcohol in huis is en sta erop dat het allemaal wordt opgedronken. Alan en Fleur zitten naast elkaar en raken elkaar zonder enige gêne aan; Simona kijkt naar hen en verheugt zich op de echte liefde die haarzelf ten deel zal vallen (bijna zeker gearrangeerd door mij); William zal nu wel verbitterd aan de bar van een louche Londense pub hangen, in stilte vloekend op Simona, mij, het huis, alles; Henry en Ingrid hebben een hechtere band dan ooit tevoren nu ze hebben meegemaakt dat hun huwelijk, net als een automotor, uit elkaar gehaald, schoongemaakt en weer in elkaar gezet is – ze zullen spinnen van plezier; Edith vertoont de eerste tekenen van tienermelancholie; na haar mislukte verliefdheid op X kan ze zich beter in anderen inleven; Marcia lacht en brengt leven in de brouwerij; X en ik zweven ook op wolken van gelukzaligheid – hij geniet van het succes van zijn aanzoek en ik verheug me over het succes van de tactieken waarmee ik hem tot dat aanzoek heb gebracht; Cecile glimlacht naar me, en dat is al zegen genoeg.

Laatste dag

We pakken onze spullen en gaan naar huis.

In het huis heerst een sfeer van tevredenheid. *Samen hebben we iets buitengewoons voor elkaar gekregen* – dat gevoel hebben de gasten (voornamelijk). *We waren onszelf en dat betekende dat we amusant, ontroerend en stimulerend waren. Nu hoeft Victoria alleen nog maar trouw te blijven aan het materiaal dat we haar hebben verschaft.*

AUGUSTUS

Woensdag

Dag Nul

Het huis zag er op die mooie zomerdag iets à la schitterend uit – hoge bakstenen schoorstenen die afstaken tegen de blauwe hemel.

(Ik denk dat een openingspassage als deze waarschijnlijk onontkoombaar is – al heb ik niet het gevoel dat ik het op dit moment goed doe.)

Beschrijvende opmerkingen: vierkant gebouw in Georgian-stijl – bomen langs een oprijlaan die naar een kleine rotonde met gras in het midden leidt – aan de voorkant zestien ramen met witte kozijnen – de hele linkerhelft bedekt met klimop van het soort met donkere bladeren en witte randen – écht een huis van een herenboer, en dan niet in makelaarstermen – heb echt het gevoel dat dit huis een geschiedenis heeft – sfeer en alle mogelijkheden voor een mooi verhaal, of verbeeld ik me dat maar? – Ik denk dat je vogels kon horen zingen; ik weet dat niet voor honderd procent zeker, maar laat ik het er toch maar in zetten – misschien ook wat hommels en vlinders (of zou dat overdreven zijn?).

Ik loop de hal in – word begroet door het dienstmeisje, dat zegt dat de kok naar Southwold is om proviand voor de komende week in te slaan – hij is om een uur of vier terug.

Ik zit in mijn studeerkamer (eigenlijk de grote slaapkamer) op de laptop te typen – het is hier echt heel mooi, licht en schoon – grote *escritoire* in de hoek – ik zal mezelf eraan moeten herinneren dat ik me af en toe terug moet trekken en veel aantekeningen moet maken – als ik de computer niet bij me heb, moet ik maar aantekeningen maken op wat ik bij de hand heb en dan typ ik die later uit – valt er nog iets anders over het huis te vertellen? – alle bedden waren opgemaakt, de lakens mooi strak getrokken – misschien moet ik eerst vertellen dat X en ik de oprijlaan opreden? – 'Victoria lachte uitbundig, zij het ook met een zekere nervositeit' – zoiets – boodschappenlijst – het dienstmeisje heeft voor toiletpapier en alle andere praktische dingen gezorgd – ik denk dat we meer bloemen moeten hebben – ik heb nog niet met de tuinman gesproken – ik moet de eigenaars bellen, zeggen hoe mooi het allemaal is – ik begin me hier al thuis te voelen – ik kan niet wachten tot de mensen komen en de pret kan beginnen.

Aan het eind van de middag heb ik op de bank gelegen in de salon, met mijn hoofd op de schoot van X. Op deze zelfde bank zaten we nog maar een paar weken geleden met de eigenaars te praten over de voorwaarden. Wat lijkt dat lang geleden! En nu is het huis van ons, een hele maand lang! Zij, de eigenaars, zijn zaterdag vertrokken om bij vrienden in Toscane te gaan logeren. Ik vroeg me af wat voor mensen het écht waren, en ik heb wat rondgesnuffeld voordat de gasten arriveerden; ik probeerde zoveel mogelijk aan de weet te komen. (Ik heb het gevoel dat ik een lijst zou kunnen maken van de inhoud van elke kast, la, theewagen en lucifersdoos in het huis.)

Ik denk dat ze het huis nogal vaak hebben verhuurd, want hoewel het erg gastvrij overkomt, is het ook nogal onpersoonlijk – afgezien, moet ik zeggen, van de kamer van de dochter, die, en ik heb er geen ander woord voor, griezelig is. We mogen daar eigenlijk niet komen – maar ik heb een sleutel gevonden en kort na onze aankomst de deur opengemaakt. Het is zo'n kamer van 'Alles is nog net zo als op de dag dat ze stierf'. Ik geloof niet dat de dochter echt dood is. (Het kwam in ons gesprek niet ter sprake.) Waarschijnlijk is ze alleen maar op jonge leeftijd naar kostschool gegaan en zijn ze er nooit aan toe gekomen de kamer opnieuw in te richten. Hetzelfde geldt voor de kinderkamer, waar Edith zal slapen: daar is minstens tien jaar niets aan gedaan.

Als ik zo in het huis om me heen kijk, vermoed ik dat de man de interessantste van de twee is. Hij ziet zichzelf een beetje als een zeebonk. Er zijn veel boeken over zeilen: *Honderd avonturen op volle zee*, *Verhalen van een scheepswerf in Suffolk*. (Ik schrijf ze niet zómaar aan hem toe: op de binnenkant van het omslag heeft hij zijn naam en de datum van aankoop gezet.) Erg onvolwassen. Dit verklaart ook het scheepje-in-een-fles-gevoel dat je in de hal op de begane grond krijgt. Hij heeft één fantastisch boek, *De man een oorlam* – met zeemans-*slang*.

De vrouw houdt triest genoeg van romantiek – van het smakeloze soort, liefde-op-de-plantage en zo. In een van de logeerkamers staat een boekenplank helemaal vol met opzichtige dikke boeken – omslagen met een gespierde held die een strak in het lijf zittende heldin tegen zich aan drukt, terwijl achter hen een purperen storm woedt en hun kleren spontaan beginnen te scheuren. Er zijn nog veel andere, meer ingetogen liefdesromans. (Vreemd genoeg had ze ook al mijn romans in de kast staan. Ik denk dat ze die heeft gekocht toen ik contact opnam over het huren van het huis – ze wilde natuurlijk zien wat voor vlees ze in de kuip had.)

Als ik die liefdesromans combineer met de zeemansboeken, zou ik zeggen dat het een ongelukkig huwelijk is – maar ik kan me vergissen.

Ik bekeek een paar van haar boeken, vooral de laatste bladzijde. Ze eindigden allemaal met dezelfde laatste regel. 'En toen hij haar in zijn krachtige armen nam, wist ze dat ze voor altijd veilig bij hem zou zijn, veilig in zijn krachtige armen, voorgoed beschermd tegen alle gevaren.' Min of meer.

Daarna ging ik X zoeken en vond hem; met een beetje aanmoediging hield hij me krachtig in zijn krachtige armen.

X en ik hadden een rustige avond thuis. De kok maakte indruk op ons met sint-jakobsschelpen, in boter en sherry gebakken, en een salade van merkwaardig bittere bladeren. In elk geval zal niemand over het eten klagen.

Allemachtig, ik klink als een hotelier, terwijl ik eigenlijk zou moeten overkomen als een Bloomsbury-dame. In de uiteindelijke versie zal ik ervoor zorgen dat ik ongelooflijk beminnelijk en zelfverzekerd overkom: 'De gastvrouw (of gewoon "Victoria") was niet nerveuzer dan verwacht kon worden toen ze op haar gasten wachtte. In haar hart wist ze dat haar project een glorieus succes zou worden.'

Nee, zo moet het ook niet – het wil me nog steeds niet lukken de juiste toon te vinden. Ik zal een tijdje moeten experimenteren. Eerste persoon, derde persoon, enzovoort.

Ik houd van alles aan dit huis, tot en met de houten kleerhangers: ze zijn dik en laten doffe klikgeluiden horen als je tussen je kleren aan het zoeken bent.

Donderdag

Dag Een Week Een

Wakker geworden van het koor van de dageraad, mooi, zo mooi. Het was bijna engelachtig zoals de vogels zongen; golvend en verheffend, nooit schel. Geluid om in te verdrinken.

Vannacht had ik zo'n clichématige nachtmerrie dat ik het ondenkbaar acht om erover te schrijven. Laat ik volstaan met te zeggen dat het over een biologie-examen en naaktheid ging.

Toen we de slaapkamers verdeelden, zorgden X en ik ervoor dat we de mooiste kregen. Twee hoge ramen, van vloer tot bijna plafond, omlijst door spitse klimopbladeren, kijken uit op de achtertuin. Het decor binnen is een beetje bloemrijk – zo zou ik zelf geen kamer inrichten. Maar je krijgt wel het gevoel dat je in een heel exclusief hotel logeert. Het grote bed is het comfortabelste van het huis (en we hebben ze allemaal geprobeerd, op verschillende manieren). Nog belangrijker is dat er een vierkant luik in het plafond zit dat toegang geeft tot de zolder, waar ik alle spionageapparatuur heb laten installeren. Er is een stok met een bijzondere haak om de vlizotrap naar beneden te trekken. Als ik eenmaal boven ben, de stok mee en het luik dicht, kan niemand me storen. X zal de enige in het huis zijn die van de camera's weet. (Zelfs Simona weet het niet.) Hij heeft geheimhouding gezworen. Op zijn leven. Ik heb gezegd dat als hij er zelfs maar op zinspeelt ik zijn ballen eraf zal bijten – en dan niet bepaald op een prettige manier.

De zolder is groot, donker, stoffig en vol zolderdingen. Ik zal daar niet te veel tijd doorbrengen, hoop ik. Spinnen – jagh!

Terug naar de grote slaapkamer – we hebben nachtkastjes waarop bij onze aankomst hoge stapels klassiekers van de kleine burgerman stonden: *Corelli, Het lied van de vogels, Wilde zwanen.* Allemaal half gelezen natuurlijk. Er staan twee grote lege *armoires*, waarvan ik er anderhalf in gebruik heb. We hebben ook een wastafel met spiegel, zodat we niet altijd in de rij voor de badkamer hoeven te staan. Behalve als we gebruik willen maken van de wc en de douche.

Ik denk niet dat de anderen het ons kwalijk nemen dat we zo'n mooie kamer hebben. Wat zij krijgen is ook waar voor hun geld – helemaal gratis.

Het bed (weer even over het bed) is een groot Elizabethaans geval, met fantastische roodfluwelen gordijnen die je dicht kunt trekken om de geluiden van de buitenwereld te dempen. 's Zomers is dat waarschijnlijk een beetje verstikkend. Maar we zijn vastbesloten het te proberen. Ik ben alleen bang dat ik, met de gordijnen dicht, niet kan horen of er midden in de nacht iemand over de gang sluipt. Misschien had ik speciale sensoren moeten laten installeren. Maar het hele gedoe was al James Bond genoeg.

X vindt de kamer veel te vrouwelijk. Hij houdt niet van kwikjes en strikjes. Hij beweert dat ornamenten en snuisterijen altijd een teken zijn van grote eenzaamheid. Hij noemde de gordijnen met ruches 'menopauzevlaggen'. Volgens mij zou hij liever willen dat we allemaal in gebouwen van John Pawson gingen wonen – levend op licht en beton, alles met hoeken van negentig graden en alles even oncomfortabel.

~~Soms denk ik dat de wereld er heel anders zou uitzien als die het exclusieve bezit van vrouwen was; ik denk dat dit nergens duidelijker te zien is dan in de binnenhuisarchitectuur. Ik weet niet eens of we nog herkenbare huizen zouden hebben. Waarschijnlijk zou de wereld veel meer op een immens landhuis lijken, met kamers die je zomaar kon binnenlopen – nergens verboden toegang. Er zouden geen straatnamen zijn; om erachter te komen waar je was zou je met de mensen om je heen moeten praten. Locaties zouden een kwestie van menselijke contacten zijn, niet van geografische posities. Misschien probeer ik hiermee te zeggen dat dit mijn Utopia is (of zou kunnen zijn) – een poging tot Utopia. Maar ik wil natuurlijk niet dat alles goed gaat; het is juist nodig dat er dingen fout gaan. Niet vreselijk fout. Alleen een beetje emotioneel uit het lood.~~

~~Mijn oma was altijd gek op noodsituaties; de Tweede Wereldoorlog was haar hemel op aarde. Ik aard, denk ik, nogal naar mijn opa, die graag de dingen (en vooral de vriendschappen) mocht herstellen die mijn oma verstoord had. 'Ze geven me het gevoel dat ik echt leef,' zei ze altijd – en dan bedoelde ze de noodsituaties.~~

Hallo, Germaine – en vaarwel.

~~(Cecile heeft dat ook, denk ik. Ze zei een keer tegen me: 'Routine is de dood, vind je niet?' En dat is dan een vrouw die elke zaterdag om precies halftwaalf boodschappen doet op de Borough Market.)~~

Het is absurd. Ik maak me nu al zorgen over het eind. En het hele project is nog maar amper begonnen. Het probleem is dat niet alle deelnemers zeker weten of ze tot het eind kunnen blijven. Sommigen van hen (bijvoorbeeld Cleangirl en haar gezin) zeggen dat ze misschien een week eerder moeten vertrekken. Ze geven daar geen echte reden voor op. Voor mij, voor het boek, zou het een anticlimax zijn: een diminuendo dat me wordt opgedrongen door anderen. Een langzaam wegsterven in plaats van een daverend slotakkoord. En in zo'n laat stadium kan ik er geen nieuwe personages bijhalen. Of wel? Ik had die Cleangirl-familie überhaupt niet moeten uitnodigen. Nou, ik zal gewoon moeten doen wat mammie altijd zei: 'Afwachten.' Maar mammie bedoelde dat je zedig op een stoel aan de rand van de balzaal ging zitten, in de hoop dat de Mooie Prins je zag. (Maar *quel* Mooie Prins zou ze uiteindelijk krijgen, zedig als ze altijd was – mijn lieve, dode papa.) Ik hoor iemand aankomen. Laat ik maar eens gaan kijken.

Fleur is even langs geweest en ze heeft die kutkat meegenomen! (Terwijl ik haar uitdrukkelijk had verzocht dat niet te doen.) Ik moet toegeven dat het niet zomaar een kat is; het is er een met een complete stamboom – een zeldzaam ras, en waarschijnlijk het duurste ding dat ze ooit heeft bezeten. Het is een zij, en zíj heet Audrey, en Audreys vacht heeft een prachtige grijze glans, als die van een weimaraner. Onnoemelijk *svelte*. Als een kat *chic* kan zijn, is die van Fleur het – en daar sta ik versteld van. Ik had verwacht dat ze met een of ander wit-met-roodbruin vuilnisbakkengeval zou komen aanzetten, zo'n beest dat pluisjes en bergjes zompig genot achterlaat op alles en iedereen. Audrey is meer het soort kat dat ik bij Cecile zou verwachten.

Door als eerste te arriveren heeft Fleur wel een van mijn voorspellingen laten uitkomen. Maar er was geen scène op het station, zoals ik had verwacht: ze was van de boerderij komen rijden, in haar roestbak van een Saab.

Ze toeterde opgewekt toen ze kwam aanrijden. Ik ging naar buiten om haar te verwelkomen. We gaven elkaar de About-meiden-kus, en toen maakte Fleur haar kofferbak open en pakte ze er een kist van balsahout uit, zo'n kist waar bijvoorbeeld mandarijntjes in zitten – maar nu zat er een stuk groen gras in van een halve meter bij een meter.

Zonder iets uit te leggen liet Fleur zich door mij naar de keuken brengen, waar ze naar de gootsteen liep en de kist vlug onder de kraan zette. Toen liet ze hem daar achter, druipend op het aanrecht.

Ze ging terug naar de auto, pakte Audrey in haar reismandje van de voorbank en legde me iets uit over dat gras.

En toen kwam, uit de kofferbak, het Onwillige Cadeau: Fleur had een grote bos roze rozen voor me gekocht.

Ik heb de pest aan roze rozen. Ze weet dat ik roze rozen haat, altijd heb gehaat, altijd zal haten. Ze zijn zo lelijk. Ze zien eruit als de omhooggestoken kontjes van hongerige biggetjes. Ik zet ze in een vaas op de vensterbank in de wc beneden, waar ze hopelijk niemand zullen opvallen.

Je moet jou ook geen koffie-ochtendje laten organiseren hè? We hebben het hier over vier mensen, één dier – dat moet toch te doen zijn?

Ongeveer 13.00 uur. Het kost me moeite om het allemaal bij te houden, met al die arriverende gasten en dingen die geregeld moeten worden. Ik heb nog maar net iemand met een kop koffie in de keuken gezet of er klopt al weer iemand aan. Tot nu toe hebben we Fleur (met kat), Ingrid, Henry en Edith – die zich bijna exact volgens de synopsis gedragen. Nu wachten we alleen nog op Marcia en... Wacht even, daar gaat de telefoon weer.

15.00 uur. Dat was Alan; hij belde van het station van Darsham. Ik ben erheen gereden om hem op te halen. En geloof het of niet, maar híj had die kuthond meegenomen! (Terwijl ik hem uitdrukkelijk had verzocht dat niet te doen.) Het is een uitbundige grote dalmatiër die Domino heet. Alan verontschuldigde zich. 'De kennel die ik had geboekt – ze zeiden dat er een of andere vreselijke ziekte was uitgebroken. Mond- en klauwzeer. Kennelhoest. Ik kon zo gauw niemand meer vinden die op hem kon passen. Ik heb mijn moede geprobeerd. Ik heb mijn vader geprobeerd.'

'Het geeft niet,' zei ik. 'Het is niet erg.'

'Ik ben hem over, eh, een paar dagen wel kwijt.' Ik had de eigenaars uitdrukkelijk beloofd dat er geen dieren in het huis zouden zijn, en nu had ik er twee. (Ook geen kinderen, hadden ze gezegd. Ik maakte een uitzondering voor Edith. Met haar elf jaar is ze nog amper een kind. De eigenaars bedoelden natuurlijk kotsende peuters.) Ik moet dit later regelen, dacht ik.

Die goeie ouwe Alan had zich blijkbaar speciaal voor de gelegenheid gekleed. Hij droeg een melancholiek lichtblauw linnen pak met vlekken op de juiste plaatsen. Hij is zo lang en slordig dat hij op de een of andere manier kans ziet verticale kreukels van een meter lang te maken.

We zetten Domino op de achterbank en reden weg. Het was nog steeds een mooie dag. De zon scheen door de bladeren van de bomen en maakte schitterende vlekken van licht en schaduw op de voorruit. (Misschien hoef ik dat niet te beschrijven.) We praatten: 'Wat een mooie dag', enzovoort. Toen hij vroeg wie er al waren, leek het me beter om Fleur ook te noemen. 'O...' zei Alan somber. 'Dat had je me nog niet verteld.' En daarna zei hij niet veel meer. Ik merkte dat hij aan zijn nagelriemen begon te plukken, en die waren al tamelijk rauwrood.

Alans merkwaardig genoeg aangename lichaamsgeur vulde de auto – dat vergeet ik altijd bij hem; ik vind het half prettig en half onprettig om eraan herinnerd te worden. Net als die harige adamsappel van hem – wat een lange nek heeft hij. Hij schijnt zich vandaag niet geschoren te hebben; zijn stoppels zijn bijna wit, al is zijn hoofdhaar bruin. Ik vraag me af of hij het verft. Dat zou vreemd zijn.

Ik was erbij toen Alan en Fleur elkaar voor het eerst te zien kregen. Alan zette zijn twee gammele koffers in de hal en volgde mijn aanwijzingen op (die deur aan het eind! niet die! links!) om in de keuken te komen. Ik had Domino bij me. Hij dartelde aan zijn lijn – blij dat hij de auto uit was. Fleur stond tegen het aanrecht aan en dronk koffie met X. Ik vraag me af wat voor gespreksonderwerpen ze hadden gevonden. Misschien Audrey, die zichzelf had opgerold onder de keukentafel. Zodra ze Domino zag, sprong snoezepoes overeind en vormde ze een gotische boog met haar rug. Maar op dat moment richtte ik mijn aandacht vooral op Fleur. Ik zag haar naar Alan kijken, en ja, er verspreidde zich duidelijk een verraderlijke blos over haar gezicht. Op dat moment deed Domino een vriendschappelijke uitval naar Audrey – hij had geen kwaad in de zin, wilde alleen maar spelen. En meteen zagen we een doodsbange grijze kat de achterdeur uit vliegen en als een speer over het gazon schieten. Fleur erachteraan.

'Welkom in het gekkenhuis,' zei X. (Ik heb hem daar later nog over onderhouden. Het heet niet het gekkenhuis, zei ik. Als je aan de dialoog wilt bijdragen, moet je iets zeggen dat ik kan gebruiken.)

'Zal ik hem zijn riem afdoen?' vroeg ik aan Alan.

'Beter van niet,' zei hij. 'Niet meteen.'

Om kwart voor vier vanmiddag stond de hal vol met bagage die nog naar de kamers moest worden getransporteerd.

Simona en William zijn er. Fleur is nog niet terug.

Gesprekken op Dag Een: alle routes en reistijden, kriskras door elkaar. 'Hoe ben je hier gekomen?' *'Goede reis gehad?'* 'Met de trein. Ik heb geen auto.' *'Niet gek.'* 'O nee?' *'Was het druk op de weg?'* 'Ik reis erg graag met de trein.' *'Niet zo erg. Het viel wel mee om Londen uit te komen.'* 'Ik ook, maar we konden niet anders, deze keer niet.' *'Als het even kan, ga ik nooit over de M25.'* 'Hoe zijn jullie gekomen?' *'O, daar is soms geen doorkomen aan.'* 'We zijn met de auto. Dat leek ons het beste. Met Edith. Een auto geeft je veel... flexibiliteit, hè?' *'Niet gek.'* 'Ik weet het niet – ik heb nooit een auto gehad.'

Een polyfonie van banaliteit, maar daar komt vast wel verbetering in.

16.00 uur. Biecht. Dat is vandaag niet gebeurd. Maar Simona zocht me wel op. (Ik zat aan de *escritoire* in de grote slaapkamer om het bovenstaande te typen.) Ze vertelt me vlug dat ze trots op me is. Ik krijg het gevoel dat ze precies weet hoe ze in het boek wil overkomen. (Natuurlijk zal ze daar enige invloed op hebben. Het redactieproces belooft erg interessant te worden. Ik ben benieuwd waar ze bezwaar tegen zal maken. Zal ik iets moeten weglaten? ~~Als ik bijvoorbeeld iets over dat slippertje van haar vertel, op de Frankfurter Buchmesse van vorig jaar. En ik mag~~

Dat kan je wel zeggen, ja.

~~vast ook niets over de twee abortussen in haar tienerjaren zeggen. Of over haar recente problemen met haar persoonlijke hygiëne. Maar laat ik je dit vertellen:~~ ik heb nooit een redacteur gehad die zo goed was en zo met me meeleefde en me zoveel steun gaf...

Een halfuur rust, terwijl de gasten hun spullen uitpakken. Ik besef nu dat ik helemaal vergeten ben een beschrijving van Alan te geven. Alan Sopwith-Wood. Zevenendertig jaar, docent aan een filmopleiding, erg lang, erg onhandig; een zachtmoedige reus. Hij is een boek aan het schrijven over Woody Allens somberste niet-grappige films: *September*, *Another woman*, *Shadows and fog*, *Alice*. Soms heeft hij een identiteitscrisis en gaan Alan en Allen door elkaar lopen. Mijn favoriete opmerking van hem: 'De meeste van mijn studenten denken, eh, dat postmodernisme een schriftelijke cursus modernisme is.' Met een stalen gezicht. Alan is de ongelukkigste persoon die ik ken, en ook degene die het geluk het meest verdient. Hij zou nauwelijks iets van node hebben om gelukkig te zijn, en dat is maar goed ook, want Fleur is ook nauwelijks iets. (Dat klinkt als advocatentaal, hè? Nauwelijks. Van Node.) Alan zou waarschijnlijk vinden dat er niets meer aan zijn leven ontbrak als hij iemand vond die leren elleboogstukken op zijn gelige corduroyjasjes naaide. Ik vroeg hem een keer of hij ooit met een van zijn studentes naar bed was geweest. (We hebben het nu over de man die de complete cyclus 'De erotische cinema' geeft.) Hij zei: 'Wat bedoel je? Natuurlijk niet.' En ik zei: 'Nou, wat heb je er anders aan?' En hij zei: 'Ze zijn leuk om naar te kijken – sommigen. Ze praten. Stellen vragen.' Zijn voyeuristische neigingen zijn algemeen bekend, al geloof ik niet dat hij ooit een stelletje heeft gevraagd of hij mocht toekijken. Wat God betreft – een belangrijk onderwerp voor Fleur – denk ik dat Alan wel over te halen is. Hij zou geen raar figuur slaan als hij op een provinciale preekstoel een van zijn eenvoudiger lessen zou voorlezen. ~~(Dit eerder invoegen.)~~

Doet het hier beter, denk ik.

Opmerking: ik heb ooit, heel kort, iets met Alan gehad. Het was een relatie die alleen maar in stand werd gehouden door het feit dat we geen van beiden wisten wie van ons zich het minst raad wist met de relatie. Hij vrijde met me zoals je tulpenbollen in de grond stopt in november –

diep en met regelmatige intervallen. Hij is echt veel sterker dan hij eruitziet.

17.20 uur. We hebben net onze thee op. Ik voel me een beetje idioot, omdat ik de hele tijd moet wegrennen om dingen te typen. En we hebben Fleur niet meer gezien sinds ze achter Audrey aan het huis uit rende. We weten wel waar ze geweest is: op het strand. Edith ging daar in haar eentje wandelen. Ik had Cleangirl verzekerd dat het veilig was. Vreemd genoeg hadden Edith en Fleur elkaar nooit eerder ontmoet. Ik denk dat ze met elkaar kennis hebben gemaakt toen ik Alan ophaalde, of daarvoor. Hoe dan ook, toen Edith van het strand terugkwam, zei ze dat ze daar een vrouw had gezien. Die vrouw had een kat in haar armen en ze huilde. Toen ze dichterbij kwam, zag ze dat het Fleur was. Edith was zo verstandig haar met rust te laten. Fleur zal wel van streek zijn vanwege die hond. Reken maar dat ze mij daar de schuld van geeft, al heb ik mijn best gedaan om hond én kat buiten de deur te houden. Ik zal tegen Alan moeten zeggen dat hij haar de situatie moet uitleggen. Op die manier komen ze weer bij elkaar. (Ik besef dat ik niet erg elegant schrijf, maar ik voel me een beetje opgejaagd. Dat drama van kat en hond is een beetje triviaal, en onverwacht, maar op deze manier komt er wel wat vaart in.)

18:30 uur. Nog steeds taal noch teken van Marcia. Ik heb haar thuis gebeld en kreeg het antwoordapparaat. Misschien durft ze niet?

23:00 uur. Avond. Ik ga voor het eerst proberen in de derde persoon te schrijven.

Het was een heerlijke maaltijd. Toen iedereen klaar was, stond Victoria op en hield ze de toespraak waarover ze al minstens twee maanden had nagedacht. Haar ogen schitterden van opwinding. Ze sprak zacht maar heel goed verstaanbaar. ‘Ik wil jullie allemaal verwelkomen. Ik ben erg blij dat jullie allemaal hebben besloten mee te doen. Hopelijk zal het er hier het grootste deel van de tijd tamelijk informeel aan toegaan – en zo ongedwongen mogelijk, gegeven de omstandigheden. Maar er zijn een paar ongebruikelijke dingen...’ Er werd geglimlacht. ‘Natuurlijk hoop ik dat jullie interessante dingen gaan doen terwijl jullie hier zijn.' Victoria besefte dat ze de woorden 'hoop' en 'dingen' te vaak gebruikte. 'Maar jullie hoeven je niet verplicht te voelen om eventuele vooropgezette ideeën over Actie ten uitvoer te leggen.' Fleur maakte een zacht scheetgeluid met haar lippen – poeh-poeh, Victoria. 'Ik wil dat jullie allemaal gewoon jezelf zijn. Laat de rest maar aan mij over.' Victoria zweeg even om een slokje rode wijn te nemen. Ze was niet zo nerveus als ze had verwacht. In het zachte kaarslicht leek het wel of ze een warm schijnsel om zich heen had. 'Maar een van de ongewone dingen die ik wil noemen, is het feit dat ik voortaan elke dag van vier uur tot half vijf – theetijd – in de kleine voorkamer naast de hal te vinden zal zijn. Als iemand van jullie zin heeft om even binnen te komen voor een *tête-à-tête*, om suggesties te doen voor het huis, om over jullie gevoelens of gewoon over het weer te praten, dan zal ik jullie daar graag ontvangen. Willen jullie dan wel netjes in de rij gaan staan? Of van tevoren reserveren?' Het deed Victoria goed dat er alom werd gelachen. 'Verder staat er een Ideeëndoos op de koelkast in de keuken. Als jullie anoniem met me willen communiceren, is dat de manier. Ik heb al een paar kleine verzoeken gekregen: een daarvan is voor mij fysiek onmogelijk – tenzij ik me laat opereren en erg hard aan mijn soepelheid werk (maar bedankt voor de vriendelijke toevoeging).' Victoria keek naar degene die '*Go fuck yourself*' had geschreven, Fleur, die met opzet gewoon haar eigen handschrift had gebruikt. 'Verder was er een hartstochtelijke smeekbede om tomatenketchup. Ik heb dat al doorgegeven aan de kok.' Victoria keek naar Edith, die dankbaar naar haar glimlachte. 'Over de kok gesproken. Wat zouden jullie zeggen van een applausje voor deze verrukkelijke maaltijd?' De tafel voldeed aan haar verzoek. De kok maakte een buiging vanuit de deuropening. Victoria zag dat hij nogal verlekkerd naar Cleangirl keek. 'Dat is het wel zo'n beetje – alleen wil ik nog eens zeggen dat jullie welkom zijn en dat ik jullie een heerlijke, ontspannen maand toewens.'

De schrijfster ging zitten, en er werd weer warm geapplaudisseerd. Dit was allemaal heel bevredigend verlopen.

Ik vond het vandaag moeilijk om alles bij te houden, met al die binnendruppelende gasten en zo. Ik vraag me af hoe het zal gaan als er veel dingen achter elkaar gebeuren. Dan moet ik aantekeningen maken en ze uitwerken als iedereen naar bed is.

Ik verwacht Cecile in de loop van morgen. Als Marcia ook nog komt, zijn we compleet. Als...

Vrijdag

Dag Twee Week Een

Weer het koor van de dageraad, om ongeveer kwart voor vijf; mooi, maar ik wou dat ze het wat zachter deden. Weer in slaap gevallen toen ze tot rust waren gekomen.

Na de lunch – derde persoon. Victoria had een goed gesprek met Henry, in de tuin, op ligstoelen, op het gazon, in de zon. Ze hoorde hem uit over wat hij op dit moment aan het doen is, qua werk. Hij vroeg haar om daarover niets in het boek te zetten, want het verkeert in een delicaat stadium – en dat is misschien nog steeds zo als *Vuurtoren* verschijnt. Maar Victoria nam aan dat hij het niet erg zou vinden als ze er een klein beetje over schreef; per slot van rekening zou het goede publiciteit zijn. Hij werkt met een toneelschrijver, Hector Furnace, aan een erg ambitieuze uitvoering van *Een midzomernachtdroom*. Er gebeurt het volgende: er zijn twee producties tegelijk aan de gang – een van *Een midzomernachtdroom* en een stuk dat door Hector is geschreven. (Ze hebben daar nog geen definitieve titel voor. Misschien wordt het gewoon *Nachtdroom*. Favoriet is ook *Zomernachtdroom*. Of *Zomerdroom*. Het decor van het ene stuk staat tegen de achterkant van het decor van het andere stuk – dus als een acteur het MZND-toneel als, bijvoorbeeld, Oberon verlaat, verschijnt hij op het achtertoneel als wie het maar is die hij in het andere stuk is. Het is allemaal vreselijk gecompliceerd. De timing moet tot op de seconde kloppen. En natuurlijk geldt dat hoe belangrijker een personage is in MZND, hoe onbelangrijker hij is in *Zomerdroom*. Er is een echt achter-achtertoneel; dat hadden ze in een vroeg stadium al besloten – vanwege de kinderen die meedoen, de elfjes, Mot, Erwtenbloesem, enzovoort. Het is in strijd met de vakbondsvoorschriften om ze te lang of te laat te laten werken. *Zomerdroom* gaat over veel meer dan de gebruikelijke acteursperikelen. Het heeft wel wat van Stoppard, zegt Henry. En ook iets van Ayckbourn. En van Pinter. En hier en daar ook van Mamet. Natuurlijk krijgt het publiek alles pas te zien als het de ene avond naar MZND gaat kijken en de volgende avond naar *Zomerdroom*. Het beste, zei Henry, zou het zijn als je daarna nog een keer naar MZND ging – want dan kun je zien hoe de spanningen op het achtertoneel op het voortoneel tot uiting komen. De hele productie kan niet anders dan een groot succes worden, al is het allemaal wel erg vermoeiend voor de acteurs.

Henry was zo briljant. Victoria vond hem enorm aantrekkelijk. Dat had ze altijd al gevonden. En ondanks zijn huwelijk met Ingrid – of misschien juist daarom – was ze steeds naar hem blijven verlangen. Zijn aantrekkelijkheid was veel conventioneler dan die van X. Het was zo'n geval van de man uit de catalogus (Henry) versus de rommelige maar knappe man (X); aan de ene kant Cary Grant of Henry Fonda, aan de andere kant Jean-Paul Sartre of Serge Gainsbourg. X had diezelfde enigszins glazige Parijzenaarsblik in zijn ogen; die van Henry waren bruin of groen, afhankelijk van het wolkendek en het behang. Victoria was altijd al gecharmeerd geweest van mensen die vervormde versies van andere mensen waren, en via hen kon ze zichzelf zien als een andere versie van zichzelf – zoals Hepburn (Katharine) bij Henry als Grant, en Charlotte bij X als Gainsbourg.

Victoria was het gesprek begonnen door naar dochter/Ingrid te informeren, en of het huis hun beviel. Ze probeerde diezelfde vraag nu nog een keer aan Henry te stellen, maar hij herhaalde alleen maar: 'O, alles goed hoor.' Toen stond hij op, verontschuldigde zich en liep de tuin uit, naar het strand. Geen plezier, geen geflirt.

Ingrid was tot nu toe vooral bij Edith geweest – Victoria weet niet precies wat ze doen. Ze waren diezelfde ochtend samen naar Southwold geweest.

(Opmerking voor mijzelf: ik moet een beschrijving van de tuin voor deze scène plaatsen.)

De tuin was niet vreselijk groot – vanuit het midden kon je tot in alle hoeken kijken. Er waren hoge muren, links, rechts en langs de achterkant, zodat we op een verrukkelijk egoïstische, Engelse manier van de rest van de wereld waren afgesloten. Langs die muren lagen brede, interessante bloembedden. Een tuinman onderhield dat alles. Hij kwam binnen door de groene tuindeur en had een sleutel van de schuur. Victoria had geen reden gehad om met hem te praten, en als ze dat deed, zou ze hem alleen maar kunnen feliciteren met de prachtige staat waarin alles verkeerde. Er groeiden drie appelbomen op het gazon, links als je met je rug naar het huis stond. Ze waren oud en ongeveer zo groot als appelbomen kunnen worden. Hun bloesems waren allang verdwenen; bloesems zouden te veel gevraagd zijn. Op dit moment hadden ze alleen maar vruchten van normale grootte, maar in de herfst zouden die vast en zeker tot grote stoofappels zijn uitgegroeid, zo groot als twee vuisten. Het gazon helde af naar een trapje aan het eind van de tuin.

Ik zou wat meer over de bloembedden moeten vertellen, maar ik weet echt niet wat daar in staat. Dat heb je als je een stadsmeisje bent, geboren en getogen in flats – en als je nooit zoals Fleur buiten de stad bent gaan wonen. Ik weet de namen van al die dingen niet. Maar echt, ze zijn zo kleurrijk. Geel en roze (jammer genoeg) en donker, donkerviolet. Ik geloof niet dat er vuurpijlen in staan, zoals in *Naar de vuurtoren* – ik denk dat ik ze zou herkennen. Geen viooltjes, narcissen, chrysanten. Het zullen wel de soorten mooie bloemen zijn die in het soort aarde groeien dat ze hier hebben, aan de kust. Lieve help, misschien moet ik dan toch met de tuinman praten. Die zal me alle namen kunnen vertellen, en ook een paar bijzondere verhalen over hun voorgeschiedenis. Mensen houden van dat soort details. Als ik niet genoeg details vertel, zullen ze niet geloven dat dit een strandidylle is. Ik zal het proberen: aan de voorkanten van de bloembedden staan veel lage mosachtige planten. Ik denk dat daar in andere tijden van het jaar bloemen op zitten. Kleine gele of rode, zou ik zeggen.

Helemaal achter in de tuin zit een deur – hout met verbleekte groene verf – in een hoge muur van afgeschilferde baksteen, waardoor je zo de duinen achter het strand op loopt. (Dat ga ik nu doen...)

Ik heb mezelf weer geïnstaleerd. De zee zelf was, afhankelijk van het getij, dertig of veertig meter ver weg. Hier in Suffolk gaat hij niet zoveel heen en weer. De golven die opbolden om zich fonkelend op het glinsterende zand te storten, waren geweldig mooi om te zien – zo mooi dat het algauw vermoeiend werd om te proberen de indruk van die schoonheid vast te houden; en na een tijdje begon je een hekel te krijgen aan de genadeloze schoonheid van dat alles en hoopte je dat er een donkere wolk kwam opzetten, al was het maar het dan allemaal een beetje minder genadeloos zou overkomen.

De duinen waren Victoria's favoriete deel van elk strand: ruig als de haren op de nek van een bastaardhond, met veel plaatsen waar je je zonder gevaar in de leegte kon storten, en veel andere plaatsen waar je je mét gevaar in de armen van een ongeschikt persoon kon storten, iemand die niet jouw bijzondere persoon was. (Waar heeft Henry zich verstopt?) De zee was de zee was de zee was groot en uitgestrekt en ver en je zou graag zeggen blauw maar hoe graag je dat ook zou willen hij zou nog steeds in alle eerlijkheid blauwgrijs zijn, grijsblauw, grijs met een zweem van blauwigheid.

Rechts, met je rug naar het huis, lag Southwold. De vuurtoren zelf verhief zich boven het stadje en zou een belachelijke indruk maken als je hem niet al zo vaak op ansichtkaarten en theedoeken had gezien, en op sleutelhangers, op menuborden buiten pubs, in van die glazen bollen waarin je het kunt laten sneeuwen. Er waren winkels in het stadje die blijkbaar konden bestaan van de verkoop van schaalmodellen van de vuurtoren aan sentimentele toeristen.

(Ik zal een andere keer het stadje beschrijven: ik heb een beetje hoofdpijn gekregen van de zon en ik moet nu naar het huis terug om paracetamol te slikken. Bovendien vind ik het niet prettig dat mensen die over het strand lopen me in de duinen op mijn laptop zien tikken. Ik moet er niet aan denken dat het ding gestolen wordt; bijna alles zit erin, en dan heb ik het niet alleen over *Vuurtoren*. Ik sla de hele tijd van alles op.)

16.00 uur. Biecht in de voorkamer. Dienblad met theedingen. Simona kwam ~~en vertelde me veel dingen die ik liever niet gebruik. Als ze mij wil gebruiken om haar ex te grazen te nemen, ben ik niet geïnteresseerd. En dus neem ik haar beschrijving van het einde van hun huwelijk (ze zijn~~

Eigenlijk achtenenhalf jaar

~~meer dan tien jaar getrouwd) niet in de definitieve versie op en schrijf ik er ook hier zelfs niet zijdelings over. Ze praat liever niet over de mogelijkheid dat ze William zal verlaten en verandert van onderwerp wanneer ik dat ter sprake probeer te brengen. Hij was vanmiddag naar een van de pubs in Southwold gegaan. Hij drinkt. Alan kwam ook, maar hij ging gauw weer weg~~ toen hij zag dat ik Simona bij me had. 'We zijn zo klaar,' zei ik, blij met de onderbreking. 'Nee, nee,' antwoordde Alan, 'ik kwam alleen maar even kijken.' Hij maakte een opgewonden, emotionele indruk – ~~ik ergerde me omdat Simona me ophield en ik dus niet kon nagaan wat er met hem aan de hand was.~~ Hij was de afgelopen vierentwintig uur zelfs voor zijn doen erg stil geweest.

17.00 uur. Cecile is vanavond gearriveerd – ze belde vanaf het station en X heeft haar opgehaald. Ze bracht een prachtig boeket stijlvolle, mooie, geweldige, fantastische bloemen voor me mee. Goed, ik geef het toe: het waren rozen – roze. Maar ze waren van een *heel andere orde* dan de rozen die Fleur voor me meebracht. Deze waren lang en delicaat, niet dik en plomp. Hun kleur was zo delicaat dat het bijna geen roze meer was. Als ik ernaar kijk, verander ik van gedachten over rozen en de kleur roze, en over de combinatie van die twee.

Ik verbaasde me over Ceciles bagage: tot nu toe heeft ze alleen twee smalle kalfslederen koffers, een hoedendoos en een handtasje meegenomen. Ik verwacht dat de rest is 'nagestuurd' en later nog komt (een hutkoffer?).

O, wat heb ik een bewondering voor die vrouw. Ik hoop dat het geen teleurstelling voor me wordt om haar de hele tijd in de buurt te hebben. Ik weet zeker dat ze me gaat haten – al was het alleen maar omdat ik een zuster als Fleur heb.

Natuurlijk zal Cecile zeggen *maar ze is aanbiddelijk*, maar daarmee bedoelt ze *zodra we in Londen terug zijn, zie je me nooit meer. Ik zou je nooit meer kunnen zien zonder meteen aan die trien te denken.*

Ongeveer een kwartier nadat ze was aangekomen, ging Cecile naar de keuken en vroeg: 'Is er een strijkbout die ik kan lenen?'

'Ik laat er meteen een naar boven sturen,' zei ik. 'En een strijkplank?'

'Als het niet te lastig is,' zei Cecile.

'Natuurlijk niet,' zei ik.

'Dank je,' zei Cecile, en ze ging weer naar haar kamer om haar bagage uit te pakken.

Ik bracht de strijkbout zelf naar haar toe, want ik hoopte alvast een blik te kunnen werpen op de inhoud van die kalfsleren koffers. Maar de deur van haar kamer ging maar net ver genoeg open om de strijkbout door te laten; het was zo'n smalle opening dat je niet kon doen alsof je er een uitnodiging in zag.

Toen Cecile de deur had dichtgedaan, stond ondergetekende erg teleurgesteld op de overloop. Maar toen dacht ik, nee, het is beter dat ik de kleren in hun ongekreukte staat zie. En we hebben een hele maand de tijd om elkaars garderobe te bekijken. Ik hoef me geen zorgen te maken. Die deur gaat heus nog wel voor me open.

Ik denk dat ik nu meteen ga proberen Cecile te vinden. Ik wil haar beschermen tegen de vulgariteit die hier overal heerst. Ik had haar niet moeten uitnodigen, hè? Maar blijkbaar wilde ze erg graag komen. Ik vraag me af waarom.

19.00 uur. Wat gepraat met Cecile. Niet zo vertrouwelijk als ik zou willen, maar het is tenminste een begin.

Diner. Ik zal de kok vragen me een lijst van de menu's te geven, dan hoef ik ze niet steeds hier op te schrijven. De conversatie was vrij aangenaam. Fleur mokt over alles; over het feit dat ze Fleur is, denk ik. Edith babbelde maar wat, erg zelfverzekerd. Ik kon zien dat Cecile van haar gecharmeerd was. Cleangirl zag dat en was trots. Henry weigerde oogcontact met me te maken – hij deed dat zo overduidelijk dat X nu misschien vermoedt dat we een verhouding hebben.

22.00 uur. Marcia is eindelijk komen opdagen. Ik ging opendoen toen ze verwoed op de voordeur klopte.

'Hallo,' zei ik.

Zonder een woord terug te zeggen hobbelde ze met haar rolstoel over de drempel en reed met behoorlijke snelheid door de hal.

'Rechts en dan links,' zei ik, en ze ging de hoek om – recht de salon in.

Ik deed de deur dicht en rende achter haar aan.

'Jij betaalt alles, hè?' zei ze tegen me, en ze posteerde zich in haar rolstoel naast de dichtstbijzijnde bank.

'Ja,' zei ik na een korte stilte.

(Inmiddels had iedereen het gezien.)

'Dan mag je ook mijn benzine betalen.'

'Natuurlijk,' zei ik. 'Het is leuk dat je er bent.'

(Niemand van ons wilde de eerste zijn die het zei.)

'Mijn bagage ligt in de kofferbak, die open is.'

X glipte discreet de salon uit.

'Hé, mensen,' zei ik. 'Laat me jullie aan Marcia voorstellen.'

Marcia zag dat we allemaal onderzoekend naar haar keken. Ze had een blauw oog; van haar linkeroog was alleen nog een spleetje te zien.

'Vraag het níet,' zei ze.

'Natuurlijk niet,' zei ik. 'Wil je iets drinken?'

'Heb je whisky?' zei ze.

'Een dubbele?' zei ik.

'O ja,' zei Marcia. 'Zo dubbel mogelijk.'

X kwam naar binnen wankelen. Hij droeg een grote blauwe koffer met dikke riemen.

'Als je nu eens je bagage ging uitpakken,' zei ik. 'Dan staat je whisky voor je klaar als je...'

'Ik wil hem liever nu meteen hebben, als je het niet erg vindt,' zei Marcia.

'Goed,' zei ik.

'En misschien vrij snel daarna een tweede.'

'Goed idee,' zei William.

Edith keek naar haar. Ze beefde van verlangen om het te wéten.

'Bedtijd,' zei Ingrid.

Edith bood geen verzet, al kon ik zien dat ze dat – later in de maand – misschien wel zou doen. Maar voordat ze naar bed ging, zei ze één klein ding: 'Is iedereen er nu?'

Marcia goot haar whisky in twee teugen naar binnen, met daartussen alleen een soort gesis als van een kat die naar een andere kat blaast.

'Ja,' zei ik. 'Iedereen is er.'

'O,' zei Edith.

'Hoezo?' vroeg ik. 'Dacht je dat er nog iemand anders zou komen?' Natuurlijk kon ik zien dat ze op een jongen had gehoopt, iemand van haar eigen leeftijd die misschien verliefd op haar zou worden of op wie zij misschien verliefd zou worden. Alsof ze mijn vermoedens wilde bevestigen, kreeg Edith een kleur toen ik zei: 'Ik ben bang dat je hier met alleen maar saaie oude mensen zit. Is dat zo erg?'

'Nee,' zei ze. 'Het is eigenlijk helemaal niet erg.'

Ze verdween vlug. Zo te zien was ze een beetje meer van streek dan ik had verwacht.

De conversatie ging door terwijl ik naar haar luisterde – haar voetstappen die licht de trap op gingen, haar voeten die over de overloop stampten, haar kamerdeur die dichtknalde.

'Wat was dat nou weer?' vroeg Cecile aan mij. Ze was, afgezien van mijzelf, de enige geweest die had gezien hoe verontwaardigd Edith was geweest.

Marcia slaakte een lange, diepe, nogal theatrale zucht.

Hoewel het nogal moeilijk was, probeerden we de conversatie gewoon voort te zetten. Het onderwerp was geweest: *Wat een mooi huis is het*. Nu gingen we over op *Wat is het strand dichtbij*. We maakten een korte omweg via *Wat is het strand schoon* en kwamen toen terug op het wat verfijndere *Wat zijn de slaapkamers in het huis toch mooi*.

Toen ze haar tweede whisky op had, bracht ik Marcia naar haar kamer, al hoefden we alleen maar even door de hal te gaan.

Ze ontdooide een beetje toen ze zag wat ik allemaal voor haar had geregeld.

Opmerking over Marcia's manier van spreken: het klinkt eigenlijk helemaal niet Jamaicaans, behalve wanneer ze voor de grap met een Jamaicaans accent spreekt. Ik vind dat een beetje teleurstellend, al kan ik me nu wel veel van die kleurrijke apostrofs besparen. Haar voornaamste eigenaardigheid is de nadruk die ze soms op de helft van een woord legt, ten koste van de andere helft. Hal*lo*. *Men*sen. *Wel*kom. *Al*tijd. Dat soort dingen.

In bed. Ongeveer halftwaalf 's avonds. Het huis bevindt zich nu in het stadium dat romans vaak bereiken: iedereen is bij elkaar, maar er is nog niets besloten. Je balanceert op de rand van iets, met een blinddoek voor, en je weet niet of het een skischans of een steile afgrond is. Je weet niet eens of je ski's aan je voeten hebt. Op zulke momenten kun je alleen maar vertrouwen op het feit dat je zulke trucs al eerder hebt uitgehaald en overleefd. Maar dat argument werkt niet als je weet dat je weliswaar zulke trucs hebt uitgehaald maar dat die nooit zo extreem waren. Ik heb mijn reputatie op het spel gezet door te voorspellen wat iedereen gaat doen. Ik ben nergens voor teruggedeinsd: iedereen kan de synopsis lezen. Tot nu toe heb ik het redelijk goed voorspeld.

2:00 uur. Opgewonden. Ik kon niet slapen. Ik moet steeds weer aan Ceciles bagage denken. Is ze echt van plan zich vier volle weken uit maar twee kleine koffers te kleden? Wat zou ik graag een kijkje in haar kamer nemen! Ik heb zelfs overwogen mijn belofte voor de eerste week te breken en naar de zolder te gaan om op het scherm te kijken.

Het huis is erg stil op dit uur van de nacht. Ik houd daar wel van. Ik houd daar heel veel van. Niet dat het tot nu toe overdag erg luidruchtig was; er zijn geen woordenwisselingen geweest waar ik bij was: Edith heeft niet eens meer met deuren gegooid.

Ik zit dit te schrijven in een van de fauteuils in de hoek van de grote slaapkamer. X ligt lekker te snurken; ik heb de hele dag nauwelijks de kans gekregen om met hem te praten. Hij maakte een tevreden indruk. Het felle, blauwe licht dat van mijn laptopscherm komt past goed bij het maanlicht dat door het raam naar binnen valt. Het is bijna volle maan. Omdat het bovenste raampje open is, hoor ik de zee. Op deze afstand klinken de golven erg als het moment waarop je een citroenschijfje in een glas erg koude gin-tonic laat vallen.

Op zulke momenten ben ik blij dat ik ben wat ik ben en doe wat ik doe. Het is zo mooi om hier alleen te zijn; nou ja, bij wijze van spreken alleen. Omdat ik er voor honderd procent zeker van ben dat niemand in dit vroege stadium bij een ander in bed duikt, kan ik me ontspannen. Er ontgaat me niets.

Ik heb echt zin in een wandeling over het strand.

2:30 uur. Dit is goddelijk.

Ik heb de laptop meegenomen. Ik zit hier in kleermakerszit op het strand te typen, midden in de nacht, met de zee voor me, het huis achter me, de maan boven me.

Ik typ woorden die op een dag de grondslag voor een boek zullen vormen; zinnen die misschien, zelfs deze, letterlijk worden opgenomen. Van de eerste persoon naar de derde persoon naar de uitgever naar de lezer.

Soms besef je dat je in een wonderlijke tijd leeft.

O, en rechts van me zie ik de vuurtoren van Southwold, vier rode flitsen, twaalf seconden niets, vier rode flitsen.

Ik doe mijn ogen dicht en keek naar de sporen die Southwold bij nacht op mijn oogleden heeft achtergelaten: als tanden en kiezen op een röntgenfoto, naaldboomvormig, rood, ondersteboven.

De golven verspreiden zich over het laatste, vlakke, zanderige deel van het strand, als witte lakens die over een matras worden getrokken.

Zaterdag

Dag Drie Week Een

4:45 uur. Weer wakker geworden van het dageraadkoor. Wat vind ik dat mooi, nog steeds. Nog net. Ternauwernood. Op een haar na.

Ondanks het gebrek aan slaap voelde ik me erg verkwikt toen ik vanmorgen wakker werd. Ik bleef tot twaalf uur in bed liggen; X bracht me thee en geroosterd brood.

Ik geloof niet dat ik veel heb gemist. De gasten hadden hun ontbijt gekregen – waarover ze erg enthousiast waren. Ik zei dat ze de kok zelf moesten bedanken en dat ik had liggen slapen toen het werd klaargemaakt.

'Krijgen we elke dag zo'n ontbijt?' vroeg Marcia.

'Natuurlijk,' zei ik, 'en ook een diner. Wat de lunch betreft, zullen we moeten improviseren. Maar omdat we niet zo van een formele zit-lunch houden, denk ik dat het een goed idee is dat iedereen zelf iets klaarmaakt.'

'Dat denk ik ook,' zei Fleur.

Hier en daar werd gemopperd over het ontbreken van een tv.

Het weer is vandaag niet erg goed – vrij slecht zelfs. Een laaghangende grauwe hemel, harde windvlagen en het gevoel van regen in de lucht. Het doet je eraan denken dat ze hier ook winters hebben; echte winters, niet die grauwe winters die we in Londen gewend zijn.

Ongeveer 13.00 uur. Lieve help. Ik zat net in mijn studeerkamer (de grote slaapkamer) toen er op de deur werd geklopt. Ik deed open en het bleek Cecile te zijn. Ik was natuurlijk erg blij; het idee dat ze me kwam opzoeken, dat ze een tête-à-tête wilde... Maar toen zag ik Edith achter haar staan. 'Mogen we binnenkomen?' vroeg Cecile.

'Natuurlijk,' zei ik, en ik deed een stapje naar achteren. Eigenlijk laat ik niet graag iemand in de grote slaapkamer toe, *à cause de* het luik, dat pijnlijk zichtbaar is in het plafond.

Edith keek ongelooflijk somber, zoals ze de hele dag al kijkt, ja, al sinds Marcia's aankomst. Ik had die twee dingen niet bewust met elkaar in verband gebracht – afgezien van mijn vermoeden dat ze misschien teleurgesteld was omdat ik geen jongen van haar leeftijd had uitgenodigd.

'We willen graag over de kamerindeling praten,' zei Cecile. Ik was stomverbaasd – wat zouden ze daarover te zeggen kunnen hebben?

'Ik ben geen kind meer,' onderbrak Edith haar met een snik. 'Ik ben het zat om een kind te zijn. Ik dacht dat ik normaal behandeld zou worden.'

'Dat word je ook,' zei Cecile sussend. 'Daar twijfel ik niet aan.' Ze legde haar arm om Edith heen en ze lieten zich op de sprei zakken – waar ze nauwelijks een kuil in maakten. 'Je zult het inmiddels wel hebben begrepen,' zei Cecile. 'Iemand met zoveel empathische gaven als jij ziet vast wel wat het probleem is.'

Daar had ik even niet van terug, maar toen begreep ik het. 'Zeg,' zei ik, 'Clea... Haar moeder beslist wanneer Edith naar bed gaat. Ik geloof niet dat het mijn taak is om me daarmee te bem...'

'Het kan me niet schélen wanneer ik naar bed ga,' klaagde Edith opgewonden. 'Dat kan me echt niet schelen – ik vind er toch niks aan om de hele avond naar jullie saaie en superbeleefde praatjes te luisteren. Maar ik ga niet in een babykamer slapen!'

Cecile keek me aan, een beetje geschrokken omdat ik het probleem blijkbaar niet had gezien. Maar hoe zou ik dat ook kunnen? 'Edith wil graag verhuizen,' zei Cecile. 'We begrijpen dat er een kamer over is. We hebben daar gekeken.' (Dat was waar ook: ik was zo dom geweest de kamer van de dochter niet op slot te doen.) 'Edith vindt het een mooie kamer. Ze zou zich daar veel meer op haar gemak voelen.'

'Er ligt speelgoed op de planken en er is raar behang en het bed is te klein,' jammerde Edith. Het duurde even voor ik besefte dat ze het over de kinderkamer had.

Ik wendde me van hen af om tijd te winnen. D~~e extra kamer voor Simona – voor als ze met William brak. Ze zou daar een nacht of twee haar toevlucht kunnen nemen, totdat hij wegging en ze weer in hun kamer kon trekken. Als ze dat laatste te pijnlijk vond, kon iemand anders hun kamer nemen en zij de kamer die daardoor vrijkwam. Deze nieuwe regeling sloot dat alles niet uit (zou Simona bereid zijn in de kinderkamer te slapen? Zou ze dan niet al haar waardigheid verliezen tegenover William? Zou het niet eerder een capitulatie dan een overwinning zijn? Bovendien zou ik iemand in de kamer van de dochter zetten die waarschijnlijk dingen zou beschadigen of verplaatsen.~~

Ik draaide me om en wilde nee zeggen. Maar Edith zag er zo mooi verdrietig uit, en Ceciles grote ogen keken me aan met wat nu nog een smekende blik was maar elk moment in een uitdagende blik kon omslaan. Als Victoria een kans wilde maken op de door haar zo vurig begeerde intimiteit met Cecile, zou ze deze concessie moeten doen, enzovoort.

'Natuurlijk,' zei ik. 'Je kunt die kamer in wanneer je maar wilt.'

De stap van verdriet naar blijdschap kan erg klein zijn, als je jong bent. Edith straalde als een kleine vuurtoren. Cecile glimlachte ook – ze dacht er natuurlijk aan terug dat kleine dingen zich ooit voor haar zo hadden opgestapeld dat ze alle licht blokkeerden; ze herinnerde zich de opluchting van die snelle verhuizing. 'Dank je,' zei Edith, 'dank je, dank je.'

'Nou,' zei ik, 'je had je niet zo druk hoeven te maken; je hoefde het alleen maar te vragen.'

'Ik ga meteen verhuizen,' zei Edith.

'En ik zal iedereen vertellen dat je bent verhuisd,' zei Cecile.

'Nog één ding,' zei ik. 'De eigenaars van dit huis...' En ik legde het uit. Edith luisterde met komische ernst. Ik denk dat ze graag had gewild dat ik haar een soort eed had laten zweren, een plechtige gelofte dat ze de kamer van de dochter zou verdedigen tegen eenieder die schade wilde aanrichten. Om haar tevreden te stellen vroeg ik: 'Beloof je dat?' En ze legde haar hand op haar hart, dat deed ze echt, en zei met ogen dicht: 'Ik belóóf het.' En dat was dat.

'Dank je,' zei Cecile, toen ze weggingen. Haar ogen glansden nog. Ze pakte mijn hand vast en gaf er een kneepje in. Ik had gehoopt dat ze nog even zou blijven praten, dat ze het over het gebrek aan perspectief in Ediths naïeve wereldbeeld zou hebben, dat we nog even gezellig met elkaar zouden babbelen, bijvoorbeeld over de tijd dat we zelf nog meisjes waren – de hartstochtelijke gevoelens die we toen hadden gehad, de vernederingen die we hadden ondergaan. Daar zou ik al tevreden mee zijn geweest. Maar ze ging weg met Edith en binnen enkele seconden hoorde ik hen de deur van de kamer van de dochter openen.

Ik bleef nog zo'n vijf minuten staan luisteren en klampte me vast aan de hoop dat Cecile zou terugkomen zodra Edith geïnstalleerd was. Dat deed ze niet. Ik hoorde de deur van de kamer van de dochter dichtgaan. Er kwamen geen voetstappen terug. Het was duidelijk dat Cecile zich tijdelijk ook in die kamer had geïnstalleerd.

Al dat gedoe en ik weet niet waarom. Er mankeert niets aan de kinderkamer, al is die een beetje kinderachtig voor Edith, dat geef ik toe – het ballerinabehang, de gordijnen met de letters van het alfabet. Planken met kinderboeken; een bijna complete verzameling Enid Blytons. Op de schoorsteenmantel een stuk of honderd Whimsies (bruine porseleinen diertjes om te verzamelen – onnozel glimlachende eekhoorntjes, verliefde duiven en dergelijke). Een groot schilderij aan de muur, van een indiaanse squaw met hertenogen. Het bed in de hoek naast de deur is smal en eenpersoons; alsof Edith iets anders nodig zou hebben! In de deur van de kleerkast zijn boven hartjes en beneden ruitjes uitgespaard. Eigenlijk heeft de hele kamer wel iets van Wonderland: als ik daar zou slapen, zou ik vast elke ochtend bij het wakker worden mompelen: 'Jij bent niets dan een spel kaarten! Jij bent niets dan een spel kaarten!'

Edith draagt geen Alice-haarband en heeft die ook nooit gedragen. Ze is een van de minst bekakte kinderen die ik ooit heb ontmoet. Ik denk dat ze dingen met haar handen kan repareren en dat ze weet hoe de binnenkant van andere dingen (die ze niet kan repareren) werken, in theorie. Haar moeder heeft een leuk jongetje van haar gemaakt. En dat is, neem ik aan, ook de reden waarom ze zich zo tegen haar meisjesachtige gevangenis verzette.

Let wel, de kamer van de dochter is niet zoveel anders. In plaats van Enid Blytons staat daar het complete werk van Jilly Cooper (*Imogen*, *Polly*... enzovoort). Dit was de kamer van de tienerdochter van de eigenaars geweest, voordat ze naar kostschool ging. Het behang hier is echt Laura Ashley; het is helemaal jaren zeventig, pasteltinten met het accent op perzikgeel. Het bed heeft een weelderige waardigheid die aan Spanje doet denken en aan het eind van de gordijnkoorden hangen pompons zoals je op dorpsfeesten ziet. De pockets zijn verbleekt en van zacht pulpachtig papier. Ik denk dat ik daar zou kunnen slapen, erg goed slapen, en erg erotisch zou dromen over tienerjongens. De vloerbedekking is dik en oranjeachtig, als een ruig wollen ding dat je op school maakt, of als een poppenfiguur uit een oud kinderprogramma. Er staat een kaptafel met drie spiegels voor het raam, dat uitkijkt op de oprijlaan. Op de ruit zitten stickers die door het zonlicht bijna wit zijn geworden: pony's. En de punaises in de muren zijn de stille getuigen van wat eens een indrukwekkende collectie uitklapplaten uit *Horse and Pony* moet zijn geweest.

Langs de oprijlaan staat een stal, en er is ook een grote wei waar de eigenaars vroeger het paard van hun dochter hadden staan. Het is zo'n twee jaar geleden gestorven, hebben ze me verteld. (Eigenlijk hebben ze me veel meer over het paard – Lilac – verteld dan over hun dochter.)

De kamer van de dochter is een beetje bedompt en voelt altijd te warm aan, ook als het koud is. Alle meubelen zijn van grenenhout. Ik begrijp niet wat Edith in die kamer ziet. De kleerkast hangt vol met kleren waar de dochter uit gegroeid is. Toen ze het huis uitging, moet haar moeder ze allemaal weer in die kast hebben gehangen. Ik weet niet wat ze zich daarbij voorstelde, want niemand zal ze ooit nog dragen.

Op de kaptafel staat een foto met een zilveren lijst, een foto van een meisje dat er leuk uitziet. Ze heeft blond haar, is een jaar of tien en ze heeft een beugel.

Help! Zojuist heeft Marcia me gevraagd of ze bóven mocht rondkijken. Alan bood aan haar op zijn rug te dragen en ze ging akkoord. Overal waar ze gingen, ging ik met ze mee – om ze rond te leiden, de tijdelijke dame des huizes.

Telkens wanneer we een kamer binnengingen – van de dochter, van Cecile, van William en Simona, van Henry en Ingrid, de kinderkamer, van X en mij – verkráchtte Marcia die kamer als het ware met haar ogen. Ze wist dat dit waarschijnlijk haar enige kans was om een kijkje te nemen, en ze haalde er echt uit wat erin zat.

Toen we bij de grote slaapkamer kwamen, was ik erg bang. Ze zou het luik zien! Het kon niet anders of ze zag het luik!

Ik maakte de deur open en Alan droeg Marcia over de drempel. Het was net een spelletje. Marcia krijgt twee minuten om rond te kijken en daarna moet ze zoveel mogelijk voorwerpen uit de kamer opnoemen.

Ik dacht dat het luik haar ontging, maar nee: haar ogen tastten het hele plafond af. 'En dat?' zei ze, wijzend naar het luik. 'Wat is daarboven?'

Ik was geschokt, maar liet dat niet blijken. 'Nou,' zei ik, 'dat weet ik eigenlijk niet precies. Een zolder, denk ik.'

Ze keek er verlangend naar. Ik was bang dat het een uitdaging tussen aanhalingstekens voor haar zou worden om nog verder naar boven te gaan, en je weet hoe gehandicapte mensen zijn als ze met een 'uitdaging' worden geconfronteerd.

'Het zit op slot,' zei ik voor ik er erg in had.

Marcia keek me aan met de harde, indringende blik waarmee ze naar de kamers had gekeken.

'Dus je hebt het geprobeerd,' zei ze.

'Natuurlijk,' zei ik. 'Zou jij dat niet doen?' Ik dacht dat het een blunder was, maar Marcia zei vlug: 'Ja.'

Gelukkig kwam er daarmee een eind aan de rondleiding. Alan droeg Marcia weer naar beneden. 'Dank je,' zei ze. 'Nu heb ik het gevoel dat ik het huis echt kén.'

Vergiste ik me of keek ze dwars door me heen toen ze dat zei? Op dat moment leek röntgenzicht me helemaal niet zo'n bizarre voodootruc van haar.

Opmerking over Marcia: even daarvoor hadden we een gesprekje op de gang. Ik wilde haar graag wat beter leren kennen en uiteindelijk het gesprek op haar blauwe oog brengen. Ze was wel vriendelijk, maar bleef beleefd en op een afstand, al is ze lang niet meer zo chagrijnig als toen ze arriveerde: ze hóudt van het huis. Voor zover ik kan nagaan, kan ze het het beste met Fleur vinden. Heb ik dat voorspeld? Ik geloof van wel.

Omdat het slecht weer is, blijft iedereen binnen. De salon is in beslag genomen door de mannen, de keuken door de vrouwen (afgezien van de kok, die daar vreemd genoeg nooit schijnt te zijn – afgezien van het uur voor het avondeten).

Beschrijving: het is een erg comfortabele keuken. Iedereen die van koken houdt, zou dat daar graag doen. De kleuren zijn donkerblauw en gebroken wit: donkerblauwe Le Creuset, donkerblauwe Aga; wittige borden, wittige muren, dat alles ongeveer uit de jaren zeventig. Je stelt je voor dat het eten dat hiervandaan komt erg voedzaam is, vet en met een dikke saus. Het is een keuken die geen compromissen sluit als het op calorieën aankomt. De moderniteit dient zich aan in de vorm van een grote magnetron, naar achteren geschoven op een van de werkbladen. Hij ziet eruit alsof hij nog nooit gebruikt is, en ik weet dat de kok er een gloeiende hekel aan heeft.

Ik denk dat het vooral de tafel en stoelen hier zijn die ons (de vrouwen) aanspreken. (Met 'de vrouwen' bedoel ik Fleur, die Alan duidelijk ontloopt, en dat is goed, want het bewijst dat hij nog iets in haar oproept. Marcia kwam bij Fleur zitten, en de anderen, ikzelf ook, verzamelden zich om hen heen.) Het is een grote grenenhouten tafel die jarenlang als werkoppervlak is gebruikt. Er is op gehakt en gewreven en het hout is zo zacht als de handen van een grootmoeder. Er staan acht Windsor-stoelen omheen die eruitzien als vreemde mutaties van erg delicate wagenwielen; sommige hebben hogere rugleuningen dan andere, en ik weet nog steeds niet of er een pikorde is, dus op welke stoel je moet zitten om de indruk te wekken dat je op een troon zit. Maar zoals je bij vrouwen kunt verwachten, is er misschien een omgekeerde pikorde: het bezetten van de troon wordt vulgair gevonden, iets wat je niet doet, terwijl de eenvoudigste stoel het felst begeerd wordt.

We hebben allemaal onze gewoonten en maniertjes. Als Marcia aan de tafel gaat zitten, doet ze al haar ringen af (ze heeft er ongeveer acht, vooral dikke ringen van zilver) – alsof ze echt gaat koken, alsof ze deeg gaat kneden of vis gaat fileren. Ze legt ze voor zich neer in een halve cirkel, die volgens mij – ik durf het bijna niet te zeggen – alleen maar een regenboog kan symboliseren. Marcia heeft iets van een te laat geboren hippie, het soort vrouw dat zich bij milieuorganisaties aansluit als die al op het punt staan om ten gevolge van onbekwaam management ten onder te gaan (met medeneming van haar contributie; dat gaat op aan een nostalgisch rondje biologisch-dynamisch bier).

Fleur weet zich misschien niet goed raad met haar trouwring, die ze nog draagt. Ze draait hem voortdurend rond. Zo'n detail vind ik als schrijfster nogal clichématig, het is al zo vaak gebruikt om te laten zien dat vrouwen gespannen of eenzaam zijn; ik zou iets anders willen kiezen, maar ik kan nu even niets bedenken.

Cecile is van ons degene die het meest gebruikmaakt van de armleuningen van haar Windsor-stoel, ze leunt achterover en haar handen bewegen zich gracieus uit haar schoot, naar boven. Haar gebaren zijn zo expressief, zo geraffineerd als je bij iemand met haar achtergrond zou verwachten. Als stijl perfect geassimileerde affectatie is, heeft Cecile stijl. Ze kan zoiets simpels als de *moue* in *une chose* veranderen die helemaal van haarzelf is. Haar manier van schouderophalen is weergaloos.

Ingrid heeft de opmerkelijke eigenschap dat ze tegelijk poserend en juist niet poserend kan zitten, net als een kat; je kunt haar er niet echt van beschuldigen dat ze bewust iets wil uitstralen, maar je kunt ook niet zeggen dat ze er volkomen ongedwongen bij zit. Volgens mij is zij van ons allen degene die er met haar houding het meest rekening mee houdt dat er verder alleen vrouwen aanwezig zijn. Ze probeert vrouwelijk, ontvankelijk, zústerlijk over te komen, zou ik willen zeggen. Het werkt niet goed, want haar schoonheid – en dat zal ze zelf vast wel weten – maakt dat ze overkomt als iemand die minzaam op anderen neerkijkt. We voelen ons niet op ons gemak als we naast haar zitten, want we weten allemaal hoe slecht we de vergelijking doorstaan. Zonder dat we het willen toegeven, zitten we liever tegenover haar, alsof we in een galerie met bankjes zitten en zij een schilderij is waarvoor we een lange reis hebben gemaakt om het te zien.

De enige die haar niet mijdt, is Edith, die het helemaal geen probleem vindt als haar uiterlijk wordt vergeleken met dat van haar moeder. Instinctief weet ze dat de tijd in haar voordeel werkt en ze het uiteindelijk van haar moeder zal winnen. Alles wat haar moeder bezit en geleidelijk verliest, bezit zij ook, plus haar jeugd. Toch zit Edith bij voorkeur ergens waar ze Cecile kan zien. Ze neemt al een heel repertoire van typisch Franse gebaren van haar over, die komisch zijn om te zien (omdat ze met hun raffinement haar begrip te boven gaan), tenzij gebaren zélf tot begrip leiden, want in dat geval schiet haar leercurve de hoogte in.

Ik voor mij weet niet hoe ik overkom. Ik zit onderuitgezakt, denk ik, maar dat denk ik misschien automatisch als ik in de buurt ben van een oppervlak waaromheen mensen kunnen zitten om te eten. Toen ik nog een tiener was, geloofde ik dat mijn vader aan tafel meer opmerkingen tot mijn wervelkolom richtte dan tot mij. (Laten staan.)

Er wordt soms gerookt in de keuken, maar degenen die dat doen, gaan bij het raam boven de gootsteen staan, een van de ramen die uitkijken op de tuin; en als ze klaar zijn, doven ze het zondige rode kringetje in een straaltje kraanwater.

De keuken ruikt naar de eerste paar Edinburgh-frisse trekjes, niet naar de drabbige grauwe Liverpool-smoglucht van volle asbakken.

Waar praten we over? Nou, ik zou best een paar gesprekken willen weergeven, maar daar begin ik niet aan; zo interessant is het niet. Tot nu toe praten we een groot deel van de tijd over verschillende soorten eten; het weer; het strand; Southwold; waar de mannen het toch over zouden hebben in de ander kamer; vakanties; onze reis hierheen; andere huizen waarmee het de vergelijking kan doorstaan. (Cecile neemt niet deel aan dat laatste onderwerp.) Er komen wel een paar persoonlijke dingen ter sprake, maar echte confidenties worden niet gedaan; dat komt later, hoop ik.

De salon is groot, langwerpig en vervuld van een groenig licht dat uit de tuin naar binnen valt. Aan de ene kant staat de grote eettafel, waaraan we allemaal tegelijk kunnen zitten; aan de andere kant is er een rustieke haard, waaromheen de mannelijke bewoners van het huis zich verzamelen. Er staan drie banken voor, met openingen daartussenin die als in- en uitgang fungeren, drie banken waar je diep in weg kunt zakken en die bij elkaar passen; ze zijn alle drie bekleed met donkerrood fluweel. Ze zijn geweldig – ik zou er aan het eind van de maand best een willen stelen om hem naar Londen te laten brengen: die banken zien eruit alsof ze alle geheimen kunnen opzuigen die erop worden uitgesproken, zo akoestisch dicht zijn ze. Ze creëren de sfeer van een behaaglijke moederschoot, en dat zal wel de reden zijn waarom de mannen er zo graag op zitten, grote baby's als ze zijn. Alan was de eerste die ze koloniseerde. De schoorsteenmantel is van ruwe baksteen, en er zijn – dat moet ik toegeven – balken te zien aan het witte plafond; hoewel ze niet kunstmatig middeleeuws zijn gemaakt, zijn ze wel ruw: een lichte houtsoort die een beetje stoffig lijkt. De muren zijn wit. Saai. Schilderijen. De smaak van de eigenaars is niet eens zo slecht. Ik denk dat er ergens een Bomberg hangt, of iets wat erop lijkt. De vloer heeft plavuizen zo glad als molensteen, als een tapijt, zo glad dat je bijna weer een kind zou willen zijn om erop te spelen. Maar 's morgens kunnen die plavuizen ijskoud zijn.

De salon is een kamer waar je je niet schuldig voelt als je een sigaret opsteekt. (Ik heb een of twee sigaretten gerookt; gebietst van William, ik beken.) Je krijgt er zelfs het gevoel dat roken een van de twee of drie belangrijkste dingen in het leven is, praten terwijl je rookt.

De mannen hebben al vaste plaatsen op de banken. Ze zitten en praten over bijna niets, voor zover ik kan nagaan. Ze zijn competitief op die zinloze mannenmanier, maar ik geloof niet dat er al een beslissende strijd tussen hen is uitgevochten. Mannelijkheid is zo vermoeiend en neemt zoveel tijd in beslag, tijd die veel beter besteed kan worden aan belangstelling voor andere mensen en voor wat die mensen te zeggen hebben. X heeft een zeker overwicht, omdat hij mijn partner is en omdat hij een typisch alfamannetje is. Maar er spelen andere hiërarchieën mee. Henry is het meest vergelijkbare mannelijke product. William is de oudste, heeft het meeste haar en wil niet graag de schijn wekken dat hij iets van iemand afpakt. Alan dringt zich aan niemand op, niet aan mensen, niet aan dieren. Ik heb op dit moment geen flauw idee hoe het zich allemaal zal ontwikkelen. Het heeft niet mijn grootste belangstelling, die gaat uit naar de interseksuele relaties, die op hun beurt de enige reden zijn voor de aanwezigheid van de mannen hier. Als beide seksen niet aanwezig zijn, is er misschien wel *élan* maar geen *éclat*. De vrouwen zullen de emotionele structuur van het huis vormen; de mannen zijn alleen maar decoratie.

~~Nee, ik weet niet of er iets interessants tussen de mannen aan de gang is; ik weet niet of iets ooit zó interessant is... Maar op een vreemde manier fascineren ze me; als ik ze allemaal bij elkaar zie, in een groep, is het of ik naar een natuurfilm kijk – ze lijken zo gestileerd. Wij vrouwen lopen te koop met onze kwetsbaarheid (omdat we niet echt kwetsbaar zijn; we zijn veel harder dan zij); we voegen weinig glissandi aan onze gebaren toe; onze handen bewegen zich in arabesken en kronkelingen door de lucht. De mannen steken de kop naar voren en gaan recht vooruit; ze kunnen geen gratie accepteren. Ik zou nu willen dat we hier een homo hadden. Daar had ik echt voor moeten zorgen. (Niet dat ik het niet heb geprobeerd.) In ieder geval brengt *camp* een zekere expressiviteit met zich mee.~~ Dit moet eruit, of de volgende alinea. Je kunt kiezen

De mannen in de salon houden in feite een doodgewone competitie van kerels onder elkaar, alsof ze cowboys zijn. Hoewel we wéten dat ze geen buffel kunnen doden en villen, moeten ze doen alsof ze dat wel kunnen. Het zijn verwijfde Europese Engelsen, vrouwen zijn eeuwenlang bezig geweest hen, hun soort, te temmen. Toch hebben ze nog wat trekjes van roofdieren; of van prooi, ze ruiken naar wild. Vaak heb ik medelijden met ze: al die kleine dingen die ze van ons moesten ontdekken; al dat bedrog dat we moesten perfectioneren – zoals het idee dat ze ons vroeger op de een of andere manier hebben onderdrukt, in plaats van onze ongelukkige slaven te zijn.

De salon is (ondanks de mannen) de kamer in het huis waar je het liefst bent. Maar als het mooi weer is, lokt de tuin je onvermijdelijk naar buiten: de tuin is onverbiddelijk; en ben je eenmaal in de tuin, dan zegt de tuin: 'Je zult me pas ten volle op prijs stellen na een wandeling langs het strand.' En dus ga je naar de zee, en dan kijk je achterom naar het huis en bedenk je hoe mooi het zou zijn om binnen te zijn, weg van de duizeling van de natte horizon – je stelt je de zeelieden op hun stampende schepen voor, en de kilometers zonder cultuur, zonder fatsoenlijke woorden, met niets dan gegrom en touwen die je huid schuren.

Vroeg in de middag. Ik ben stout geweest, slecht-stout. Ik heb geprobeerd erachter te komen wie Ceciles koffers naar boven heeft gedragen. Ik weet zeker dat zij het niet zelf heeft gedaan, want ze ging meteen naar de keuken, waar ze met mij heeft gepraat, en toen ze een paar minuten later haar koffers ging uitpakken, waren ze al naar boven gebracht. Ik heb niet gezien dat ze iemand daarvoor bedankte, al zal ze dat vast wel hebben gedaan. Als een echte detective wil ik uitzoeken wie de dader is. X kon ik het rechtstreeks vragen: *Nee*. Wat William betrof, vroeg ik het Simona, en ze zei dat hij ~~haar niet eens met haar koffer had geholpen, laat staan iemand anders. (Hij is zo'n beest.)~~ dat zeker zou hebben gedaan, als ze het hem had gevraagd, maar ze heeft het hem niet gevraagd, dus heeft hij het niet gedaan. Bij Henry maakte ik er een grapje van. 'Je ontpopt je als een echte piccolo...' zei ik. 'Maar ik heb bijna niets gedragen,' zei hij. 'Wat?' zei ik. 'Zelfs niet die kleine koffertjes van Cecile?' 'Zelfs die niet,' zei hij, en hij ging verder met zijn boek, *Midzomernachtdroom*. De kok, kon ik nagaan, was de hele tijd in de keuken geweest. Wat de mannen betrof, bleef dus alleen Alan over, en het bleek inderdaad Alan te zijn geweest. Dat kon ik uiteindelijk vaststellen door in de tuin, vlak voor het avondeten, terwijl hij zat te roken, op te merken hoe interessant het toch was om de bagage van iedereen te vergelijken: wat vertelde hun bagage toch veel over hen. Na nog wat meer van die onzin zei ik: 'Ceciles koffers bijvoorbeeld, zijn zo minuscuul.' Ik wilde daaraan toevoegen: 'Je vraagt je af hoeveel ze wegen.' Maar Alan zei uit zichzelf: 'En ze zijn, eh, niet zwaar ook. Ik heb ze voor haar naar boven gedragen. Ze voelden aan alsof er niets in zat.' 'O ja?' riep ik uit, want ik kon op dat moment niet kalm blijven. Ik was opgewonden van nieuwsgierigheid, net een schoolmeisje. 'Ze zal de rest van haar spullen wel na laten sturen.' 'Na laten sturen,' zei Alan, 'kan dat nog?' 'Als je rijk genoeg bent,' zei ik, 'kun je alles nog doen wat ze vroeger deden.' 'Is Cecile rijk dan?' 'Schatrijk,' zei ik, en ik liet me nu helemaal meeslepen door de roddelstem in mij. 'Ik geloof dat ze ooit getrouwd is geweest met iemand die steenrijk was: een Italiaanse filmregisseur, zo iemand.' 'O ja?' zei

Alan. 'Nou, jij kent haar veel beter dan ik. Ze komt niet erg, eh, welgesteld op me over.' 'Dat is een kwestie van smaak,' zei ik. 'Echte rijkdom, grote rijkdom, is moeilijk te zien.' 'We zullen er uiteindelijk wel achter komen,' zei Alan. 'Vraag het haar niet,' zei ik in paniek, meteen weer de gastvrouw. 'Ik mag dan, eh, een beetje lomp zijn,' zei Alan, 'maar ik ga niet aan mensen vragen wat ze verdienen of hoeveel ze waard zijn.' Ik denk dat ik hem een klein beetje heb beledigd.

Een boodschap in mijn Ideeëndoos, ondertekend door zes van de gasten. Ze vragen om een 'huisvergadering'.

Hoewel ik heb geprobeerd me tegen studententoestanden te verzetten, in welke vorm dan ook, viel aan deze petitie niet te ontkomen. Daarom kwamen we om halfvijf in de keuken bij elkaar – degenen die de rechtstreekse uitnodiging was ontgaan, hadden er toch van gehoord. Tot hen behoorden trouwens ook het dienstmeisje en de kok. De petitie was blijkbaar opgesteld door de eerste twee ondertekenaars: Fleur en Marcia.

Ik zei dat ik hoopte dat iedereen zich nog amuseerde en gaf hun toen het woord.

'Het is het volgende,' zei Fleur. 'We hebben problemen,' zei Marcia. 'Met de regelingen voor het koken en dergelijke,' vulde Fleur aan.

Dus dáár hadden ze het over gehad. Ik keek geamuseerd naar X: ze waren net een komisch duo, nietwaar?

'Dus wat we willen voorstellen, is...' 'Is dat we de kok eens per week een avond vrij geven...' 'En voor onszelf koken.' 'Marcia en ik zouden dat graag als eersten doen.' 'Op zaterdagavond,' zei Marcia. 'Vanavond voor het eerst,' zei Fleur. 'Dus we moeten aan de slag,' zei Marcia. 'Dachten we,' zei Fleur. 'Maar het is maar een voorstel,' zeiden ze samen, als Shakespeareaanse bedienden.

Ze keken allemaal naar de kok, die zijn best deed om niet zelfvoldaan maar tevreden te kijken; het lukte hem niet. 'Lijkt me een goed idee,' zei hij. Toen keken ze allemaal naar mij.

'Het is een geweldig idee,' zei ik. 'Ik wou alleen dat ik het zelf had bedacht.'

Er volgde dat algemene gemompel waarmee groepen goed opgeleide mensen een aangenomen voorstel begroeten, het niet-politieke equivalent van het *hear hear* in het Britse parlement. Niemand sprak iets verstaanbaars uit; ze maakten alleen geluiden in D groot.

'Nou,' zei ik, 'als dat alles is...' Natuurlijk was het niet alles. Ik had kunnen weten dat het een hinderlaag was. Onderhands: het eten van zaterdagavond was de hand, en nu kwamen we eronder.

'We vinden het niet prettig dat er voor ons wordt schoongemaakt, en in het algemeen, dat we zo in de watten worden gelegd,' zei Fleur. 'Dat is niet goed,' zei Marcia.

Degenen van ons met de betere manieren waren diep geschokt. Maar Cecile bezat de waardigheid om haar gezicht volkomen in de plooi te houden – ik kan me niet voorstellen hoeveel sociaal-psychische inspanning dat haar moet hebben gekost. Als we dit gingen bespreken, zou het personeel daar niet bij aanwezig mogen zijn. De kok verborg zijn ergernis achter een geamuseerde grijns; het dienstmeisje keek met een rood hoofd naar de plavuizen van de vloer.

'De afwas, bijvoorbeeld, zou moeten worden gedaan door de mensen die de borden zelf vuil hebben gemaakt,' zei Fleur. 'En het is eigenlijk ook geen moeite om je bed op te maken als je 's morgens opstaat,' zei Marcia.

'Wat moet Elsie dan nog doen?' vroeg ik. (Het dienstmeisje heette Elsie; het leek me niet verstandig om van 'het personeel' te blijven spreken.)

'Al het andere,' zei Marcia. (*Elsie doet al het andere*, dacht ik.) 'Alles wat je redelijkerwijs kunt vragen,' zei Fleur. 'We kunnen roosters maken voor wat we willen doen,' zei Marcia.

'We hebben geen roosters,' zei ik. 'We hebben personeel. We hebben Elsie.'

'Ze zijn geen personeel,' zei Marcia. 'Ze zijn vrije mensen, net als wij.' De kok grijnsde weer en Elsie bloosde opnieuw.

'Nee,' zei ik. 'In tegenstelling tot ons worden ze betaald voor hun aanwezigheid hier.'

'En jij?' zei Fleur. 'Word jij niet betaald?'

'Ik werk ook,' zei ik.

'Daar kun je het niet mee afdoen,' zei Fleur.

'Ik vrees,' zei ik, 'dat jullie er maar aan moeten wennen dat jullie in de watten worden gelegd. Ik heb geprobeerd de dingen zo te regelen dat iedereen in dit huis zoveel mogelijk vrije tijd heeft. Met alle respect, maar Elsie is niet mijn onderwerp; dat zijn jullie, jullie allemaal. En ik ben niet van plan te beschrijven hoe jullie de afwas doen. En daarmee is dit onderwerp afgesloten.' Ik glimlachte als een echte gastvrouw. 'Is er verder nog iets?' Dat was er niet.

Het was goed dat ik streng tegen hen optrad; maar toen ze de keuken verlieten, werd er druk gemompeld.

Na de vergadering was er nog een vergadering in de tuin, en daar werd een kookrooster voor de zaterdagavonden gemaakt. (Ik zag dat die vergadering begon en rende naar buiten om niets te missen.)

In plaats van te proberen zich te drukken, zoals de meeste verstandige mensen zouden doen, deden de gasten allemaal hun best om arbeid te mogen verrichten.

We doen het in deze volgorde: Marcia geassisteerd door Fleur; Cleangirl; Edith geassisteerd door Cecile; X en ik.

Waarom? Na alle bezwaren die ik had gemaakt. Waarom? Nou, ik moest laten blijken dat ik meedeed. Ik kon me er niet buiten houden.

'En dan mag ik toch wel de laatste maaltijd klaarmaken?' zei ik.

Bijna iedereen ging akkoord. (Fleur, wat een verrassing, vond dat die laatste maaltijd door alle gasten samen moest worden klaargemaakt.)

Sinds ze hier met die belachelijke graszoden is komen aanzetten, valt het me steeds weer op dat Fleur een volslagen parodie op al haar slechtste eigenschappen is geworden. Als het satirisch bedoeld was, zou het een venijnige karikatuur zijn. Je vraagt je af waarom – misschien was het niets anders dan zelfhaat. Ze heeft overal iets op aan te merken; ze kan de vraag of de gordijnen al dicht moeten tot een ethische kwestie verheffen. En alles moet een goede les zijn voor die arme Edith. Die wel zal denken dat ze beter af zou zijn als ze naar het klooster terugging.

Biecht. Nog steeds geen liefhebbers. Ik hoopte op Cecile; ze kwam niet.

16.10 uur. Marcia en Fleur, rokend in de tuin. Daarnet voerden ze een intensief gesprek over ingrediënten; hun blauwe balpennen vlogen over het papier van een blocnote. Sinds de vergadering maken ze zich vreselijk druk over de maaltijd van vanavond, hoewel de kok heeft gezegd dat hij zijn vrije avond best tot morgen wil uitstellen. Dat zou hem tenminste de tijd geven om iets te organiseren. Maar ze hielden voet bij stuk en stuurden hem naar huis, met niets te doen. Ik vraag me af of hij een vriendin heeft. Hij ziet er erg goed uit, met die licht criminele aantrekkelijkheid die koks soms hebben. Ik vraag me af of dat Cleangirl ook is opgevallen; zij is hem zeker opgevallen. Eerder vanmiddag heeft hij koekjes gebakken. Ze eet geen koekjes. Maar het was leuk geprobeerd.

Kort na 19.00 uur. De keuken was een ware Hades, toen ik daar even ging kijken.

'Peper, de cayennepeper!' schreeuwt Marcia als ik binnenkom.

'Die hebben we echt wel gekocht,' zegt Fleur op redelijke toon.

'Echt wel,' zegt Marcia lachend, 'maar waar heeft het zich verstopt?'

'Hallo,' zeg ik. 'Kan ik helpen?'

'Zoek de cayennepeper,' zegt Cleangirl, die bij het aanrecht staat en met rijst in de weer is. Dus zij zit ook in dit complot. Is dat niet valsspelen?

Ik kijk hulpeloos om me heen. 'De eigenaars hebben het vast wel ergens,' zeg ik. 'Is er geen kruidenrekje?'

'Goed idee,' zegt Marcia. Ze hakt pepers fijn op een snijplank die op de armleuningen van haar rolstoel ligt.

'Hier heb ik het,' zegt Edith. Ze had daar zo stilletjes gestaan dat ik haar nog niet had opgemerkt.

'Fantástisch, gewéldig, schítterend,' gilt Marcia.

'Welke peper is het?' vraagt Fleur. 'Die wij gekocht hebben?'

'Ik geloof van wel,' zegt Edith. 'Het stond hier, achter de sla.'

'Het doet er niet toe,' zegt Marcia. 'Zet het bij het gasstel.'

'Kan ik helpen?' vraag ik opnieuw.

Fleur kijkt Marcia wanhopig aan. 'Als je nu eens wat drankjes voor ons inschenkt?' zegt ze.

'Gossie,' zegt Edith.

'Ze bedoelde jou niet,' zegt haar moeder.

Nederig vraag ik wat ze willen drinken.

22.20 uur. We gingen nogal laat aan tafel, maar Victoria moest toegeven dat het een heerlijke maaltijd was. Bananenbeignets, dat was het voorgerecht. Reepjes kippenvlees met rijst en doperwten. Een bijgerecht, vermoedelijk gezouten vis met akee. En wat een kolossale porties! De gasten dronken eerst Red Stripe en gingen toen over op rum.

De gasten zaten allemaal nog verzadigd aan de eettafel en deden hun best om niet te boeren, toen Fleur opeens zonder enige aanleiding zei: 'Ik heb de afgelopen paar dagen veel nagedacht, Victoria.' Ze zei het met een quasi-vriendelijke stem, maar de spanning klonk erin door, licht gierend als een zaag die met een vioolstrijkstok wordt bespeeld. Iedereen hield zijn mond om te luisteren. 'En ik heb besloten dat ik je helemaal niet ga helpen. Ik heb wat boeken meegebracht die ik altijd al heb willen lezen, en als het mooi weer is, ga ik gewoon in de tuin zitten om ze te lezen. En dat is alles wat ik ga doen. 's Avonds ga ik heerlijk eten en dan ga ik terug naar mijn mooie slaapkamer – in mijn eentje – om te slapen – in mijn eentje.' Ze keek níet naar Alan. 'Dus probeer daar maar wat materiaal uit te halen.'

'Nou,' zei Victoria. 'Op dit moment ben je een goudmijn. Dit alles komt er letterlijk in.' Sommigen lachten om die opmerking, anderen grijnsden besmuikt.

'Ik houd er mee op om een personage in jouw onbenullige machtsproject te zijn. Voortaan ben ik de saaie-saaie-saaie ouwe Fleur, die nooit iets doet, niet met haar leven, nergens mee. Je betaalt voor mijn mooie rustige vakantie, dat is toch wel het minste dat je me verschuldigd bent, na al het andere.'

Daarmee bedoelde ze dat Victoria een vroeger vriendje van haar, Charles Sweded, had afgepikt, of dat Victoria haar scheiding min of meer had beschreven in hoofdstuk twaalf van *Ruimtelijkheid*. Of misschien bedoelde ze dat andere, dat later vast nog wel ter sprake zou komen.

'O, Fleur,' zei Victoria. 'Zie je dan niet wat een cliché je bent? Wat een cliché je leven is geworden?'

'Nou... Zie jíj dan niet hoe onmenselijk je tegenwoordig bent, Victoria?'

'Ik ben je pop niet meer,' wierp Victoria tegen.

'Ik begrijp niet eens waarom je tegenwoordig nog de moeite neemt me te kwetsen. Ik bedoel, ik vorm geen enkele bedreiging voor jou – zelfs hier niet, waar je de helft van je vrienden probeert te gebruiken om het volk te vermaken – met natuurlijk als gevolg dat ze zich tegen je keren. Ik heb je toch niks aangedaan? Als ik dat heb gedaan, moet je me vertellen hoe. Heb ik je in kasten opgesloten of aan je haren getrokken? Waarom wil je met alle geweld een verschrikkelijke Victoriaanse gouvernante van me maken, een soort gemuteerde Brontë-zuster? Ik ben niet iemand uit een boek. Ik leef echt in de echte wereld. In elk geval in een echtere wereld dan de jouwe. Je zou niet geloven met wat voor dingen ik soms te maken krijg. En je zou die dingen helemaal niet kunnen verzinnen...'

'Mag ik ook iets zeggen?' zei Victoria.

'Nee,' antwoordde Fleur. 'We hebben in geen jaren zo'n woordenwisseling gehad, hè? Ik maakte nooit ook maar enige kans om te winnen. Tot nu toe kreeg ik alleen een paar dagen na Kerstmis en Pasen die hatelijke brieven van jou, zodat ik niet echt kon reageren. Ze zijn een vlaag van regen, een muur van regen, een regen van woorden, en het is de bedoeling dat ze me drijfnat maken, zonder enige beschutting. Jij bent het welsprekendst als je venijnig bent, en hoe venijniger je wordt, des te welsprekender ga je schrijven, en des te minder lezers heb je. Doet het je geen pijn als je daaraan denkt? Hoe meer lezers je hebt, des te slechter je gaat schrijven. Je meesterwerken zijn meesterwerken van rancune, en ik ben de enige die ze ooit heeft gelezen. Ik heb ze verbrand. Ik heb ze verbrand nadat ik ze had verscheurd. O, ik weet dat je narcistisch genoeg bent om er kopieën van te hebben bewaard. Maar dat zijn niet de echte brieven. Ze zijn ongevormd, niet geschikt voor publicatie. In je ziel ga je tekeer: zoals ik nu tekeerga. Ik kan me niet zo goed uiten als jij, en daar ben ik blij om, want ergens – ergens in mijn leven – moet ik datgene wat ik niet kan uiten omzetten in liefde voor de mensen om me heen, de kinderen die ik lesgeef. Ik houd ze vast, ik verstrik ze niet in verhalen, ik sla gewoon mijn armen om ze heen, ongetwijfeld helemaal cliché, en ik zeg tegen ze dat alles goed komt, al is dat ook een cliché, en ik weet dat alles níet goed komt, dat het helemáál niet goed komt, dat het nog een hele tijd verrekte afschuwelijk blijft, misschien wel altijd – en ik doe dat voor ze, met mijn armen en mijn woorden, en weet je wat? Het betékent iets. Op mijn kleine, een-op-een, menselijke manier – die niemand zich zal herinneren als ik dood ben, en waar niemand een recensie over schrijft of op feestjes over praat – en zelfs het kind zal het zich waarschijnlijk nooit herinneren (maar zal zich als volwassene misschien toch een beetje zekerder voelen, zonder te weten waarom). Op mijn manier, die niet zo "belangrijk" is als de jouwe, probeer ik een bijdrage te leveren aan het leven van anderen. Niet door hen met een lawaaierige pageturner door hun reis van werk naar huis heen te helpen, maar door echt van hen te houden. En ik weet dat je het grappig vindt dat ik geen man heb om van te houden, en dat ik er blijkbaar niet een kan krijgen, maar ik heb van mannen gehouden, en sommigen van hen hebben van mij gehouden. Maar dit – mijn leven – is niet permanent. Noch wat ik doe noch wat jij doet zal écht blijven, niet lang, niet zo lang dat het er iets toe doet. Waar het om gaat, is hoe mensen zich voelen. Dus bespot me maar, bespot me om wat ik ben, maar bespot me nooit om wat ik doe – of wat ik probeer te doen – de dingen die ik doe en waar ik in geloof. Want ik geloof er echt in, weet je. Ik zeg dit niet uit effectbejag. Als het een cliché is, dan ben ik zelf ook een cliché: de liefde is het belangrijkste op de wereld. Die moraal was goed genoeg voor James Joyce, en hij is ook goed genoeg voor mij. Maar misschien ben jij beter dan wij. In elk geval schijn je dat te denken. Dank je, God zegene je en jullie allemaal, welterusten...'

'Klaar?' vroeg Victoria kalm, heel kalm.

'Klaar,' zei Fleur, en ze stond van tafel op, ging de deur uit en smeet hem achter zich dicht. Haar laatste woord galmde nog na in de Grand Canyon van ons gezelschap, in de leegte die in het midden van de eettafel was achtergebleven. Het galmde en galmde; de amarant woei voorbij; de gieren gingen dichter opeen zitten. En toen begon het lijk (Victoria) onverwachts te spreken. 'Dames en heren,' zei ze. 'Mijn zuster.' Victoria had nog nooit zo'n stilte meegemaakt. Ze keek even naar Edith en zag hoe gefascineerd, en geschokt, de jongste gast was. 'Na dit optreden zullen jullie wel met haar meevoelen, en denken dat ik een enorm kreng ben. Maar dat is beslist niet het geval. Ik voorspel dat aan het eind van volgende week nog maar de helft aan haar kant staat; aan het eind van jullie verblijf zullen jullie haar bijna net zo onuitstaanbaar vinden als ik. Hoeveel ik ook van haar houd, en ik houd echt van haar, ze is zo gek als een deur, maar twee keer zo breekbaar. Daar zijn redenen voor, en die zal ze jullie vast wel vertellen, als jullie haar ernaar vragen; maar vraag dat alleen als je de hele middag de tijd hebt. Wat ze zal zeggen, is de zuivere waarheid – maar als je het in een zeker perspectief wilt zien, met wat kennis van zaken, moet je naar mij toe komen: ik wéét het. Fleur heeft een tragisch leven geleid; tenminste, volgens Fleur zelf. Ik daarentegen zou zeggen dat Fleurs leven tragische elementen bevat die, omdat ze Fleur overkomen zijn en omdat erop wordt gereageerd zoals Fleur op dingen reageert, verstoken zijn van wat ze onder andere omstandigheden aan grandeur of waardigheid zouden kunnen bezitten. Voor anderen zouden ze schulden zijn, die gebeurtenissen, ze zouden brokken zijn die aan hun hart ontbraken; voor Fleur zijn ze onderpand – een heel Fort Knox van verdriet dat haar de middelen verschaft om elke nieuwe betrokkenheid, elk nieuw verdriet te vermijden.' Ze keek naar Alan, die zijn tanden gebruikte om nog meer schade aan zijn nagelriemen aan te richten. 'Om haar zo ver te krijgen dat ze een beroep op die rijkdom doet, hoeven jullie haar alleen maar een klein beetje te kwetsen, desnoods onopzettelijk. Als jullie dat doen, zal ze meteen een grote cheque verzilveren – en van jullie kopen wat ze maar kan; jullie medegevoel, jullie medelijden. Het wordt een overname, zo nodig een vijandige. En hoe meer tijd er verstrijkt zonder dat jullie haar iets vragen of haar verdriet doen, des te meer zal de rente op haar kapitaal aangroeien. Ik ben zelf in de bank; ik ben daar lang geleden naar binnen gegaan – elke ruk aan mijn haar, elk venijnig woord, staat ergens in de credit- of debetkolommen – al is altijd moeilijk te zeggen in welke kolom, want de dingen die je Fleur ontzegt worden haar dierbaarste bezittingen. Misschien was ik niet de eerste die haar kwetste, maar ik ben wel haar meest consistente kwelgeest geworden. Hoe ik ook mijn best doe om haar tevreden te stellen – bijvoorbeeld door haar voor dit project uit te nodigen – Fleur gebruikt me alleen maar als bron van nieuwe rijkdommen, of immens verdriet, een Amerika, een Indië. Denken jullie – wetend wat ik weet, en wat ik jullie nu heb verteld – dat ik haar ook maar enigszins bij me in de buurt zou dulden als ik niet was voorbereid op het soort gedrag dat we zojuist hebben mogen aanschouwen? En jullie zullen net zo reageren. Jullie zullen er gauw genoeg achter komen – de enige met wie Fleur een relatie kan hebben, is een verrader, een judas; tenzij ze verandert. Als je denkt dat jij en zij goede vrienden worden, pas dan op – alles, elke gebeurtenis kan haar het excuus verschaffen om je in klinkende munt om te zetten. Als jullie me niet geloven, moeten jullie het zelf maar weten – het enige dat ik van jullie vraag is dat jullie afwachten: Fleur zal haar eerste slachtoffer maken – eigenlijk moet ik "tweede slachtoffer" zeggen, nietwaar, want het is deze avond al duidelijk geworden dat ik het eerste ben – het tweede slachtoffer valt tegen het eind van volgende week. En dat is alles wat ik te zeggen heb.'

De gasten gingen zwijgend van tafel. Victoria ging naar boven en begon in tranen te typen. X troostte haar, maar stelde zich een beetje terughoudend op.

Ik moet doorgaan. Cecile droeg... vandaag twee outfits. Vanmorgen een eenvoudige blauwe broek met een blouse. Vanavond een wit kasjmieren twinset met een kaki broek en alligatorlederen loafers.

Marcia stuurde Edith naar boven om te vragen of het goed met me ging. Erg attent.

Ik denk dat Fleur ook kwaad is omdat ze Audrey mist, die absoluut niet meer het huis in wil. De grijze kat gaat steeds weer naar haar mandarijnenkist met gras, helemaal achter in de tuin. Ik zie Fleur met kommetjes melk in die richting lopen. Er is van een deken een bed voor Audrey gemaakt in de schuur. Alan heeft beloofd iets aan Domino te doen; hij zal wat kennels bellen.

Zondag

Dag Vier Week Een

Wakker geworden met een grote lakenvouw over het midden van mijn gezicht; hoe ouder ik word, hoe langer die vouwen blijven zitten. Deze, denk ik, gaat pas tegen de middag weg. Ik vraag me af waarom Cecile niet elke morgen met een gezicht als een reliëfkaart van het Lake District naar beneden komt.

Katten bewijzen ons een grote dienst door zoveel vogels dood te maken: als ze dat niet deden, zouden we allemaal doof zijn. Het dageraadkoor van vanochtend was zoiets als Gods tinnitus: ongelooflijk.

8.00 uur. Verschrikkelijk. Fleur heeft iedereen overgehaald om met haar naar de kerk te gaan. Ik hoorde dat pas vijf minuten geleden.

'Fleur zei dat ze dacht dat je toch niet zou willen,' zei Edith terloops.

Ik heb nu geen tijd om erover na te denken. Ik moet gaan. Later breng ik weer verslag uit.

10.20 uur. Het was niet zo erg als ik had gedacht.

Ik weet nu ook hoe het begonnen is: nadat Fleur gisteravond de kamer uitstormde, ging Marcia met haar praten. Fleur zei dat ze van plan was de volgende morgen naar de kerk te gaan. Samen besloten ze er een echt uitstapje van te maken.

Nu over vandaag. Blijkbaar heeft Fleur het eerst aan Cecile voorgesteld. Onder het ontbijt. Of beter gezegd, ze vroeg Cecile of ze wel eens naar de kerk ging. (Voor zover ik weet, gelooft Cecile niet – behalve in *la mode*.) Het gesprek kwam op wat zij en Marcia van plan waren te doen. De plaatselijke kerk. Schilderachtig. Cecile, welgemanierd zoals altijd, zei dat ze het een geweldig idee vond en vroeg of Edith ook zou komen. Fleur wist dat niet en ging het vragen. Edith was blijkbaar ook nogal enthousiast, hoewel ze op een kloosterschool had gezeten. En toen hoorde ik het van Edith, zoals ik hierboven al opmerkte. X zei dat hij ook wel mee wilde, al zei hij niet waarom. Misschien heeft Edith het hem gevraagd en is hun kleine flirt begonnen.

Dus uiteindelijk gingen Fleur, Cecile, Edith, Cleangirl, Marcia, X en ikzelf. Het verbaasde me niet dat Alan thuisbleef; het was te veel Fleurs project. Niemand had Simona en William gezien. Ze slapen vaak uit en we wilden ze niet wakker maken. Henry was... Ik weet niet precies waar hij was.

We gingen op weg. Het was een mooie, heldere dag, in tegenstelling tot het grootste deel van gisteren. In het begin was ik kwaad op Fleur: het schijnt haar goed te lukken mijn personages te kapen. Tot nu toe is het míj niet erg goed gelukt om ze iets te laten doen. Maar uiteindelijk bleek het wel een goed idee te zijn om naar de kerk te gaan. Er gebeurde natuurlijk niets; er gebeurt nooit iets in de kerk. (Met uitzondering van dopen, huwelijken en begrafenissen, en die zijn erg *ex post facto*.) Maar ik kon fantaseren dat we een Edwardiaans weekendgezelschap waren, met alle romantiek en klassetegenstellingen van dien. Alleen was het de bedoeling dat wij de Bloomsbury-afdeling waren, en die zou zich nóóit met de Anglicaanse kerk hebben ingelaten.

Edith zag er heel leuk uit in een eenvoudige jurk; haar moeder droeg iets erg minimaals dat haar oogverblindend goed stond; het was lichtgrijs. En terwijl we naar de kerk liepen, maakte Cecile enige elegante complimenten aan het adres van Cleangirl, maar ze ging er niet van blozen. Een van de angstaanjagende dingen aan Ingrid is dat ze blijkbaar verstoken is van persoonlijke ijdelheid. Een compliment voor haarzelf vat ze op als een compliment voor het universum in het algemeen. 'Ja,' lijkt Cleangirl te zeggen, 'is het niet goed dat er tenminste nog een paar enigszins aantrekkelijke mensen op de wereld zijn?' ~~(Alternatief: het is of ze een kok is en je niet háár een compliment maakte, maar haar gerecht, haar *cuisine*.)~~ Overbodig. Ik denk dat het inmiddels wel duidelijk is dat jij jaloers bent op Ingrid.

Van al Ediths mooie trekken zijn haar ogen het mooist. Het probleem is dat ze de beloften van die ogen nog niet helemaal kan waarmaken. Ze zijn van boven blauw en van onderen groen, tenminste, zo herinner ik me ze (nu ik hier in de grote slaapkamer zit te typen). Als je in haar ogen kijkt, is het of je uitkijkt over een fantastisch Iers landschap. Daarom zijn haar emoties niet echt emoties, ze zijn inwendige weersomstandigheden – ze heeft zonnige dagen en buien, perioden van vorst en dooi. Haar moeders ogen zijn puur eierschaal, die van haar vader zijn *corduroy-*

groen of -bruin. Ik begrijp niet goed hoe Edith uit hen samen is voortgekomen; al hun complicaties ontbreken bij haar. Op de een of andere manier maakt ze ze (de complicaties, niet haar ouders) irrelevant, alleen maar door te bestaan, en dat is onvoorstelbaar. *Je hoeft alleen maar aardig te zijn. Als je aardig bent, is de wereld ook aardig voor jou.* Vreemd genoeg lijkt dat in het geval van Edith tot nu toe helemaal uit te komen. Toch vraag je je af...

Fleur en Marcia gingen voorop, Fleur lopend en Marcia in haar rolstoel. Fleur, denk ik, omdat ze bang was dat ze te laat zou komen doordat er zoveel mensen meegingen; Marcia om iets te bewijzen – dat ze niet langzamer was dan de rest van ons. Nu en dan keek er een voorbijganger naar Marcia; ik weet niet of dat vanwege haar rolstoel of haar zwartheid was.

Ik ging vlugger lopen om me bij hen aan te sluiten. 'Goedemorgen,' zei ik.

Ze beantwoordden mijn groet en gingen toen verder met hun gesprek, dat om de een of andere reden over koolrapen ging. (Ik had gehoopt dat het over blauwe ogen, straatroof, huiselijk geweld, enzovoort, zou gaan.)

De kerk was precies zoals ik hem had willen hebben: een hoog, fraai, grimmig gebouw, omringd door een groen en grijs kerkhof. Ook de dienst, met een vreselijke preek en slaapverwekkende gezangen, stelde me niet teleur.

De dominee was een lange man met wit haar en zwarte wenkbrauwen, een kenmerk dat ik altijd verdacht heb gevonden.

Fleur maakte na afloop een bizar vitale indruk, waarschijnlijk omdat ze vond dat ze haar plicht had gedaan, of iets anders Fleurigs.

Na afloop, dus nadat ik een uur lang een god had aanbeden waarin ik niet geloofde, had ik vreemd genoeg het gevoel dat de hele dag langer was geworden en meer mogelijkheden te bieden had.

Ik zou niet regelmatig naar de kerk kunnen gaan, dat zou hypocriet zijn, maar ik moet toegeven dat ik er een gevoel aan overhield alsof iets, hoe klein ook, tot stand gebracht was.

Lunch. Daar zit niet veel structuur meer in. Sommigen slaan hem helemaal over en er zitten bijna nooit meer dan vier personen aan tafel om de salades, gerechten en soepen die door de kok zijn bereid te eten. Vandaag was er een heel goede gazpacho: de hele middag een knoflookgevoel in mijn keel.

14.00 uur. Omdat er niets beters te doen is, ga ik maar wat over het huwelijk van Ingrid en Henry speculeren. Voor mij is dat huwelijk altijd iets met veel glamour geweest. Iemand, een man, beschreef me zijn eigen huwelijk eens als volgt: 'Het is net een elektrisch snoer. Ik ben de ene draad, de bruine, de aarde; mijn vrouw is de andere draad, de spanning, de blauwe. Het apparaat waar we aan vast zitten, is ons leven met elkaar, ons huis, onze kinderen – dat is allemaal prima, zolang die twee draden elkaar maar niet raken. Als dat gebeurt – pang! – dan is er een flits, een klap en dan maken ze kortsluiting en functioneren ze niet meer. Het apparaat zelf is dan waarschijnlijk naar de k****n.' Ik geef dit als voorbeeld ~~(en ik moet Scott vragen of hij het erg vindt dat ik het gebruik)~~ omdat ik denk dat het huwelijk van Ingrid en Henry in elk opzicht anders is. Tenzij ze elkaar voortdurend aanraken, gaat er geen energie door hen heen naar hun apparaat. Ik heb hen meegemaakt in perioden van seksuele *ennui*. (Ik denk dat ze nu ook zo'n periode doormaken.) Ingrid heeft me daarover verteld, en je kon het aan Henry zien. Hij ziet er dan verschrikkelijk uit, gekweld door zijn eigen trouw. Ik kan je niet vertellen hoe graag ik hem toen wilde helpen! Maar op een gegeven moment slaat de vonk altijd weer over. Ik denk dat het daarom toch een huwelijk is. In tegenstelling tot een relatie (wees eerlijk, Victoria – 'in tegenstelling tot al mijn eigen relaties') sterft een huwelijk niet af, maar regenereert en verheft het zich. Wat me vooral zo fascineert, is hoe ze kunnen leven met de wetenschap dat ze, althans een tijdje, dood zijn, voor zichzelf en voor elkaar. Zijn ze niet bang dat ze op een dag gewoon geen kans meer zien om weer tot leven te komen? Of overtuigt het hen er juist van dat hun huwelijk onsterfelijk is (onzichtbaar, maar tot in der eeuwigheid, dat komt uit een kerkgezang en het zingt de hele morgen al door mijn hoofd)? Wat er verder ook meespeelt, in ieder geval gebeurt er op dit moment niet veel tussen hen dat ontroerend is.

Domino is het meest te vinden in de salon, waar hij languit naast een van de banken ligt. Hij is een van de meest in de weg liggende honden die ik ooit heb gekend; ik denk dat hij ervan geniet, en die eigenschap heeft hij met Alan gemeen.

15.00 uur. Derde persoon. Victoria wílde dit echt doen; ze had haar twijfels gehad, maar nu wist ze dat ze het wilde. De kleuren waren zo helder in de tuin, waar ze heen ging met een kop goede koffie die ze niet zelf had hoeven te zetten. De wereld in het algemeen was, vond ze, intenser geworden, omdat ze alles in zich op kon nemen; als ze haar werk niet deed, zou deze hele schepping geen zin hebben. Niet het huis of Southwold of de Noordzee *an sich*, maar deze mensen hier, op dit moment, in deze combinatie. Bijna voor het eerst voelde ze zich gerustgesteld door het simpele feit dat haar project bestond.

Victoria stond dus op het punt om de hoogste gelukzaligheid te bereiken, toen Simona haar in de tuin kwam opzoeken. Wat Simona zei, was van weinig belang, maar in ieder geval speelde er iets. Victoria vond dat ze het maar beter kon opschrijven, want misschien zou het nuttig blijken te zijn. Simona zei dat Fleur enig berouw had getoond over haar uitbarsting van gisteravond. (Mijn zus en ik hebben vanmorgen niets tegen elkaar gezegd, behalve 'Goedemorgen', 'Hoe heb je geslapen?', 'Heel goed, dank je', 'Mooi'.) Een verzoening was niet uitgesloten, als Victoria het wilde. Veel anderen in het huis, zei Simona, wilden wel voor vredestichter spelen – niet in de laatste plaats Marcia. Victoria zei *dank je* tegen Simona, die haar auteur alleen liet. Een goede redacteur weet wanneer hij of zij zichzelf uit de tekst moet redigeren.

Je moest eens weten.

Toen ze Simona nakeek, sloeg Victoria's stemming om. Plotseling herinnerde ze zich de droom die ze had gehad toen ze die ochtend wakker werd. Ze wist het niet precies meer, herinnerde zich alleen een beeld: een man die duidelijk krankzinnig was en over de rand van een afgrond klom. Hij ging naar beneden, met als enig houvast wat lappen die met punaises aan de rotswand waren geprikt. Hij ging een stukje naar beneden, en opzij, en begon toen, ondersteboven hangend, met een balpen een formulier in te vullen dat – net als die lappen, die van T-shirtstof waren – met punaises aan de rotswand was vastgeprikt.

Victoria verbeeldde zich niet dat ze begreep wat dat betekende, of wat het over haarzelf vertelde, maar de atmosfeer van zinloosheid die over alles heen hing verspreidde zich in het middaglicht. Ze stortte neer; ze zakte in elkaar. Alles wat tevoren geruststellend was geweest, werd nu dreigend, zoals een speels katje plotseling kan uithalen met de klauwen die het net heeft ontdekt. Bijna struikelend ging Victoria het huis weer in; als ze het niet te melodramatisch had gevonden, en als ze niet bang was geweest dat ze zich vernederd en beschaamd zou voelen (tegenover de jury die uit mijzelf bestaat), zou ze echt zijn gestruikeld.

Ik plofte net op een van de banken in de salon neer, misschien om uit te huilen, misschien om alleen maar wat te jengelen, toen Alan binnenkwam, op de voet gevolgd door Domino, die met zijn nagels op de plavuizen tikte. Ik dacht erover om me te verontschuldigen en naar boven te gaan, maar Alan wilde blijkbaar erg graag praten. 'Ik ben blij dat ik je hier, eh, alleen tref,' zei hij. 'Ik wilde je iets vragen, weet je, over wat er om vier uur gebeurt, rond theetijd.'

'Je probeerde laatst toch te komen?'

'Ja,' zei hij, 'dat was, eh, een beetje gênant. Het is zo formeel, zo ontmoedigend. Als anderen niet wisten dat je naar binnen ging, zou je eerder gaan, zou ik eerder komen.'

'Sorry,' zei ik, 'maar dat is nu juist de essentie van een biecht. Stel je voor, een klein katholiek meisje zit met haar moeder en oma in een kerkbank. Ze wacht. En telt de seconden. Schat de zonden in.'

'Wat?' zei Alan, en toen hij opkeek alsof hij er niets van begreep, probeerde ik me hem als katholiek meisje voor te stellen; dat bleek verontrustend gemakkelijk te zijn.

Nu pas besefte ik dat ik het hardop een biecht had genoemd, in een gesprek met een van de gasten. Wat een fout.

'Nou...' zei ik, om er een grappige verklaring aan toe te voegen.

'Nee,' zei Alan, die ongeveer zoveel had gehoord als hij kon verdragen zonder te stikken. Hij was stuntelig, maar dat is hij altijd. Hij ging zitten. Domino ging naast hem staan.

'Wilde je over iets in het bijzonder praten?'

'O nee-nee-nee,' zei hij, te-te-te vlug. 'Ik wilde niet over iets praten, maar iets vragen.'

We kwamen vooruit, maar de zaak lag nog ergens in het verborgene – in een struik, in een put. 'Míj iets vragen?'

'Eh, ja.'

'Vraag maar,' zei ik. Domino snuffelde de hele tijd aan Alans vingers, alsof hij daar een vreselijk interessante geur had ontdekt. Ik vroeg me ondeugend af wat voor geur dat zou kunnen zijn. Alan keek over zijn schouder naar de tuindeuren. 'Er is niemand,' zei ik.

Alan sprong op van de bank en zei half serieus, half komisch: 'Mag ik even?' Hij keek of er afluisteraars achter de deur stonden, zag niemand en liet zich weer op de bank zakken. Hij haalde – dat deed hij echt – diep adem. 'Is Fleur, eh, wezen "biechten"?'

'Natuurlijk niet,' zei ik. 'We praten niet met elkaar, zoals je misschien is opgevallen.'

'Waarom heb je haar hier uitgenodigd?' vroeg hij.

'Ze is mijn zus,' zei ik. 'En trouwens...'

'Maar jullie twee kunnen niet met elkaar opschieten...'

'En trouwens, ik kwam mensen tekort.'

'O ja?'

'Er waren wat mensen afgevallen. Maak je geen zorgen: jíj zat er van het begin af bij.'

'O, nou, eh, dank je.' Ik wachtte; ik had de biechttechniek al aardig onder de knie. 'Dus...' ging Alan uiteindelijk moeizaam verder. 'Je nodigde mij uit en toen, op het laatste moment, ook Fleur.'

En toen diende het besef zich aan, ~~als een verdwaald kind met vuile laarzen, welkom maar waarschijnlijk ook woede opwekkend: hoop.~~

'Dat klopt,' zei ik.

Toen Alan er uiteindelijk over begon, was het al snel duidelijk waar het heen ging.

'Dus ze heeft jou niet gevraagd mij uit te nodigen?'

Om hem gerust te stellen legde ik mijn hand even op de zijne.

'Ik heb me door niemand laten vertellen wie ik moest uitnodigen, en al helemaal niet door mijn zuster.' Dat was slecht nieuws voor hem. Hij hield zijn ene hand voor zijn ogen om ze af te schermen; de andere hand bungelde naast de bank, waar Domino eraan snuffelde. Maar nu Alans hoop was vervlogen, rook die hand blijkbaar ook niet meer zo interessant. Domino besloot te gaan zitten en deed dat met zoveel mogelijk vertoon: achter zijn staart aan, draaien, cirkelen, van richting veranderen, zitten, opnieuw zitten, en dat alles vond plaats in wat hij waarschijnlijk niet eens als een diepe menselijke stilte herkende.

Toen Alan zijn hand van zijn ogen wegnam, maakte hij een rustige indruk – alsof massieve kwesties in de algehele vloeistof van de atmosfeer waren opgelost. Nog één laatste, luide keer sprak hij het thema uit waarvan ik hoopte dat het zijn ouverture zou worden: 'Fleur heeft je niet gevraagd mij uit te nodigen.'

'Nee,' zei ik, 'ze wist niet dat je kwam, totdat ze de keuken binnenliep en je daar zag zitten.'

Alan stond op. Dat was nogal angstaanjagend, want hij is erg lang. Domino stond ook op, en zelfs de kop van de dalmatiër stak nu boven me uit. Ik stond op. 'Is dat alles wat je wilde vragen?' zei ik.

Alan was afgeleid: het strand, naar buiten, nadenken – dat soort dingen beheerste zijn gedachten. Hij mompelde een antwoord, draaide zich toen om en slenterde, gevolgd door de hond, door de tuindeuren het gazon op.

Ik kan me toch niet vergissen? Tot aan ons gesprek hoopte Alan dat Fleur me had gevraagd hem uit te nodigen, omdat ze zich hem van mijn etentje herinnerde, omdat ze hem als een mogelijke kandidaat zag. Dit is groot nieuws. Ik heb de helft van mijn romance binnen. Zeker, Alan is een sombere reus; hij zal niet bepaald een gat in de lucht springen als ik tegen hem zeg dat hij zich vergist. Nu ik weet wat hij voor mijn zus voelt, kan ik al mijn aandacht op haar richten. Maar omdat ze zich zo verzet tegen alles wat van mij komt, voel ik de neiging om juist te proberen haar en Alan van elkaar vandaan te houden. Dat is misschien mijn enige manier om ze bij elkaar te brengen. Als Fleur me dat ziet doen, zal ze me zoveel mogelijk willen dwarsbomen. En dus zal ik extra subtiel moeten zijn. Maar misschien kom ik niet onder een verzoeningsscène met haar uit.

Het is verschrikkelijk. Mensen schijnen niet meer de tijd te hebben om emotioneel gecompliceerd te zijn – of complex – (dat is beleefder, nietwaar?) Niet zoals ze dat vroeger waren – zoals Jane Austen, Henry James en Virginia Woolf het waren. In die tijd zaten mensen de hele dag te praten en thee te drinken en ontdekten ze steeds meer subtiliteiten in zichzelf. Dit verlies, en het is een verlies, is diep verontrustend – in elk geval voor romanschrijvers. De mensheid besteedt tegenwoordig het grootste deel van haar energie aan pogingen om zichzelf te vereenvoudigen. En dus is onze moderne fictie een en al actie; en actie wordt na een tijdje zo saai, want in feite is het niet verrassend. Je weet van tevoren dat elke schrijver zich op een gegeven moment verplicht voelt de weg van de meeste weerstand te volgen (zoals hun personages voor die van de minste weerstand moeten kiezen). Als dat 'het' een beetje kan worden opgekrikt, dan zal dat gebeuren: mensen worden achtervolgd, gemarteld, vermoord. En dus zeg ik, nu, hier in dit huis, het volgende tegen mezelf: 'Ik vind het niet erg dat er niets gebeurt, of dat er alleen maar kleine, bijna nietige dingen gebeuren. Want dat is precies wat ik ergens in mezelf (ergens bovenin) zo graag wilde, ondanks de complexiteit van de personages die ik hierheen heb gehaald, de overvloed van verhaallijnen. Ik wilde ze afbrengen van het *doen*, ik wil dat ze, tenminste een tijdje, alleen maar *zijn*. Dat is de ruimte die dit huis, deze tijd, dit project moet creëren: een Austenesque, Jamesiaanse, Woolfachtige ruimte.' Met Alan en Fleur begint dat nu een beetje op gang te komen.

Ongelooflijk pretentieus

Het schiet me net te binnen dat ik nog niet veel over Marcia's handicaps heb geschreven. Dat komt doordat ze nauwelijks een probleem zijn geweest. Ze is kennelijk al zo lang gehandicapt dat ze er onopvallend mee kan omgaan. Ze staat bijvoorbeeld vroeg op en gebruikt de badkamer op de benedenverdieping voordat iemand anders daar behoefte aan heeft. Daarna rijdt ze de veranda op en zit daar naar de lucht te kijken. Als ze een deken heeft, ligt die niet over haar benen maar om haar schouders. De gong voor het eten veroorzaakte, zeker in het begin, een ware stormloop van uitgehongerden. Marcia daarentegen zorgde dat ze vijf minuten te vroeg aan tafel zat; daartoe had ze een regeling met de kok getroffen. Algauw gingen de verstandigste gasten erop letten of Marcia al aanstalten maakte om aan tafel te gaan: als zij dat deed, was het bijna etenstijd. Ik zou waarschijnlijk ook iets over de rolstoel zelf moeten zeggen: het is niet zo'n ding van grijs plastic en grijze buizen die door de National Health Service wordt verstrekt; nee, hij heeft wel iets weg van een Porsche – zo rank en sexy dat je er bijna een voor jezelf zou willen hebben (natuurlijk zonder het ongemak van de handicap). Zwart, gestroomlijnd, met donkerblauwe accenten – helemaal het einde. 'Hij is Duits,' hoorde ik haar tegen Fleur zeggen, 'en hij was zo duur dat ik je niet kan vertellen hoe duur.' Toen vertelde ze het haar. En ik was een beetje geschokt. Daarvoor kun je een kleine auto kopen, zelfs een nieuwe. Als ze op een gewone stoel zit, heeft Marcia een Alexander Technique-kussen om haar zitvlak te ondersteunen. En dat is alles.

Het café is een discussiepunt aan het worden, of al geworden. De mannen, die zich tot nu toe eigenlijk nergens druk om hebben gemaakt, vinden dat ze daar niet zo vaak heen mogen als ze zouden willen; en dat is waar. Het hoort allemaal bij hun pogingen om elkaar te overtroeven. Het is een lelijk en onwaardig schouwspel, voor een deel voetbal, voor een deel boertigheid. Het draait allemaal om hardheid, om een irritant gebrek aan affect. En er zijn zoveel niveaus van mannelijke *insouciance*. Als je punten wilt scoren, moeten anderen zien dat je iets goed doet, of beter nog, dat je het heel goed doet zonder dat je je best hoeft te doen, of zelfs nog beter, dat je het fantastisch goed doet terwijl je de indruk wekt dat je amper merkt dat je het aan het doen bent. Vandaar die grens, die altijd en eeuwig wordt overschreden, tussen geweldige prestaties en opschepperij. (Een verticale grens.) En vandaar die andere grens (horizontaal) tussen triomf en (zoals ze het zo heerlijk en onthullend formuleren) jezelf volledig voor paal zetten.

Vanavond probeerde ik een gesprek met Marcia te beginnen. Ik was nog niet veel verder gekomen dan 'Hoe gaat het?' toen ze begon in de trant van: 'Probeer nou maar niet met me aan te pappen – probeer me niet aan het praten te krijgen – probeer me niet interessant te vinden – beschouw me niet als een autoriteit, als een "vertegenwoordigster" van iets – bemoeder me niet met je aandacht. Als ik saai ben, laat me dan saai zijn. Als je me niet aardig vindt, zég dat dan, of wees zo beleefd om me uit de weg te gaan, zoals je bij ieder ander zou doen. Vraag je eens af of we zonder die extra factoren evengoed vriendinnen zouden zijn. Als het antwoord nee is, zeg dan tegen me dat ik moet oprotten uit je huis – zoals je bij iedere andere zwarte indringer zou doen.'

'Als jij denkt dat ik dat denk, waarom ben je hier dan gekomen?'

'Je bent een gegeven paard en ik ga niet in je bek kijken.'

Mijn eerste gedachte... nou, dat was woede. Ik heb er een hekel aan om afgebekt te worden, of het moet al door een aantrekkelijke nietsnut van een jongeman zijn. (Dat kan ik vergeven. Dat is mijn zwakheid, niet de zijne.) Mijn tweede

Onderbroken. Ik had nog een tweede gedachte, maar die kan ik me niet herinneren. Misschien was het frustratie.

Gedeprimeerd vanwege Marcia. Als ze nu eens weigert met me te praten? Ik heb het sterke vermoeden dat Fleur haar tegen me opzet. Wat moet ik doen? Ik moet het proberen. Met charme. Met subtiliteit.

Avondeten. Quiche. Veel mannelijk gemor over cafes.

20.45 uur. X kwam me net vertellen dat iedereen in de salon bijeen is gekomen voor een spontaan feest. Om te vieren dat ze morgen, maandag, niet hoeven te werken. Ik heb nog net tijd om wat parfum op te doen, om bij de volwassenen te horen.

O die mensden die ik in dit huiss heb uitgendigd zijn gewooon zulke heerlijke gewellldigemensen ik benblij dat ze er allemmaal zijn we heben een beetje gedornken en nuu is het tijd om naar bedje tgaan maar er is nu iemand in de bakdamer en ik heb net een paar munuten de tijd om dit te dypen in het donker te typen en tezegggen – ik ben xo zo blijj dat ik ze heb uitgedodigd en het en het kmtt allemzzl goooooedd!!!!!!!!!!!!!!!!!

Ps iemand vertelde me wat erg vreemd blanggrijks maar ik ge4n neit genog ttijd omopte sxchrijvvn maar ik doe mormorgen. o de roddels hier zijn fantastischisch fuantsischhQ!!!!

Pps Cecilb'e droegt iits roodoachtiggs

Maandag

Dag Vijf Week Een

Door het dageraadkoor heen geslapen!

Maar het ergste moest nog komen – iets heel ergs. Dit is momenteel de inhoud van mijn hoofd: alle tandartsboren die ik ooit heb ondergaan of in nachtmerries ben tegengekomen; de koperen wekker die ik op de universiteit had toen ik mijn laatste examens deed; een kermistent vol spechten; de Grimthorpe Colliery Brass Band; Sneeuwwitje die haar hoge toon keer op keer aanheft; de Zeven Dwergen die heen en weer sjokken met schuurpapier onder de zolen van hun laarsjes; een huwelijksdisco; iemand die lukraak met een nietpistool aan het schieten is; een zigeunerviolist of twee; een luiaard die langzaam afglijdt over een eindeloos schoolbord en zich daar met zijn klauwen aan vast probeert te houden. Ik heb wel vaker een kater gehad, maar deze slaat alles.

Recapitulerend: we bleven tot vier uur vanmorgen zitten praten en wijn drinken; en toen we geen wijn meer hadden, namen we whisky; en toen we door de whisky heen waren, wodka; en toen de wodka op was, gin, puur; daarop volgde absint, voor degenen die nog bij bewustzijn waren. We zaten in de keuken en tapten moppen waarvan ik er – natuurlijk – niet één heb onthouden. Het was een geweldige nacht. (William leverde de whisky aan, Cleangirl de wodka, Fleur de gin en Marcia de absint.)

Toen Victoria nog eens naar haar geraaskal vol typfouten van de afgelopen nacht keek, las ze dat iemand haar iets erg vreemds had verteld.

Ze kon zich herinneren dat ze iets erg vreemds hoorde; ze kon zich zelfs herinneren wie het haar vertelde: Henry. Maar ze kon zich met geen mogelijkheid herinneren wat het was! En ze wist niet of het iets was waarnaar ze hem kon vragen. Ze had het gevoel dat het waarschijnlijk een eenmalige mededeling was geweest, iets waarvoor je eerst moed verzamelde en wat je dan in iemands oor spuide, een biecht in de categorie 'ik val op jou'. Maar ze geloofde niet dat het dat was. Dat kon het niet geweest zijn. Nee toch? Nee, Henry was niet verliefd op haar. Henry hield toch van zijn vrouw?

Het was erg frustrerend voor Victoria. Meestal kon ze geheimen erg goed onthouden, ook als ze dronken was.

Dat was ook weer een reden, dacht ze, om de rest van de maand min of meer nuchter te blijven – dat besluit nam ze op dat moment, en niet omdat ze een kater had: ze meende het.

Ik heb iets niet opgeschreven. Een paar ochtenden geleden kwam ik net de slaapkamer uit toen ik bijna tegen William opbotste; hij was naakt – helemaal, ~~buikig, kwabberig~~ – afgezien van een vochtige handdoek die hij als een ober over zijn linkerschouder had geslagen. *Ik zag alles, alles wat ik niet wilde zien.* Ik weet niet hoe hij het in zijn hoofd haalde. Hij had waarschijnlijk net gedoucht in de badkamer. (~~Die zwarte haren die het afvoerputje verstoppen zijn vast van hem.)~~ Hij liep daar op zijn gemak, fluitend, ~~alsof hij~~ gelukkig ~~was, al was dat vast een verkeerde indruk, want Simona heeft nooit gewag gemaakt van de mogelijkheid dat haar wederhelft tevreden of gelukkig~~ zou ~~zijn.~~ Hij glimlachte en zei 'Goedemorgen, Victoria', helemaal de vriendelijke hoofdonderwijzer, en daarna liep hij opgewekt hun kamer in en deed de deur achter zich dicht. Ik bleef geschokt, roerloos staan – in de ban van het laatste beeld van zijn ~~pukkelige~~ billen. Wat moest ik doen? Niemand zou toch ooit geloven dat ik in mijn eigen (gehuurde) huis een potloodventer was tegengekomen? Dit was nou typisch iets wat de anderen – naast wc-papier dat op was en gloeilampen die vervangen moesten worden – ter sprake zouden brengen op een inderhaast bijeengeroepen huisvergadering. Maar ik wil niet preuts overkomen. Wat als Edith hem nu eens zou zien? Dan zou me dat op een proces komen te staan. Ik heb het contract gelezen; ik ben verantwoordelijk voor zo ongeveer alles wat er in dit huis gebeurt. Schade aan eigendommen en aan personen. Was ik onbewust geprikkeld? Verdit kun je beter in het midden laten

langde ik heimelijk naar William? ~~O, ik hoop van niet; nee, vast niet; nee; nee, echt niet. Hij is – om het maar eens zonder omhaal te zeggen – een slijmerige lul van de bovenste plank. (Al was dat vroeger mijn type – te beginnen met de vriendjes in mijn studententijd, die me niet zozeer bedrogen als wel het achtereenvolgens met al mijn rivalen aanlegden.)~~ Ik heb er moeite mee om dit op te schrijven – uit schaamte, denk ik. Daar staat tegenover dat ik zijn persoonlijkheid nu veel beter begrijp. Hij komt een beetje meer tot leven.

Tussen haakjes: Alan heeft me verteld dat hij niet 'geweest' is sinds hij hier vier dagen geleden is aangekomen. 'Zo gaat het altijd,' zegt hij. 'Ik heb minstens een week nodig om te wennen.' Vandaag ligt hij op de bank. Nu eens kreunt hij, dan weer vecht hij tegen de stekende pijn, dan weer laat hij ongegeneerd een scheet.

Later. Ongeveer 12.30 uur. Na de lunch komt het gesprek op darmen. Het gaat een halfuur over darmen, ondanks mijn pogingen een ander onderwerp ter sprake te brengen.

Alans probleem wordt van verscheidene kanten gediagnosticeerd, en het aantal voorgestelde remedies is nog groter. (Alan belooft ze allemaal te proberen.)

'Ik heb een kennis...' zei Marcia, zoals ze altijd zegt. Ze is een van die mensen die de anekdote boven de wetenschap stelt.

Cleangirl raadt hem aan om naar zijn huisarts te gaan zodra hij in Londen terug is.

Alan staat op en leunt slungelig tegen de Aga, een man die zich dapper in de keuken van de Amazones heeft gewaagd. We bewonderen dat in hem.

Hij buigt zijn hoofd en mengt zich in het gesprek, als een frietje in de mayonaise, en buigt zich dan terug, als een frietje op weg naar de mond.

Fleur, zie ik, vlucht deze ene keer niet weg. Ze luistert naar hem en ik zie haar meer dan eens glimlachen.

Het blijkt dat ik veel minder geobsedeerd ben door de laatste fase van de spijsvertering dan bijna alle anderen in het huis, zelfs Cecile. De mannen begonnen met die wc-praatjes om een excuus te hebben voor de scheten die ze de hele tijd laten. Nu verontschuldigen ze zich niet meer als ze er een hebben gelaten, en lacht zelfs niemand anders er meer om, tenzij het buitengewoon 'grappig' klinkt, bijvoorbeeld als een eend of als een krakende vloerplank. Dan ligt de hele kamer dubbel, alsof er een wervelstorm van humor overtrekt. Als de scheet ruikt, en geluidloos was, gaan de beschuldigingen over en weer en komen ze met obscure gezegden. Ik heb geen zin om die allemaal te citeren, maar ze gaan veel verder dan 'Wie het 't eerste ruikt, heeft zijn poepertje gebruikt'. Op zulke momenten begint het hele project iets vulgairs te krijgen. Een gemeenschappelijk leven was al nooit erg verheffend, maar het is een teleurstelling om te zien hoe sommige mensen van hun verloedering genieten.

14.00 uur. Er kwam vandaag een journaliste van de plaatselijke krant, de *Southwold and Walberswick Gazette*. (Ik had het publiciteitsmeisje in Londen gevraagd dat te regelen. Een beetje regionale pers kan nooit kwaad; ze vinden het een prettig idee dat je de moeite neemt om met ze te praten. Ik dacht dat het me zou helpen om toegang te krijgen tot de vuurtoren; dat is iets waar ik nog wat meer mijn best voor moet doen.) Ik ging met haar naar de tuin en we zaten tegenover elkaar op ligstoelen. Net toen we daar gingen zitten, kwamen Henry, Cleangirl en Edith van het strand aangelopen. De journaliste zag hen, maar zei niets. Ze was een onopvallend klein muisje en ze had geen cassetterecorder. Toen ze op haar blocnote begon te schrijven, met haar afgekloven potlood, kon ik ondersteboven zien wat ze schreef: ook geen steno. Ze was zo jong en meisjesachtig dat ze nog rondjes boven haar i's zette. In het begin was het net of ik met de schoolkrant praatte. Maar één ding moet ik haar nageven: ze had al mijn boeken gelezen. Ik had medelijden met haar, omdat ze me vragen stelde in de trant van: 'Wat gebeurt er op bladzijde 311, hoofdstuk 11, van *Ruimtelijkheid* nu echt met Roger?' Aan mijn antwoorden zou ze niets hebben voor het verhaal dat ze wilde schrijven: 'Beroemde Auteur Huurt Huis Ten Noorden van Ons Stadje'. Op de helft van het interview liep Alan voorbij; hij ging Domino uitlaten. De verslaggeefster zag hen ook. Toen ze tot slot vroeg waar ik op het moment aan werkte, zei ik alleen dat het een boek was dat zich in en rond Southwold afspeelde. Ze keek verbaasd op, en ik zag dat ze wilde dat ze die vraag eerder had gesteld, maar ik was al opgestaan en maakte aanstalten om naar het huis te lopen.

Toen we door de hal liepen, hoorde ze William toonladders oefenen in de salon en zag ze Marcia in haar rolstoel uit haar slaapkamer komen. De ogen van de journaliste werden een beetje groter. Ze zag dat ik naar haar keek, schaamde zich en stelde dus een vraag: 'Zijn al deze mensen vrienden van u?'

'Ja,' zei ik, en ik kon het niet laten: 'Het boek gaat over hen.'

'Hebben ze samen iets gedaan?' vroeg het meisje.

'Ze zijn samen iets aan het doen,' zei ik. 'Ze logeren hier en ik schrijf een boek over de dingen die hier gebeuren.'

Het leek me geen kwaad kunnen om dat tegen haar te zeggen; ze leek zo onschuldig. Ze begreep vast niet goed wat ik bedoelde.

17.00 uur. Simona kwam nogal laat naar de biecht. 'Ik denk dat ik het morgen misschien doe,' zei ze. Dat 'het' is, en is altijd geweest: William verlaten.

'Waarom dan?' zei ik. 'Waarom niet vandaag? Waarom zou je tijd verspillen? Waarom zou je nog een dag van je leven doorbrengen met een man van wie je niet meer houdt?'

'Omdat ik wel van hem houd,' zei ze. 'Dat kwam ik je vertellen. Ondanks alles houd ik nog steeds van hem.'

'Je dénkt dat je van hem houdt,' zei ik. Bij wijze van uitzondering probeerde ik deze onuitdaagbare vrouw uit te dagen. 'In werkelijkheid ben je emotioneel afhankelijk van hem.'

'Maar niet financieel,' zei Simona. 'Ik kan mezelf heel goed onderhouden.'

'Ongetwijfeld,' zei ik.

'Sterker nog,' verzekerde ze me. 'Ik verdien iets meer dan hij.' Ze praatte door haar tranen heen en deed dat verrassend welsprekend.

'Je hoeft niet in het huis te blijven,' zei ik. 'We kunnen iemand vragen je een lift naar het station te geven.' Eerlijk gezegd begin ik wat ongeduldig te worden. Het heeft mij nooit zoveel tijd gekost om iemand te dumpen – zelfs mijn eerste vriendje, van wie ik indertijd natuurlijk dacht dat hij de enige man ter wereld was die ooit bij me in de buurt zou komen. (Ik was acht; hij was tien.) Zeker, ik ben nooit getrouwd; ik weet zeker dat als je wel trouwt, je van het begin af aan het gevoel hebt dat het allemaal voorpaginanieuws is. Je moet aan je ouders denken, aan hun hoop dat je huwelijk standhoudt (in tegenstelling tot veel van hun eigen huwelijken). In sommige gevallen moet je rekening houden met kinderen, kindermeisjes, werksters, tuinmannen. Simona heeft geen van die excuses; wat ze wel heeft, is een mispunt van een echtgenoot, een etter van het zuiverste soort.

Ik zou graag de spionagecamera's aanzetten om een van hun ruzies te zien (en te beluisteren). Ik heb die ruzies gehoord. Hun kamer is recht boven de salon en hun stemmen zijn beneden te horen. Misschien had ik aan hun deur moeten luisteren. Maar ik weet dat ik betrapt zou zijn geworden; aan die ruzies van hen komt altijd plotseling een eind doordat een van hen, meestal William, de kamer uit stormt om een strandwandeling te maken. Simona blijft dan huilend achter en komt pas te voorschijn nadat ze zichzelf helemaal heeft gerestaureerd, al kunnen we dan allemaal nog zien hoe geëmotioneerd ze is geweest. William komt terug, zijn mond een beetje open, zijn pupillen een beetje minder verwijd, en maakt flauwe grappen met de mannen over wat het maar is dat hun belangstelling heeft. Hoewel ze het geschreeuw en tumult hebben gehoord, laten de mannen hem weer toe, kalmeren hem, zijn solidair met hem. Ze zullen toch wel een vermoeden hebben van de geestelijke wreedheid die boven hun hoofd in praktijk wordt gebracht? Iedereen die Simona heeft horen gillen weet toch dat hij haar bij haar haren heeft gegrepen? Mannen zijn walgelijk, zo inconsistent – soms staan ze veel te vlug met hun oordeel klaar, en soms wachten ze daar eindeloos mee.

'Ik hou het niet veel langer uit,' snotterde Simona. Ik besefte dat ik de afgelopen paar minuten niet meer had geluisterd. 'Dus het wordt morgenavond.'

Ik had duidelijk niet veel gemist. 'Waarom 's avonds? Waarom niet 's morgens?'

'Dat weet ik niet.'

'We zouden het nu kunnen doen. Het is zo gebeurd. We brengen je spullen naar de extra kamer en ik vraag hem weg te gaan. Hij zal wel een beetje razen en tieren, maar als X me helpt, en als de anderen eromheen staan en afkeurend kijken, gaat hij vast wel.'

'Ik weet het niet. Ik weet het niet. Misschien is het mijn schuld.' Ik had geen zin meer om tegen die zelfverloochening in te gaan. Maar toen ik de rol van biechtvader op me nam, wist ik dat ik vooral niet de indruk moest wekken dat al die verdrietjes en stoutigheidjes van mijn biechtelingen me onverschillig lieten.

Ik gaf Simona meer dan een kwartier de tijd om in de aromatherapeutische wateren van mijn medegevoel te weken; ik waste haar helemaal schoon met zachte, weldadige zeep; ik droogde haar af; ik smeerde haar in met olie; ik sprak haar zachtjes toe, zei dat ze zich moest ontspannen; ik gaf haar een uitgebreide ego-massage. Ik was de schoonheidsspecialiste van haar ziel.

Maar ze beloofde nog steeds niets.

Dit gaat er allemaal uit, dat beloof ik je.

Vanavond heb ik de mannen hun zin gegeven en zijn we met zijn allen naar het café geweest, zelfs Marcia, zelfs Edith, zelfs Cecile.

Vanaf het huis kun je op verschillende manieren in Southwold komen. Ik heb er tot nu toe drie geteld. De eerste en prettigste manier is over het strand. Dat betekent wel dat je hier en daar om zeearmen heen moet lopen en vlug je weg moet zien te vinden over min of meer particulier terrein, maar je ziet de hele tijd mensen die dat doen. Als je de tijd hebt, is dat de mooiste route: de zee links van je, het landschap van Suffolk rechts van je, Southwold recht voor je, de vuurtoren boven je. De tweede route moet je ook lopend afleggen, maar in dit geval ga je over paden langs de rand van weilanden, tussen heggen door. (Ja, die dingen bestaan nog.) Terwijl de route over het strand romantisch is, zijn die paden door het veld hier en daar nogal ruig, met braamstruiken en zo. En iemand moet je de route laten zien, in mijn geval waarschijnlijk zelfs twee keer. Een bol bindtouw zou van pas komen om de weg terug te vinden. Ik zou deze route niet aanraden in het donker. (Het is zo donker hier op het platteland, zelfs met de lichtflitsen van de vuurtoren.) De laatste route – die je ook te voet kunt afleggen – is het meest praktisch: over de verharde wegen. Maar die zijn hier en daar smal, met blinde hoeken, en je weet nooit wanneer je met een tegemoetkomende jonge racer te maken krijgt. (De eigenaars van het huis hebben dat in hun brochure 'Tips voor gasten' gezet, waaruit ik een paar fragmenten zou moeten overnemen, want hij is erg grappig. Ik denk niet dat ze hun toestemming zullen geven, als ze zien waar ik het voor wil gebruiken.) Er zijn gasten die een dodelijk ongeluk riskeren om aan sigaretten of cayennepeper te komen. Ik ga liever rijden, of ik laat me rijden.

Omdat het een warme avond was, konden we op het terras zitten. Ik begrijp niet waarom we dat deden, want het nam het hele cafégevoel weg – het was zelfs erg prettig. Je had daar geen supersonische jukebox, geen dorpelingen die met de muziek meezongen, geen golf van ammoniak telkens wanneer de deur van de Heren openzwaaide, geen Australiërs achter de bar, geen geile grotestadsjongens die bier op elkaar morsten, geen stripteasedanseres, geen speelautomaten, geen vreemde plakkerige dingen op de vloerbedekking, geen muf chipszakje midden op een wiebelend tafeltje, geen plastic martingaalschildjes, geen antiek uitziende boeken. Zelfs de drankjes waren niet café-achtig – de gin-tonic bruiste, de wijn liet niemand kokhalzen, het bier smaakte meer naar bier dan naar gemeen metaal. Ik weet niet wat Edith ervan dacht; zij en Cecile deden hun best om eruit te zien alsof ze er helemaal bij hoorden, terwijl ik mijn best deed om alles in me op te nemen.

'Wat is het hier verrukkelijk,' zei Cecile. 'Ik wist niet dat er zulke plaatsen bestonden. Ik hoop echt dat we hier nog eens heen kunnen gaan.'

'O, maar er zijn een heleboel andere cafés die net zo goed zijn als dit,' zei William, die de plaatselijke allesweter speelde. 'Hier in de streek brouwen ze bier.'

'Nou,' zei Cecile. 'Ik denk dat dit altijd mijn favoriet zal blijven, want het is mijn eerste.'

'Je eerste?' zei X.

'Dorpscafé,' antwoordde Cecile simpelweg, en toen keek ze Edith aan en liet erop volgen: 'In Suffolk.' Wat een komisch aplomb! Iedereen – iedereen voor wie het bestemd was – lachte. En toen praatte iedereen een tijdje zonder iets boeiends te zeggen. We waren op vakantie, en over iets anders hoefden we niet te praten. Maar algauw kreeg ik het gevoel dat ik de dingen enigszins moest forceren. We zaten aan twee langwerpige tafels; X, William en Alan hadden ze tegen elkaar aan gezet. De mensen die bij ons in de buurt zaten, leken me rustig en tamelijk respectabel: echtparen, eenzame mannen. De boerenjongens slurpten hun cider blijkbaar elders naar binnen. Ik wist dat we geen waarheidsspelletjes konden spelen, omdat Edith erbij was – en als de dingen die mensen te bekennen hadden in haar bijzijn konden worden uitgesproken, waren ze waarschijnlijk niet de moeite waard. Het dichtst bij mij – ik zat helemaal rechts aan de tafel – zaten X, Marcia en Fleur. Ik besloot een eind te maken aan het oppervlakkige gebabbel aan de hele tafel en een echte conversatie te beginnen. Het werd ook tijd dat ik vrede sloot met mijn getikte zus. 'Weet je nog,' zei ik tegen Fleur, 'dat we op vakantie naar dat dorpscafé gingen, toen we nog jong waren?'

'Je bedoelt, met die borsten bij de deur,' zei Fleur.

Anderen hadden zitten meeluisteren. Ik wachtte tot ze het ging uitleggen. Omdat ze dat niet deed, moest ik het zelf doen: 'Er was een laarzenschraper naast de deur van wat de lounge-bar zal zijn geweest, en daar zaten ruwe borstels op om het vuil van je schoenen te wrijven. Maar wij kinderen wisten niet wat het was. Dus toen we veilig in het café zaten, vroegen we onze ouders...'

Fleur viel in met de clou: 'Heb je die borsten buiten gezien?' Marcia lachte, een lach die mijn zuster mij ontstolen had. Maar ik was blij dat Fleur een beetje ontdooide bij de herinnering. 'Dat bleven we de hele vakantie zeggen,' zei ze. 'Als we ergens heen gingen, vroegen we: "Maar zijn er borsten buiten?"'

Fleur lachte en ontspande nog wat meer.

O, wat had ik daar de pest aan: doen alsof we zussen waren, alleen omdat er andere mensen bij waren. Alleen bij zulke gelegenheden konden we echt samen zijn en konden we ons zo luchtig en lacherig gedragen als vroeger. Als we met elkaar samen waren, konden we elkaar niet in de ogen kijken – dan was het: ruggen naar elkaar toe, tien passen lopen, omdraaien, vuren. Ik miste het lachebekje dat ze ooit was geweest, in de tijd dat ze zich nog wel eens versprak en 'borsten' in plaats van 'borstels' zei. Ik besefte dat het nu andersom was; we zaten buiten bij een café terwijl de stekelige borstels binnen zaten. Ik grinnikte; dat was een grap die ik beslist niet hardop kon herhalen.

Anderen begonnen nu ook vakantieverhalen uit hun kindertijd te vertellen. Fleur en ik keken elkaar met een triest glimlachje aan. Ik deed maar geen pogingen meer de conversatie wat meer diepgang te geven.

Wat gebeurde er nog meer? Alan morste bier over zijn broek toen hij het tweede rondje ging halen. Ik had de indruk dat er aan het andere eind van de tafel meer werd gelachen, dat de gasten zich daar meer op hun gemak voelden. Maar toen ik voorstelde dat we van plaats zouden wisselen, zodat iedereen met iedereen kon praten, en zelf naar het andere eind ging, bleek de uitbundige stemming zich ook te hebben verplaatst.

Ik merkte dat Alan en Fleur nog steeds niet bij elkaar wilden zitten en schuchter op een afstand bleven, terwijl Cleangirl en Henry, hopeloos en reddeloos verliefd, onafscheidelijk waren.

Voortaan zal ik erop letten dat ik in het midden van de tafel ga zitten, dan kan ik naar zoveel mogelijk gesprekken luisteren.

Na het café gingen we naar huis en aten we curry. De mannen hadden dat met de kok geregeld zonder eerst met mij te overleggen.

Toen we op de banken zaten, stelde ik voor dat we een paar waarheidsspelletjes zouden spelen. Ze hadden er geen zin in, vonden het te afgezaagd.

Cecile droeg een erg dunne coltrui, waarschijnlijk van kasjmier, en een grijze plissérok, die er ongehoord schoolmeisjesachtig zou moeten uitzien (en een vrouw van boven de zestig dus belachelijk zou staan), maar die er alleen maar in slaagde alle schoolmeisjes van de wereld, in alle tijden, *overdressed* te laten lijken. Verder droeg ze eenvoudige zwarte schoenen. Ik had het duidelijk mis toen ik tegen Alan had gezegd dat ze meer kleren zou laten nasturen. Blijkbaar kleedt ze zich de hele maand uit die twee kleine koffers. Hoe doet ze dat toch?

Een muis. Marcia heeft een muis in haar kamer gezien. Hij ritselde langs de plint en verdween onder de kaptafel. Het zal vast wel een lief beestje zijn geweest, bruin en vier centimeter lang, van kop tot staart, maar als je op haar beschrijving moest afgaan, was het een ranzig rattenbeest met gemene ogen, straalaandrijving en vlijmscherpe klauwen. 'Ik haat ze,' zei ze. 'Ik haat ze zo erg dat je het niet zou begrijpen. Ze kunnen ergens gaan zitten terwijl je er geen erg in hebt.' Je zou zoiets niet verwachten, met een kat in de buurt. Maar Audrey is niet echt een muizende kat.

Ik heb de afgelopen paar dagen nauwelijks met X gepraat.

Dinsdag

Dag Zes Week Een

De afgelopen nacht wakker gelegen door de kleurstoffen in de curry. De kok had kip tikka massala gemaakt, knalrood, en ik bleef heen en weer rennen tot ongeveer halfvier vannacht. Ik was natuurlijk bang dat ik pas de volgende nacht mijn slaap zou kunnen inhalen en dat ik de hele volgende dag niet optimaal zou presteren. Ik had me tot de groentecurry moeten beperken. Vandaag voel ik me misselijk en heb ik hoofdpijn, en ik heb geen idee waarom. Ik denk aan de kippen die de kok gebruikte: ik durf te wedden dat die stierven in viezigheid. Ik heb het gevoel dat ik nooit meer vlees zal willen eten. Ik kan me geen voedselvergiftiging veroorloven. Is vlees ook een van de dingen die ik moet mijden om door de eerstvolgende drie weken heen te komen? Het lijkt wel of het project elke dag een nieuw offer van me eist.

Het dageraadkoor vandaag. Ik dacht dat de moderne mens, door heggen te snoeien en massa's verdelgingsmiddelen te gebruiken, enzovoort, vrij veel succes had geboekt bij het elimineren van die kwetterende kleine rotzakjes. Maar de overblijvers bleken allemaal naar Suffolk te zijn verhuisd, waar verdelgingsmiddelen waarschijnlijk *passé* zijn; de boeren hier zijn overgestapt op genetische manipulatie. De Chinezen hadden gelijk: laat iedereen van zonsopgang tot zonsondergang op woks en benzineblikken slaan, totdat het vliegende ongedierte sterft van vermoeidheid omdat het nergens meer kan landen. En dan schep je die reusachtige gevederde bergen in open vrachtwagens. Om vijf uur wakker geworden. Om halfzes weer in slaap gevallen. Om kwart over zeven weer wakker geworden.

Alan en Marcia schijnen een soort bondgenootschap te hebben gesloten. Dat ontdekte ik toen ik vanmorgen in alle vroegte zag dat hij haar op de wc beneden tilde. (Ik weet niet wanneer dat is begonnen, waarschijnlijk nadat Alan haar op zijn rug door de kamers van de bovenverdieping had gedragen.)

Terwijl zij op de wc zat, ging hij wat door de tuin lopen, en ik sloot me nonchalant bij hem aan. Na de goedemorgens begon ik met: 'Je helpt Marcia, zie ik.'

'Niet echt,' zei hij. 'Ze heeft niet echt hulp nodig. Alleen, als ik in de buurt ben, en dat ben ik meestal, gaat het allemaal een stuk vlugger.'

'Nou, ik stel het op prijs,' zei ik, 'dat je haar officieuze verzorger bent geworden.'

'O, dat is het niet – het is geen werk. Het is net zoiets als wanneer je iemand een vuurtje of een lift geeft.'

Het was een heerlijk frisse ochtend, die je het gevoel gaf dat je net uit een warm zwembad in de koude lucht was gekomen. De hemel was heel lichtblauw, onbewolkt, met in de verte wat strepen van straaljagerwol.

'Waar help je haar nog meer mee?'

'Victoria,' zei hij. 'Dat is privé.'

'O,' zei ik.

Hij ging weer naar binnen. Halfacht 's ochtends, en het was me al gelukt minstens één persoon, en waarschijnlijk twee, te ergeren.

Het behang in de benedenhal, pastelblauw met gouden eikels, is vorstelijk en mag niet onvermeld blijven. Op de consoletafel in de hal staat een schaal met sleutels waarvan niet meer bekend is waar ze van zijn.

Kort gesprek met Alan: de curry heeft hem genezen van zijn constipatie, en daarmee is het laatste over dit onderwerp gezegd.

O~~m verder te komen met het schrijven is het soms nodig om te schrijven~~ e~~n te schrijven en te schrijven, op deze manier, totdat er iets komt, en je~~

~~weet niet wat dat 'iets' is tot het er plotseling is: numineus, lumineus, volumineus. (Schrappen)~~ Helemaal mee eens.

14.00 uur. Er hing continu de dreiging in de lucht dat dit om zou slaan in een komedie of een moordverhaal in een oud landhuis – en nu lijkt het onwaarschijnlijke te zijn gebeurd: beide zijn aan de orde. De komedie is dat alles zo komisch onkomisch is. Maar het lijdt geen twijfel wie de daders zijn – of wat hun gezamenlijke motieven waren. Het is net als dat Agatha Christie-verhaal waarin blijkt dat iedereen het heeft gedaan. *Moord op de Oriënt Express*, geloof ik. Dat blijkt onder andere uit een groot aantal steekwonden, toegebracht door de verschillende verdachten. Nou, het lijk van mijn carrière ligt bloedend op de vloer van de salon, met tien diepe keukenmeswonden in de rug. Bloed. Overal bloed.

Het is Fleurs schuld. Dat toespraakje van haar over opzettelijke passiviteit heeft alle andere gasten geïnspireerd. Sindsdien hebben we twee dagen gehad waarin ze zo min mogelijk deden. Ik haat haar! Ze parodiëren de passiviteit op een heel bijzondere manier: ze lezen boeken, hangen in ligstoelen, maken rustige wandelingen over het strand, slapen. Hun gesprekken gaan bijna alleen over eten: wat ze voor hun ontbijt hebben gehad; wat ze 's avonds graag zouden willen hebben. Ze doen geen enkele poging tot intellectuele activiteit, tot emotionele inspanning; geen vlindergefladder, geen bonzende harten. Fleur is aan het breien geslagen, godnogaantoe! Ik ga dood. Mijn project gaat dood. En ik weet dat er onder de oppervlakte dingen aan de gang zijn. Ik weet het zeker.

Aan X heb ik niets – hij is gaan zeevissen!!! (En in tegenstelling tot sommige mensen gebruik ik niet zoveel uitroeptekens achter elkaar als er geen heel goede reden voor is.) Hij gaat de hele tijd met Alan en Henry naar het strand, al heb ik hem gevraagd/bevolen dat niet te doen. En vanavond willen de mannen gaan pokeren.

Simona – die, ~~voorspelbaar als ze is~~, me probeert te helpen – is de enige die naar de Biecht komt. ~~Ik kan moeilijk tegen haar zeggen dat ze weg moet gaan en me niet meer lastig moet vallen, want ze is mijn grootste informatiebron met betrekking tot dat complot om niets te doen. (Ze heeft me over dat pokeren verteld.) Maar als ik haar daar direct naar vraag, begint ze niet al te subtiel over iets anders te praten. Ze wil geen~~

~~partij kiezen. Ze wil ook niet meer over haar scheiding van William praten. 'Dat gaat niet gebeuren,' zei ze. 'Waarom niet?' vroeg ik, maar dat wilde ze niet zeggen. Ze is bang, maar waarvoor? Bang om alleen te zijn?~~

Gisteravond, in het café, wilde ik opstaan en schreeuwen: *laatiemandwatdoen!* Ik begin allerlei gemene tegencomplotten te verzinnen: misschien kan ik de kok overhalen om wat laxeermiddel in de chili-*sans*-carne te doen. Of een braakmiddel. Dan zou er hier tenminste iets in bewéging komen.

Ik begin me grote zorgen te maken.

Het lijkt wel of Cleangirl helemaal uit dit dagboek is verdwenen; die gewoonte heeft ze altijd al gehad. Ze is nooit een muurbloempje, maar ze gaat als het ware op in het behang. Ze is wel aanwezig en laat je denken dat je omgeving erg mooi is. Ze is meer ambiance dan behang – ze reist, ze intervenieert, ze strijkt veel dingen glad; maar ze is ook even vlak en onaanstootgevend als behang. Nee, zo kan ik dat niet zeggen. Er is behang dat zoveel aanstoot geeft dat je het tot een duel wilt uitdagen. Per slot van rekening was het slecht behang dat Oscar Wildes dood werd. Ze dóét niets; ze is alleen aanwezig bij dingen die andere mensen doen, en toch weet je nooit zeker of ze niet stiekem enige invloed op hun handelingen uitoefent. Het is heel irritant. Toen ik haar uitnodigde, wist ik al dat ze heel irritant zou zijn. Maar ik dacht dat het me misschien zou aanzetten tot competitiviteit, waardoor mijn werk en mijn uiterlijk erop vooruit zouden gaan. In plaats daarvan is ze vervallen tot een vakantietrut. Nu ze bevrijd is van het totale moederschap, kleedt ze zich slordig en rookt ze bij elke gelegenheid die zich voordoet. Ik zou Henry gemakkelijk in de verleiding kunnen brengen; met een beetje glamour, een beetje geflirt en nu en dan een lach. Maar ook hij schijnt kort geleden in de middelbare leeftijd te zijn aanbeland. Ze vinden het allebei prettig om hier te zijn en door anderen verzorgd te worden. Ik dacht dat ik een paar mensen binnenhaalde die dingen deden; ik kreeg een paar luilakken. De kok gaat verder met zijn verleidingspogingen, maar voor zover ik kan nagaan, merkt Cleangirl het niet eens. Misschien wordt ze te veel in beslag genomen door X. Ik zie haar nu en dan naar hem kijken. Henry ontloopt me. Soms denk ik zelfs dat hij een hekel aan me heeft. Die voorspelling klopt dus alvast niet.

Vanmiddag werd ik zo wanhopig dat ik me door X naar Southwold liet rijden. We vonden een speelgoedwinkel en kochten een Cluedo-spel. (Ze hadden geen Monopoly, niet te geloven, hè?) Daarmee hoop ik pokersessies te voorkomen. Een spannend spelletje Cluedo geeft me misschien ook iets om over te schrijven.

Toen we op de terugweg waren, stortte ik in. X zei dat hij vond dat alles erg soepel verliep.

'Precies,' zei ik.

15.17 uur. Ik kom met een kostbare lading: roddelverhalen. Cleangirl heeft de pest aan Marcia. Ze kan er nauwelijks tegen om zich in hetzelfde postcodegebied te bevinden als zij. (En dat na wat ik ongeveer een uur geleden over haar zei.) Ik merkte dat voor het eerst op zondagavond, maar toen wist ik het nog niet zeker. Na het eten bleven de meesten van ons in de salon zitten en vertelde Marcia een lang verhaal over onder andere zichzelf, boter, een hoge trap en een man met een ezel. Het speelde zich af op Jamaica. Marcia wilde net de clou vertellen – die te maken had met twee andere mensen, een travestiet en een politievrouw – toen Cleangirl van de bank opstond en de tuin in liep. Ik ging niet achter haar aan; dat kon ik niet. Marcia's verhaal eindigde – zoals al haar verhalen – met een niet-tragische afloop en een heldere lach. Haar moraal is altijd hetzelfde: we leven in zo'n belachelijke wereld dat je er maar beter om kunt lachen.

Toen het even stil was, ging ik de tuin in om de wegloopster op te zoeken. Ze zat in een van de ligstoelen onder de appelboom en praatte met X. Het was het magische uur: de zon zakte onder de horizon, de aarde en de zee werden nog verlicht door de hemel. X maakte de magie nog groter door geurige rook van de punt van zijn sigaret te laten opkringelen. Cleangirl kwam zo dicht bij een tirade als ze maar kan komen. Ik liep naar haar toe en ving haar laatste woorden op: '... zo doorgaat, wordt het heel moeilijk.'

'En waar hebben jullie twee het over?' zei ik. Ze lieten allebei het antwoord aan de ander over en het resultaat was een beleefde maar afwijzende stilte. 'Goed dan,' zei ik. 'Dan laat ik jullie weer alleen.'

Ik draaide me om en ging het huis weer in. Ik wist dat ze zich allebei zo in verlegenheid gebracht voelden dat ze het me zouden vertellen, of tenminste dat een van hen dat zou doen. Eerlijk gezegd verlangde ik op dat moment meer naar de sigaret van X dan naar het geheim van Cleangirl.

Vandaag. 16.00 uur. De voorkamer. Biecht. En voor het eerst komt Cleangirl. 'Je hebt het vast wel geraden,' zegt ze. Het kunnen twee dingen zijn: Marcia, of ze is verliefd op X.

'Ja,' zeg ik. 'Wanneer is het begonnen?'

'Toen we hier aankwamen, geloof ik, bijna direct op de eerste dag.'

'En?'

'Ze is zo... banaal, nietwaar? Ik bedoel, ik weet dat je niet geacht wordt zoiets te zeggen, want haar positie is, politiek gezien, zo onneembaar.' Cleangirl giechelde om dat laatste woord. 'Maar echt, ze praat te veel, en wat ze zegt, is helemaal niet zo interessant.'

'Nou,' zeg ik, 'waarom denk je dat je zo over Marcia denkt en niet over mijn zuster?'

'Ik heb geen idee. Eigenlijk lieg ik tegen je door het allemaal te rationaliseren. Ze is gewoon zo iemand van wie ik misselijk word. Ik voel me daar al schuldig over sinds... nou, sinds ik haar leerde kennen.'

'Je wist het toen al?'

'Ze is een slachtoffer, nietwaar? Een slachtoffer dat zich daarvan bewust is. Het kost me altijd veel moeite om met zulke mensen om te gaan.'

'Ik begrijp niet helemaal wat je bedoelt,' zeg ik.

'Ik bedoel mensen wier kracht hun zwakheid is, of wier zwakheid hun kracht; je weet wel wat ik bedoel. Dat ze in een rolstoel zit en zwart is, wil nog niet zeggen dat iedereen moet luisteren naar wat ze zegt.'

'Denk je dat die rolstoel belangrijker is dan het feit dat ze zwart is?'

'Nee, eigenlijk niet. Maar je moet die dingen nou eenmaal in een bepaalde volgorde zetten. Ik wou alleen dat iedereen erkende dat ze soms saai is. Ik wou dat ik daarin niet alleen stond.'

'Wat zei X?'

'Hij mag haar wel. Hij vindt haar grappig.'

'Wat zei jij tegen hem?'

'Ik zei tegen hem dat hij daar over een week wel anders over denkt.'

'Edith schijnt haar aardig te vinden,' zeg ik.

'Ja, daar ben ik blij om,' zegt Cleangirl. 'Ik ben in een erg gemene stemming.' Dat lijkt het enige te zijn dat ze te zeggen heeft, maar dan vervolgt ze: 'Alsjeblieft, zet dit niet in het boek.'

'Natuurlijk niet.'

'Het is net of ik racistisch ben, en dat is het helemaal niet; ik mag Marcia gewoon niet.' Ze maakt aanstalten om weg te gaan.

'Ingrid,' zeg ik.

'Ja,' antwoordt ze, nog niet bij de deur.

'Als je een slechte atmosfeer gaat creëren, ruzie gaat maken of zoiets, kun je het mij dan misschien van tevoren laten weten? Ik zou het niet graag willen missen.'

Cleangirl komt naar me toe en kust me op mijn voorhoofd. 'Ik wist wel dat jij hier zo lekker boosaardig op zou reageren,' zegt ze.

Toen kwam Simona; ~~maar~~ een kwartier.

Na afloop van de de biecht moest ik nodig pissen, maar ik wilde ook heel graag weten waar Cleangirl heen was gegaan. En wat zag ik toen? Zij en Marcia, samen aan de afwas, gnuivend en grinnikend en zo te zien de beste vriendinnen denkbaar.

Zo is Cleangirl altijd geweest. Ze is de meest naadloze actrice. En wie weet, misschien haat ze mij veel meer dan ze zich aan Marcia ergert en kwam ze alleen haar biecht bij me doen om me op de proef te stellen.

Maar als dat zo was, zou ze dan de kamer hebben verlaten toen Marcia haar verhaal vertelde? Zou ze dan ook hebben geënsceneerd dat ik haar met X betrapte?

Haar troebelheid is waarschijnlijk dieper dan ik ooit zal kunnen doorgronden.

En ik ben er zeker van dat ze de rest van de dag, zo niet de hele maand, niet meer van Marcia's zijde zal wijken.

Ik heb al een week geen seks meer gehad. Dat besefte ik net. Het is afgrijselijk. En ik heb het nauwelijks gemist, zo druk had ik het met het huis. Maar wat nog erger is: voor zover ik weet heeft ook niemand van de mis, helemaal mis.

andere gasten seks gehad. Of ze moeten er 's middags tussenuit zijn geknepen terwijl alle anderen in de tuin waren. Het stel dat waarschijnlijk het meest geneigd is om op die manier te paren, is Henry en Cleangirl. Per slot van rekening moeten ze het gewend zijn om het te doen zonder dat Edith het merkt. Maar ik kan niet geloven dat me is ontgaan. Als ik de spionagecamera's aanzet, kom ik te weten wat er is gebeurd. Ik kan bijna niet wachten.

Vanavond zal ik X verleiden. Of misschien ook niet. Misschien moet ik tot algehele onthouding overgaan om hem in de armen van Cleangirl te drijven.

Ik weet nu wat beter hoe Marcia door Alan wordt geholpen. Zoals ik vanmorgen ontdekte, helpt hij naar op de wc beneden – ik denk omdat de ruimte daar nogal krap is en ze de rolstoel niet naast de toiletpot kan zetten om vervolgens een armleuning neer te klappen en zich zijdelings te verplaatsen. Verder helpt hij haar om in bad te gaan (ik hoorde eerder vanmiddag dat ze dat aan het regelen waren). Ik denk dat Marcia het gemakkelijker vindt om daar in- en uitgetild te worden dan om het allemaal zelf te doen. Dat betekent dat de deur niet op slot kan terwijl zij in bad zit. Ik denk dat iedereen daarvan weet en het veiliger vindt om de badkamer beneden helemaal niet te gebruiken en boven te douchen. Toch merk je er meestal nauwelijks wat van dat Marcia anders is dan de rest van ons. Ze kan goed naaien en stoppen en verdomd goed breien. Aan de ene kant van haar rolstoel (de kant die je niet kunt neerklappen) heeft ze een tas met daarin make-upspullen, wol en breinaalden, een eerstehulpsetje, een leesbril, een *rape alarm* en andere essentialia.

Er is op een belachelijke studentenmanier weer over een werkschema voor de afwas gesproken. Ik heb tegen iedereen gezegd dat ze hun vuile kopjes gewoon op het aanrecht kunnen achterlaten, dan wast het dienstmeisje of de kok ze wel af. Maar de gasten zijn allemaal zo egalitair. Cecile is de enige die weet hoe je met personeel moet omgaan. Ze zal het wel gewend zijn. Ze laat ze álles voor haar doen, en omdat ze daardoor worden beziggehouden, zijn ze gek op haar. Je kunt zien hoe goed ze op een ferme behandeling reageren. Ikzelf beheers de kunst van het heersen nog niet. Trouwens, sommige gasten klagen ook dat er niet genoeg kopjes zijn. Ik heb aangeboden nieuwe kopjes te kopen, maar niemand ziet dat als een oplossing.

De meeste dingen die ik in de Ideeëndoos krijg, zijn zo onbenullig. Ik verwachtte dat mensen met geweldige ideeën zouden komen over manieren om het leven van ons allen te verrijken. Dat is niet gebeurd. In plaats daarvan zeuren ze over de distributie van wc-papier. (Er doet zich een probleem voor op de wc beneden. Het schijnt dat iedereen daarheen gaat, omdat ze geen zin hebben de trap op te lopen.)

Ander onderwerp. Ik denk steeds weer aan titels en ideeën voor moordverhalen: *Moord in het Weekendmoordhotel, Moord in de Londense kerker, Moord in Madam Tussauds gruwelkamer, Moord bij Scotland Yard.*

Toen het avondeten (heilbot met nieuwe aardappels en *petits pois*; kruisbessenvla) bijna was afgelopen, stelde ik heel nonchalant een spelletje Cluedo voor. De mannen waren nog steeds van plan te gaan pokeren, maar vonden dat ze zich wel een beetje konden warmlopen met wat amateurspeurwerk. We hielpen het dienstmeisje de tafel af te ruimen en schoon te vegen. Ik gaf X de leiding over het spel, want hij heeft neefjes en nichtjes met wie hij vaak Cluedo speelt. De gasten vormden teams – koppels ontkoppeld: William met Fleur, Simona met Alan; Cleangirl drong zich op aan Marcia; Henry sloeg zijn arm om Edith heen; ik sloeg Cecile aan de haak. X deed de kaarten in de envelop en we begonnen te spelen.

Al gauw kwamen in het spel individuele eigenschappen aan het licht. Marcia heeft er grote moeite mee om haar deducties geheim te houden. Fleur wil niet graag informatie met anderen delen, zelfs niet met haar teamgenoot. Cecile doet alsof ze het spel niet begrijpt, maar speelt intussen wel ongelooflijk slim. William en Henry zijn op een irritante mannenmanier met elkaar aan het wedijveren. Alan moet weer zo nodig zeggen dat hij er niets van kan, maar dat valt best mee.

Simona en Alan wonnen het eerste spel (Dominee Green met de Kandelaar in de Balzaal). En het tweede spel, bepaald door de eerdere winnaars, werd gewonnen door... Cecile en mij! (Miss Scarlett met de Dolk in de Bibliotheek – geen enkele combinatie van moordenaar, wapen en plaats heeft meer glamour dan die.) Toen waren ze het er allemaal over eens dat het genoeg was.

Toen een aantal mensen de tafel verliet, gingen de mannen verder uit elkaar zitten. Alan was de kaarten al aan het schudden voordat het Cluedobord zelfs maar opgevouwen was. Dat was duidelijk een veel interessanter spel – voor hem. Verrassend genoeg vroeg Marcia of ze mee mocht doen. 'Natuurlijk,' zei Alan. De mannen schenen niet te beseffen dat er onenigheid over het pokeren had bestaan tussen de vrouwen en de mannen. Toen kwam Cecile met hetzelfde verzoek, en dat was nog veel verbazingwekkender. 'Met groot genoegen,' zei Alan. Hij begon de regels en voorschriften op te sommen: iets met Texas en stud en wat hoog was en wat niet. Toen draaiden ze zich allemaal naar mij om. Ik beken dat ik volkomen verrast was door Ceciles beslissing, door haar enthousiasme, zou je zelfs kunnen zeggen. Maar dit was niet het moment om haar naar haar beweegredenen te vragen. 'Ik kijk alleen maar,' zei ik.

Het lukte me ongeveer een halfuur; zoals ik al had verwacht, was het ongelooflijk saai. Ze speelden met luciferstokjes als fiches, om lage inzetten. Toen ik naar boven ging om dit te schrijven, had Marcia de grootste stapel en had Henry bijna niets meer.

Cecile droeg een purperen blouse en rok, met bijpassende schoenen! Ik heb geen idee hoe ze het klaarspeelt om die kleuren te dragen en er toch goed uit te zien. Het is of ze ermee door een magische stijlspiegel is gelopen om er aan de andere kant *chic* uit te komen. Ik kan me nog net voorstellen dat al die kleren in haar koffers passen, maar het is onmogelijk dat ze al die schoenen ook heeft meegebracht, of ze moet de hele tijd een erg goed afgerichte olifant bij zich hebben die steeds op de koffer gaat zitten als ze alles er weer in heeft gedaan.

Woensdag

Dag Zeven Week Een

Het dageraadkoor schijnt een borend ritme te hebben ontwikkeld: *jadda-jadda-jadda*.

Halverwege de afgelopen nacht (d.w.z. vanmorgen heel vroeg) had ik een vreemde ontmoeting met Cecile. Het is een incident dat het best in de derde persoon kan worden beschreven, denk ik:

Victoria moest dringend naar de plee. Ze had een gevoel alsof haar blaas een zeppelin was die zich naar buiten probeerde te stuwen. Ze was van de alcohol afgebleven, maar ik denk dat ze bij het eten te veel mineraalwater had gedronken. Het was drie of vier uur, en ze geloofde niet dat ze weer in slaap kon vallen. Ze ging naar de overloop en zocht op de tast een weg langs de rechtermuur (het was bijna helemaal donker en ze had geen zaklantaarn; je vergeet hoe donker het buiten de stad kan worden – Victoria miste het constante oranjebruine licht van Londen). Ze bewoog zich dus op die manier door de gang, als een blinde in een onbekende omgeving, toen ze plotseling iets voelde dat zacht en koel en textiel en huid was. Natuurlijk gaf ze een schreeuw; het ding dat ze had aangeraakt, deed dat ook. Victoria besefte bijna meteen dat het geen ding maar een persoon was, en ook wie het was, maar heel even geloofde ze dat het iets heel anders was, iets monsterlijks. '*Mon Dieu*,' zei Cecile, diep ademhalend. 'Ik ben het,' zei Victoria. Ze schaamde zich en was blij dat het donker was; ze had, besefte ze nu, Ceciles borsten aangeraakt, de stof die ze bedekte. De deur van Ceciles kamer stond open, en plotseling konden ze van maanlicht profiteren – de maan had zich tot dan toe blijkbaar achter een wolk verscholen. (Is dit geloofwaardig? Misschien had ik, toen ik op de overloop kwam en zag dat het zo donker was, mijn ogen dichtgedaan omdat ik dacht dat ik er toch niets aan had, en had ik, blindemannetje spelend, mijn vingers langs de muur bewogen, boven de lambrizering en onder de rij schilderijen.) 'Ik dacht dat je...' Cecile zweeg. Op de een of andere manier wist Victoria wat haar vriendin had willen zeggen. ‘Een geest,’ zei Victoria. ‘Ja,’ zei Cecile. Het maanlicht leek nog helderder te worden; misschien was de maan nu achter de laatste wolkensluier vandaan gekomen. ‘Is het niet grappig,’ zei Victoria, ‘dat dat je eerste gedachte is, in het donker?’ ‘Je bezorgde me een echte *frisson*.’ Cecile ging opzij, zodat er nog meer licht op de overloop viel. De huid boven de stof van haar nachthemd glom als een spiegel. Victoria vond het op dat moment niet vreemd dat haar gordijnen niet dichtgetrokken waren, of weer waren opengetrokken. ‘Ik ging...’ zei ze. ‘Ga jij maar eerst,’ antwoordde Victoria. ‘Kun je zien waar je loopt?’ ‘Ik kan het voelen,’ zei Cecile. ‘Ik heb het al vaker gedaan.’ ‘Goed dan,’ zei Victoria. Ze draaide zich om en wilde naar haar eigen kamer terugkeren. En toen gebeurde er iets vreemds. ‘Nee,’ zei Cecile nogal luid. Victoria bleef staan. ‘Alsjeblieft,’ zei Cecile, ‘blijf waar je bent; wacht tot ik terug ben. Ik ben bang.’ ‘Maar wat helpt het als ik hier sta?’ zei Victoria. ‘Ik sta al een kwartier in de deuropening,’ zei Cecile. ‘Stokstijf. Ik probeerde moed te verzamelen om de gang op te gaan. Er was iets wat me tegenhield. Een kracht. Die kracht werd pas verbroken toen jij me aanraakte.’ ‘Zal ik het licht aandoen?’ zei Victoria. ‘Ik denk dat ik de knop wel kan vinden.’ Het hele incident was net een scène uit een griezelfilm geweest en daardoor was Victoria helemaal vergeten dat er een gemakkelijke oplossing voor duisternis bestond; in haar hoofd had ze alleen maar aan kastelen, onweersbuien en uitgewaaide kaarsen gedacht. (Mijn zus en ik speelden altijd zo’n soort spelletje, we noemden het Spokie, bij ons thuis. We speelden dat tot aan onze puberteit. Toen we dat spel niet meer speelden, vonden we elkaar niet meer aardig als het licht was, denk ik. Wat een vreemde gedachte.) ‘Nee,’ zei Cecile, ‘dan zouden we misschien iemand wakker maken.’ ‘Natuurlijk blijf ik hier staan, als je dat wilt,’ zei Victoria, die maar niet op de verwijzing naar een ‘kracht’ inging. Cecile gaf geen antwoord en liep gewoon door.

Victoria stond naar het maanlicht te kijken dat zich als traag bewegende melk over de vloerbedekking verspreidde. ~~Ze deed haar best om niet naar de stilte te luisteren, en naar het druppelen, weer stilte, langduriger druppelen, langduriger stilte, korter druppelen, nogmaals korter druppelen, de stilte, de plens, de stilte, het doortrekken. Ze was blij dat ze hoorde doortrekken.~~ Ik zal Cecile dit besparen.

Cecile kwam uit het volslagen zwarte gat van het toilet; Victoria besefte dat ze de wc was in- en uitgegaan zonder het licht aan te doen. Victoria nam aan dat Cecile haar ogen wilde sparen. Ze vroeg zich af of Cecile de deur van de wc ook op slot had gedaan als ze elkaar niet waren tegengekomen; als Victoria dan een tijdje later uit bed was gekomen, had ze misschien de deur opengemaakt en zich omgedraaid en was ze op Ceciles schoot gaan zitten. Ze moest er niet aan denken!

Cecile liep in het donker naar Victoria. 'Dank je, mijn kind,' zei ze, en ze kuste Victoria op beide wangen. Toen draaide ze zich om en liep ze haar kamer in. 'Welterusten,' zei ze zonder om te kijken. De deur ging dicht en de gang was zwarter dan ooit. Het nabeeld van de maanlichtmelk op Victoria's netvliezen zorgde er in eerste instantie voor dat ze zelfs geen duisternis kon zien. ~~Ze deed haar ogen dicht en zag de duivel – ze vond die netvliesbeelden daar altijd op lijken: het lachende rode gezicht van Satan die zei *Op een dag krijg ik je te pakken, en dat weet jij net zo goed als ik.* Victoria zette hem uit haar hoofd en zei: 'Duivelse gedachten.'~~ Ze ging naar de wc; ze ging naar de slaapkamer terug; er gebeurde verder niets meer. X was in een diepe slaap verzonken en snurkte op een grappige manier: zijn lippen leken aan elkaar vastgekleefd te zijn, dus als hij uitademde, ging dat gepaard met een *pfut-pfuttend* geluid, als pap die staat te koken. Victoria was tevreden: ze had een geheime kant van Cecile gezien.

je bent gestoord

Wat we verder ook met elkaar gemeen hebben of niet, in elk geval hebben we ons magische moment in het maanlicht gehad.

7:30 uur. Wakker worden in een oud, koud huis was geweldig; dat je op je tenen over de ijskoude vloer van de badkamer moest lopen. Het deed Victoria aan vakanties uit haar kinderjaren denken. (Je merkt wel dat ik wanhopig ben, hè?) De bovenramen in het huis waren allemaal beslagen van de adem van de vreedzame slapers bla-bla-bla. Wat is het toch? Haten ze me? Of zijn ze gewoon niet inspirerend genoeg voor elkaar? Als het zo doorgaat, moet ik mijn zogenaamde breuk met X vervroegen. (Al staat nog niet vast dat ik het doe. Henry toont geen belangstelling voor mij – misschien zelfs afkeer; Cleangirl toont erg weinig belangstelling voor X.)

Ontbijt. Cleangirl laat Marcia maar niet met rust: ze is vastbesloten het offer te brengen haar aardig te vinden. Marcia is nog steeds het meest gehecht aan Fleur, haar vaste partner (als je het zo kunt noemen), en Alan, haar klusjesman. Intussen heeft Henry een warm plekje in haar hart veroverd door in alle eerlijkheid om haar grappen te lachen. Als ze iemand iets wil laten zien, komt hij vaak als eerste. Ze wil niets liever dan dat mensen om haar heen komen staan, omdat ze brandend nieuwsgierig zijn naar datgene wat ze heeft, of weet. In haar fantasie, denk ik, is ze een sirene op de rotsen – daar zit ze te smachten en brengt alle matrozen aan het lachen (om haar) of in gevaar. Edith is erg zelfstandig voor een kind, maar ik denk dat ze gezelschap van leeftijdsgenoten mist.

11.00 uur. Er is iets romantisch gebeurd! Ik werd zo wanhopig dat ik besloot een lange strandwandeling te maken zonder het iemand te vertellen. Afgezien van mijn middernachtelijke uitstapje van een paar dagen geleden durfde ik het huis bijna niet uit, want ik was bang dat ik dan belangrijke gebeurtenissen zou missen. (O ja, ik ben ook nog een keer dat Cluedo-spel gaan kopen.) De gasten zouden de afwezigheid van de verteller kunnen aangrijpen om te doen wat muizen altijd doen als de kat van huis is. Maar zo langzamerhand kon me dat niet veel meer schelen. Maar voor mijn part brandden ze het huis af. Daarom ging ik in mijn eentje een wandeling maken. Ik liep naar het noorden. De zee zou mijzelf en mijn problemen in het juiste perspectief zetten, zoals hij dat altijd al met doodongelukkige schrijvers deed.

De wolken zijn hier het mooist van alles. Je zou willen dat je een wanhopige aquarellist was, alleen al om te proberen die wolken op papier te krijgen, om de helft van de helft van een van die wolken vast te leggen. Als kind wenste ik altijd dat de wereld op zijn kop ging staan, zodat we op wolken konden lopen en omhoog konden kijken naar de aarde, met de velden en de bomen als hemel. Tegenwoordig verwacht ik van mannen dat ze me het gevoel geven dat ik op wolken loop. Als ik ouder word en ga tuinieren en wandelingen door de heuvels ga maken, zal ik het ze misschien enigszins kunnen vergeven (mannen, niet de wolken) dat ze me zo vaak hebben teleurgesteld. Misschien werkt het andersom beter: eerst de mannen vergeven en dan beloond worden met tuinieren en wandelingen door de heuvels.

Omdat we hier in East Anglia zijn, is het landschap vlak, maar naar het noorden verheft het zich tot wat je bijna een heuvelrug zou mogen noemen. De bomen maken het geheel af, zo goed als ze kunnen. Het is een beetje ruig, een beetje rommelig. ~~Maar ik denk dat ik hier graag was geboren, want hoewel ik van het landschap uit mijn eigen jeugd hou, heb ik altijd geweten dat er andere, mooiere, interessantere landschappen zijn waarvan de eigenlijke bewoners de schoonheid niet op prijs stelden, omdat ze nooit schaarste hadden gekend.~~

Sjokken, sjokken. Niets verwachten. En dan – plotseling – verderop, drie figuren: twee menselijk en één honds. Ik had meteen het gevoel dat ik langzamer moest gaan lopen. Ik ging er wat dichter naartoe en herkende hen: Alan en Fleur! Eigenlijk herkende ik de dalmatiër het eerst – Domino. Hij haalde een stok op die een van de figuren – de mannelijke – over het strand had gegooid. Ze zaten op het zand en keken uit over de grijze wateren. Bijna voor het eerst deze maand had ik echt het gevoel dat er zich een verhaal aan het ontwikkelen was. Ik herinnerde me de scène waarin Alan zonder het te willen had verteld waarop hij hoopte, en nu zou het misschien werkelijkheid worden. Ik verstopte me achter allerlei duinen en kwam zo dicht mogelijk bij hen. Omdat de wind nogal loeide, kon ik niet horen wat ze zeiden, maar aan hun lichaamstaal kon ik zien dat ze een erg vertrouwelijk gesprek voerden. Het leek me typisch een van die intense gesprekken die aanstaande minnaars voeren als ze elkaar net hebben ontmoet. Ik wilde geen overhaaste conclusies trekken, en ik wilde mezelf ook niet te vroeg feliciteren met een succesvolle koppeltactiek. Toch ging er een schokje van tevredenheid door me heen toen ik daar achter die duin lag. Ten eerste wist ik dat ik nu iets wezenlijks had om over te schrijven: misschien een romance. Ten tweede kon ik zorgen dat ik eerder thuis was dan zij en dan kijken hoe ze zich gedroegen als ze terugkwamen. Zouden ze, zoals ik vermoedde, ieder apart terugkomen, omdat ze niet wilden dat ik iets van hun *liaison* wist? Ik wilde net vlug weglopen toen ik een eerste flard van hun gesprek opving. Het was niet bepaald een sprankelende dialoog; dat kon je op een afstand van twintig meter ook niet verwachten. Maar het bevatte wel het geweldige begin van iets. Fleur stond abrupt op. 'Nee!' zei ze. 'Nee!' Alan zei iets, zo zacht dat ik het niet kon horen. Toen draaide Fleur zich om in de richting waar ik zat, en zei, of beter gezegd, schreeuwde: 'Jij weet precies waarom niet!' Op dat moment liet ik me, bang dat ik betrapt zou worden, achter een pluk helmgras zakken. Fleur kwam op nog geen anderhalve meter afstand voorbij. Een ogenblik was ik bang dat ze zou aanvoelen dat ik daar was, omdat we nu eenmaal zussen waren. Vaak nam ik de telefoon al op voordat hij begon te rinkelen: dan wist ik dat zij aan de andere kant van de lijn zou zijn. Toen ik daar verborgen lag, was ik me zo intens van haar bewust dat ik me bijna niet kon voorstellen dat zij die intensiteit niet zou voelen en meteen zou merken dat ik daar was. Maar ze liep voorbij, haar hoofd gebogen. Ik denk dat ze misschien zelfs tranen in haar ogen had. Ik sloop achter de duin langs om hem tussen ons in te houden, al liep ik daarbij een klein risico dat Alan me zou zien. Toen Fleur in de verte verdween, tuurde ik naar de man met lange armen en benen die ze zojuist had achtergelaten. Hij keek haar na, schudde toen spijtig zijn hoofd, keek naar zijn borst, keek naar de zee. (Dit was geweldig materiaal; precies waar ik op hoopte.) Ik bleef daar nog even nadenken. Waarschijnlijk was Alan te gretig geweest. Als Fleur anders had gereageerd, zou ik misschien getuige zijn geweest van hun eerste kus. Maar Fleur was in seksueel opzicht erg verbitterd. Dat was ook al gebleken uit dat toespraakje dat ze na het avondeten hield. Misschien had Alan dat niet beseft. Hij wilde meteen beginnen, en ze moest geleidelijk worden overgehaald, gepaaid, verleid. Hij kan soms zo'n stuntel zijn. Er waren nog andere mogelijkheden. Misschien had Alan iets kwetsends over God gezegd. Of misschien hadden ze het over het probleem van hun huisdieren gehad, al leek dat me onwaarschijnlijk. Ik had veel om over na te denken. Jammer genoeg maakte ik nu geen kans meer om eerder in het huis te zijn dan Fleur. Het zou veiliger zijn om via een andere route terug te gaan, niet over het strand. Op dat moment bedacht ik me plotseling dat Fleur alles zou kunnen bederven door te besluiten weg te gaan. In dat geval moest ik in het huis zijn om te proberen dat uit haar hoofd te praten, en ook om getuige te zijn van de dramatische situatie. Daarom moest ik het risico maar nemen: ik begon op een drafje naar het huis terug te lopen. Een andere jogger, een echte, haalde me in: gezicht als een dampende rozijnenpudding. Het leek me onwaarschijnlijk dat Alan iets zou doen wat interessant was om naar te kijken, behalve een paar keer met zijn hoofd schudden en met Domino's stok gooien. (Ik ben zo blij dat dit gebeurd is. Goed, het gaat een beetje sneller tussen hen dan ik had voorspeld. Wat heb ik gezegd? Vuurwerk in de derde week? Ik had niet verwacht dat Alan zo hard van stapel zou lopen.)

Toen ik weer in het huis was, had Fleur zich in haar slaapkamer teruggetrokken. Cecile en Marcia voerden een beleefd gesprek in de salon. Over kleren. Onder andere omstandigheden was ik bij hen gaan zitten, maar nu had ik het gevoel dat ik meteen zoveel mogelijk moest opschrijven. Ik ging naar de slaapkamer, maar ik ga steeds – terwijl ik dit schrijf – even naar het raam om te zien of Alan al terugkomt. Ik vraag me af of Fleur hetzelfde doet.

Ik kom in de verleiding om vals te spelen en de camera's nu al aan te zetten. Ik wilde eigenlijk wachten tot morgen. Ach, wat geeft het ook... Niemand zal me toch straffen? Ik ga het doen.

Verschrikkelijk. Iemand probeerde de kruk van de slaapkamerdeur naar beneden te duwen. Gelukkig had ik hem op slot gedaan. Ik zei tegen mezelf dat het waarschijnlijk X was en klom bevend de ladder af.

'Hallo?' zei ik.

'Ik ben het,' zei X.

'Is daar verder nog iemand?'

'Nee.'

'Weet je dat zeker?'

'Wat is er aan de hand?'

Ik liet hem binnen. Hij zag meteen het open luik en de ladder.

'Ik dacht dat je pas morgen zou beginnen,' zei hij, duidelijk geschrokken omdat ik al begonnen was, vooral omdat ik hem niets had verteld. We zijn niet meer zo intiem met elkaar als toen we op vakantie waren; dat weet hij.

'Nou,' antwoordde ik, 'de mogelijkheid was er al die tijd al. Wil je kijken?'

'Wat doen ze?' vroeg hij.

'Niets bizars, maar het is toch wel fascinerend,' zei ik. 'Was er iets?'

'Ik kwam je alleen dit brengen.' Hij gaf me de plaatselijke krant. Ik had pagina vijf gehaald. Een mooi stuk. Ik las het vluchtig door en gooide het toen op het bed. Eigenlijk was het niet belangrijk, zeker niet in vergelijking met de prachtige beelden op het scherm.

'Kom op dan,' zei ik. Ik deed de deur weer op slot en we beklommen de ladder.

Toen ik de camera's voor het eerst aanzette, was ik natuurlijk bang dat de hele installatie – die bijna een week niet was gebruikt – kortsluiting zou maken. Dan zou ik op de een of andere manier de monteurs het huis in moeten smokkelen zonder dat iemand het merkte; in feite was dat onmogelijk. Ik was ook bang geweest dat een van de gasten iets zou horen, een gezoem, een klikgeluid, en zou beseffen dat ze nu nog nauwlettender werden gadegeslagen dan tevoren. Maar zoals me was beloofd, werkte alles volkomen geluidloos. Het was fascinerend.

Alle slaapkamers op één na waren leeg. De gasten waren beneden. Ik richtte mijn aandacht allereerst op Fleur. Ze zat op de rand van haar bed te snikken. Haar schouders gingen snel op en neer, alsof ze op een dravend paard zat. Omdat ik toch wel zusterlijke gevoelens heb, wilde ik eerst naar haar toe gaan om mijn armen om haar heen te slaan. Het was duidelijk dat Alan haar kleine droom van langzame romantiek had verwoest. Hij was net als alle andere mannen; hij was maar op één ding uit; enzovoort. Ze zal wel hebben gehoopt dat ze hem door een paar kerkelijke hoepels kon laten springen voordat hij enigszins in de buurt kon komen. Minutenlang keek ik naar haar. In haar huilen kwam niet veel verandering; het zwol niet aan en het zakte niet af. Het was bizar. Misschien had ik gelijk en was verdriet altijd al Fleurs roeping geweest. Toen duidelijk werd dat ze tot aan de lunch zou blijven huilen, richtte ik mijn aandacht op iets anders.

Het eerste dat ik dankzij de spionagecamera in Ceciles kamer ontdekte, was dat ze een soort kaart op de achterkant van de deur had geprikt. Aan de hand van de contouren van de kust kon ik met vrij grote zekerheid vaststellen dat het een kaart van Cornwall was. Dat grillige uitsteeksel van Portsmouth tot de rivermond bij Bristol – ja, hoe meer ik ernaar kijk, des te zekerder ben ik ervan. Een blauwe zee, stel ik me voor, en geel en groen land. De lijnen op de kaart zijn moeilijk te zien door de vouwen in de kaart. Hij is oud en versleten. Ik vond het verbazingwekkend – zonder de camera's zou ik er misschien nooit van hebben geweten. (Ze laat me absoluut niet in haar kamer toe.) Toch lijkt deze wetenschap me ook vrij nutteloos. Je kunt moeilijk aan iemand vragen: 'Hé, wat is jouw band met Cornwall?' Aan de andere kant beïnvloedt het je gesprek met zo iemand wel op een andere manier. Je gaat erop letten dat je Cornwall niet ter sprake brengt, en dat is belachelijk. Het is net als wanneer je op een diner bent en weet dat iemand aan de tafel een verhouding heeft met iemand anders aan de tafel. Dan moet je ook oppassen dat je niets ter sprake brengt dat hen met elkaar in verband zou kunnen brengen: niet de tentoonstelling waar je hen arm in arm hebt gezien, niet het vakantiereisje waarvan je weet dat ze het samen stiekem hebben gemaakt. Ik vraag me af of Ceciles kaart van Cornwall iets met een verhouding te maken heeft. Een hopeloze verhouding met een Cornishman. (Hoe zou een verhouding met een Cornishman iets anders dan hopeloos kunnen zijn?) Misschien lukt het me een keer om laat op de avond met haar alleen te zijn en haar dan aan de praat te krijgen over – wat? Laten we zeggen: over verdriet. Je kunt geen kaart van Cornwall aan de muur hebben zonder dat die op de een of andere manier in verband staat met slechte herinneringen. In het algemeen hebben landkaarten iets te maken met verdriet; kaarten maken, kaarten bekijken. Iemand die gelukkig is, heeft geen landkaart nodig.

Ik kijk naar de andere schermen. De lege kamers zien er vreemd uit. In films of televisieseries krijg je soms een lege kamer te zien. Maar omdat er niets in gebeurt, en omdat er er in elke opname iets moet gebeuren, krijg je die kamers nooit langer dan een seconde of twee te zien. Of een halve minuut, met informatieve muziek, als het een Franse film is. Die veertien televisieschermen tegenover me schenden hun eigen regels; alleen al door het feit dat het schermen zijn verwachtte ik amusement van ze. Het was verwarrend. Mijn positie is nu minder die van de televisiekijker en meer die van de bewakingsbeambte.

13.30 uur. Ik moet even weg om te eten.

15.15 uur.
Ik ben bang geworden voor dialogen, en ik weet niet waarom. De lezer houdt van dialogen; hij wordt moe als hij alleen maar uitleg te lezen krijgt.

'Wat vind je er tot nu toe van?' vroeg Marcia, die naast me op de bank zat.

'Je bedoelt, van het huis?' zei Fleur.

'Ik bedoel alles, dit alles wat ze voor ons heeft georganiseerd.'

'Het lijkt me prima,' zei Fleur, die nog niet al haar loyaliteit had verloren. 'Voel jij je hier niet op je gemak?'

'O jawel,' zei Marcia. 'Mensen staan daar meestal niet zo bij stil. Ze vragen zich vooral af hoe ze het met mij kunnen uithouden. Maar ik voel me hier tegelijk op mijn gemak en niet op mijn gemak, als je begrijpt wat ik bedoel.'

'Ik geloof van wel. Ik weet niet of Victoria echt weet waar ze zich mee inlaat.'

'Het is lang, een maand. Het is een lange tijd om van huis te zijn.'

'Zij zou vast zeggen dat ze graag wil dat dit ons huis is,' zei Fleur.

'Echt waar?'

'Ze doet meestal wat voor de hand ligt.' Ze giechelden even stilletjes met elkaar.

'Het is allemaal zo verschrikkelijk gearrangeerd. Ik heb steeds het gevoel dat ik door iemand word afgeluisterd.' Marcia kijkt met ingetrokken schouders om zich heen.

'Het zijn dikke muren.'

'Maar er zijn veel plaatsen waar je je kunt verstoppen, als je daar zin in hebt. Zat Victoria vaak mensen af te luisteren toen ze een kind was?'

'O, dat deed ze de hele tijd,' zei Fleur. 'Ze stond erom bekend en werd vaak betrapt. Ze kon de dingen die ze had gehoord namelijk nooit voor zich houden. Het kwam er altijd uit zodra ze met iemand praatte. Ze was altijd veel te opgewonden om het geheim te houden.

Nou, dacht ik, dat gaat deze keer niet gebeuren.

Op dat moment kwam Alan binnen, en Fleur stond op en ging weg. 'Alsjeblieft,' zei hij. 'Je hoeft voor mij niet...' Maar ze was al bijna bij de trap.

Marcia keek Alan erg lang, erg strak en erg verstándig aan – ik kan het niet op een andere manier beschrijven: uilig en toch vol begrip.

'Nee,' antwoordde hij. 'Ik wil er niet over praten.' Alsof ze iets had gezegd.

Marcia bracht het gesprek op de ballingschap van Audrey de kat in de tuin, en Alan was niet in staat om te zeggen dat hij daar ook niet over wilde praten.

Ik heb al gezegd dat de gasten opzettelijk luieren. Dat was niet helemaal waar. Ze zorgen ook dat ze fit blijven. Ik vind het erg dat ik het moet toegeven en hoop dat er een eind aan komt. Henry doet tai-ji onder zijn boom op het gazon. X jogt, terwijl hij verlangt naar competitieve sport, naar squash of badminton of schermen. Zelfs Marcia doet oefeningen voor het bovenlichaam. Elke morgen om elf uur verandert de salon in een geïmproviseerde yogaruimte, onder leiding van Cleangirl. Cecile, kan ik gelukkig zeggen, doet niets ergers dan wat balletoefeningen in de beslotenheid van haar eigen kamer.

Door al dat vertoon van fitheid en gezondheid voel ik me ziek: joggen, push-ups... Het probleem is dat lichaamsbeweging het leven kan verlengen maar dat de delen van je leven waarin je bezig bent met bewegen erg saai zijn. → Theoretiseren is echt niets voor jou.

~~De hele samenleving raakt in de ban van sport, en dat staat me niet aan. Het is een complot om iedereen te laten ophouden met denken. Als ze alleen maar naar het nieuws kijken om de uitslag van Manchester United-Hull Kingston Rovers te zien, kan het niet anders of ze veranderen in gewillige kleine zombies die alles doen wat je ze zegt. Ik heb zelden politieke opvattingen, maar sport wekt ze op.~~

Toen ik vanavond zinspeelde op onze nachtelijke ontmoeting, wilde Cecile er niets over zeggen. Ik was niet zo onvoorzichtig het ter sprake te brengen terwijl er iemand anders in de kamer was. Eigenlijk had ze ook geen reden om zich te generen. Ze zal wel het gevoel hebben dat ik een aspect van haar heb gezien dat ik niet had moeten zien – dat ik haar als een angstig bijgelovig kind heb gezien. En dat vindt ze blijkbaar jammer. Cecile wil liever niet dat anderen een tekortkoming van haar zien. We weten dat de groten der aarde hun zwakheden hebben, hun *faiblesses*, maar op de een of andere manier zijn die altijd verweven met hun kracht, als draad in een maliënkolder. Bij hen worden die zwakheden excentriciteit. Wat is nu mijn relatie met Cecile? Het enige gevoel dat ik ermee kan vergelijken, is het gevoel dat je hebt op de ochtend na een eenmalige vrijpartij; die duizelingwekkende mengeling van intimiteit en afstand. Ik moet steeds weer denken aan haar verwijzing naar 'de kracht' – al zou ik niets liever willen dan daar juist niet aan te denken. Wat zou ze daar toch mee hebben bedoeld?

Om ongeveer halfelf vanavond ging ik met Cleangirl op de bank in de voorkamer zitten. Ik dacht dat we alleen maar een praatje zouden maken, zoals we meestal doen, over Edith en hoe ze zich deze week heeft gedragen, en hoe ze zal worden als ze volwassen wordt, en over mij, en kinderen, en mijn kinderen, en hoe die zouden zijn. Maar Cleangirl wilde blijkbaar een serieuzer gesprek voeren. Misschien wel voor het eerst sinds ik haar ken kreeg ik het gevoel dat ze iets had wat je bij ieder ander *geheime doeleinden* zou noemen. 'Ben je jaloers op mij?' vroeg ze.

'Hoe bedoel je?' zei ik.

'Op mij en mijn relatie met Henry,' antwoordde ze.

Natuurlijk wist ik meteen waar ze het over had. Ze dacht dat ik X opdracht had gegeven haar te verleiden en bij Henry weg te krijgen, opdat ik op mijn beurt Henry kon verleiden. Ik stond versteld van haar scherpzinnigheid. Cleangirl heeft bijna nooit een inzicht, en als ze er een heeft, heeft het bijna altijd meer met haarzelf te maken dan met de mensen om haar heen. Soms zegt ze iets erg intelligents over Edith, maar dan is het bijna altijd iets wat ik zelf al veel eerder had ingezien. Ik ontkende haar beschuldiging meteen; mijn *façade* was perfect. Omdat het te banaal was om meteen in de aanval te aan, vroeg ik haar waarom ze dat dacht.

'Omdat je relatie met X niet zo goed meer lijkt te zijn,' zei ze. 'En omdat je me de hele tijd opzoekt.'

Ook dat was heel wat voor Cleangirl: paradoxen waren in strijd met haar hele wezen. Ze was rechtdoorzee; dat was haar vaste positie in het universum. Als ze net zo kronkelig en gecompliceerd als ik probeerde te zijn, zou ze niet meer Cleangirl zijn. Ik denk dat ik haar dan niet eens meer zou herkennen. Schoonheid is om twee redenen op de wereld gezet: om dingen te vereenvoudigen, voor wie schoonheid bezit, en om dingen gecompliceerd te maken, voor alle anderen. 'Als je mij uit de weg was gegaan,' zei ze nu, 'zou ik hetzelfde hebben gedacht.'

'Als je dat denkt, kun je ook gewoon weggaan,' zei ik.

'Ik denk erover, over weggaan,' zei ze. 'Nee, echt waar. Ik weet niet of de dingen die hier gebeuren goed voor jou, voor ons of voor wie dan ook zijn. Ik denk dat er misschien zelfs slechte kanten aan zitten.'

Dat leek er meer op: Cleangirl is pas in haar element als ze zo'n moreel absolutisme kan verkondigen. ~~Ze wil niets liever dan vertellen over mensen die in gevangenissen werken en die vaak, als je met ze praat, zeggen dat ze in het absolute kwaad geloven, het soort kwaad dat je kunt voelen als je langs de gesloten deur loopt van de cel van een pedofiel.~~

'Als je dat dacht, waarom ben je dan gekomen?'

Ze aarzelde nogal lang voor haar doen en zei toen: 'Omdat ik dat in het begin niet dacht. Ik dacht dat het misschien leuk zou zijn, leuk zoals dingen die jij doet vaak leuk zijn: leuk met wreedheid, dat wel; leuk met een portie rancune; maar toch leuk.'

'Denk je zo over mij?'

'Natuurlijk. Dat weet je.'

'Mag ik je iets vertellen? Mag ik je vertellen hoe ik mezelf zie in relatie tot jou?'

'Ga je gang,' zei ze, 'al moet ik je waarschuwen dat ik wreedheid en rancune verwacht.'

'Op school was ik de lijst die jou omgaf, je donkere eikenhouten lijst: stevig en dik om je stralende blauwe licht goed tot zijn recht te laten komen. Jij was een mooie kleine Vermeer, en ik was niet eens verguld. Ik had er een hekel aan om als tweede gekozen te worden, om in alles altijd op de tweede plaats te komen. Het leek me nog erger dan laatste te zijn, want ik had de eerste plaats altijd binnen handbereik. Maar ik wilde me niet zomaar verbeteren; anderen moesten zien dat ik verbeterd was. Er moest een wonder gebeuren. En dus werkte ik aan mezelf. Ik deed mijn best om interessant te zijn. Ik verguldde mezelf. Ik was vastbesloten zo'n stralende gouden lijst te worden dat niemand ooit nog de moeite zou nemen naar het schilderij te kijken dat erin zat. Dat is natuurlijk belachelijk. Mensen zijn getraind om nooit naar lijsten te kijken; ze verwachten daar niets interessants in aan te treffen. Toch veranderden de dingen. Ze zagen me nu, namen me in zich op, waren een beetje verbaasd en deden dan hun best om me te negeren terwijl ze jou aan een nader onderzoek onderwierpen. (Met mensen bedoel ik vooral mannen – of jongens; voor ons waren het toen jongens, nietwaar?) En na een tijdje besefte ik dat ik met mijn opzichtigheid alleen maar bereikte dat ik mezelf en jou in verlegenheid bracht. En dus wachtte ik af. Ik liet mezelf saai worden, kleurloos, dof. Uiteindelijk keurde niemand me zelfs maar een blik waardig. Maar ik keek. Ik keek hoe en wie jij was... Nee, ik keek hóé jij was wíe jij was. En ik besefte dat ik kon ophouden met een lijst te zijn, als ik dat echt wilde. We gingen naar verschillende universiteiten, en ik werd inderdaad een schilderij. En ik was mijn eigen soort schilderij. Misschien geen Vermeer – daarvoor was er te veel schaduw – maar een Caravaggio; donker en verontrustend. Ik ontdekte dat er mensen naar de galerie kwamen om me te zien. Ik was niet zo stralend en met juwelen behangen als jij, maar er kwam niemand naar jou om schaduwen te bestuderen. Het probleem deed zich alleen voor als we weer eens naast elkaar hingen – er is altijd een probleem als we naast elkaar hangen.'

Ze leunde even achterover, beduusd van al die metaforen die ik, de een na de ander, had uitgepakt. Dit was een toespraak die ik al jaren had willen houden. Ik denk dat ik al op het idee van die schilderijen ben gekomen toen we nog samen op school zaten. Dat ik Vermeer er in de zesde klas aan toe heb gevoegd, enzovoort enzovoort.

'Dat heb ik nooit geweten,' zei Cleangirl. 'Waarom heb je me nooit verteld dat je me zo haat?'

'Dat kon ik niet,' zei ik. 'Als je daar grootmoedig op had gereageerd, zou ik je nog meer hebben gehaat; zo niet, dan zou ik mijn beste en enige vriendin hebben verloren. Weet je, jij was al zo fantastisch goed in alle opzichten dat ik je niet de gelegenheid wilde geven om volmaakt te zijn. En daar zou je dicht bij in de buurt komen als je met al je goedheid ook nog grootmoedig was geweest. Ik had het niet kunnen verdragen dat ik het was geweest die jou dat laatste duwtje naar de volmaaktheid had gegeven. In elk geval had je nog het fatsoen om onbewust neerbuigend te zijn. Als je ook nog nederig was geweest, zou ik kapot zijn gegaan.'

Cleangirl stond op. 'Ik moet hierover nadenken,' zei ze, 'en ik moet er ook over nadenken of ik in dit huis wil blijven.'

Ze liep bijna wankelend de kamer uit. Ik denk dat dit gesprekje onze

Dit is allemaal O.P. (voortaan O.P. = Ongelooflijk Pretentieus), maar als je zegt dat je dit echt hebt gezegd, moet het er maar in blijven staan.

relatie uiteindelijk ten goede zal komen. Eigenlijk had ze altijd al moeten weten hoe ik echt over haar dacht, en nu weet ze het. Misschien hebben we op het eind geen band meer met elkaar, maar eigenlijk heeft die ook nooit veel voorgesteld.

Ik vertrouw op de goedheid van Cleangirl, zelfs wanneer ik die goedheid aanval.

Na het eten kwam Edith uit de tuin naar binnen, stralend van opwinding: ze had in het gras gelegen en een vallende ster gezien. Natuurlijk gingen we allemaal naar buiten om te kijken of we er nog een zouden zien. Een halfuur verstrijkt; niets, alsof de hemel nooit dramatiek had gekend. Sommigen gaan weer naar binnen, William, X, en dan nog een paar, Simona, Fleur, Henry. We zijn nog maar met zijn vieren: Edith, Cecile, Marcia en ik. Het is pure magie, de schittering van de sterrenhemel, half in je oog, half ver weg in het universum. Marcia zit in haar rolstoel op de veranda, de anderen liggen op hun rug in het gras. En dan – er komt geen vallende ster; en opnieuw – dat wás geen vallende ster; en ten slotte – net als we allemaal een hap adem hebben genomen om het met een zucht maar op te geven – vliegt er een streep van licht vanaf boven in ons gezichtsveld naar de zee. We kijken gefascineerd naar het fonkelende licht, en voordat we de tijd hebben om onze ogen af te wenden en elkaar feliciterend aan te kijken, vallen er een tweede en derde ster, en een vierde en een vijfde; we maken koerende geluiden, dat is onze communicatie op dit moment – alsof we over het wiegje van een pasgeborene gebogen staan; een zesde; het is allemaal te veel; als we naar binnen gaan en de anderen hierover vertellen, geloven ze ons niet; toch heeft niemand van ons iets gezegd; en ten slotte, om deze momenten als het ware te onderstrepen, snijdt een zevende, langer en helderder dan alle voorafgaande, de hemel in tweeën. 'Wauw,' zegt Edith, en deze ene keer erger ik me niet aan dat amerikanisme. Het was inderdaad een wauw-ervaring – er was geen ander woord voor. De drie die in het gras hebben gelegen staan op, want ze weten dat we ons nu volgegeten hebben; het zou brutaal zijn om de kosmos om nog meer te vragen. We steken onze handen uit en raken stuntelig de onderarmen aan van degenen die hun handen al naar ons hebben uitgestoken. Het licht in de deuropening van het huis is zelf ook bijna een ster geworden, gezien door de tranen die in onze ogen staan. We lopen in stille verbondenheid naar de salon. 'Nog geluk gehad?' vraagt Henry, al moet hij het aan onze gezichten kunnen zien. Edith knikte, Cecile doet van hm, Marcia glimlacht en ik zeg: 'O, ja.'

Cecile droeg... Nee. Niet weer.

Het lijkt wel of we allemaal met elkaar hebben afgesproken dat we kleren gaan dragen die te vergelijken zijn met het zand op het strand: grof, dof, warm en grijs. (Grijs, niet grauw. Grauw is veel kouder, donkerder. Grauw is de kleur van as onder een haardrooster; grijs is de kleur van de veren van duiven die een prijs hebben gewonnen.) Fleurs kat, Audrey, die nog steeds op de schutting woont, is grijs, met ergens, op de een of andere manier, ook wat lichtblauw en helder rood. Natuurlijk is Cecile degene die het hoogste niveau van verfijning heeft bereikt. Ze heeft een kledingstuk te voorschijn gehaald dat ik bijna niet kan benoemen. Het zweeft als een atmosfeer om haar heen en het is niet los en niet strak. Misschien zou je het, zonder er te veel naast te zitten, een japon kunnen noemen; overgooier zou te truttig zijn; sluier zou beter zijn, maar dan is het net of het minder of juist meer van haar bedekt dan in werkelijkheid het geval is. Hoe dan ook, we zijn ons allemaal gaan kleden in de lichtelijk gebleekte, wrakhoutachtige tinten van het strand; echt waar, het is een tot leven gewekte Whistler: een veeg, een streek, een waas van ijl wittig-geel, een stipje violet, een smeer groen, een paar vlekjes rood – die accentueren het grijs en geven het de gewenste diepte. Ik denk dat het grijs een wedstrijd tussen het strand en de zee is (de zee is, afhankelijk van zijn stemming, grijs, grauw, groen, blauw, roze, geel, wit; ik vind hem vooral mooi als hij slakkenroze is; dat is hij soms wanneer ik richting Frankrijk en België kijk en de zon achter me ondergaat; ja, dat is een duidelijk voordeel van St. Ives ten opzichte van deze plaats: de zonsondergang op het zeeoppervlak. Hoewel de vuurtoren dáár in het noorden staat). ~~Maar misschien is dat niet zo – het westen, de kant waar Amerika ligt, geeft ons een glorieuze uitbarsting van brutale vanzelfsprekendheid; het oosten geeft ons een melancholieke blik op Europa, Midden Europa, Rusland. Een mentale stap in de richting van de steppe.~~

~~want de zee is de eentonigheid om ons heen, zoals het gras voor de nomaden~~. Als je naar het licht kijkt dat wegspoelt over de Noordzee, als je even ten noorden van Southwold bent, in East Anglia, en je kijkt naar het oosten, met de ondergaande zon achter je rug, dan is het bijna een cinematografische ervaring, een beeld dat op de wand van een grot is geprojecteerd – het is bijna of je echt in Plato's grot bent, terwijl je schaduw in de zee voor je uit rolt om in het allerlaatste daglicht te spelen; ~~de marges van je bestaan lossen op zonder te verdwijnen, als een theezakje in het hete water van de eeuwigheid...~~ Hier dringt de rapsodie van deze omgeving tot je door en krijg je het gevoel dat alle andere ervaringen surrogaat zijn, omdat ze te duidelijk onder de kop 'ervaring' worden aangeboden, ~~omdat ze met hun scherpe zwarte randen niets anders dan fragmenten uit een tekenfilm kunnen zijn~~. Hier op deze plaats, waar je marges zo gemakkelijk oplossen, moet je moeite doen om na te gaan of de ervaring werkelijk van jezelf is, niet alleen een invasie van het landschap, de zee, de hemel om ons heen, voor ons, boven ons – dat geeft die ervaring een specifiek Suffolk-pathos. ~~En verder heb je hier het gevoel dat hoe goed je de stemming ook van het moment probeert te isoleren, die twee in feite onafscheidelijk zijn – en dus is East Anglia in zekere zin – die geen onzin is – net zo goed jouzelf als dat jij East Anglia bent. Je komt hier niet heen om die gevoelens te krijgen; je komt hierheen opdat East Anglia door jou zichzelf kan voelen~~. Als we hier aankomen, worden we allemaal een weidevogel – we schreeuwen onze eenzaamheid uit (want er is iets Amerikaans aan het gevoel dat je je in die enorme ruimte onder de hemelkoepel bevindt) naar de vlakke echoloosheid tegenover ons. Evengoed is er een zekere bescheidenheid te vinden in de relatie die je met deze omgeving hebt. Er zijn anderen, onder wie ikzelf, door wie zich een nog krachtiger emotionele symmetrie presenteert.

Dacht je dat echt op dat moment? In diezelfde bewoordingen?

~~(Dit is te veel poëzie om het allemaal op één plaats te zetten; ik moet het in stukjes knippen en over de tekst verdelen; maar het is één stemming, niet een aantal stemmingen; een stemmingsbeeld, maar een beetje te groot – als je te veel van dit soort dingen opneemt, krijg je uiteindelijk iets verschrikkelijks in de trant van 'een bespiegeling over...'. Stemmingsstukken zijn prima, zolang er maar iets in voorkomt dat incongruent is – en snel ook. Maar wat ik bedoel, is dat hier bijna een in-~~

~~congruentie te vinden is: het beeld komt tot stand voordat je zelfs maar je doek op je ezel hebt gezet – om maar eens een metafoor te stelen. Misschien had ik moeten weten dat al het bloed hier uit mijn tekst zou wegbleken – zodat de kleuren in elkaar zouden overvloeien, als die van een aquarel. Het land strekt zich ver naar beide kanten uit, terwijl ik hier zit als een monoliet, de rug recht, aangespoeld, en mijn best doe om alles wat ik zeg dat ik zie verticaal te maken. Ik kan dit niet erg goed. Mensen zullen lachen, om de verkeerde redenen. Misschien zal diepgang nooit mijn sterkste punt worden. Ja. Dit moet eruit. Jammer.)~~

Akkoord

Het eind van de eerste week; dit is mijn stemming.

Donderdag

Dag Acht Week Twee

Het geval Cecile-Cornwall. Ik besef dat ik dat moet uitzoeken, anders ga ik dood van nieuwsgierigheid. Nu ik hier 's ochtends vroeg in de grote slaapkamer zit, gehuld in de Japanse zijden ochtendjas die ik vorig jaar met Kerstmis van X heb gekregen, met buiten het vale licht en het ruisen van de zee achter de duinen, weet ik zeker dat Ceciles geheim – in tegenstelling tot de geheimen van de meeste mensen hier – de moeite van het ontdekken waard is. Ik lees nog eens door wat ik heb geschreven om te kijken wat ik over haar heb verteld; ik probeer me te herinneren of ze het vroeger ooit over Cornwall heeft gehad: ik ben er absoluut van overtuigd dat ze iets romantisch verbergt, een grote romance. Ze spreekt zo geraffineerd cynisch over de liefde dat je je onwillekeurig voorstelt dat die haar ooit, in een andere tijd, diep heeft gekwetst. In 1960 zal Cecile... begin twintig zijn geweest. Ik heb besloten later in de week met haar over Cornwall te beginnen, zodra de gelegenheid zich voordoet. Maar ik moet oppassen dat ik me niet verspreek en geen dingen noem die ik door de camera's heb gezien; subtiliteit is geboden bij alles wat ik doe.

Edith kwam om negen uur de keuken binnen. Ze was niet zozeer wit als wel wittig, met een zweem van groenig geel.

'Ik heb vannacht een spook gezien,' zei ze, en toen voegde ze eraan toe: 'Echt waar, vannacht heb ik een spook gezien.'

Natuurlijk had ze meteen de aandacht van iedereen in de keuken. Dat waren vooral de vrouwen, plus Henry, minus Cleangirl. Marcia's kookles was meteen voorbij. Ze was ons aan het leren hoe je een Jamaicaans ontbijt klaarmaakt en in één moeite door aan een hartaanval bezwijkt.

'Vertel,' zei ik. Ik dacht dat het misschien *très amusant* was.

'Waar was het?' vroeg Fleur.

'Hoe zag hij eruit?' vroeg Simona.

'Gaat het wel goed met je?' vroeg Marcia, die wist dat als ze zelf niet in het middelpunt van de belangstelling kon staan ze de indruk moest wekken dat ze zich om het middelpunt van de belangstelling bekommerde.

'Het was boven in de gang,' zei Edith, nadat ze in een van de Windsorstoelen was gezet, daar weer uit was getrokken, was omhelsd, en weer was neergezet. 'Ik durfde mijn kamer niet uit,' zei ze, 'voor het echt helemaal licht was.'

Henry leunde tegen de Aga. Ik wierp hem een ironische blik toe en verwachtte dat die werd beantwoord. Dat gebeurde niet. Ik denk dat hij op dat moment echt geloofde dat zijn dochter de geest van een dode had gezien. Wat is hij toch een vreemde man. Maar ze maakte een volkomen oprechte indruk.

'Hoe zag hij eruit?' vroeg Cecile, die daarmee Simona's vraag herhaalde.

'Nou...' zei Edith. Ze zweeg even.

'Ga verder,' zei Henry.

'Nee,' zei ze. 'Ik schaam me te veel om het te vertellen. Als ik het zeg, geloven jullie me niet.'

'Ik zweer je,' zei Cecile, 'dat ik je zal geloven, wat je ook zegt.'

Ik denk niet dat iemand in staat zou zijn geweest het nu volgende met mooie woorden uit Edith los te krijgen. 'Het is stom,' zei ze, 'maar goed dan... Hij zag eruit als iemand die een laken over zich heen had waarin gaten waren uitgesneden voor de ogen.'

De volwassenen begonnen allemaal opgelucht te lachen. Ik wierp opnieuw een ironische blik op Henry en zag tot mijn genoegen dat hij meteen een echosignaal terugzond.

De enige die met Edith in het moment daarvoor achterbleef, dat moment van groenig getinte ernst, was Cecile. 'Bewoog hij?' vroeg ze.

'Ja,' zei Edith. 'Het leek of hij door de gang zweefde.'

'O,' zei Cecile. 'En maakte hij geluid? Zei hij wat?'

'Hij maakte een zacht kreungeluid,' zei Edith. 'Zoiets als... *woe-woe-woe*.'

Er werd weer gelachen, en de opluchting was nu totaal.

'Ik vraag me af wie het was,' zei ik. 'Henry, was jij het? Henry, je hebt toch niet je eigen dochter de stuipen op het lijf gejaagd?'

'Nee,' zei hij serieus. 'Waar zie je me voor aan?'

We lachten opnieuw.

'Ik hoop dat je geen gaten in de lakens hebt geknipt,' zei ik, gebruikmakend van de gelegenheid om te flirten.

'Kom met mij mee,' zei Cecile. 'Ik zal hierover serieus met je praten, al zal de rest mij dan ook wel uitlachen.'

Fleur wilde met hen mee, maar Edith had gezien dat ze een van de lachers was geweest. Wat dat betrof, was Cecile de enige in wie ze nog vertrouwen had. Ze gingen samen naar Ceciles kamer.

Ik wilde heel graag naar de zolder om mee te luisteren, maar ik wist dat ik bijzonder voorzichtig moest zijn. Daarom wachtte ik tot Marcia klaar was met haar demonstratie. Toen excuseerde ik me nonchalant en liep rustig de trap op.

Het werd een teleurstelling: Cecile en Edith waren niet in een van hun kamers. Later ontdekte ik dat ze alleen maar hun jassen van boven hadden gehaald en daarna een lange wandeling over het strand hadden gemaakt. Blijkbaar had Edith niet over het spook willen praten, zo dicht bij de plaats waar ze hem had gezien.

Pas veel later besefte ik dat ik vanmorgen door het dageraadkoor heen moet hebben geslapen. Misschien raak ik er dan eindelijk aan gewend.

10.30 uur. Alan is een erg vreemde man. Ik kwam hem daarnet in de keuken tegen. Zonder dat ik het vroeg begon hij uit te leggen wat hij deed: 'Soms houd ik ervan om de slechtste kop koffie te maken die ik kan maken – muf instantpoeder, lauw water, halfverzuurde melk, drie zoetjes, dat alles door elkaar geroerd met een plastic lepel – je weet wel, en dan lossen sommige korreltjes niet op maar blijven ze gewoon op de koffie drijven...'

'Waarom?'

'Ik weet het niet – een of andere vorm van zelfkastijding, denk ik: niets spectaculairs.'

Alan is al sinds 1983 in therapie. Hij heeft naast psychologische nog meer problemen. Zijn gebit staat erbij als het Coventry van net na de oorlog, en hij heeft vreselijk veel last van tinnitus. In het midden van de jaren negentig ging hij naar een *rave* om te zien wat het was. De volgende morgen werd hij wakker en belde hij de politie over een autoalarm dat afging in zijn straat; alleen was het geen autoalarm, maar het geluid in zijn oren, en dat is daarna nooit meer opgehouden. Hij zei dat de nabijheid van de zee hem helpt het niet te horen.

Nadat hij me dus had verteld dat hij soms behoefte had aan vieze koffie, zei Alan dat hij aan het telefoneren was geweest en een kennel voor Domino had gevonden, hier in de buurt. Marcia zal hem en de hond er deze ochtend heen rijden.

De afgelopen paar dagen is Alan zich vreemder dan ooit gaan gedragen. Hij hangt in de donkerste hoeken van het huis rond, wachtend tot er iets gebeurt, iets specifieks, denk ik, maar hij wil niemand vertellen wat het is. Hij is net als de man die zich in een ouderwetse klucht onder een lampenkap verbergt; hij vindt de vreemdste plek in een kamer om te staan, en blijft daar dan een deel van de dag staan. Hij is ook zo groot dat je geneigd bent hem zo voorbij te lopen als hij onder zijn metaforische lampenkap staat, zoals een muis in een tekenfilm langs de poot van een olifant zou lopen. Soms heb ik het gevoel dat ik zijn hoofd niet kan zien omdat het schuilgaat in de wolken; zijn haar is een wollige wirwar van dik zwart en dun wit. Het lijkt wel of hij een groot verlies heeft geleden maar niemand wil vertellen wat het is. (Fleur? Fleurs weigering om op zijn avances in te gaan? De scène op het strand?) Hij zou gelukkiger zijn, denk ik, als hij deed wat hij van nature doet: lesgeven. En dus heb ik hem gevraagd om binnenkort een keer 's avonds een voordracht te houden. Ik denk dat hij het onderwerp zal kiezen waarin hij zich heeft gespecialiseerd: minst grappige films van Woody Allen.

Marcia en Alan kwamen van de kennel terug; Domino is blijmoedig – zeggen ze – opgeborgen. Ik vraag me af hoe lang het duurt voordat Audrey op haar timide katachtige wijze het huis weer komt binnenlopen. Misschien moet ik Fleur vragen het stukje gras dichter bij de tuindeuren te zetten. Nu ze er eenmaal is, ben ik blij dat we hier een kat hebben. Ik zag net dat Alan haar onder haar kin krabbelde aan de rand van het bloembed – misschien hoopte hij dat Fleur zou komen.

13.00 uur. Lunch. Salades. De gasten praten nog over het spook, de hele tijd, in het hele huis, behalve als Edith erbij is. Ze weet ervan, denk ik. Iedereen is erg aardig voor haar; misschien zijn ze bang dat ze gek wordt. Cleangirl, die pas later van het spook hoorde, wijkt niet meer van de zijde van haar dochter. Ook Cecile is de hele tijd bij haar. Door al die aandacht, of juist ondanks die aandacht, maakt Edith deze ochtend een kalmere indruk. Henry is ook niet zo nerveus meer. Ik heb tien minuten met hem gepraat zonder dat hij wegliep. Misschien kan ik mijn voorspellingen toch nog laten uitkomen.

15.00 uur. Als we in de salon hardop nadenken over leuke dingen die we als groep kunnen doen, zegt iemand – Marcia, denk ik, al praten we allemaal door elkaar heen en kan het ook iemand anders zijn geweest – zegt iemand dat we in zee kunnen gaan zwemmen. Voordat ik bezwaar kan maken (temperatuur, decorum, belachelijk gedoe) is de helft van de gasten al in de slaapkamers, druk in de weer om de zwemspullen op te duikelen die ze allemaal ongevraagd hebben meegenomen. Toevallig heb ik de mijne ook meegenomen, waarschijnlijk met hetzelfde gebrek aan logica als zij: ik verwachtte niet dat ik zwemkleding zou dragen, maar op de een of andere manier leek het me verkeerd om naar een huis aan zee te gaan zonder zoiets bij me te hebben. Vijf minuten later komen we op de trap naar de tuin bij elkaar – en wachten dan op Fleur, die het

We gingen naar een huis aan het strand – natuurlijk hebben we onze zwemspullen mee genomen, suffie!

nog maar net heeft gehoord, en op Marcia, die wat meer tijd nodig heeft om zich te verkleden (om voor de hand liggende redenen.) Uiteindelijk gaat iedereen strandwaarts, behalve Henry, die eerst zei dat hij meekwam maar toen besloot in de tuin te blijven lezen. Marcia werd het grootste deel van de weg door Alan op zijn rug gedragen; ze kan in haar rolstoel tot aan het eind van het grasveld komen, maar ze wil hem daar niet onbeheerd achterlaten (hij is zo duur). De hemel is doorschijnend maar wazig, met maar één wolk, als het wit van een ei met daarin een kippenplacenta. De zon is een veeg achtergebleven dooiergeel. Toch is het erg, erg warm, en bijna onbehaaglijk vochtig. Zwemweer. Als we door de duinen lopen, maken we grappen: de laatste die erin is, is een... maar we kunnen geen mietje meer zijn (niet met Marcia als vertegenwoordiger van de gedachtepolitie), en we blijven gegeneerd staan. Alan stelt 'een natte vaatdoek' voor – en dan wordt er gekreund, want dat woord werkt niet. 'Angsthaas,' zeg ik, maar er komt een windvlaag en niemand hoort het; ik herhaal het maar niet. 'Bange poeperd,' zegt Edith, en er gaat een gejuich op. 'Ja,' zeggen ze allemaal tegelijk, 'de laatste die erin is, is een bange poeperd.' We draven de laatste, vlakkere meters, zelfs Alan. Marcia, vastbesloten om niet de laatste te zijn, trekt de handdoek van haar heupen weg; Alan heeft de zijne om zijn hals, en ze pakt die ook en smijt ze allebei op de grond. 'Hup!' roept ze uit. 'Vort, paard!' Alan lacht, en onder hun gezamenlijk gewicht zakken zijn voeten weg in het zachte zand, waardoor hij wankelt en zij opzij zakt en ze samen steeds meer overhellen. De anderen kijken: zullen ze in voldoende diep water zijn voordat ze valt? De spatten vliegen van Alans knieën en Marcia gilt van plezier – helemaal opzij gezakt, bijna horizontaal. Hij staat er nu tot zijn middel in en het water vertraagt zijn tempo enigszins. Met een laatste krachtsinspanning gooit hij Marcia naar voren – als een renpaard dat weigert over een hindernis te springen en in plaats daarvan zijn berijder naar voren werpt. Ze maakte een halve salto, net genoeg om plat op haar rug neer te komen. Iedereen juicht, en niet zo halfslachtig als daarstraks; we voelen ons echt verenigd en genieten daarvan. Maar nu is het tijd om na te gaan wie de bange poeperd is. Degenen met handdoeken en teenslippers laten ze zonder enige terughoudendheid vallen en rennen het water in; degenen die, zoals ik, formeler gekleed zijn, moeten gaan zitten en gespen en veters losmaken. Even later staan alleen Cecile, die zo verstandig is de tijd te nemen, en William, die zijn zwembroek heeft meegenomen maar nog niet aan heeft, nog (bij mij) op het zand. William probeert zich achter een handdoek te verstoppen als hij in zijn tentvormige broekachtige probeert te stappen, maar hij stapt steeds mis, zodat de rest van ons een glimp van zeer ongewenste aard te zien krijgt. (Na de eerste glimp denk ik onwillekeurig dat hij het met opzet doet.) Uiteindelijk gooit hij gewoon de zwembroek neer, zegt meer tegen zichzelf dan tegen iemand anders: 'Waar zou ik me voor schamen?' en rent spiernaakt de zee in. De anderen zien het; als meerkatten draaien ze allemaal tegelijk hun hoofd om. Er wordt opnieuw gejuicht, nu nog luider. Wat kunnen mensen je toch versteld doen staan! Cecile loopt nu naar het water en trekt nog iets recht aan de badmuts van roze gebloemd rubber die ze op de een of andere manier ook nog in haar koffertjes had zitten. Ze heeft geweldig mooie benen voor haar leeftijd. Als ik daarnaar kijk, vergeet ik de bange poeperd-wedstrijd, en dan is het te laat. Ik sta op en begin achter haar aan te draven. 'Bange poeperd,' roept Edith naar mij. De anderen roepen mee, alsof we op een schoolplein zijn. 'Nee, nee,' roept Cecile boven hen uit. 'Het was gelijkspel! Het was gelijkspel! Ik ben ook een bange poeperd.' Ik lach haar toe om te laten blijken hoe reusachtig dankbaar ik haar ben. We zwemmen. Het is schrikbarend koud. Ik denk dat mijn hart blijft stilstaan. Een aantal van ons – vooral X en de andere mannen – ploegt met rechte voren naar de horizon. De rest van ons gaat niet verder dan tot waar we nog kunnen staan. We peddelen als hondjes, crawlen en beoefenen zelfs de vlinderslag (Simona). Marcia kan erg goed zwemmen. Ze houdt een wedstrijd met Edith, en hoewel ze haar niet verslaat, kan ze zo goed meekomen dat niemand zich hoeft te generen. Haar kolossale schouders stuwen haar naar voren en houden haar mond boven het water. De zee neemt rangen en standen weg, al ziet Cecile, roze op haar rug dobberend, toch kans om een hogere mate van decorum te betrachten dan de rest van ons bij elkaar. Alan maakt koprollen half onder water; William schreeuwt van plezier; Edith lijkt acht; Cleangirl blijft dicht bij haar. Het is net als op een feestje waar ik eens geweest ben en waar ze een springkasteel in de tuin hadden. Gezapige oma's vlogen plotseling met hun uitgelaten kleinkinderen door de lucht. Het was geweldig. Ik kijk om me heen naar de hoofden en ruggen en het geplons en ik denk: dit komt door mij; als ik er niet was geweest, zouden ze hier niet zijn. En bijna voor het eerst sinds ze zijn aangekomen, voel ik me dankbaar. Dan beginnen de spetteroorlogen: Edith tegen Cecile (niemand anders durft haar onder te spatten, maar als Edith het doet, vindt Cecile het niet erg – ze is zelfs uitbundig, om je de waarheid te zeggen); Simona eerst aarzelend bij mij. Al gauw escaleert dat tot een verwoed

Ik werd zojuist onderbroken door iets veel minder belangrijks dat ik al vergeten was – maar het voerde me wel naar de keuken. De kok en nog wat; menu's. Ik heb nu geen zin meer om de rest van de zwempartij te beschrijven. We hielden op met spetteren, bleven zwemmen, hadden het over de vuurtoren, kregen het koud, gingen het water uit, wachtten tot de verste zwemmers terug gecrawld waren, zaten te huiveren, liepen door de duinen naar het huis terug, maakten iets warms te drinken klaar. 'Dat was gaaf,' zei Edith. 'Dat moeten we elke dag doen.' O jeugd, jeugd die gelooft dat als iets ééns geweldig is het opnieuw geweldig is als je het nog een keer probeert. Maar alle volwassenen weten dat er geen terugkeer is naar de balzalen van weleer; sluit die zaal eenmaal zijn deuren, dan moet je op zoek gaan naar een nieuwe dansrage. Maar zonder de onschuld als van Edith zou deze dag waarschijnlijk niet zo bijzonder zijn geweest. Ik word nog steeds een bange poeperd genoemd, en ik doe mijn best om me er niet aan te ergeren. Ik wou dat ik Cecile voorbij was gerend en in de golven was gedoken; dan zou niemand nu een bange poeperd worden genoemd. Zeker niet Cecile. Bij haar zou het net zoiets zijn als zeggen: 'Je bent oud.' Ze is buitengewoon goed geconserveerd, van top tot teen. Dat heeft ze vast en zeker bereikt door nooit naar een sportschool te gaan en zich nooit suf te piekeren over modieuze gezondheidsmiddeltjes.

Na de zwemexplosie heb ik nog steeds zand op allerlei plaatsen op mijn lichaam, plaatsen die ik niet nader ga beschrijven. Mijn achterste voelt koud en vochtig aan, en dat zal zo blijven totdat er veel, heel veel warm water overheen heeft gestroomd. De douche boven is nu al ongeveer een

uur constant bezet; ik heb gezegd dat ik als laatste zou gaan. Omdat hij aangesloten is op een van die gasgeisers die aan een stuk door werken, zullen we nooit zonder warm water komen te zitten. Dat geldt ook voor de badkamer op de benedenverdieping. Ik zit met een handdoek om me heen in de grote slaapkamer. Mijn haar is plakkerig van de zee en mijn huid voelt zo zout aan als patat.
De douche is de hemel. Echt waar, het was bijna zo goed als de Matthäus Passion, maar dan in de vorm van warme, heldere, vallende vloeistof. Een wonder: zonlicht uit komkommers.

Even spioneren.

Marcia en Fleur, in de keuken, druk in de weer. Na veel bombarie zijn ze nu eindelijk echt bezig.

'Ik hoop dat je het niet erg vindt dat ik dit vraag...' zegt Fleur.

'Nee. Zeg het maar,' zegt Marcia.

'Wacht maar tot je hoort wat het is.'

'Ik kan het vast wel aan.'

'... maar toen je hier aankwam, had je een blauw oog, en nou...'

'O, dát.' Marcia gorgelt diep, als een afvoerputje waar stroop doorheen loopt.

'Ik vroeg me af hoe je daaraan gekomen was.'

Marcia strijkt over haar voorhoofd. 'Het is nu bijna weg, hè?'

'Ja, helemaal.'

'Nou, dan zal ik je vertellen wat er is gebeurd.'

Fleur staat tegen de keukentafel geleund en laat haar gezicht likken door de damp die als een tong uit haar koffiekopje opstijgt.

'Ik was thuis, bij mijn vriendin. Het was de ochtend van de dag waarop ik hierheen zou gaan. We waren in de slaapkamer, en ik stapte uit bed. Mijn vriendin – ze heet Mo – wist al een maand dat ik hierheen zou gaan. Ik had het haar verteld zodra Victoria me had uitgenodigd. (Ik had trouwens nauwelijks tijd om me voor te bereiden.) Nou ja, Mo doet altijd alsof ze erg logisch is, als ze ruzie begint te maken. Ik wist dat ik haar pas stil kon krijgen als ze al haar stemmingen had afgewerkt. Na de logica kwam de smeekbede om medelijden. De logica hield in dat ik me geen maand vakantie kon veroorloven. En dat was onzin. Ze bedoelde dat ik al mijn dagen en centjes had moeten opsparen. Ze heeft haar zinnen op Afrika gezet; daar wil ze samen met mij heen. En toen het medelijden. "Je houdt niet van mij. Hoe kan je nou van me houden als je me dit aandoet." En toen kwam fase drie, de stilte. Ik had tijd om me aan te kleden, koffie te zetten. Ik was in de keuken toen, *beng*, fase vier zich aandiende: woede. Het was niet haar bedoeling me te slaan. Ze zwaaide gewoon met haar armen om zich heen om me te laten zien hoe intens haar gevoelens waren. Zo gaat het altijd met Mo. We zijn pas twee maanden bij elkaar, maar daarvoor was ik bevriend met iemand die met haar omging. Die vertelde me alles over Mo's driftbuien. *Pats, pats*, recht in mijn oog. En zo ben ik aan die blauwe plek gekomen. Mo heeft de rest van de dag gezegd dat ze er spijt van had. Ze heeft me helpen inpakken en me uitgezwaaid.'

'Heb je haar daarna nog gesproken?'

'Ja. Ik belde vanuit een benzinestation aan de snelweg, gewoon om te weten of het wel goed met haar ging. Ik vertelde haar maar niet dat ik me zorgen maakte over de indruk die ik hier zou maken: dat ik hier zou komen opdagen als een in elkaar geslagen bokser .'

'En hebben jullie het goed gemaakt?'

'Ze zegt dat ze me groots wil verwelkomen als ik thuiskom.'

Marcia liet een lachje horen, en Fleur lachte met haar mee.

Cleangirl is een groot deel, zo niet het grootste deel, van elke dag bezig met het schrijven van brieven. Toen we hier aankwamen, begon ze met ansichtkaarten, vooral van de vuurtoren. Maar nu lukt het haar blijkbaar om al voor theetijd vier of vijf dikke brieven af te hebben. We hebben de gewoonte ontwikkeld dat iemand die naar Southwold gaat de post meeneemt die op het tafeltje in de hal is neergelegd. De gasten vertrouwen elkaar genoeg om daar ansichtkaarten achter te laten, waar iedereen ze kan lezen. Tot nu toe heb ik weerstand geboden aan de verleiding om de waterkoker mee te nemen naar mijn kamer en enveloppen open te stomen. Ik heb een of twee keer naar de stapel gekeken om te zien of ik een van Cleangirls geadresseerden herkende. Inderdaad kende ik er een paar: haar moeder, een Canadese vriendin die naar Edinburgh was verhuisd, iemand met wie we allebei op school hadden gezeten. Op dit moment vraag ik me af of ze hun over Ediths spook vertelt; maar als ze acuut advies wilde, zou ze hen vast bellen. Ze heeft het niet meer over weggaan gehad; sinds gisteren hebben we elkaar bijna niet gesproken.

Spioneren.

William en Simona waren zojuist op hun tweepersoonsbed aan het véchten, echt vechten als een stel jonge katten. Op de een of andere manier slaagden ze erin, hoe moet ik het zeggen, licht van leden – bijna gewichtloos – te lijken en elkaar geen verwondingen toe te brengen. Evengoed sloegen ze op elkaar in, op hun gezichten en andere lichaamsdelen, niet zozeer met vuisten als wel met klauwen. Ze sloegen echt hard, maar zonder elkaar veel pijn te doen – heel bizar, en heel intiem en tegelijk dierlijk. Als ik niet beter wist, zou ik denken dat ze komedie speelden, gewoon voor de lol, gewoon om mij te choqueren.

Ik vond deze beschrijving ontroerend. Het is prachtig. Het mag blijven staan.

19.00 uur. Toen we in de salon terug waren, was iedereen lichtelijk *déshabillé*. We hadden al veel minder moeite met de nabijheid van elkaars lichaam. Cecile zat op de bank Simona's dikke haar uit te kammen. Simona maakte op haar beurt een Japans knotje van Ediths sluike blonde haar, dat ze bijeenhield met een paar viltstiften. Dat zou vóór de zwempartij nooit gebeurd zijn. Die was zo'n succes dat ik bijna zou durven beweren dat het mijn eigen idee was. Dat zal ik niet doen; daar ben ik te eerlijk voor.

Het avondeten begon zonder dat de onderlinge intimiteit afnam. Bij de moussaka met sla kwam het gesprek op *geweldige plaatsen waar we hebben gezwommen*, en dat leidde onvermijdelijk tot *geweldige plaatsen waar we zijn geweest* en daarna *plaatsen waar we zijn geweest*. Het zou leuk zijn om een complete lijst samen te stellen, want met zijn allen schijnen we overal geweest te zijn, van Albanië (Henry, met een Intourist-reis) tot Zanzibar (Cecile, om een antropoloog te bezoeken met wie ze bevriend is). Zelfs Edith is in Frankrijk, Spanje, Marokko, Venezuela, Duitsland, België, Zwitserland, de Verenigde Staten en Portugal geweest – in die volgorde (ik hoop dat ik het goed heb onthouden; anders zal ze zich ergeren). Er waren enkele gênante momenten, omdat mensen moesten bekennen dat ze ergens met een andere dan hun huidige partner geweest waren.

'Ik heb nooit geweten dat je in...' 'O ja, in 1994.' 'Met wie was dat?' '1994, dat zal met...' Ik geloof niet dat iemand zich erg gekwetst voelt. Fleur bracht Venetië even ter sprake, maar ik was de enige aan de tafel die wist dat ze daar op huwelijksreis was geweest met haar man, van wie ze gescheiden is. (Alan, zag ik, luisterde aandachtig naar alles wat Fleur zei, terwijl hij aan zijn nagelriemen plukte en deed alsof hij daar helemaal door in beslag werd genomen.) Cecile had niet zoveel gereisd als ik had gedacht: ze is overal in de Sovjet-Unie geweest, 'zoals het was, niet sinds Jeltsin aan de macht kwam', en in Europa, maar niet in Azië of Zuid-Amerika. Toen het over favoriete plaatsen ging, zei ze zonder omhaal 'Cornwall', en dat vond ik nogal verbazingwekkend: ik dacht dat het een geheim van haar was. Fleurs favoriete plaats was Devon – en dus wisten die twee niet of ze zich elkaars concurrenten moesten voelen of nu juist nauwer met elkaar verbonden waren. Mijn persoonlijke favoriete plaats was: 'Een kingsize bed – het kan me eigenlijk niet schelen waar het staat.' Toen we een land moesten kiezen, koos ik voor Frankrijk. Dat leverde me een glimlach op van Cecile, zij het een enigszins meewarige. Ik had beter moeten nadenken: als ze zoveel van dat land hield, waarom zou ze dan naar Londen zijn verhuisd?

Omdat ik geen complete lijst kan maken van plaatsen waar we geweest zijn, geef ik er een van favoriete plaatsen. X, Kaapstad. William, Dublin, vanwege de kroegen. Henry, Seattle: 'Dat voelt zo schoon aan voor een stad'. Cleangirl, de Alpen. Edith, de zee, waar dan ook (Brighton); Marcia, Versailles. Simona, Barcelona, 'vooral als het avond is'. Ikzelf hield het op Parijs. Cecile, Cornwall. Alan, een of andere tempelberg in Japan, waarvan ik de naam met geen mogelijkheid zou kunnen spellen (A-ka-li-do). Fleur, Devon.

Ik had me eerder op de dag afgevraagd of het nog een probleem zou worden om Edith naar bed te krijgen. Misschien zou ze weigeren nog een nacht in het huis te slapen. Maar vreemd genoeg wilde ze juist graag. Misschien was het daglichtbravoure. Om kwart voor negen ging ze uit eigen beweging naar bed. Ik ben er vrij zeker van dat Cecile iets met haar kalmte te maken had. De belofte dat ze veilig zou zijn. Cleangirl ging met haar mee naar boven, maar kwam weer naar beneden. Blijkbaar was haar aanwezigheid niet vereist.

Cecile heeft nu definitief besloten te combineren. Vandaag droeg ze haar alligatorleren schoenen met de purperen blouse en rok (dus niet de bijpassende purperen schoenen) – en het werkte! Allemachtig, ze zag er bizar uit maar dan wel op een zodanige manier dat iemand die haar zag er ook bizar wilde uitzien. Dit is haar *Vogue*-effect.

22.15 uur. Ik zou nu eigenlijk moeten beschrijven dat ik zag hoe Edith in haar slaap tegen 'de geest' praatte, want het is duidelijk dat ze dat doet. Ze ligt op haar zij, semi-foetaal, haar ogen dicht, en trapt af en toe met haar benen, als een hond die op droomkonijnen jaagt; ze mompelt, gromt, schudt heen en weer en laat nu en dan een lange, hoge, dunne jammerkreet horen.

X en ik lagen om ongeveer twaalf uur in bed, toen er gebonk uit een van de andere slaapkamers kwam. Eerst schrokken we ervan; ~~was het William die een rekening vereffende met Simona?~~ Nee. Daar was het gebonk te regelmatig voor. Het begon langzaam, kreeg toen meer vaart, en toen werd het gesyncopeerd: *boem boem boem* werd *buh-boem boem-buh boem-boem buh-boem*, enzovoort. We beseften dat het in feite twee geluidsbronnen waren, een dichterbij, een verder weg. Soms gingen ze helemaal gelijk op, maar dan verwijderden ze zich weer van elkaar, als twee wekkers aan weerskanten van een bed waarvan de tikken soms even samenvallen. Het was seks, en het gebeurde op dat moment, tussen mensen die we kenden, en we konden het visualiseren, of beter gezegd, onder die omstandigheden moesten we het wel visualiseren. Het hardere gebonk kwam van Cleangirl en Henry, en het kwam door de muur bij ons hoofd; het zachtere, en momenteel langzamere gebonk kwam uit de kamer van William en Simona, aan ons voeteneind. 'En Edith dan?' zei ik.

'Wat is er met haar?' vroeg X.

'Ze kan het horen,' zei ik. 'Ze kan haar ouders het horen doen.'

'Ze slaapt...'

'Hier wordt ze wakker van.'

'... of ze vinden het geen probleem. Ze doen het thuis ook.'

'Maar William en Simona doen nu ook mee.'

'Tenzij het Alan en Fleur zijn,' merkte hij op.

'Je denkt van niet?' zei ik.

'Niet echt.'

'Dan moet ik gaan kijken.'

X pakte zachtjes mijn pols vast. 'Ik vind niet dat je ze moet bespioneren als je weet dat ze aan het vrijen zijn. Daar word je niets wijzer van.'

'Toch wel,' zei ik. 'Ik kom erachter wíe er aan het vrijen zijn.'

'Dat weet je al.'

'Nee, dat weet ik niet; ik ben er niet helemaal zeker van.'

'Dat ben je wel. Het kunnen Fleur en Alan echt niet zijn. Die zouden niet zoveel lawaai durven te maken.'

'Fleur kan er niets aan doen,' zei ik. 'Ze bidt zelfs luidruchtig.'

'Je wilt alleen maar naar ze kijken terwijl ze het aan het doen zijn. Doe maar niet alsof het om iets anders gaat.'

'Nou, jij niet dan?' vroeg ik. 'Dit is de enige kans die je ooit zult krijgen.'

'Nee,' zei hij. 'En ik denk niet dat je er veel door aan de weet komt, als schrijver. Mensen die vrijen, zien er gewoon uit als mensen die vrijen. Als je dat wilt zien, moet je een video huren.'

'Dat is helemaal niet waar, en dat weet jij ook wel,' zei ik, 'en ik snap niet hoe je dat nog tegen me kunt zeggen. Er zitten altijd seksscènes in mijn boeken; dat wordt van me verwacht.'

Al die tijd was het gebonk doorgegaan – het luidere was stiller geworden en het stillere luider; en toen kwam het gebonk van Cleangirl en Henry plotseling weer op gang. Het was net of we op een ijskoude ochtend een oude automotor hoorden starten.

'Ik moet het zien,' zei ik. Ik was het bed uit en was al met de stok van de ladder in de weer, toen X reageerde.

'Ze horen het,' zei hij, nogal hard.

'Stil,' zei ik. 'Als jij zo schreeuwt, horen ze het zeker.'

'Kom weer in bed,' zei hij.

'Nee,' zei ik, 'hier heb ik al dit geld voor betaald.' Ik trok het zolderluik open, en de ladder begon met een schrapend geluid naar beneden te glijden. Het was nogal veel lawaai, maar het gebonk (tweemaal) hield niet op en vertraagde ook niet. Egenlijk ging het in beide gevallen zo snel dat ik bang was niet op tijd bij de monitors te komen.

'Ik keur dit af,' fluisterde X.

'Keur het dan maar af,' zei ik. 'Ik ga kijken.' Ik ging vlug de ladder op. Ik volgde mijn instinct, mijn roeping, mijn lustgevoelens. De schermen waren aan; ik liet ze altijd aan – er was geen reden om ze uit te zetten. Cleangirl en Henry deden het op zijn hondjes, William en Simona in de missionarisstand. ~~(Vreemd, ik had me dat net andersom voorgesteld.) Toen hij zich terugtrok om van positie te veranderen, zag ik Williams penis: die leek opvallend veel op een gevild konijn dat op het punt staat om de pan in te gaan – donker, gespierd en o zo lelijk.~~ Ik keek naar de andere kamers. Fleur lag in foetushouding, met de lakens en dekens strak om zich heen: ze probeerde haar oren met haar handen af te dekken. Alan sliep er blijkbaar dwars doorheen, evenals – in het begin – Edith, maar toen zag ik dat ze zich op haar zij draaide; omdat het scherm niet zo scherp was, kon ik niet goed zien of ze haar ogen open had. Eén ding zag ik wel, en dat is dat ze op haar duim zoog. Ik vroeg me af wat een kinderpsycholoog van dat kleine detail bij een meisje van elfenhalf jaar zou denken. Blijkbaar praatte ze niet meer met de 'geest'. Pas op het laatste moment besefte ik wat Cecile deed: het was stiller dan wat de echtparen deden, en het was solo, maar je zou het als dezelfde activiteit kunnen beschouwen. ~~Ze had haar handen onder de dekens, en haar benen verhieven ze tot een driehoek, en het was duidelijk aan haar gezicht te zien wat daaronder gaande was.~~ Ik keek weer naar Cleangirl en Henry, die trillend tot een einde kwamen, en toen naar William en Simona, die nog aan de gang waren. ~~Ik voelde me veel schuldiger bij het zien van de glimlach op Ceciles gezicht dan bij het kijken naar hun neukpartijen.~~

Beschaamd klom ik de ladder af. X had me zijn rug toegekeerd. Zo zachtjes als ik kon – alleen het over elkaar schuiven van metaal was te horen – duwde ik de ladder weer omhoog. Toen ging ik op de rechterkant van het bed liggen en keerde X me opnieuw zijn rug toe.

'Het spijt me,' zei ik. 'Je had gelijk; ik had het niet moeten doen.'

Hij zei niets. Ik probeerde dicht bij hem te komen en streek met mijn lippen over zijn oor. Hij schudde zich los.

Aan het gebonk van Simona en William kwam abrupt een eind, en het was weer stil in het huis.

Eenzaam en beschaamd lag ik minstens een uur wakker. Ik kon de slaap niet vatten en ik kon ook dat beeld van Ceciles kleine persoonlijke genot niet uit mijn hoofd zetten. Of misschien was het geen genot geweest; misschien had het, met die achtergrondgeluiden, alleen maar een praktisch doel gehad.

Hoewel hij niet tegen me praatte, was ik toch blij met X zijn mannelijke lichaamsmassa naast me, een stormvloedkering tegen de grauwe zee: leegte, eenzaamheid, kinderloosheid, belachelijkheid. Ik wilde heel graag dat wij het ook hadden gedaan. Misschien zou dat dit gevoel nog erger hebben gemaakt (seks brengt me vaak vanuit een volkomen goede stemming in een diepe existentiële crisis), maar dan had ik me nu iets recents, iets contrasterends, kunnen herinneren.

'Het spíjt me,' zei ik tegen X.

Hij bromde niet eens.

Vrijdag

Dag Negen Week Twee

Toen ik vanmorgen wakker werd, hoorde ik het indringende geluid van boormachines. Eerst dacht ik dat het gewoon de kakofonie van het dageraadkoor was, maar het bleek dat de komende dagen wegwerkers hier in de straat met het asfalt bezig zijn.

Even verderop zeg je bijna hetzelfde. Je kunt dit of dat eruit maar een van de twee passa

O nee, er gebeurt iets wat ik echt niet wilde. Dit project verandert in zo'n typisch horrorverhaal dat zich in een oud landhuis afspeelt. I~~k ben daar helemaal niet op ingesteld en ik ben ook niet van plan me erop in te stellen~~. Waarom kwam ik ook met dat verrekte B-team te zitten? Daar is het eigenlijk al misgegaan. Als ik hier gewoon een stel mensen had die links en rechts met elkaar de koffer indoken, had ik er wel iets van kunnen maken: koppelen en ontkoppelen, dat doe ik – dat is mijn vak. Ik wilde geen spoken en kinderkamers en wc-papier en trappen... Ik wilde geen bizarre types; ik wilde normale, gezonde, nymfomane dertigers. Dat verkoopt. Maar in plaats daarvan dreigt dit grote huis vol volwassenen te worden gedomineerd door de hysterie van een schoolmeisje. Hoe? Het is idioot. Het is belachelijk. Het is volslagen absurd. Cecile sprak vanmorgen, in de keuken, van 'het huis achter het huis' – ~~daarmee bedoelde ze waarschijnlijk het spookhuis binnen het gewone huis.~~ Ze was ruim een uur in Ediths slaapkamer geweest en had daar in alle rust met onze ster gesproken. Ik keek toe: Edith heeft vannacht het spook weer gezien. Hetzelfde als de vorige keer: wit laken, *woe-woe*. Cecile en Edith gingen heel vertrouwelijk met elkaar om. Ze omhelsden elkaar en huilden. Ze schijnen nu een mystieke band met elkaar te hebben. Onwillekeurig heb ik het gevoel dat het iets te maken heeft met de kaart van Cornwall in Ceciles kamer. Misschien is haar ook iets spookachtigs overkomen. Edith ziet er gevaarlijk slecht uit. Het is gewoon hysterie. Slapeloosheid. Als ik haar moeder was, zou ik mezelf een paar serieuze vragen stellen. Bijvoorbeeld: waar vind ik leuke jongens die ze kan ontmoeten? Ik denk dat een fikse verliefdheid Edith er weer bovenop zou helpen. Maar de kans dat ze nog verliefd wordt op X lijkt me erg klein.

Noodzakelijk? Neerbuigend?

Vanmorgen ging ik naar Ediths vroegere kamer, de kinderkamer, om te kijken wat voor boeken daar stonden. Ik wilde er zeker van zijn dat het geen spookverhalen waren, boeken die haar misschien tot deze specifieke vorm van dwaasheid hadden gebracht. Ik denk dat ik hoopte op ouderwetse griezelverhalen – *De monnik, Het kasteel van Otranto, Dracula* – of op zijn allerminst *Northanger Abbey*. Maar het was of ik in een antiquariaat aan het rondneuzen was: de gele ruggen van de Collins-uitgaven van Enid Blyton, en de blauw met wit gestreepte ruggen van de Brock Books-edities, met een Schotse terriër erop, het logo van de uitgever. Ik kan dus geen literaire oorzaak voor deze uitbarsting vinden.

O, ik weet dat dit allemaal erg warrig is; hopeloos warrig. Ik zal nog maanden bezig zijn orde te scheppen in dit alles om er dan een boek van te maken. Ik ben erg blij dat niemand deze woorden ooit zal lezen en dat ze altijd iets van mij alleen zullen blijven. En misschien van X. En Simona. En misschien maak ik er een selectie van en verkoop ik die aan de vrouwenpagina van de *Guardian*.

We hebben een veel beter aanbod gekregen van News of the World.

Ik vraag me af wat Ediths psychische voorgeschiedenis is, en of die de moeite waard is om me er druk over te maken. Het zal wel seks zijn. Hysterie. Iets anders kan het niet zijn. Ik kan niet geloven dat Cleangirl en Henry haar een trauma hebben laten oplopen – afgezien van het feit dat ze zo volmaakt zijn dat ze misschien het gevoel heeft nooit aan hun normen te kunnen voldoen. Het zal niet lang meer duren, of je kunt vanwege dat soort dingen een proces aanspannen.

11.15 uur. Op het strand. O, die dagen van jasloos weer. Ik wou dat Engeland altijd zo was. Het land is op zijn best als een lichtelijk uitgedroogde versie van zichzelf, als een bloem die platgedrukt en gedroogd is in een bloemlezing van romantische poëzie. ~~Het enige water dat we nodig hebben is de ondrinkbare zee, die ons als vruchtwater omhult – de mismaakte baby (en placenta) die Engeland is. Als je langs de rand loopt, krijg je pas goed waardering voor wat er achter je ligt, of links en rechts van je; de rest van de tijd wordt het midden vertroebeld door de te grote nabijheid van ons gezichtsveld. Victoria verduidelijkt: nu~~.

Victoria, kop dicht: nu!

Na de lunch een kort en bijna rampzalig gesprek met Marcia. 'Je oog ziet er al veel beter uit,' zeg ik. 'O, dát is geen probleem meer,' antwoordt Marcia. 'Het moet erg geweest zijn...' 'Wat?' vraagt ze verbaasd. 'Hoe je eraan gekomen bent,' zeg ik. 'Hoe bedoel je?' vraagt Marcia. 'Jij wéét niet hoe ik eraan gekomen ben.' Ik denk: ik zou kunnen liegen, zeggen dat Fleur me over Mo en de ruzie heeft verteld; maar Marcia zou dat vast en zeker nagaan, en dan word ik betrapt. Dan kan ik maar beter dom overkomen. 'Nou, ik nam aan dat je was beroofd of geslagen of zoiets.' 'Mís,' zegt Marcia. 'Ik probeerde een boek van een bovenste plank te pakken, en het boek daarnaast kwam mee – *pats*, midden in mijn oog. Mijn verdiende loon omdat ik *Het jungleboek* wilde lezen toen ik dronken was.' 'O,' zeg ik, 'ik dacht dat het door iets veel gewelddadigers was gekomen.' Ik had mijn mond moeten houden, ik had gewoon mijn mond moeten houden. 'Waarom?' vraagt Marcia. 'Omdat ik een typisch slachtoffer ben?' 'Dat bedoelde ik niet...' Maar dan rijdt ze– gelukkig, mag ik wel zeggen – verontwaardigd in haar rolstoel weg.

14.15 uur. Nu al die onzin over spoken aan de gang is en het hele project dreigt te kapseizen, kost het me erg veel moeite om mijn vele andere verhaallijnen in het oog te houden.

Teleurstellend genoeg hebben zich blijkbaar geen nieuwe ontwikkelingen voorgedaan tussen Alan en Fleur. Sinds hij Domino naar die kennel heeft gebracht, hoeven ze geen ruzie meer te maken over kleine dingen. Ze gaan elkaar niet uit de weg, al zoeken ze elkaar ook niet op, voor zover ik kan nagaan. (Audrey is wel een beetje zichtbaarder geworden; ze sluipt door de bloemperken.)

Waar is de hartstocht van die eerste scène op het strand gebleven? Die hartstocht kunnen ze écht niet in hun emotionele sokkenla hebben weggestopt om die er 's avonds laat pas weer uit te halen.

Fleur houdt een dagboek bij; ik heb haar dat nog nooit zien doen. Ze bidt ook. Dat is lachwekkend. Ik heb het nog niet beschreven, hè? Ze knielt aan het voeteneind van het bed neer, als iemand op een negentiende-eeuws genreschilderij; alleen verheft ze soms haar handpalmen naar waar ze zich het gelaat van de hemel voorstelt. (Zo'n soort gebaar maak ik alleen in Duitse of Amerikaanse hotels, in aanbidding van een goddelijk krachtige douche.) Fleur doet op zulke momenten haar best om eruit te zien alsof Gods Heilige Gratie met bakken op haar neerregent. En misschien is dat ook zo: in haar hoofd. Ik schrijf over haar alsof ze weet dat ik naar haar kijk. Ze is nu aan het bidden; ik kan haar lippen zien bewegen. Zoals bij iedereen die in hoger sferen is, doet het bij haar allemaal erg geaffecteerd aan.

Toen ik de salon inliep, was daar net een uitgebreide discussie over de gebeurtenissen van de laatste tijd aan de gang. Ditmaal hielden ze niet hun mond zodra ik binnenkwam.

'We moeten weten,' zei Cecile tegen de anderen, 'of er vroeger iets gebeurd is in dit huis, hoe lang geleden ook. We moeten het weten.'

Edith zat naast haar, dicht tegen haar aan, ook nu Cecile zich naar voren boog om haar woorden kracht bij te zetten.

'Victoria,' zei Henry, die in zijn bezorgdheid extra aantrekkelijk was. 'Ik ben blij dat je er bent. Dit gaat jou net zo goed aan.'

Cleangirl klopte op de lege plek naast haar op de bank, maar ik besloot te blijven staan.

'Ik wil alleen maar zeggen: wat schieten we ermee op?' zei X. 'Wat Edith ook heeft gezien, het was geen spook.'

'Nog steeds met dat spook bezig?' zei ik.

'Absoluut,' zei Cecile. 'We hebben een verzoek – Edith en ik.'

'Jullie willen toch niet weer van kamer veranderen?' vroeg ik.

'Nee,' zei Edith zachtjes en hees. En ik besefte dat ik haar in verlegenheid had gebracht door haar te dwingen het woord te voeren waar iedereen bij was. (Zo ongeveer iedereen was er, behalve Alan, die vermoedelijk met een denkbeeldige Domino over het strand liep.)

'Dat is het helemaal niet,' zei Cecile. 'We zouden graag willen dat je ons in contact bracht met de eigenaars van dit huis. We zouden hun graag rechtstreeks willen vragen of hier ooit enige paranomale activiteit heeft plaatsgevonden.'

Onwillekeurig trok ik een smalend gezicht. Zo nu en dan is Cecile een vrouw met verborgen oppervlakkigheden.

'Lijkt dat je waarschijnlijk?' vroeg ik. Ik liet blijken dat ik een antwoord van haar verwachtte, niet van Edith.

'Ja, dat denken we,' zei Cecile.

Ik keek naar alle anderen. Bijna voor het eerst sinds we hier aankwamen, keken ze met al hun aandacht naar mij. (Mijn *riposte* op Fleurs toespraak was de voornaamste uitzondering.) Die kans liet ik niet onbenut.

'Niemand die van deze gelegenheid gebruik wil maken om te bekennen dat hij of zij met een laken over zich heen over de gang boven heeft gelopen?' zei ik.

Mensen lachten; het was een geweldig, warm geluid. Ik kon me dat geluid goed herinneren.

'Goed dan,' zei ik. 'Ik zou niet weten waarom ik ze niet zou bellen.'

'We willen graag zelf met ze spreken,' barstte Edith uit.

'Nee,' zei ik. 'Ik zal erg tactvol te werk gaan. Ik wil niet dat ze denken dat ze het huis hebben verhuurd aan een...' Ik besefte dat ik nu voorzichtig moest zijn. '... aan een nog erger stelletje gekken dan ze al dachten.'

Er werd weer gelachen, nog warmer dit keer.

'Ik ga nu naar boven om te bellen. Jullie kunnen je vast nog wel even inhouden.'

Ik maakte aanstalten om de kamer uit te gaan, maar toen zei Edith vlug: 'Mag ik dan tenminste met je mee?'

Met al die mensen erbij kon ik onmogelijk nee zeggen. 'Kom dan maar,' zei ik.

We gingen de kamer uit. Bij wijze van experiment legde ik mijn arm om Edith heen. Ze schudde zich niet los. Integendeel, ze scheen het gebaar wel op prijs te stellen.

Toen we de deur eenmaal achter ons dicht hadden gedaan, zei ik tegen haar: 'Je beseft zeker wel dat ik me een beetje verantwoordelijk voel voor dit alles. Ik wil niet dat iedereen in paniek raakt. Misschien lijkt het of ik je niet zo serieus neem als ik zou moeten, maar daar is een reden voor. Ik wil... nou ja, ik wil iets vreselijks vermijden.'

'Ik begrijp het,' zei Edith, het brave meisje.

We gingen de trap op. Edith was gehuld in een bruine en oranje deken met franjes die uit de kleerkast in haar kamer was gekomen. Ze droeg ook, zag ik, een lange zijden jurk die ongetwijfeld aan de dochter des huizes toebehoorde. Edith zou zoiets niet moeten dragen, maar dit was niet het moment om haar de les te lezen.

We gingen naar de grote slaapkamer. Ik deed mijn best om niet naar het zolderluik te kijken.

'Ga jij maar op het bed zitten,' zei ik tegen Edith. Ze plofte op de sprei neer.

Het nummer van de eigenaars in Toscane stond bovenaan een gelamineerd vel papier met het opschrift 'In geval van nood', dat ze met punaises op de keukenwand hadden geprikt. Ik had het op Dag Nul weggehaald en in de la van mijn nachtkastje gelegd. Ik pakte de telefoon op, nam even de tijd om in te ademen, glimlachte naar Edith, en draaide toen het nummer.

Er werd niet opgenomen. Ik wachtte ongeveer een halve minuut. 'Niemand thuis,' zei ik. 'We proberen het later opnieuw.'

'Er is ook een mobiel nummer,' zei Edith, die het papier met 'In geval van nood' van het bed had gepakt, waarop ik het had laten vallen.

'Jij weet ook precies wat je wilt, hè?' zei ik.

Ik draaide het mobiele nummer. Even later nam de man op. We zeiden elkaar gedag; hij vroeg of alles in orde was. 'Prima,' zei ik. 'Tot nu toe is alleen het tuinschuurtje in vlammen opgegaan.' Hij lachte nerveus. 'Nee, serieus,' ging ik verder, 'we hebben de tijd van ons leven. Het is echt een geweldig huis. Als het mijn huis zou zijn, denk ik niet dat ik ervan zou kunnen scheiden, zeker niet om deze tijd van het jaar. Het is hier zo mooi.'

Edith trok een pubergrimas van ongeduld. Ik vroeg me even af of ze dat ook zou hebben gedaan voordat ze 'het spook' had gezien. Was ze ouder geworden? Zo snel?

'We hebben een vraag,' zei ik, voordat Edith ook nog pubergeluiden van ergernis ging maken. Omdat ik helemaal geen tijd had gehad om een vraag te formuleren, besloot ik het er maar gewoon uit te gooien, maar dan wel op een komische manier: 'Spookt het in huis? Want, weet u, iemand hier heeft een figuur in een wit laken op en neer zien lopen in de gang op de bovenverdieping – o, en die figuur maakte ook kreunende geluiden.'

Edith knikte.

Het werd stil aan de andere kant van de lijn.

'Hallo?' vroeg ik. 'Bent u daar nog?'

'Ja,' zei hij. 'Het spookt er. O god.'

Ik had een beetje meer weerstand verwacht.

'Blijkbaar vindt u het niet zo vreemd dat ik die vraag stel,' zei ik.

'Wie heeft haar gezien?' vroeg de eigenaar.

'Haar?' zei ik. 'Het spook is dus een zij?'

'Jazeker,' zei de eigenaar. 'Wie heeft haar gezien?'

'Wie heeft haar gezien?' herhaalde ik.

Edith deed een uitval en griste de hoorn uit mijn hand. 'Ik,' zei ze. 'Ik heb haar gezien.'

Hij stelde haar een vraag, waarop ze antwoordde: 'Ik ben elfenhalf.'

Ze luisterde een hele tijd en gaf de hoorn toen aan mij terug.

'Nou, ik ben blij...' zei ik in de hoorn.

'Hij heeft opgehangen,' zei Edith. Ik keek haar een beetje kwaad aan. Pas op dat moment hoorde ik de geluiden van beneden; het enige woord voor die geluiden is tumult.

We gingen de gang op, waarbij ik bijna verwachtte dat we dat irritante type in het witte laken zouden tegenkomen. Het tumult hield aan, en het klonk nog luider, nog dichterbij. Fleur kwam de trap op, ons tegemoet. 'We hebben het gehoord,' zei ze. 'We luisterden mee, in de keuken, op het andere toestel.'

'Jullie...' zei ik sprakeloos. De rest kwam ook op ons af.

'We weten het,' zei Fleur. Ze rende naar Edith toe en sloeg haar armen om haar heen. 'Het spijt me zo dat ik ooit aan je heb getwijfeld,' riep ze uit. 'O, arm ding,' voegde ze eraan toe. Cecile was er ook. En Cleangirl.

X keek me aan en schudde weer afkeurend met zijn hoofd. De scène ging nog een tijdje door. Het was onzinnig en ondraaglijk.

Argh!!! Ik ben hier niet op berekend, niet als auteur en niet als vrouw. Waarom niet? Om twee redenen: ten eerste geloof ik niet in spoken; ten tweede ben ik doodsbang voor spoken. Die twee dingen lijken elkaar uit te sluiten, maar dat doen ze niet. Ik geloof niet in spoken omdat ik mezelf niet toesta in spoken te geloven; ik sta mezelf niet toe in spoken te geloven omdat het dan veel moeilijker voor me zou worden om met de wereld om te gaan. Al toen ik klein was, had ik het gevoel dat iets bovennatuurlijks 'me bij mijn nekvel pakte' alsof het Onbekende de akelige zuster Grimshaw was, teruggekeerd uit het rijk der doden om me weer aan mijn kraag voor de klas te sleuren. Schrappen? We hebben al genoeg over jou en je problemen bij het schrijven van dit boek.

Een van de eerste dingen die ik dacht, was dat ik het spook misschien voor de camera had gehad. Maar ik herinnerde me bijna meteen dat de gang boven een van de weinige plaatsen in het huis was waar geen camera's waren aangebracht. De kosten waren te hoog geweest en ik had me niet kunnen voorstellen dat er op die gang iets interessants zou gebeuren. Als mensen van het ene bed in het andere doken, zou ik zien welke slaapkamer werd verlaten en in welke slaapkamer iemand was binnengekomen, en dat leek me wel genoeg. En trouwens, ik zou pas aan iemand kunnen vertellen wat ik op video had staan als de maand voorbij was, en zelfs dan... Het was een frustrerende situatie. Ik vroeg me af of camera's die op beweging reageerden een ectoplasmische nachtwandelaar zouden oppikken. Toen herinnerde ik mezelf eraan dat ik helemaal niet in ectoplasmische nachtwandelaars geloofde.

Een schokkende middag. Veel gefluisterde gesprekken.

Toen ik X alleen trof, vertelde hij me wat de eigenaar aan Edith had verteld, nadat ze de telefoon uit mijn hand had gegrist.

'We hebben een dochter gehad,' had hij gezegd. 'Ongeveer van jouw leeftijd. Ze is gestorven. Ze viel van haar pony en stierf. Ooit, toen ze een jaar of tien was, verkleedde ze zich als geest en rende ze jammerend over de gang. Dat doet ze soms nog steeds.'

Toen begon hij te huilen en hing op.

16.10 uur. Biecht. Simona en ik hadden het over geesten. Bizar genoeg vindt ze dat ik de situatie erg goed heb aangepakt. Ik heb haar niet bekend dat ik helemaal in paniek ben.

Het spook houdt iedereen in haar ban. De meesten blijven vannacht op om te proberen een glimp van haar op te vangen.

Met grote moeite heb ik X overgehaald om niet mee te doen. Hij blijft bij mij. We verstoppen ons onder de lakens, onder het scanderen van de opwekkende leus *O mijn god, o mijn god.*

Cecile droeg vandaag een kuitbroek met een Bretonse pullover en Chinese schoenen zonder hakken. De stijl zelve. Die pullover was niet een van die goedkope acryldingen die je overal in Southwold kunt kopen. Hij was van van die dichte matrozenwol, warm in de kou, koel in de warmte, die je alleen in Bretagne kunt krijgen. De kraag was vierkant uitgesneden, zodat je haar prachtige-afzichtelijke nek in alle bejaarde glorie kon aanschouwen.

Ik denk dat je daaruit kunt afleiden hoe ontspannen Cecile zich voelt: de hoeveelheid hals die ze laat zien. Want van heel haar lichaam is dat het deel dat haar leeftijd het meest verraadt. Natuurlijk heeft ze plooien op de rug van haar handen; en natuurlijk heeft ze daar levervlekken. Maar de hals is een waar wonder, ~~een sculptuur in hout. Het is Yggdraskil de wereldboom~~. Als ze haar hoofd opzij draait om over haar schouder te kijken is het of een half losgerold touw weer wordt opgerold. De holte boven haar borstbeen is diep genoeg om een hele marshmallow in te verbergen, voordat hij geroosterd is.

Dat alles verhaalt van een leven van succesvol lijnen, en een vastbeslotenheid om er zelfs in grafkleren nog adembenemend slank uit te zien.

Pretentieus, zo niet O.P.

(Cecile heeft vast wel ergens in haar testament opgenomen welke kleren ze haar moeten aantrekken voor het grote bal in de hemel.)

Om mijn spionageactiviteiten geheim te houden ben ik nooit verdacht lang afwezig, tenminste, overdag niet. En dus doe ik de meeste van mijn ontdekkingen over mijn gasten op de late avond: hun rituelen bij het naar bed gaan zijn me het meest vertrouwd.

Zo heb ik ontdekt dat Alan niet kan slapen als hij niet eerst naar zijn bandje met Woody Allens komische conferences uit zijn begintijd heeft geluisterd (circa veertig minuten). Hij begin meestal te knikkebollen bij de eland die naar het gekostumeerde bal gaat en mompelt dan half slapend de tekst mee: 'De eland mengt zich onder de gasten.' Maar pas wanneer het cassettebandje met een nogal harde klik op zijn eind komt, is hij echt vertrokken, en dan begint hij bijna meteen te snurken. Natuurlijk zou ik Alan nu willen vragen waarom hij dat doet en wanneer hij daarmee begonnen is.

Ik heb ook ontdekt dat Cleangirls bewering (in dat mannenblad) dat zij en Henry het elke dag één keer doen op zijn best een overdrijving en op zijn slechtst een leugen is. Dit ondanks hun prestatie onlangs die nacht, toen komisch genoeg alle stellen bezig waren, behalve X en ik.

Voordat ze het spook zag, bleef Edith altijd op één punt in de kamer staan en draaide zich dan drie keer in beide richtingen om voordat ze in bed stapte, alsof ze een ekster had gezien, een ekster in een spiegel. Ik weet eigenlijk niet wat ze nu, na het spook, doet. Ik zal nog eens moeten kijken.

William ligt in bed scheten te laten terwijl Simona zich uitkleedt. ~~Als ze klaagt, laat hij een scheet; als ze lacht, laat hij een scheet. Als zij een scheet laat, hebben ze een lang gesprek over gradaties van hypocrisie~~.

Als Cecile naar bed gaat, is ze eerst een halfuur bezig haar haar uit te kammen. Dan legt ze haar kleren voor de volgende dag klaar. Vreemd genoeg slaapt ze in foetushouding.

Marcia praat voor het slapen gaan in de derde persoon over de gebeurtenissen van de dag. Ze zegt bijvoorbeeld: 'En toen had Marcia een interessant gesprek met Edith. Het ging over jongens en meisjes en wat ze tegenwoordig met elkaar doen. En Marcia dacht, wat een intelligente

Een ontroerende schets die veel over de stemming in huis vertelt, maar ik ben bang dat-ie er toch uit moet.

en evenwichtige jongedame is Edith toch! En Edith zei dat het een van de beste gesprekken was die ze ooit had gehad. Marcia voelde zich gevleid.' Soms geloof ik echt dat die vrouw helemaal geen innerlijk leven heeft.

Ondanks de angst ben ik nieuwsgierig; ik kijk al een halfuur naar de monitors. X slaapt al. Edith zit op haar bed te wachten en te luisteren. Het is zelfs moeilijk te zeggen of ze wakker is. Anderen sluipen door de gang, giechelend en gillend.

Er gebeurt niets.

1.10 uur. Dit huis is erg oud. Ik had daar nog niet bij stilgestaan. Ik dacht dat het tamelijk nieuw was – achttiende-eeuws – maar X, die iets van zulke dingen weet, heeft me net verteld dat hij er vrij zeker van is dat sommige delen uit de zestiende eeuw of daarvoor stammen. Er moeten dus nog meer spoken zijn. Ik klets nu maar wat, dat weet ik; ik weet dat ik klets. Ik typ dit, want zolang ik zit te typen, hoef ik me niet voor te stellen dat er een spook door de deur heen loopt en me een standje geeft omdat ik mijn wiskundehuiswerk niet heb gemaakt.

Om de een of andere reden kan ik de zusters van mijn school niet uit mijn hoofd zetten. Waarschijnlijk omdat ze probeerden me niet meer in bovennatuurlijke dingen te laten geloven door me in het bovennatuurlijke te laten geloven. Hun jojo-Jezus, doodgaan, weer opstaan, doodgaan, weer opstaan – nou, hij deed me niet veel. Hij is wel goed doorgedrongen tot Fleur, en daarom blijft ze nu de hele nacht op. Hoewel ze zei te geloven dat Edith zag wat ze zag, gelooft ze bij zichzelf dat er objectief gezien niets te zien valt. Als een van de anderen erbij was geweest, zou die geen figuur in een laken hebben gezien. Dat moet het volgens haar zijn, of anders hebben we te maken met een duivelse bezetenheid – en ze wil Edith niet als een werktuig van Satan zien. Wat zou ik soms graag met individuele gasten willen praten over wat ik op mijn monitors heb gezien! Tegen Fleur zou ik zeggen: maak je geen zorgen, Edith droomt het allemaal maar.

Het is zo grotesk: een meisje dat doet alsof ze een spook is, wordt een spook dat doet alsof het een spook is. Misschien wordt Edith in de komende dagen ook een soort geestverschijning, want dat maakt de vergelijking compleet: een spook worden dat doet alsof het een meisje is. (Je merkt wel dat zuster Grimshaw me niet veel wiskunde heeft kunnen bijbrengen, al zette ze alles op alles.) Edith heeft het flink te pakken van dat spook. Als ik haar moeder was, zou ik haar meteen weghalen. Wat was dat... Het klonk als Marcia die iets naar boven fluistert. Ze is helemaal in de ban van die voodoo-toestanden en heeft de leiding over de spokenjagers. Ik weet niet precies wat de anderen willen doen en ik ga ook niet naar beneden om het te vragen. Misschien morgen. Als het buiten licht is. Ik denk dat ze alleen maar met het spook willen praten, dat ze tegen het spook willen zeggen dat het niet bang voor hen hoeft te zijn. Alsof ze met het spook zouden kunnen praten. Ik denk dat ze te veel Shakespeare hebben gezien. Dat zal het zijn. En we weten hoe Hamlet in de problemen kwam doordat hij met spoken praatte...

Klaarwakker. 2.00 uur.
Ik vraag me af of ik ooit eerder het gevoel had dat het spookte in dit huis. Gebonk in de nacht. En dan plotseling... dat stom genoeg in dronkenschap vergeten detail uit de nacht dat we ons allemaal aan het bezatten waren – ik weet nu weer wat het was: Alan vertelde me dat hij een paar dagen eerder, toen ik Simona de biecht afnam, op de wc boven had gezeten. Hij hoorde toen dat iemand de deur van de grote slaapkamer van het slot draaide en de kamer binnenging.

Door de kier van de deur kon hij ook een klein stukje van die persoon zien.

Omdat hij dacht dat het X was, en omdat hij hem wilde spreken, maakte Alan af waar hij mee bezig was, waste zijn handen (een detail dat hij nadrukkelijk vermeldde) en ging toen de gang op. Toen hij op het punt stond om aan te kloppen, hoorde hij 'een vreemd geluid'.

Toen ik hem vroeg dat te beschrijven, zei hij dat het zoiets was als het geluid van een kruiwagen met een roestig wiel. Ik wist natuurlijk dat het de zolderladder was, tenminste, ik dacht dat ik dat wist.

'Wat deed je toen?' vroeg ik.

Alan zei dat hij op de deur klopte. Er kwam geen antwoord. Hij klopte nog een keer. Weer geen antwoord.

Toen hij de knop probeerde om te draaien, merkte hij dat de deur aan de binnenkant op slot zat.

'X?' zei hij. 'Ben jij daar?' Geen antwoord. 'Is er iets?' Geen antwoord.

Daarna gaf Alan het op. 'Ik dacht dat het, eh, de vering van het bed was,' zei hij cryptisch.

Even leek het of hij klaar was met zijn verhaal, maar toen zei hij: 'Weet je wat zo vreemd is? Toen ik naar de tuin ging, was X daar.'

'Wat dacht je?' vroeg ik. 'Dat hij uit het raam was geklommen om je aan het schrikken te maken?'

'Ik vond het wel een beetje spookachtig,' zei Alan.

Daar lieten we het bij. X is de enige andere persoon met een sleutel van de grote slaapkamer, dus toen Alan het me vertelde, dacht ik dat alleen hij het geweest kon zijn. Nu besef ik dat het ook gewoon ons eigen lieve spook kan zijn geweest. Dat gepiep was haar jammerklacht, niet de ladder.

Zaterdag

Dag Tien Week Twee

In de stilten tussen het boren in het asfalt klinkt het dageraadkoor nogal gedempt: overschreeuwd door machines (de wegwerkzaamheden). Het is een kleine compensatie, het idee dat de vogels teleurgesteld zijn omdat ze niet de luidruchtigste dingen op aarde zijn.

Ontbijtgesprek in de keuken. Marcia, Cecile, Edith, Alan en Simona. Marcia zegt: 'Ik heb vannacht gedroomd. Ik woonde in een groot huis, niet dit huis, en op een dag werden we wakker en zagen we een groot gat in de sláápkamermuur – zo'n gat als in een grote Leerdammer kaas. In de keukenmuur zat een nog gróter gat, en een nog weer gróter gat midden in de voordeur. We zagen er ook nog een in het plafond, in de verste hoek van de kamer – de sláápkamer. Door sommige van die gaten kon je van de ene kamer in de andere kijken. Het werd zo erg dat er meer gat dan huis was. En toen verscheen er een gat in de vloer recht ónder mijn voeten, en ik viel in dat gat, een héél eind, en toen werd ik wakker doordat ik uit mijn bed viel. Het was vréselijk, alsof ik van een gebouw was gevállen. Het was afschúwelijk.'

'Ik vraag me af wat het kan betekenen,' zei Simona.

'Nou...' zei Alan.

'Ik geloof dat ik het niet wil weten,' zei Marcia.

'Ik wel,' zei Edith.

'Niet als Marcia bang is,' zei Alan.

'O, toe nou,' smeekte Edith.

Marcia knikte.

'Volgens mij heb je het gevoel dat er iets vreemds is aan dit huis, iets poreus. Misschien komt het door het idee dat het spook...'

'Elizabeth,' zei Edith.

'... door muren loopt.'

'Hmm,' zei Marcia, niet overtuigd. 'Misschien moeten we het maar laten rusten.'

'Misschien,' zei Simona.

'Goed,' zei Alan.

Hij weet niet van de camera's; hij kán daar niets van weten.

10.00 uur. Door het raam van de slaapkamer zag ik Henry de tuin ingaan. Er stond een lege ligstoel onder de appelboom; trouwens, alle stoelen onder de boom waren leeg. Hij zette hem in de zon, ging zitten en begon te lezen. Nadat ik hem tien minuten de tijd had gegeven om zich te vervelen met wat het ook was dat hij in handen had, ging ik achter hem aan, om te praten en misschien wat te flirten. Als ik X echt ga dumpen, moet Henry gauw laten blijken dat hij belangstelling heeft. Natuurlijk hoopte ik dat Henry een boek van mij las. Toen ik dichterbij kwam, zag ik tot mijn teleurstelling dat het niet zo was. Ik vroeg hem het boek om te draaien. We waren ontspannen; in de zonnewarmte waren de woorden vervangen door bromgeluiden. Het boek heette *De ringen van Saturnus* en het was geschreven door W. G. Sebald. 'Ik wist niet dat je van sciencefiction hield,' zei ik onwillekeurig. 'Dat is het niet,' zei Henry. 'Het is meer, o, ik weet het niet, een soort filosofie, of een autobiografie, een poëtische autobiografie.' 'Klinkt geweldig,' zei ik. 'Nou, dat is het ook,' zei Henry, die daarmee suggereerde dat het veel geweldiger was dan ik. 'Mag ik het lenen als je het uit hebt?' vroeg ik, en zoals deze dagen wel vaker voelde ik me *extrêmement* schoolmeisjesachtig. 'We zijn een soort gemeenschappelijke bibliotheek in de salon begonnen,' zei Henry. 'We leggen de boeken waaraan we nog niet begonnen zijn of die we uit hebben daar neer. Dat is een erg goed idee. Sebald is trouwens van Marcia. Je hoeft het haar niet te vragen, maar je moet wel wachten tot het in de salon terug is.' 'O,' zei ik. 'Ik begrijp het.' Het was onmiskenbaar een afwijzing. 'Ik denk dat ik het vanavond wel uit heb, als je het zo graag wilt hebben.' 'Dat wil ik,' zei ik. 'Ik heb in geen tijden iets goeds gelezen.' Henry keek me meewarig aan, alsof hij van een schrijver een snediger opmerking had verwacht. 'Het was Ediths idee,' zei hij, 'die bibliotheek. Blijkbaar deden ze dat op een vakantiekamp waar we haar heen hebben gestuurd – om de meisjes aan te moedigen in contact te komen met meisjes waar ze anders niet mee zouden omgaan. Ze had op een gegeven moment ongeveer tien penvriendinnen, geloof ik, uit de hele wereld. Dat is daarna een beetje minder geworden. Ik ben nu bang dat ze postzegels gaat verzamelen.' En na die woorden boog hij zich met een resoluut gebaar over het boek. Penvriendinnen, dacht ik terwijl ik naar het strand liep. Ik had de vage hoop dat ik daar een paar van de gasten in interessante en suggestieve en onverwachte combinaties zou aantreffen. Maar het hele strand was leeg, van de ene lange kant tot de andere lange kant – afgezien van de zwarte stippen voor hun kleurrijke, regelmatig gevormde rechthoekjes (strandhutten) in Southwold. Ik deed mijn ogen dicht, hield mijn adem in en probeerde op dat gezegende moment alleen maar te zíjn, zoals mijn niet-bestaande goeroe zou zeggen. (Ik overleg tegenwoordig veel met mijn niet-bestaande goeroe. Ze is een amalgaam van wat ik in zelfhulpboeken heb gelezen, samengesmolten met mijn geïdealiseerde moeder, Cleangirl, Cecile, de Mahashi Mihesh Yogi? (??controleren, dat vriendje van de Beatles) en God zoals hij in Monty Python verschijnt: wolk, lichtstralen, trompetten, witharige wijsheid.) ~~Penvriendinnen – er kwam een herinnering bij me op. Ik heb ooit een penvriendin gehad. En hebben meisjes die nog steeds? Blijkbaar wel. Maar schrijven ze hun brieven met dezelfde belachelijke ernst als ik indertijd? Dat lijkt me wel waarschijnlijk. Meisjes veranderen niet zoveel in – hoe-~~

veel – twee generaties. Ik zou verwachten dat Henry met penvriendinnen in werkelijkheid e-vriendinnen of netgenoten bedoelde, of zo'n ander halfbakken barbarisme. Wat herinner ik me van mijn penvriendin? Ze was blond en ik vond haar erg dom, maar toen verweet ze me in een brief dat ik neerbuigend tegen haar deed (ze was Fins), en hoewel ik toen meer respect voor haar begon te krijgen, vond ik haar lang niet meer zo aardig. Ik geloof dat we dachten dat we een kleine bijdrage aan de wereldvrede konden leveren. Ik kreeg haar via dat kinderprogramma op de televisie, *Blue Peter*. Het stond niet op gelijke voet met het winnen van hun nationale wedstrijd 'Zelf een postzegel ontwerpen'. Die ontwerpwedstrijden werden altijd gewonnen door een of ander misdeeld kind dat een vlek op het papier had gemaakt die ze godbetert een blauwe walvis durfden te noemen. (Ik ben zelf nooit in de prijzen gevallen.) Samen deden we, zij en ik, in onze brieven ons best om een eind aan de Koude Oorlog te maken, de pandabeer te redden en stickers te ruilen. Sommige van haar brieven over unilaterale nucleaire ontwapening waren erg pathetisch. Ze was het soort meisje dat ook brieven aan wereldleiders schreef en enthousiast reageerde op de standaardbriefjes die ze terugkreeg. Ze kwam bij me logeren en toen wilde ze alleen maar naar plaatselijke bezienswaardigheden van historisch belang. Als je eenmaal naar een prehistorisch grafmonument bent geweest, erop bent geklommen, erop bent gaan zitten, en hebt uitgekeken over het omringende landschap, kun je niet veel meer doen, afgezien van een sigaret roken. Ze rookte niet, en voor een elfjarig meisje van het Europese continent was dat belachelijk. Het was de bedoeling dat ze minstens tweehonderd taxfree sigaretten voor me zou meebrengen. In plaats daarvan kreeg ik een platenboek over Finlandisering en Hoop. Ze bleef een week. Na de derde dag praatten we niet meer met elkaar. Gelukkig kon ze erg goed opschieten met mijn moeder. Ik deed of ik maagklachten had en zij gingen samen naar de Tower; ik zorgde dat ik moest overgeven en ze gingen naar drie rijksmonumenten op één dag. Mijn vader had me wel door, maar zijn ouderlijke loyaliteit gold vooral de sfeer waarin alles zich voltrok: alles moest een succes zijn. Maar toen ik hem even met zijn wenkbrauwen zag trillen op het moment dat mijn penvriendin begon te spreken, wist ik het: hij had ook een hekel aan haar. Gedurende de week nadat ze was weggegaan, hield ik zielsveel van de andere gezinsleden. Ik hield vooral van Fleur.

Ik verveel me.

Je leest ook, als ik dit erin laat staan.

14.00 uur. Er moet meer dialoog in. Hier dan maar iets, en het is nog vernietigend ook. A: 'Ik kan niet meer tegen al die mishandelingen, echt niet.' B: 'Nou?' A: 'Ik denk er heel serieus over om weg te gaan, om in de auto te stappen en gewoon weg te rijden.' B: 'Waar wacht je dan op? Dacht je dat het mij wat kon schelen? Hier heb je de sleutels. Ik stuur je spullen later wel na. En haal meteen je spullen uit de flat, als je wilt. Als dit het einde is, moet het ook maar definitief zijn. Ga maar ergens anders heen; zoek maar een gezellig pensionnetje. Je hebt de rest van de zomer de tijd om na te denken over wat je gaat doen.' A: 'Dat ga ik doen, weet je, dat ga ik doen, als je niet uitkijkt.' (Ik kan dit niet veel langer volhouden.) En A is? Allemachtig, het is William; en B is Simona. Zullen we het nog eens keer afdraaien? William: 'Ik kan niet meer tegen al die mishandelingen, Simona, echt niet.' Ze sláát hem; ze ranselt hem echt af. Ze haalt uit en mept erop los. Al dat gebonk en geklap dat we hoorden, en waarvan we dachten dat het geweld van een man tegen een vrouw was, was iets anders: zíj slaat hém om de oren als een viswijf. We hoorden tegelijk *Agh!* en *smak!* en dachten dat hij sloeg en zij ineenkromp, maar dat *Agh!* is haar strijdkreet, en die smak is haar handpalm die tegen de zijkant van zijn hoofd kletst. Als hij met een rood gezicht naar beneden kwam, dachten we dat het van inspanning was; als we de schrammen op zijn hals zagen, dachten we dat Simona had geprobeerd zich te verdedigen. Ik ben diep geschokt. Ze schopt hem verrot; en wat doet hij? Hij zegt tegen haar dat hij van haar houdt; keer op keer op keer op keer. Hij verdedigt zich zelfs nauwelijks. En na afloop knuffelen ze elkaar en maken ze het goed. Dat is de stilte waarvan we dachten dat hij gevuld was met onhoorbaar gesnik. Ik weet dit, ik heb het gezien, maar ik kan het niet vermelden.

Nee, dat kun je inderdaad niet. Niet hier.

Vanaf het moment dat duidelijk werd dat ik Ediths geest niet serieus nam, onloopt Cecile me. Bij mezelf noem ik haar soms Icicle, ijspegel, in plaats van Cecile: het is erg koud, het hangt rond, het is doorzichtig –

nee, dat werkt niet. Ze is verre van doorzichtig; ze is bij uitstek troebel, met dat Cornwall-gedoe en zo.

Na de lunch probeerde ik haar op te zoeken. Dat ging als volgt: ik was op zolder en ik zag haar in haar kamer. Ze keek verveeld en staarde uit het raam (N.B.: volledig gekleed).

Zo zachtjes als ik kon ging ik de ladder af, schoof hem in, deed de deur van de grote slaapkamer op slot en klopte bij haar aan.

'Wie is daar?' vroeg Cecile.

'Hallo,' zei ik. 'Ik ben het maar.'

'O, Victoria,' zei ze. 'Eh, nou, ik heb niet echt wat aan. Is het belangrijk?'

'Nee,' zei ik. 'Ik wilde alleen een praatje komen maken.'

'Misschien een andere keer,' zei Icicle.

'Natuurlijk,' antwoordde ik.

15.00 uur. Marcia is met een denkbeeldige ziekte naar bed gegaan, veroorzaakt, zegt ze, door de spanningen die het spook bij haar oproept. Ik hoop dat ze geen proces gaat aanspannen, of eigenlijk hoop ik dat wel: ik zou best willen dat een rechter moest luisteren naar het soort onzin dat ik al dagen over me heen moet laten komen. Fleur heeft zich opgeworpen als verpleegster, en dat is een van de redenen waarom ik het niet serieus neem. Denk maar niet dat Marcia snel zal herstellen, nu een van de zeven ergste hypochonders ter wereld zich over haar ontfermt. Fleur kan al ziek worden door alleen maar te dénken aan de bijsluiter van een doosje paracetamol. Dat is trouwens een van de voornaamste redenen waarom ze zich tot God heeft gewend. Ik had moeten weten dat een invalide in huis net zo'n aantrekkingskracht op haar zou uitoefenen als snoep op kinderen. God maakt Fleur ziek om haar te straffen voor haar zonden; God maakt Fleur beter om haar te belonen voor gesnotterde gebeden en hese aanroepingen. Voor zover ik het kan bekijken, is God een beetje een folteraar; Fleurs God, Jehova in Laura Ashley.

Marcia, had ik op dag Twee gehoord, komt uit een uiterst atheïstisch gezin. Als godsdienst opium voor het volk is, waren haar adoptiefouders drugstherapeuten – ze verkochten exemplaren van hun eigen antibijbel, de *Socialist Worker*. Het is een wonder dat ze haar mochten adopteren. In elk geval had haar handicap het voordeel dat ik haar lang genoeg op één plaats kon houden om haar een beetje te leren kennen. Dat wilde ik. Niet omdat ik, na haar aanval op mij, veel moeite doe om haar interessant of sympathiek te vinden. Er is iets aan haar, een verborgen humor waarvan ik denk dat die vrij goed overeenkomt met de mijne. Ik hoor een geheime lach in alles wat ze zegt, zelfs in de woedendste, verontwaardigste uitbarstingen. 'Het is allemaal een beetje gek,' lijkt ze te zeggen. 'Er is zoveel verdriet. Dat is eigenlijk wel grappig.' En ik zou graag tot die humor willen doordringen, want dat lijkt me geweldig. ~~Het is te vergelijken met de situatie waarin ik nu verkeer. (Veel verdriet.) Ik denk dat het een fase is waarop we tot elkaar kunnen komen en echt met elkaar bevriend kunnen raken~~. Tot nu toe hebben we onze diepere verwantschap nog niet erkend. Dat kan misschien alleen onder bepaalde omstandigheden. Het zou misschien het beste zijn als ik ziek werd en naast haar in de ziekenboeg kwam te liggen. Maar natuurlijk kan ik me geen ziekte veroorloven, niet op dit moment. En ze ligt niet in een ziekenboeg. Hoe dan ook, Fleur wil niet dat ik verpleegtaken van haar overneem. Ik denk dat zij denkt dat ik het niet uit medeleven zou doen, maar uit een dieper egoïsme – een egoïsme waarvan ze gelooft dat zij er als enige op de wereld oog voor heeft. Ik denk dat mijn egoïsme nogal aan de oppervlakte ligt en dat ik daaronder heel erg grootmoedig ben.

Er is wel één voordeel. Omdat Marcia en Alan zoveel met elkaar omgaan, zal Alan zich onder deze omstandigheden vaak gedwongen zien om in het gezelschap van Fleur te verkeren. Ik heb zelf al zo'n verschrikkelijk tafereel meegemaakt. Alan kwam binnen om Marcia bloemen te brengen. Hij ging dus Marcia's kamer binnen. Natuurlijk gaf hij ze eerst aan de zieke. Ze nam ze aan, snoof eraan, bedankte hem en gaf ze toen aan Fleur, die onmiddellijk op zoek ging naar een vaas, zodat Marcia en Alan alleen achterbleven. Ze praatten over hun gezondheid. Intussen zagen ze niet dat Fleur, in de keuken, de geur van de bloemen – rozen – zo diep opsnoof dat het leek of ze het hele boeket via haar neusgaten in haar hoofd probeerde te krijgen om zo de bloemen onmiddellijk in herinneringen om te zetten. En dus heeft Alan indirect, zonder dat hij het weet, bloemen aan Fleur gegeven.

15:55 uur. Je raadt nooit wie net weg is gegaan, nadat hij precies op tijd was gekomen voor de biecht: de plaatselijke dominee! Hij had in de krant over ons gelezen, en over wat we deden, zei hij (dat artikel van dat meisje dat er als een onopvallend klein muisje uitzag), en toen had hij besloten zich te komen voorstellen. Hij zal wel hebben gedacht dat hij ons op het maken van een pornofilm zou betrappen, of op een orgie. Als bewoner van East Anglia zal hij ook wel hebben gedacht aan duivelse praktijken in het holst van de nacht. Geestenbanningen en zo. Daarom verbaasde hij zich nogal over onze welgemanierdheid. Ik kon me nog net inhouden om niet 'Hé, er komt een dominee voorbij' te zeggen, want er vielen ook steeds van die stiltes, maar toen hij wegging, was hij helemaal bekeerd tot onze zaak. Natuurlijk hielp het ook dat ik gewag maakte van het bezoek dat een aantal van ons op zondag aan zijn kerk had gebracht. Het deed me goed om hem te horen zeggen: 'Ik dacht al dat er iets ongewoons aan hen was.' Toen herinnerde ik me dat ik zelf ook tot de kerkgangers had behoord en dat hij me niet had herkend, hoewel hij ons allemaal gedag had gezegd toen we de kerk uit kwamen.

Halverwege het gesprek stak ik mijn hoofd om de deur en vroeg aan degene die toevallig voorbijkwam – het was Edith – of ze mijn zuster wilde halen.

Toen Fleur kwam, stelde ik haar aan de dominee voor: Fleur is gek op dominees. Ik hoopte dat ze hem uit zou nodigen nog een keer te komen, en dat deed ze.

17:15 uur. De voorkamer. Volkomen onverwachts kwam Cleangirl te voorschijn (ze sprak me aan nadat ik de dominee had uitgelaten) – in geen drie dagen had ze echt met me gepraat en nu kwam alles er opeens in een stroom uit: 'Weet je, wat je laatst zei – daar voelde ik me zo schuldig over, want ik weet wel wat je nu denkt... Je zult wel het gevoel hebben dat ik helemaal geen schuld had aan de dingen waar je het over had. Ik bedoel – ik zeg dit niet erg nauwkeurig; wat ik bedoel, is dat je, omdat ik niets terug zei, achteraf natuurlijk dacht dat jij de enige was die jaloers en haatdragend was, en waarschijnlijk denk je ook dat jij de enige van ons tweeën bent die denkt dat onze relatie daarop gebaseerd was: dat jij jaloers op me was. Maar ik was dat ook. Ik was jaloers; alleen was ik jaloers op jóu. Echt waar, echt, echt waar.'

'O ja?'

'O, ik vond je zo interessant. Je had zoveel in je, en ik voelde me zo leeg, zo saai. Ik wist dat mannen me aantrekkelijk zouden vinden, maar ik dacht dat ik er nooit een aan me zou kunnen binden, want ze verveelden zich zo gauw bij mij. Ik wilde intellectuelen. Ik wilde iemand die blind was, die niet eens wist hoe ik eruitzag. Het is een afschuwelijk cliché, ik weet het, en niemand zou ernaar willen luisteren, maar ik beschouw mijn uiterlijk als een last. Ik nam het als iets vanzelfsprekends aan en ik had er tegelijk een hekel aan. Maar jij...'

'Ik zat niet met dat probleem. Dank je.'

'Nee. Dat is het niet. Jij worstelde met zoveel dingen. Je zat boordevol invallen en o, ik weet niet goed hoe ik dit moet zeggen, maar ik kreeg het gevoel dat ik mijn mond niet kon opendoen zonder een eventuele goede indruk die ik had gemaakt volkomen teniet te doen. En dus voelde ik me ook net een schilderijlijst of zoiets – ik voelde me een inleiding zonder boek. En daarom begon ik zo hard te werken, om met jou te wedijveren. Ik moest mijn eigen hersenen opbouwen. Dat heeft me wat tijd gekost, tot ik een heel eind in de twintig was. Toen besefte ik dat ik altijd al hersenen had gehad. Maar niet dezelfde als jij. Ik had hersenen die dingen met elkaar in verbinding brachten, niet hersenen die dingen maakten, of verzonnen. Ik las jouw romans en die hielpen me. Een tijdje kon ik vanuit jou naar de dingen kijken; ik kon zien dat ik me niet had vergist wat die invallen betrof. Ik kon zelfs de invallen herkennen waarmee ik zelf was gekomen.'

'Reken daar maar niet te veel op.'

Heeft ze dit echt gezegd? Ik ben helemaal niet overtuigd. En jouw perso[nage] stelt zich wel ongewoon beheerst

'Ik vertel je dit alleen maar voor mezelf. Ik vertel dit niet omdat ik wil dat je slechter over me denkt. Ik wil alleen niet slechter over mezelf denken. Weet je, ik ben zo slecht als ik ben. Dat accepteer ik. Onze relatie is vanaf het begin gebaseerd geweest op jaloezie. Maar toch hou ik nog van jou, op een erg vreemde manier. Nu het voorbij is, op die manier – nu we onze gevoelens hebben uitgesproken – wordt het tijd om te kijken of we nog iets over hebben, en of we het tot iets anders kunnen maken.' Ze huilde. Ik liet haar doorgaan. 'Veel van mijn vriendschappen, als je ze zo kunt noemen, zijn op hetzelfde gebaseerd; we komen er nooit aan toe om te zeggen wat we echt voelen, de wedijver, de schaamte. Misschien bevalt me dat nog het meest aan jou: jij bent waanzinnig eerlijk. Als je liegt, staan je leugens zo diametraal tegenover de waarheid dat ze een soort omgekeerde waarheid worden.'

'Dank je,' zei ik.

'Dus ik ga niet weg; weggaan zou hypocriet zijn. Ik ben hier gekomen omdat iets in mij deel wilde nemen aan jouw wereld, op jouw voorwaarden. Eerst zei Henry dat hij niet mee wilde, maar ik wist wel beter. Hij heeft grote bewondering voor jou.'

'Hij zegt niks tegen me.'

'Hij is bang dat ik jaloers word.'

'Word je dat?'

'Of misschien is hij bang dat ik niet jaloers word. Als je in een bepaald stadium van een huwelijk komt, wordt het moeilijk om het verschil tussen die twee dingen te zien.'

'Word je dat?' vroeg ik opnieuw.

'Waarom probeer je het niet? Dan kunnen we er allebei achter komen.' Ze stond op om weg te gaan. 'Je moet Edith niet kwetsen,' zei ze. 'Er mag dan een streepje door Edith lopen, maar ze is...' Ze nam een zakdoek uit haar mouw en snoot haar neus. 'O, je weet wel hoe ze is.... Ze maakt kans op een beter leven. Zet dat niet op het spel.' Ik liet haar weggaan.

Vreemd. Hoewel ik dit heb opgezet om relaties te bevorderen, verwachtte ik niet...

Toen ik daarnet de salon binnenliep, hadden X en Henry een meningsverschil; tenminste, daar ben ik vrij zeker van. Maar zodra ik in zicht kwam, deden ze alsof ze een heel vriendschappelijk gesprek aan het voeren waren. Hoewel ik ze, toen ik de salon naderde, misschien niet met stemverheffing maar dan toch zeker met nadruk had horen praten, had ik het niet aangedurfd om te staan luisteren. Hun onenigheid, als dat het is, verbaast me niet. Ik verwacht de hele tijd al dat er moeilijkheden tussen de mannen zullen ontstaan.

Het laatste nieuws over Audrey: Fleurs kat is nu bereid om vlak voor de tuindeuren te komen staan, maar ze laat zich niet overhalen om binnen te komen. Er zijn allerlei pogingen gedaan: kommetjes room, bordjes met sardientjes, enzovoort. Er moet nog steeds een geur van Domino hangen. Telkens wanneer ze de voordeur hoort opengaan, rent Audrey terug naar haar schutting.

Ik ga naar Marcia om met haar te praten; ze stuurt me weg. Ik moet daar iets aan doen, haar een brief schrijven of zoiets. Het is duidelijk dat ze niet naar mijn versie van de oorlog met Fleur wil luisteren.

Icicle droeg een mantelpakje met een extra groot visgraatpatroon in chocoladebruin, met een knalrode baret: het lef, de gotspe, en toch de zelfverzekerdheid!

Cleangirl maakte het eten voor ons allemaal klaar – ze maakte er veel minder werk van dan Fleur en Marcia. We begonnen met fondue, want Cleangirl had ergens achter in een keukenkast een set gevonden. Toen kregen we Zweedse gehaktballen met aardappelpuree. Als toetje hadden we roze blanc-manger.

Vanavond een huisconcert: William speelde in de voorkamer een aantal van zijn meest beklemmende Schubert-stukken voor ons. (Kijk, dat soort zinnen wilde ik schrijven toen ik aan dit project begon.) We zaten bij elkaar in de schemering. William heeft een prachtige aanslag, erg licht en vloeiend. Simona zei altijd dat hij concertpianist had kunnen worden, als hij dat had gewild, of op zijn allerminst begeleider van zangers. Ze brachten samen een Schubert-lied ten gehore. Ik wist niet dat ze zo goed kon zingen. Het klinkt niet professioneel; daarvoor ontbreekt het haar stem aan distinctie en kracht en zingt ze te hees; maar op de een of andere manier wint haar stem juist daardoor aan emotie. Het was of we popmuziek hoorden, of iemand die onder de douche zong zonder te weten dat iemand het hoorde; de muziek zelf was ontegenzeggelijk prachtig, maar de interpretatie was persoonlijk; je kon horen dat ze degenen die voor haar zaten wilde behagen. Ik heb altijd graag bevriend willen zijn met musici. Wanneer ik bij William en Simona ga dineren, vergezeld van X of iemand anders, doen ze altijd heel bescheiden over hun talenten, ondanks de moeilijke muziek die op de pianostandaard staat. Op het eind had ik tranen in mijn ogen; ~~vooral bij de gedachte dat hun geweldige muzikale partnerschap binnenkort wordt verbroken, net als hun minder geweldige niet-muzikale partnerschap.~~

Dank je.

Natuurlijk komt Marcia (voor deze gelegenheid uit bed, met een deken om zich heen) na afloop van het recital met het voorstel om allemaal iets te bedenken waar we de anderen mee kunnen vermaken, en hoewel ze allemaal weten dat zoiets na het optreden van Simona en William alleen maar een grote teleurstelling kan worden, moeten ze er wel mee instemmen. 'Schitterend idee,' zegt Cecile, van wie ik zeker weet dat ze niks meer haat dan dat ze voor ons moet staan om 'een kunstje te doen'. Hoe komt het toch dat mensen die een groep hebben gevormd altijd onmiddellijk beginnen elkaar te vernederen? Misschien is dat juist de manier waarop groepen zich vormen. Het concert van vanavond was een machtsspelletje van William; hij wil ons met zijn talent domineren. Bij de hartstochtelijke, bonkende passages kon ik merken dat hij tot de lendenen van alle aanwezigen probeerde door te dringen: *Weet dat ik in seksueel opzicht een duister wezen ben*, scheen hij te zeggen. Er was kaarslicht in de kamer, op de schoorsteenmantel en – een dappere poging tot het Liberace-effect – op de piano zelf. Kaarslicht verandert dingen; ~~als ik Victoriaanse romans lees, moet ik er altijd aan denken dat er bij elk avondtafereel kaarsen, kaarsen, kaarsen branden: de personages kunnen niets zien, hun schaduwen zijn dieper en donkerder en meer vervuld van verschrikkelijke dingen dan de onze. Maar deze avond, in de salon, deden we ons best om onze eigen duisternissen te creëren. Dat deed me goed~~; er is hier in dit huis een diepte die ik wellicht niet had verwacht. In zo'n intense atmosfeer kan het niet anders of mensen worden verliefd op iemand op wie ze niet verliefd zouden moeten worden. Het hele project is een soort verleiding: ik heb gezorgd voor de achtergronden, de muziek, de belichting, de alcohol – waarschijnlijk heeft de rode wijn, onder het eten en daarna, ook bijgedragen aan het gevoel dat we ons in een oude, galmende diepte bevonden, een diepte die zo soepel over de tong gleed als een oester. Als we die diepte doorslikten, voelden

Dit is jouw Victoriaanse roman, Victoria.

we ons sterker en filosofischer – alsof onze gedachten de moeite van het denken, onze uitingen de moeite van het aanhoren waard waren. Als ik naar het schilderij boven de piano keek, een heuvellandschap van Bomberg, kon ik de kleuren niet zien, alleen de ribbelige structuur van de penseelstreken, zoals wanneer je de zee bij maanlicht ziet. Dit was een kostbaar moment, bedorven door de gedachte dat ik alles precies zou moeten onthouden, en ook door de gedachte aan een paar zinnen waarmee ik het zou moeten beschrijven, en door de angst dat ik die zinnen zou vergeten voordat ik de kans kreeg naar deze kamer te ontsnappen en ze uit te typen. Ik kan inmiddels vrij goed zinsneden onthouden, en ik geloof niet dat me een van de zinnen die me beneden te binnen schoten is ontglipt. Cleangirl zag er beeldschoon uit. Haar ogen gesloten, vol overgave, luisterde ze naar de muziek, alsof de muziek zelf ons allemaal had laten beloven niet veel naar elkaar te kijken terwijl we erdoor in verrukking werden gebracht. ~~Haar oogleden waren oranje en doorschijnend door het licht dat erachter scheen, en als je daarnaar keek, werd je in gedachten weer een kind dat erdoorheen probeerde te kijken, naar een lamp of de zon~~. Naast haar straalde Edith, haar hoofd op haar schoot, ook licht uit, al was het een helderder, witter licht; ze is zo jong dat ze geen uitwendige lichtbron nodig heeft om iets uit te stralen. Anderen lieten zich verdwijnen in de schaduw: Alan in de verste, donkerste hoek – hij zat daar erg voldaan en Edwardiaans, tevreden met niets dan zijn mijmeringen. Marcia zat naast hem, met een harder, scherper schijnsel op haar huid. Ik vroeg me af wat ze hiervan vond, de beschaafde muziek, de avond zonder televisie. X zat achter mij; ik kon hem niet zien, maar ik voelde hoe zijn adem over mijn nek streek, zoals ook gebeurt wanneer we thuis lepeltje lepeltje in ons grote bed liggen. Fleur zat in kleermakerszit op de vloer, en waarschijnlijk kon ze door haar stijve spieren minder van de muziek genieten, terwijl ze de rest van ons, allemaal comfortabel gezeten, een hardnekkig schuldgevoel bezorgde, zoals ze daar beneden ons zat. William zat met zijn rug naar ons toe, maar aan zijn licht deinende beweging was te zien dat zijn gezicht wel moest stralen van hevige emoties. Simona stond erbij alsof ze wilde laten zien dat ze ooit professionele coaching had gehad: haar handen tegen elkaar om ze niet in de weg te laten zitten, haar voeten met de punten naar elkaar toe. Ze had haar ogen open, maar ze overdreef niet met het wit: we mochten allemaal onze eigen intensiteit uitstralen, zonder dat ze ons iets oplegde.

Dit was ons tweede grote moment van eenheid. Ik vraag me af of er nog zo'n moment zal komen.

Naar bed, allemaal gelovend in geesten.

Het is nu één uur 's nachts.

X, de schoft, is gaan slapen, al heb ik hem meermalen wakker gemaakt. Hij is de grootste ongelovige in het huis, en dat is in zekere zin een opluchting, want hij doet tenminste niet mee aan alle gekte.

Godnogaantoe. Ik wist eerst niet wat dat voor herrie was. Het was X, die lag te snurken – altijd de patser uithangen, zelfs in zijn slaap. Ik denk niet dat ik vannacht nog een oog dicht doe. En ik moet heel dringend pissen. En natuurlijk ga ik altijd naar de plee hier boven. Aan het eind van de gang. De lange gang waar het spookt. Gescheiden van deze kamer door vijf dunne centimeters gemakkelijk te passeren houten deur. Als ik daarheen zou gaan, wat ik niet zal doen, maar als ik het zou doen, zou ik over de plek moeten lopen waar... Wacht eens even.

Zondag

Dag Elf Week Twee

Ik heb het gedaan.

Om vier uur 's nachts. X merkte niet eens dat ik het laken van hem wegtrok. Ik zag kans om de gang op te glippen zonder hem wakker te maken, en toen trok ik het laken over mijn hoofd.

Om de een of andere reden voelde ik me nu veel veiliger. Ik rende op en neer en riep (in mijn hoofd) van *woeoeoe*!

Maar toen was het plotseling of ik door een waterval van ijskoud water was gerend. En ik wist dat ik, verkleed als geest, dwars door een meisjes-geest, gekleed als geest-meisje, was gelopen. Op dat moment begon ik te gillen.

Van het halfuur dat daarop volgde, kan ik me niet zoveel meer herinneren.

Gênant genoeg schijnt Fleur zich over me te hebben ontfermd. Ik klampte me aan haar vast en weigerde door iemand anders getroost te worden. Ik zal wel hebben gedacht dat ze onze moeder was.

Hoe kan ik de gasten ooit nog onder ogen zien? Ik heb ze allemaal wakker gemaakt, zelfs Edith, maar misschien sliep ze niet.

Het koor van de dageraad was een zegen. De wereld leek weer enigszins normaal. Geen boormachines.

Het is nu zeven uur in de morgen. Buiten is er een ijle, koude, scherpe East Anglia-dageraad. Het licht dat van buiten komt, is bleek, maar brengt me elke seconde een beetje meer tot leven. Ik heb warme kleren aangetrokken en ga in mijn eentje over het strand wandelen.

Verkwikt, denk ik.

Ik liet X me mijn ontbijt brengen en gebruikte mijn ontmoeting met de geest als excuus om boven te blijven en een hele ochtend te gaan spioneren.

Weer een ontdekking: Henry en Cleangirl sturen elkaar de hele tijd SMS'jes. Ik kon dat zien. Cleangirl, alleen in hun kamer, zit met haar telefoon op het bed en toetst met haar duimen haar bericht in; Henry, niet alleen maar door niemand gadegeslagen (behalve door mij) in de salon, ontvangt het bericht en geeft antwoord. Cleangirl is intussen haar haar aan het kammen, iets waar ze erg lang over doet als ze nerveus is. Ze geeft antwoord, hij stuurt een tekst terug, ze toetst weer wat in, enzovoort, enzovoort. Dat ging zo'n vijftien minuten door. Ik denk dat hun berichten elkaar zelfs begonnen te overlappen. Het is moeilijk te zeggen, maar ik denk dat ze aan het flirten waren – SMS-seks of hoe dat ook heet. Op een gegeven moment werd Cleangirl nogal opgewonden. Daarom begreep ik er tot nu toe zo weinig van: er speelde zich blijkbaar íets tussen hen af, maar er speelde zich ook blijkbaar níets tussen hen af. Nu weet ik het: het zijn allemaal afkortingen; ze werpen er een blik op en geven antwoord. Misschien moet ik op een subtiele manier tussenbeide komen. Ze spelen vals. Misschien hebben ze iets door: ik heb ze erg aandachtig gadegeslagen, van het begin af. Maar hoe kan ik over hen schrijven als al hun belangrijkste communicatie van telefoon tot telefoon gaat?

Ik weet niet wat ik hiervan moet denken: William alleen in de slaapkamer van hem en Simona, huilend als een klein kind. Hij had al zijn kleren aan, pak, overhemd, schoenen. Hij zat op de rand van het bed en zag eruit alsof hij op het punt stond naar een begrafenis te gaan, of daar juist van was teruggekomen. Simona heeft me niet over een recent sterfgeval in hun omgeving verteld. Haar moeder en vader zijn minstens tien jaar geleden gestorven. Ik zou niet weten welk incident ik hiermee in verband kan brengen. Natuurlijk heb ik niet álles gezien wat er de afgelopen dagen is gebeurd, maar ik ben er vrij zeker van dat ik het zou hebben gehoord als hij en Simona weer ruzie hadden gehad. In elk geval is dat vanmorgen niet gebeurd: ik ben niet van de monitors vandaan geweest en William heeft het huis niet verlaten. Hij zal wel een of ander geheim verdriet hebben; waarschijnlijk moet ik me daar niet te veel zorgen om maken, in elk geval niet zolang het de dingen niet verstoort. Toen ik het zag, voelde ik de aandrang om hem te gaan troosten; die voel ik nog steeds. Maar gezien de manier waarop we met elkaar omgaan, zou zelfs een nadrukkelijk 'Hoe gaat het met je?' al opvallen. Ik kan gewoon niet aan William vragen hoe het met hem gaat. Mijn personage geeft niet om hem. Dit probleem lijkt me onoplosbaar.

Als William later beneden komt, heeft hij zijn pak uitgetrokken en is niet meer te zien dat hij heeft gehuild.

X heeft weer ruzie gehad met Henry. Om de een of andere reden ging het er deze keer heviger aan toe dan alle keren tevoren.

Als ik X om uitleg vraag, stuit ik op het norse gebrom van gekwetste mannelijkheid. 'Maar waar ging het dan over?' 'Je weet wel...' Brom.

'Wat? Ik kan je niet verstaan.' 'Iets.' 'Iets wat?' 'Iets wat niet de moeite waard is.' 'Waarom maak je je er dan zo druk om?' 'Ik maak me niet druk.' 'Je mokt.' 'Ik mok niet.' 'Je bent de hele morgen weg geweest, vissen. Vissen betekent mokken.' 'Dat is niet zo.' 'Voor jou misschien niet, maar voor mij wel.' 'Vissen betekent geluk.' 'Geluk en mokken sluiten elkaar niet uit. Dat je iets dwarszit, iets waarover je kunt piekeren, iets wat je bezighoudt – dat is vast wel prettig terwijl je wacht tot de vissen bijten.' 'Je begrijpt het niet. Je hebt het nooit begrepen.' 'En nu praat je als een lastige tiener.' 'We praten het wel uit; ik ga met hem praten.' 'Als je bent wezen vissen.' '... nog een paar keer. Ik heb wat frisse lucht nodig, even weg van dit huis.' 'En van mij.' 'Ja, Victoria, ik zal het zeggen, als jij dat wilt: "En van..."' 'Nee! Nee, ik wil niet dat je het zegt. En ik wil ook niet dat je er zelfs maar aan denkt... Ga je nu?' 'Ja, ik moet nu gaan. We praten dit later wel uit.' 'Wanneer ben je terug?' 'Ik weet het niet, kwart over brom.'

Nu Fleur naar de kerk is en X is gaan vissen, en er beneden niet veel gebeurt, maak ik gebruik van de gelegenheid om een lange brief te schrijven:

Beste Marcia,
Ik wilde je eigenlijk niet op deze manier schrijven, maar omdat je weigert me persoonlijk aan te horen, zit er niets anders voor me op. Ik zal niet net doen alsof ik me kwaad maak over jouw vooroordeel tegen mij, want een vooroordeel is het; je hebt niet naar me geluisterd toen ik probeerde tegen je te praten, het je uit te leggen. Je gaat ervan uit dat degene die het eerst 'Ik ben het slachtoffer' roept, of die dat het hardst roept, of het langst, of met het meeste melodrama – je gaat ervan uit dat die persoon ook werkelijk het slachtoffer is. Fleur roept haar hele leven al dat ze een slachtoffer is, en ik vertik het meestal onder alle omstandigheden om dat te roepen. Uitgerekend jij zou moeten weten hoe gemakkelijk iemand in een veilige rol kan vervallen. Je bent vast wel in de verleiding gekomen. Maar zoals we de afgelopen paar dagen allemaal hebben gezien, ben je niet voor die verleiding bezweken; je bent geen slachtoffer van je eigen leven, je bent degene die daar inhoud aan geeft,

en dat respecteer ik en alle anderen met mij in jou. Ik wil alleen maar zeggen dat je dit mag negeren, maar alsjeblieft, alsjeblieft, alsjeblieft, lees het volgende. Het verklaart zo niet alles dan toch wel veel van wat er verklaard kan worden, en door mij alleen.

Het is tijd – het is echt tijd – dat ik je over 'Fleur en Haar Tragische Verleden' vertel.

Op haar dertigste ontmoette Fleur een erg aardige jongeman, een christen en nog knap ook. Hij heette Clive Parsnip. (Niet echt; dat heb ik verzonnen – hij had net zo'n belachelijke naam en die had ook iets met groente te maken.) Ze leerde hem kennen via haar kerk. Hij was advocaat. Ze gingen met elkaar om, in het nette: ze dronken koffie, maakten lange wandelingen, gingen naar de schouwburg, gaven elkaar cadeautjes. Ze gingen onze ouders vragen of ze mochten trouwen (let wel, dat was voordat ze seks hadden); en ik weet niet wie zich meer geneerden, het blozende paar of mijn verontwaardigde ouders; verontwaardigd omdat ze in Fleurs totaal verouderde Victoriaanse wereld werden gesleurd, een wereld waarin jongelieden de ouders van hun geliefde om de hand van hun dochter vragen. Ik weet zeker dat ze veel blijer zouden zijn geweest met een telefoontje en een *fait accompli*. Maar Clive (aangemoedigd door Fleur) stond erop alles 'fatsoenlijk' te doen. Hij wilde niets liever dan zijn denkbeeldige pandjesjas aantrekken en zijn denkbeeldige bolhoed opzetten. En daarom was het, toen het gebeurde, een van de mooiste bruiloften die ik ooit heb meegemaakt. Ze trouwden in het Forest of Arden bij Birmingham. Clives ouders woonden in Tamworth. Het was een herfstachtige dag. Iedereen voelde zich goed, ja, zelfs ik. Ik hoopte dat de huwelijksdag voorgoed een eind zou maken aan de oude vrijster in mijn zus. Ze zag er zo mooi uit als maar kon, zoals ze daar onder de klanken van Mendelssohns bruidscliché over het middenpad liep. Toen ze langs me kwam, was ik jaloers. Maar ik voelde me ook uitbundig. Mijn oudere zus ging eerder trouwen dan ik; ik was conservatief genoeg om daar een zekere waarde aan te hechten. (Het ontbreekt mij ook niet geheel en al aan Victoriaanse genen.) De bruiloft was een succes, evenals de huwelijksreis. Ze gingen naar Venetië, waar ze allebei altijd heen hadden gewild. Ik heb de foto's van hen gezien, knuffelend in een gondel. Ik nam aan dat het huwelijk naar bevrediging geconsumeerd was. En dat was ook zo. Vier maanden later vertelde Fleur dat ze zwanger was. Ze woonden inmiddels in Birmingham, waar Clive een eigen kantoor was begonnen. Hij was vijfendertig; Fleur was eenendertig. En toen... toen liet ze wat onderzoek doen, onder andere naar het syndroom van Down. Nu begin ik te huilen, en daar kan ik eigenlijk niet meer mee ophouden. De baby had vrijwel zeker Down. (Natuurlijk kreeg ik de bijzonderheden pas later te horen, maar ik hoorde ze, en nog wel van beide kanten, zoals je nog zult merken.) Ze reageerden verrassend goed op het nieuws; Clive was bij haar. Ze waren rustig. Ze reden naar huis. Ik denk dat ze er allebei in stilte vanuit gingen dat de ander het eens was met wat ze als de juiste handelwijze beschouwden. Ze kwamen thuis, maakten instantkoffie klaar, gingen aan de keukentafel zitten, en binnen een halfuur was er bijna niets meer van het huwelijk over. Clive, christen tot op het bot, geloofde dat God had besloten hun déze specifieke baby te geven – deze specifieke baby met Down – en dat ze het kind in de wereld moesten verwelkomen, en dat ze al het mogelijke in het werk moesten stellen om het een geweldig leven te bezorgen. Fleur was diep geschokt. Ze wist in haar hart dat ze dit kind niet kon krijgen, of beter gezegd, dat ze het wel kon krijgen, maar dat ze het met geen mogelijkheid zou kunnen grootbrengen. (Haar woorden.) Ze walgde niet alleen van wat er in haar groeide, maar ook en vooral van zichzelf, van haar eigen walging. Verstandelijk, in het deel van haar christelijke geest dat je 'rationeel' zou kunnen noemen, wist ze dat Clive gelijk had. Zijn geloof balanceerde weliswaar op de rand van het katholicisme, maar ze was bereid dat te accepteren. Ze nam het God kwalijk dat hij haar zo'n ondraaglijke last had opgelegd. Ze dronken de instantkoffie op; Fleur werd onsamenhangend; Clive werd stil. Een paar dagen later gingen ze naar een ander ziekenhuis, een particuliere kliniek, om voor alle zekerheid nieuwe tests te laten doen. De tests hadden hetzelfde resultaat als de eerdere. Fleur hield voet bij stuk, en Clive ook. Ze waren onverzoenlijk. Het huwelijk was voorbij. Maar om de een of andere absurde reden die ik nooit helemaal heb begrepen stapten ze in hun auto en reden ze helemaal naar mijn huis. Misschien dachten ze, Victorianen als ze waren, dat in zulke tijden een zuster de plichten van een zuster moest vervullen. En weet je wat? Ik deed het.

Ik woonde alleen; de affaire die ik met een van de gasten op Fleurs bruiloft had gehad, was voorbij.

Toen ik alles had gehoord, eerst van Fleur en toen van Clive, stelde ik me volledig achter mijn zuster op. Toen ze begonnen te ruziën, zei ik dat ze bij me kon logeren als ze niet met hem terug wilde. Hij stelde haar een ultimatum; ze keek mij aan en knikte; ik werkte hem de deur uit. Dat was dan dat.

Met wat hulp haalde ik al Fleurs spullen uit Clives flat. Ze sliep in mijn bed; ik sliep op de bank.

Een week of zo daarna had Fleur de abortus. Dat gebeurde in dezelfde particuliere kliniek waar ze de tweede serie tests had laten doen. Toen begon ze haar leven weer op te bouwen. Maar het was wel een ander leven. Toen ze de abortus onderging, was het of al haar bloed aan haar werd onttrokken om plaats te maken voor witte verf en terpentijn – haar haar werd onmiddellijk grijs en ze begon van binnen weg te teren. In het kader van haar nieuwe begin verhuisde ze naar Herefordshire. Ze vond de boerderij. Ze kocht de Saab. Ze ging daar wonen. De scheiding kwam erdoor, waarbij hij haar de helft van alles gaf. Op de rechtbank ging het er juist om dat hij dat wilde, terwijl zij zo weinig mogelijk wilde hebben dat haar aan hem deed denken. De scheiding werd uitgesproken. Fleur ging nog steeds naar de kerk. Ze wist nu wat haar kruis was: het schuldgevoel omdat ze had geweigerd het kruis te dragen dat Christus voor haar bestemd had. Zo verwoordde ze het in een brief aan mij. Ze is zo onhandelbaar. Nog erger dan ik. Maar weet je, ze heeft het me nooit vergeven dat ik haar heb geholpen. Als ze kwaad wordt, zal ze je vertellen dat ik haar tot die abortus heb gedwongen. Daarmee bedoelt ze waarschijnlijk dat ze, nadat ze haar huwelijk had verwoest en er absoluut zeker van was dat ze dat moest doen, op het laatste moment toch is gaan twijfelen. Ik heb haar nooit tot iets gedwongen: ik vroeg haar wat ze werkelijk wilde. Ik zei tegen haar dat ze Clive moest bellen om er nog eens over te praten. Ik heb zelfs de helft van zijn nummer voor haar gedraaid; ze hield me tegen.

Fleur gelooft dat ik, door haar een uitweg te bieden, door me als een loyale zuster op te stellen, haar in de gelegenheid heb gesteld om onder Gods wil uit te komen. Daarom ben ik goddeloos en slecht. In werkelijkheid heeft Fleur alles zelf gedaan. Ze kan het niet aan om de verantwoordelijkheid voor haar eigen daden te dragen en haar eigen instinctieve beslissingen te accepteren. Ze heeft het zichzelf niet vergeven; ze wordt gekweld door de gedachte aan het kind dat ze had kunnen hebben. Al haar relaties daarna zijn mislukt. En in haar slechtste ogenblikken gelooft Fleur dat ze net zo goddeloos is als ik.

Nu en dan kan ze tot vergeving komen. Per slot van rekening is dat het christelijke ideaal.

Vaak vind ik haar afschuwelijk; alsof ze bezeten is van iets waarvan ik haar ooit had kunnen bevrijden. Misschien had ik, toen ze twintig was en het huis niet uitkwam, haar moeten uitnodigen om mee te gaan naar een paar van mijn tienerfeestjes. In plaats daarvan gebeurde er iets anders. Tijdens een van die lange avonden die ze bij mijn ouders thuis doorbracht, creëerde ze – uit verveling, denk ik – de God die zich later omdraaide en tot haar sprak. Zo makkelijk kan het niet zijn; al is het dat bij Fleur wel vaker.

Dus je begrijpt dat ik mezelf na dit alles niet als de schuldigste partij beschouw; in elk geval ben ik niet degene met het grootste schuldgevoel.

Ik twijfel er niet aan dat ik voor de abortus zou hebben gekozen. Ik weet dat het daar niet om gaat.

Waar het om gaat is dat als Fleur alleen maar kon toegeven dat ze ooit een kracht in zich heeft gevoeld (walging) die sterker was dan haar rationele geloof in een irrationele godheid, dat ze, als ze de confrontatie daarmee kon aangaan, en het dan kon loslaten, de rest van haar leven aan zichzelf zou geven, als een geschenk, en misschien zou ze dan ook haar zuster terugkrijgen.

Ik verwacht niet van je dat je hier meteen antwoord op geeft. Het is allemaal veel te ingewikkeld om het gemakkelijk te kunnen samenvatten. Maar alsjeblieft, houd rekening met de mogelijkheid dat ik geen monster ben; en geef dan tenminste in theorie toe dat er een andere kant kan zitten aan het verhaal dat Fleur je heeft verteld.

Waarschijnlijk (gezien haar gebruikelijke manier van doen) heeft ze je niets van dit alles verteld en liet ze alleen – wanneer het gesprek op mij of baby's of huweljken kwam – een plotselinge stilte vallen, waarna ze melancholiek voor zich uit ging staren. Dat alles komt natuurlijk boven op haar dramatische uitbarsting aan de eettafel, die voor iedereen aanleiding was om te gaan zoeken naar alle tekenen van slechtheid die ze bij mij konden vinden.

En ik, vriendelijk en zachtmoedig als ik ben, met alle respect voor Fleurs gevoelens, zelfs nadat ze mijn eigen gevoelens tot moes heeft geslagen, en dat voor de duizendste keer – ik laat het aan me voorbijgaan, onderga de starende blikken, accepteer het gefluister achter mijn rug.

Veel liefs,

Victoria.

P.S.

Haar arts heeft haar indertijd verteld dat het een kwestie van toeval was; ze was nog jong en er was geen medische reden aanwijsbaar waarom haar volgende zwangerschap niet normaal zou kunnen zijn. Maar daar was Fleur helemaal niet tevreden mee: ze was vastbesloten om voortaan als een van de vervloekten op aarde door het leven te gaan. Al die tijd heeft die vastbeslotenheid elke kans op een goede relatie bedorven. Ze zegt tegen hen – mannen – dat ze geen kinderen kan krijgen. Ze wekt de indruk dat het vanbinnen helemaal niet goed zit bij haar, en dat is ook zo, maar de problemen zitten in haar hoofd, niet in haar moederschoot. Ik weet niet hoeveel van die mannen er zijn geweest, want Fleur vertelt me niet erg veel en ik stel haar niet veel vragen. Ik weet dat sommige mannen zich juist door het verdriet aangetrokken voelen; dat geldt trouwens ook voor vrouwen.

Sinds het gebeurde, heb ik er één keer echt met Fleur over gepraat; ze zei toen dat ze doodsbang was dat ze een dochter zou krijgen, omdat die dochter misschien hetzelfde zou moeten doormaken als zij – en dat ze het dus helemaal niet wilde riskeren om een kind te krijgen.

Het is duidelijk dat Fleur niet erg gezond is. Ze liegt niet zozeer maar heeft een erg verwrongen kijk op het universum. Terwijl wij de stilte van de eindeloze ruimte horen, hoort zij de stilte van de eindeloze afkeuring. Ze heeft God tot een woedende en erg slechte ouder gemaakt. Daarom gaat ze deze ochtend naar de kerk: om te proberen hem te verzoenen.

Ik herlas de brief, printte hem, stopte hem in een envelop en bracht hem naar Marcia. Ze keek niet al te blij toen ze hem in ontvangst nam, maar ze kon hem niet weigeren.

Biecht met Simona. Heb haar nu eindelijk verteld over Williams naaktloperij, in het begin, op de overloop. Ze reageerde niet erg verbaasd. 'Eigenlijk niet iets om over naar huis te schrijven, hè?'

'Doet hij dat vaker?'

'Hij doet het niet op straat, als je dat bedoelt.'

'Alsof het beter is wanneer je ergens te gast bent.'

'Nou...'

'Hij deed het ook op het strand.'

'O, dat was iets heel anders. Hij wilde gewoon niet de bange poeperd zijn.'

'Windt het hem op?' vroeg ik.

'Nee. Niet zoals je denkt.'

'Seks, macht. Zoiets moet het zijn.'

'Dat is het niet. Je kunt het als een compliment zien, een verheerlijking van het leven. Het betekent dat hij je graag mag. Voor hem is het een soort zelfbevestiging.'

'Ik voelde me vernederd.'

'O ja? Echt waar? Dat geloof ik geen seconde. Je was gevleid en gefascineerd – je ging meteen weg om het op te schrijven.'

'Nee.'

'Nou, waarschijnlijk dacht je dat William eindelijk als personage tot leven was gekomen.'

Ik was stomverbaasd. 'Hoe wist je dat?'

'Ik raadde het. Ik ben je redacteur – ik ken je goed genoeg. En ik weet dat je zult proberen je geschokt en onthutst voor te doen. Als het bij een andere vrouw was geweest, zou ik William een uitbrander geven die hij snel gauw zou vergeten. Als het Edith was geweest, zou ik hem tot pulp hebben geslagen.'

'Daar twijfel ik niet aan,' zei ik. Maar ze reageerde daar niet op. ~~Het is erg moeilijk. Ik kan niet ter sprake brengen dat ze William slaat zonder het over de camera's te hebben.~~ 'Zeg, het had gemakkelijk Edith kunnen zijn...'

'O nee. Hij is erg voorzichtig. Hij weet wat hij doet.'

'Hij wist niet wie er aan kwam. Hij stormde gewoon de gang op.'

'Ik durf er alles onder te verwedden dat hij op zijn knieën zat en door het sleutelgat tuurde.'

'Maar Edith had op datzelfde moment voorbij kunnen komen.'

'Hij moet hebben geweten dat ze ergens anders was. Zoiets zou hij nooit aan het toeval overlaten.'

Ik dacht even na en zei: 'Wil je hem alsjeblieft vragen het nooit meer te doen?'

'O, hij doet het altijd maar één keer.'

We praatten over andere dingen.

17.00 uur. Toen ik haar vond, was Icicle alleen in de tuin. In een ligstoel onder de appelboom las ze Balzac in de originele taal. We praatten een tijdje over ditjes en datjes, en toen zei ik, terwijl ik zo soepel mogelijk een bruggetje probeerde te maken: 'Wat vind je van de plaats die ik heb uitgekozen? Niet zozeer het huis. Ik denk dat ik wel weet wat je daarvan vindt. Maar Southwold? Suffolk?'

'Ik vind het geweldig,' zei Icicle. 'Het is je gelukt een plaats te vinden waar niemand van ons ooit is geweest of die ooit iets voor iemand van ons heeft betekend. Dat is een hele prestatie. Het had de dingen kunnen bederven.'

Ik leidde uit die woorden af dat Icicle misschien bereid was over haar geheimen in andere delen van het land te praten, en dus ging ik verder: 'Ik heb erover gedacht ergens anders een huis te zoeken. In Schotland bijvoorbeeld, of Devon, Cornwall...' Ik liet mijn stem wegsterven. Ik durfde Icicle niet aan te kijken en keek daarom maar een tijdje naar het hellende stoffige gazon. Toen draaide ik me naar haar toe. Mijn hoofd lag zo zwaar als een kanonskogel op mijn schouders. Ze was bleek geworden; ik had nog nooit zoveel onderdrukte emotie gezien. Haar gezicht bleef wit onder de foundation, maar haar hals was erg donker geworden en op de plaats waar de pezen begonnen zat een purperen vlek. En zag ik die pulseren? Ik genoot hiervan. Het was of ik door haar borst haar hart kon zien.

'Nee,' zei ze, zich herstellend. 'Dit was echt de meest geschikte plaats.'

Alles zou haar nu pijn kunnen doen, en dus zei ik: 'Ben je ooit in Devon geweest?' Ik zei dat zonder enige aarzeling.

Mijn waagstuk was een fout, besef ik nu. Het bood haar een gemakkelijke uitweg. 'Ik ben overal geweest,' zei Icicle.

'Behalve hier,' merkte ik op.

'Behalve hier,' beaamde ze, en toen wierp ze een spijtige blik op haar boek. Ze suggereerde daarmee dat ik haar van haar boeiende lectuur had afgeleid. Het zou ongemanierd zijn om nu nog langer bij haar te blijven. Ik waagde nog dertig *gauche* seconden, niet om haar meer in verlegenheid te brengen, maar om haar te laten denken dat mijn conversatie weinig betekenis had gehad. 'Ja,' zei ik. 'Daar heb je waarschijnlijk gelijk in. Het weer is hier tot nu toe schitterend geweest. Ik geloof niet dat iemand reden heeft om over de locatie te klagen.'

'Nee,' zei Icicle. Ze keek op naar de lucht, alsof ze wilde laten zien dat de donkere vlek in haar hals verdwenen was. Het was bijna een uitdaging, en ik vatte het als zodanig op. Ik kwam overeind.

'Het is heel slecht weer geweest in Cornwall,' zei ik. Toen draaide ik me om voordat ze ook maar een schijn van een kans had gekregen om te reageren.

Eenmaal binnen, ging ik naar mijn kamer en klom ik door het luik naar de zolder.

Zoals ik verwachtte, was Icicle binnen vijf minuten in haar kamer. Ze ging op het bed zitten en keek naar de kaart van Cornwall alsof die de stralende volle maan was. Ze keek naar het verleden, en ik ben nu meer dan ooit vastbesloten om tot dat verleden door te dringen.

Geen reactie van Marcia op mijn brief. Om bereikbaar te zijn voor haar ben ik meer beneden geweest dan gewoonlijk. Maar nee; ze was er niet klaar voor.

Ik weet dat ze hem heeft gelezen en herlezen: ik heb dat op mijn scherm gezien. Ze huilde veel – ik geloof niet dat iets wat ik heb geschreven iemand ooit zo aan het huilen heeft gebracht.

Sinds ze de brief kreeg, zijn we maar één keer met elkaar samen geweest; dat was in de salon, en ze ging er vrij snel met haar rolstoel vandoor. Ik kon voelen dat ze haar woede moest bedwingen.

Het zal interessant zijn om te zien naar wie van ons ze eerst gaat, naar mij of naar Fleur. Als ze gelooft wat ik heb geschreven, is het een beetje waarschijnlijker dat ze naar mij toe komt. Uit haar tranen leid ik af dat ze het gelooft.

20.00 uur.
'Dit huis gaf me direct al een vreemd gevoel,' zegt Fleur.

'Wat?' zegt Marcia (die helemaal hersteld is, en nu ook niet meer in haar ziekbed ligt – een ééndagsgriep, of hysterie?) 'Heb jij dat ook?'

'Alsof iets me soms in de gaten houdt,' gaat Fleur verder. 'Iets slechts.'

'Ja,' zegt Cecile.

'Het is griezelig,' zegt Cleangirl. 'Het voelt als een spin die langs mijn nek omlaag kruipt.'

Ze zijn met zijn vieren in de salon. Ik ben op zolder en kijk naar ze. Ze zitten verspreid door de kamer, op rolstoel, bank en pianokruk.

'Ik heb niet het gevoel dat het een spook is dat naar ons kijkt,' zegt Marcia.

'Nee,' zegt Cecile.

'Hoe kun je weten hoe dat voelt?' vraagt Fleur serieus.

'O, dat weet ik gewoon,' zei Marcia. En begint dan uitgebreid over Jamaicaanse volksmythen te vertellen.

Ze komen op het onderwerp terug.

'Natuurlijk worden we bespioneerd,' zegt Fleur.

'O ja?' zegt Cleangirl.

'Door Victoria?' zegt Marcia.

'Door Victoria,' herhaalt Fleur.

(Op dat moment bezwijk ik, kijkend naar de monitors, bijna aan een hartaanval.)

'Denk je dat ze rondsluipt en naar ons luistert?' zegt Cleangirl.

'Natuurlijk,' zegt Marcia. 'Heb je haar niet zien... rondhangen?'

'Ze is helemaal niet subtiel,' zegt Fleur.

Ze lachen; alle vier.

'Wanneer ik haar níet zie rondhangen, maak ik me zorgen,' merkt Cecile dan op.

'Wat bedoel je?' vraagt Marcia.

'O, niets,' zegt Cecile. 'Alleen schijnt Victoria soms dingen te weten die je haar niet hebt verteld.'

(Ik ben dood. Ze doelt natuurlijk op vanmiddag, de appelboom, Cornwall.)

'Zijzelf zou dat haar artistieke intuïtie noemen,' zegt Fleur.

'Of een kwestie van goed raden,' zegt Marcia lachend. 'Of helderziendheid.'

'Nee,' zegt Cleangirl. 'Ik denk dat Cecile gelijk heeft.'

'Misschien bespioneert ze ons nu ook,' zegt Marcia.

Een moment van stilte, en dan lachen ze allemaal weer. Ik ben nog doder. Gelukkig veranderen ze van onderwerp.

Ik zal voortaan voorzichtig moeten zijn. Ze zijn nog lang niet achter de volledige waarheid, maar de halve waarheid hebben ze al te pakken.

Ik moet nu naar beneden en doen alsof ik van niets weet.

20.25 uur. Na het eten gingen we in de voorkamer bij elkaar zitten voor Alans lezing over Woody Allen. Hij had zijn onderwerp veranderd. 'Om heel eerlijk te zijn,' zei hij, 'begonnen Woody Allens ongrappigste films me een beetje te vervelen. En dus ga ik het daar niet over hebben. In plaats daarvan ga ik een paar van zijn sketches doen.' En toen deed hij 'De eland' en andere oude favorieten, woord voor woord. Opeens hield hij daar, heel slim, mee op en begon te ontleden wat Allen deed – hij verdiepte zich in zijn ernst, zijn joodsheid. Het was allemaal erg indrukwekkend, en ik denk dat het Alans reputatie de broodnodige opkikker geeft. Fleur luisterde aandachtig, zag ik. (Marcia ook, al vermeed ze mijn blik, mijn glimlach.) Fleur lachte alsof ze iets hoorde waarmee ze vertrouwd was, erg zacht, met glimlachjes ertussendoor. Ik zag Alan niet naar haar kijken, niet één keer, maar ik kreeg wel het gevoel dat zijn optreden min of meer voor haar bestemd was. Waarom verzet ze zich zo tegen hem? Hij is een fatsoenlijke man, en hij zou erg geschikt voor haar zijn. Ik wou alleen dat ikzelf het soort vrouw was waarvoor hij geschikt was. (Nee, dat is niet zo, maar ik kan het me voorstellen, dat soort huiselijke, theedrinkende stabiliteit.) Ze zouden samen erg gelukkig zijn, als ze dat maar inzagen. Misschien moet ik proberen iets te zeggen, zolang Fleur nog met me wil praten. Het zou niet gepast zijn, maar misschien werkt het.

Icicle droeg – nou, dat is niet belangrijk meer, wel dat Edith tegenwoordig alleen nog maar kleren draagt uit de kast in haar kamer – kleren die eens door de dochter van de eigenaars zijn gedragen. En Icicle heeft haar geholpen met het samenstellen van de ensembles. Er is geen andere verklaring voor het feit dat Edith er plotseling zo *chic* uitziet. Mijn teleurstelling, mijn *chagrin*, is enorm: ze hebben samen verkleedpartijtjes, en ik mag niet meedoen. En dat terwijl het mijn feestje is, ik heb ze alle lekkernijen voorgezet en nu mag ik niet eens mee-eten. Natuurlijk kan zelfs iemand met Ceciles vernuft niet onbeperkt combinaties maken van kleren die allemaal van voor 1979 zijn: blouses met ruches om de mouwen, strakke truitjes, corduroybroeken met wijd uitlopende pijpen. Toch geloof ik dat de dochter van de eigenaars, voordat ze stierf, een of twee keer in Londen heeft gewinkeld, en dat ze toen naar een stuk of wat vrij dure *boutiques* is gegaan, of gebracht. De jurken staan Edith goed: ze is lang genoeg en haar gezicht is volwassen genoeg om niet de indruk te wekken dat ze ernaar hunkert om tot de volwassenen te behoren. Zoals met oude kleren altijd het geval is, laten ze haar ouder lijken, omdat we ze associëren met mensen die we ouder hebben zien worden nadat ze die kleren droegen – mensen op foto's en het publiek van *Top of the Pops*. Gelukkig voor Edith had de dochter blijkbaar een voorkeur voor een zijde zachte zwierigheid die terugging tot 1972 en liep ze niet vooruit op de stippenterreur van 1982. De weefsels zijn voor het grootste deel geheel en al natuurlijk. Er is zelfs bont; bont zonder schuldgevoel – wat geweldig: als het bont van je oma, maar dan in een snit die je nieuw hebt gekocht, een snit waarvoor je een nerts zou hebben gewurgd.

Update over Cornwall. Geen nieuws. (En dat zal er waarschijnlijk ook niet komen, na mijn gezwam van vanmiddag.) Maar ze gaan zo vertrouwelijk met elkaar om, zijn altijd bij elkaar, Cecile en Edith; ik kan me niet voorstellen dat Cecile haar niet een paar van haar geheimen heeft verteld, inclusief Cornwall. Iedereen die ook maar een beetje nieuwsgierig is en in een kamer zit waar zo'n kaart hangt, zou ernaar vragen. Misschien kan ik van Edith te horen krijgen wat ik wil horen, zonder al te opdringerig te zijn.

Dinsdag

N.B. Dag Dertien niet Dag Twaalf Week Twee

Ik kan het bijna niet geloven: op de een of andere manier ben ik een hele dag werk kwijt. Ik denk dat de laptop gewoon geen zin had om het op te slaan. En ik heb geen back-up gemaakt op flop. Die ene dag dat ik dat vergeet, gebeurt zoiets natuurlijk. Daar erger ik me zo aan dat ik bijna niet kan typen. Misschien heb ik het ding uitgezet zonder mijn tekst op te slaan. Of ben ik vergeten het apparaat een kop koffie te geven. Hoe moet ik dat nou weten? Ik weet niet hoe dit ding werkt. Ik zit gewoon te typen en het ding onthoudt wat ik typ. Tenminste, dat is de bedoeling. Als er iets mis gaat, moet ik X erbij halen. Hij is de enige man op de hele wereld die de handleiding heeft gelezen. Hij begrijpt wat er zich in dat kastje afspeelt. (Maar er zit geheim materiaal in – over mij en mijn plannen en intriges – en ik ga hem toch niet de kans geven dat te lezen?) En dus heb ik nu het gevoel dat alles wat ik erin stop in een leegte valt. Met ingang van vandaag maak ik een back-up van alles wat ik schrijf en e-mail ik het naar mezelf, gewoon om er voor honderd procent zeker van te zijn dat ik niet méér kwijtraak. En natuurlijk lijkt het werk van gisteren, dat nu voorgoed verloren is gegaan, me achteraf van enorm belang, alsof het de stralenkrans van genialiteit om zich heen had. Er stond een lange passage in over de eettafel als tafereel van kannibalistische feestmalen voor de hogere standen. Hoe de slachtoffers werden binnengebracht, opgediend, uiteengerukt of langzaam in stukjes gesneden. En ik bedacht hoe geweldig die ideeën waren – en nu is het allemaal wég. En ik kan het alleen terughalen in de vorm van een zwak, schimmig nabeeld. En dat heb ik zojuist gedaan, maar ik ga daar niet mee door. Ik haat technologie. Als ik het had opgeschreven, zouden de papieren nog voor me liggen. Tenzij het huis afbrandde. (Laten we hopen dat het huis niet afbrandt.) Ik weet zeker dat die woorden van gisteren nog ergens in die verrekte zwarte doodkist van een ding zitten. ~~De accu is niet veel meer waard, hij loopt snel leeg als ik langer dan tien minuten van een stroombron verwijderd ben. Het is de bedoeling dat hij het zes uur volhoudt, maar de klok begint al terug te lopen zodra ik de stekker uit het~~

De Heer zij geloofd en geprezen.
Ik vind dat er al meer dan genoeg van je bijzondere ideeën in staan

~~stopcontact trek. Dat betekent dat ik niet meer op het strand kan werken. Ik krijg hooguit een uur. Ik ga een klachtenbrief schrijven. Nee, dat zou tijdverspilling zijn. Net zo goed als al deze mededelingen.~~ Wat je zegt, meid.

Het was echt een erg goede passage, dat stuk over dat kannibalistische feestmaal. Het zou een van de dingen zijn geweest die mensen zich uit het boek hadden herinnerd.

Eigenlijk weet ik niet precies waarom ik me zo druk maak. Het is heus niet zo dat iemand deze zelfde woorden zal lezen. Tegen de tijd dat het boek verschijnt, heb ik het al zo vaak doorgeploegd dat het zo soepel loopt als het maar kan. En hoewel het irritant is, denk ik dat het er op de lange termijn niet toe doet. Waarschijnlijk zou ik die passage over dat kannibalistische feestmaal toch niet hebben gebruikt. Het was te pittige kost voor mijn teergevoelige lezers. Ze willen romantiek, en die krijgen ze tot nu toe niet genoeg. (Henry is weer helemaal uit beeld.)

Het had erger kunnen zijn: ik had alles kwijt kunnen raken. Ik weet niet wat ik dan zou hebben gedaan. Waarschijnlijk zou ik me op de zolder hebben verschanst en hebben geweigerd te voorschijn te komen voordat ze allemaal een helder verslag van hun daden, gedachten en gevoelens in de afgelopen twee weken hadden geschreven.

Ik zal vandaag (dinsdag) maar gewoon moeten doorgaan met schrijven & tegelijk proberen de schade van gisteren in te halen (zie hieronder).

In mijn laatste droom voordat ik vanmorgen wakker werd, had ik een heldere gedachte: ik blijf de rest van mijn leven in een madeliefjeskrans & ik blijf de rest van mijn leven in *deze* madeliefjeskrans & ik blijf de rest van mijn leven in deze *madeliefjeskrans*, & enzovoort enzovoort.

k dacht dat we deze woorden beter cursief konden afdrukken om te laten zien dat ze oorspronkelijk met de hand geschreven zijn. Wat denk je?

Na alles wat gisteren verloren is gegaan, durf ik eigenlijk niet meer op de technologie te vertrouwen. Daarom heb ik tijdelijk mijn toevlucht genomen tot een schrijfblok & mijn Mont Blanc-pen. Dat is meer in de stijl van Virginia. Ik heb weer een aantal van haar dagboeken en brieven doorgelezen ('Ik werk aan *Naar de vuurtoren*; je moet de zee er overal doorheen kunnen horen.') Het was de bedoeling dat ik ze deze zomer allemaal zou lezen, maar het is zo verschrikkelijk veel. Hoewel *Naar de vuur-*

Misschien ben ik aan het muggeziften, maar moeten die & er niet uitgooien

Waarschijnlijk kunnen we het beter zo laten.

toren zich in Schotland afspeelt, stond de echte vuurtoren uit Virginia's kinderjaren in St Ives, of voor de kust bij St Ives. Ze smokkelde met haar beschrijving van het weer in Schotland & loog over het soort planten dat je daar in een tuin kon kweken. (Vuurpijlen, kom nou!) Waarschijnlijk jokte ze ook over de kosten van het huren van dat huis.

Dankzij de Golfstroom groeien er veel onverwachte planten op de westkust van Schotland. Maar ik laat het zo staan, want het is jouw fo

Wederom grote ontzetting (bij mij, bedoel ik): ik merk dat de spionagecamera's zo goed als nutteloos zijn. Geen onthullingen meer, ~~zoals die keer dat William door Simona werd geslagen.~~ Ik kom bijna niets over de gasten te weten dat ik nog niet wist, of vermoedde. Omdat het zulk schitterend weer is geweest, brengen mijn gasten de meeste tijd buiten door; & degenen die binnen blijven, zijn alleen. Ik heb geconstateerd dat Marcia graag een middagdutje mag doen & dat ze soms traditionele middelen gebruikt om in slaap te komen. (Ze zegt het onzevader ook nogal vaak op.) De kleerkast van de dochter heeft een manshoge spiegel op de deur, en Edith kijkt daarin urenlang naar zichzelf in verschillende kleren. (Als ze zien dat Edith met iets bezig is, hebben Henry & Cleangirl een paar keer gebruikgemaakt van de gelegenheid. Maar dat zijn niet bepaald openbaringen: seks is het eerste dat je achter gesloten deuren verwacht aan te treffen.) Alan houdt een dagboek bij waarin hij elke avond voor het eten zit te schrijven. Edith schrijft bijna elke dag aan haar penvriendin. Ook Cleangirl correspondeert aan één stuk door. Simona & William, allebei volslagen hypochonders, hebben een grote zwarte tas vol medicijnen.... & dus begin ik het gevoel te krijgen dat het beter zou zijn verlopen – dat ik een intensere atmosfeer zou hebben gecreëerd – als ik voor de maand januari of februari had gekozen. Daarbij ga ik natuurlijk voorbij aan het feit dat onder die omstandigheden waarschijnlijk niemand was gekomen; bovendien kan ik nu nog een vervolg in de winter organiseren.

Henry is plotseling meer gaan flirten, al heb ik geen idee waarom. Hij zoekt me op. Hij doet dat alleen als Ingrid niet in de buurt is, en dat gebeurt niet vaak. Vanmorgen ging ze bijvoorbeeld met Edith naar Southwold om een schetsboek en wat potloden te kopen. Ze waren nog maar amper weggereden of Henry kwam al naar me toe. Het was nogal gênant. 'Wat ben je aan het doen?' vroeg hij, terwijl toch duidelijk te zien was dat ik de dagboeken van Virginia Woolf las & een gebietste sigaret rookte (van William: ik ben hem nu drie pakjes schuldig) – dat alles op het gazon. Henry hurkte neer op het gras; er stond geen andere ligstoel in de buurt – ik had de mijne opgetild & in de zon gezet. De lucht was bewolkt en bleekwit, grauw in het oosten, maar zou spoedig – daar was ik zeker van – egaal blauw worden. 'Ik heb nooit erg veel van haar gelezen, moet ik toegeven,' ging Henry verder. 'Nou, ik hoop dat we een leesclubje kunnen vormen,' zei ik. 'Dan doen we *Naar de vuurtoren*.' 'Dat heb ik wél gelezen,' zei hij, 'lang geleden, op de universiteit. & dat andere boek, waar die jongen niet in voorkomt, gebaseerd op haar broer die was doodgegaan.' 'Ik denk dat je *Jacob's Room* bedoelt,' zei ik, al genoot ik ervan om hem te horen spartelen. 'Ja, dat,' zei hij. 'Ik vond ze altijd nogal...' 'Alsjeblieft, zeg nou niets negatiefs,' zei ik vlug. 'Op dit moment is Virginia erg belangrijk voor me.' 'Ik wilde alleen maar zeggen dat ik ze nogal bijzonder vond.' 'Dat zijn ze,' zei ik, al wist ik dat hij dat helemaal niet had willen zeggen. Hij had willen zeggen dat Virginia te vrouwelijk, te huiselijk was – zoiets. Henry mocht altijd graag in de contramine gaan als hij aan het flirten was: op de universiteit had hij een totaal verzonnen Tory-personage gecultiveerd om de gemoederen te laten oplopen. Misschien had hij daarom zo weinig succes in seksueel opzicht. Zoals meestal wanneer mensen een bepaalde rol spelen, was die rol een uiting van een diepere waarheid & veranderde hij uiteindelijk in zijn personage. Ik ben er vrij zeker van dat Henry's potlood bij elke gang naar het stemhokje een beetje verder naar rechts afglijdt. Maar Ingrid heeft hem tot rust gebracht. Ingrid gaf andere bestemmingen aan die gefrustreerde seksuele energie: geld verdienen, voor Edith zorgen, het volmaakte huis creëren. Nu hij op vakantie is, heeft hij die energie terug & hij heeft geen flauw idee wat hij ermee moet doen. Zoals ik in de synopsis al zei, al geloof ik dat ik het voor de eerste week voorspelde. 'Nou,' zei ik, 'als je je bij het leesclubje wilt aansluiten, ben je welkom. Ik kan je het boek lenen; ik heb een paar exemplaren meegebracht.' 'Dat zou geweldig zijn,' zei Henry. 'En ga nu weg & laat me met rust,' zei ik.

Later liet ik een exemplaar van *Naar de vuurtoren* voor de deur van de slaapkamer van hem & Cleangirl achter.

De volgende keer dat ik hem zag, had hij al zo'n vijftig bladzijden gelezen. Hij zat over het boek heen gebogen en las snel & werd intussen geschetst door Edith, die geen idee had wat ze tekende. Ik zal nu nog meer mensen voor het leesclubje moeten vragen. Ik hoop dat iedereen meedoet.

Ik heb nog acht exemplaren van *Naar de vuurtoren* op een tafeltje in de salon gelegd. Ik legde er een briefje bovenop om te vertellen wat de bedoeling was. Ik wil dat de gasten geleidelijk hun weg naar het boek vinden. Als ik met een officiële aankondiging kom, heeft dat misschien een averechts effect.

Er is een plan om vandaag een uitstapje te maken; ik verzeker je dat het niet van mij komt. Een aantal mensen (Cecile & Edith, Fleur, Alan, Marcia, William) wil naar Aldeburgh rijden om naar de relikwieën van Benjamin Britten te kijken en van de beroemde fish & chips te genieten. Er wordt hier steeds meer over fish & chips en dergelijke gepraat; je zou kunnen zeggen dat ze ernaar hunkeren. Ik heb de kok gevraagd géén patat te bakken – het is hier geen snackbar. Vooral Edith heeft er behoefte aan. Het zou grappig zijn om haar vet te mesten, om een buikje te zien verschijnen op dat fotomodellenlichaam, als een grafheuvel in een veld in Norfolk. (Of als een bijensteek op tweederde van de lengte van een sliert spaghetti.) Ik verkeer in de moeilijke positie dat ik niet weet waar iets te gebeuren staat, thuis of in Aldeburgh. Ach, ik ken het huis & de tuin & het strand al zo goed & inmiddels weten mijn lezers daar ook goed de weg. Een verandering van omgeving zal het boek ten goede komen. Aan de andere kant is het ook mogelijk dat de interessantste dingen zich juist in het halflege huis voordoen. Daar komt nog bij: wie zou de betrouwbaarste informant zijn op de plaats waar ik niet ben? Dat laatste geeft de doorslag, denk ik. Niemand die naar Aldeburgh gaat, zou mij, als ik daar niet was, vertellen wat er gebeurde, en Simona kan me altijd laten weten wat er is gebeurd toen ik uit het huis weg was. Bovendien zal ik Alan & Fleur van dichtbij te zien krijgen, zal ik zien hoe ze elkaar het hof maken door elkaar uit de weg te gaan. Als je op dit moment naar hen kijkt, is het net of je naar zo'n duur speelgoedje kijkt, zo'n rij van hangende zilveren bollen, een tik tegen het ene eind zet zich voort tot het andere eind & weer terug. (N.B.: ik moet me in Benjamin Britten verdiepen als ik terug ben; ik moet doen alsof ik alles over hem weet. Hij was homo, nietwaar? & hield van jongens met hoge stemmen.) Na veel heen en weer gepraat besloten we in drie auto's te gaan. God mag weten waarom, behalve dat Alan & Fleur nu afzonderlijk kunnen reizen. Alan & William gaan samen in Williams auto; ik rijd met Cecile & Edith; Marcia neemt Fleur mee. (N.B.: Ik geloof niet dat Marcia al met Fleur over mijn brief heeft gesproken. Toen ze er gisteren met me over sprak, durfde ik niet te vragen of ze dat zou doen.)

Ik heb er even over gedacht je voor deze afgang te behoeden. Een paar seconden dan toch.

Ik heb nog niets over Marcia's auto verteld, hè? Het is nogal een bijzonder ding. Ze rijdt zonder de pedalen aan te raken. X vond het prachtig om me te vertellen dat ze dezelfde technologie gebruikt als Formule 1-raceauto's. Er zitten knoppen op het stuur om te schakelen. Hij was erg onder de indruk & ik geloof ook seksueel opgewonden, bij dat idee. 'Het is geen automaat,' gilde Marcia bijna uit, terwijl ze iedereen liet zien wat de auto allemaal kon. Iedereen wilde graag een lift van haar naar Southwold hebben. Ik denk dat mensen op die manier willen demonstreren dat ze geen enkele moeite hebben met haar invaliditeit. Ze is vrij snel met in- en uitstappen en krijgt zonder hulp haar rolstoel in en uit de auto. Toch zouden de gasten vlugger af zijn als ze een lift kregen van bijvoorbeeld mij; & ik zou ze graag een lift geven. Omdat de rolstoel zoveel ruimte inneemt, kunnen er maar drie personen in Marcia's auto.

Ik word geroepen; we gaan.

Ik vond de rit naar Aldeburgh erg teleurstellend. Geen openbaringen. Zoals verwacht, was Edith stil; ze wil nauwelijks met me praten sinds ik haar dwong om in de kinderkamer te slapen, en helemaal niet meer sinds ik aan het spook twijfelde. & in die houding volhardt ze ondanks mijn eigen bijzondere ontmoeting op de overloop. Zoals ik gisteren al vermoedde, heeft ook Icicle besloten me te negeren. (Misschien omdat ik over Cornwall begon, iets waar ik grote spijt van heb; het was kleinzielig, het was gevaarlijk.)

Overigens heeft ze me onderweg niet doodgezwegen, zoals Edith wel deed; ze hield het gesprek op gang, maar het was wel eenrichtingsverkeer van mij naar haar; ze bood me niets aan dat niet op een of andere manier afgedwongen was. Ik voelde me diep gekwetst. Ik kan me alleen maar troosten met de hoop dat Icicle dat deed om solidair met Edith te zijn, & dat ze wist (zonder dat ze de situatie hoefde uit te leggen) dat ik het zou begrijpen. Als ze te vriendschappelijk met mij omging, zou Edith jaloers worden. Edith zou het níet begrijpen en ze zou niet op andere gedachten te brengen zijn. Daarom beperkte de conversatie zich onderweg tot enkele clichés met veel stilte ertussen. Dat paste wel bij het landschap, zoals we dat vanuit de rijdende auto zagen: vlakte, glooiing, vlakte, dorp, vlakte, vlakte, dorp, meertje, vlakte, een of ander militair complex, lichte glooiing; ik weet de volgorde niet meer precies.

Aldeburgh zelf was charmant: een lange hoofdstraat langs de zee, met banken en liefdadigheidswinkels aan weerskanten – een streven naar Bath, een vleugje Brighton, een onfortuinlijke echo van Blackpool. We reden er helemaal doorheen, langs de fish & chips-zaak waar we later heen zouden gaan, en kwamen bij een soort verhoogde pier, vanwaar we helemaal naar de zee konden kijken (dezelfde zee die je honderd meter van het huis vandaan vanaf het strand kon zien). Toen ik daar een opmerking over maakte, zei Fleur natuurlijk dat het voor Marcia niet zo gemakkelijk was om daar naar de zee te gaan kijken als voor ándere mensen. Dat was waar, & daar ging dan de kans op zelfs maar een beetje *politesse* tussen zusje & mij tijdens deze trip. Alan hield zich erbuiten. Toch raakte ik er geleidelijk van overtuigd dat Marcia & Fleur het gesprek wél hadden gehad – in de auto op de heenweg. Fleur zag eruit alsof ze had gehuild; Marcia leek meer ontspannen, & lachte weer net zoveel als we van haar gewend waren. Na haar vreemde reactie van gisteren weet ik niet hoe ze het met Fleur had aangepakt. Wat heb ik aangericht?

Terwijl we daar liepen en onze fish & chips aten, deed zich een afschuwelijk incident voor. We naderden het strand, & de plaats waar we de auto's hadden geparkeerd. Eindelijk vormden we een soort groep, allemaal bij elkaar, & hoewel onze conversatie alleen over de kwaliteit (erg goed) van de fish & chips ging, had ik toch het gevoel dat we één waren. Overigens waren de meeuwen duidelijk geïnteresseerd in ons voedsel. Er zijn daar grote vogels, met witte buiken, brede grijze vleugels (een prachtig grijs) & gele snavels met zwarte vleugen – neusgaten, denk ik. Omdat we met zovelen waren & omdat we in beweging bleven, hielden ze zich op afstand. Maar Cecile liep een eindje voor ons uit. Blijkbaar gaven de omgeving & onze activiteit haar nieuwe energie, zodat ik meteen weer aan Cornwall moest denken. De sfeer was typisch die van de Engelse kust. Misschien dacht ze terug aan de mooiste dagen uit haar leven. Naarmate ze verder & verder voor ons uit liep, kwamen er meer & meer meeuwen op haar af. Het werd zo'n dichte zwerm dat het leek of ze onder een koepel van vleugels liep. Ze ging zo in zichzelf op – haar blik op de zee gericht, de smaak van de warme vette vis in haar mond – dat ze die meeuwen waarschijnlijk helemaal niet zag. Misschien dacht ze dat die zwerm haar geluksgevoel was dat om haar heen vloog. We zagen haar naar iets in zee kijken – dat was het vreemde, als ik het me goed herinner: we keken allemaal naar haar; ik denk dat we tot op zekere hoogte wel wisten wat er ging gebeuren. Ze zag iets – ik weet nog steeds niet wat het was – & ze stak haar rechterarm uit om te wijzen. De rest van haar fish & chips hield ze voor zich. Allemaal tegelijk zagen we de grootste & agressiefste van al die meeuwen achter haar opduiken. Hij had een plan; hij ging niet lukraak te werk; hij had dit al eerder gedaan. Een ogenblik bevond hij zich recht achter haar hoofd, zijn vleugels uitgestrekt aan weerskanten van haar hoofd. Het leken net de oren van een haas, lang & spits. Vol schrik dachten we dat hij met zijn klauwen in haar haar zou landen. Maar dat deed hij niet; hij had nog zoveel vaart dat hij met een boog over haar hoofd scheerde. Ik denk dat we van schrik waren blijven staan. Niemand van ons kon vlug genoeg iets zeggen om het naderend onheil te voorkomen. De meeuw dook over Ceciles hoofd heen, nog steeds zonder haar aan te raken. Dat maakte ons juist zo bang – de aanval was zo goed beheerst & Cecile was zich er absoluut niet van bewust. Gedurende een ogenblik werd haar gezicht bedekt door het duikende lijf van de vogel; we dachten aan die klauwen, zo dicht bij haar gezicht, haar voorhoofd. Maar toen daalde hij die laatste paar centimeter & deed wat hij van plan was. Voor de laatste keer dook hij met zijn snavel omlaag naar het grote stuk vis in Ceciles linkerhand (haar rechterhand wees nog naar de zee – al kromp ze ineen bij de verduistering van de hemel, veroorzaakt door de meeuw die voor haar ogen langs vloog). De vogel nam het witte stuk vis in zijn gele snavel & had nu een lanceerplatform nodig om weg te kunnen komen. Hij bevond zich recht voor Ceciles buik, als een groot grijs boeket. Hij strekte zijn vleugels naar weerskanten uit, trapte met zijn poten in de chips & kwam toen opeens in volle vaart op ons af. Cecile was zich nu eindelijk bewust van wat er gebeurde; ze gilde. De wegvluchtende vogel kwam recht op ons af & enkelen van ons groepje gilden ook. Hij steeg niet op – hij ramde zich recht door ons groepje heen en joeg daarmee enkelen van ons ondersteboven; gelukkig kwamen er geen auto's aan. Cecile kon inmiddels weer logisch denken; ze wist dat er niet iets onverklaarbaars was gebeurd, alleen maar iets verschrikkelijks. Als een geschrokken kind liet ze de chips in hun vaalwitte papier op de grond vallen. Ze hield haar handen boven haar hoofd. We dachten aan de klauwen van de meeuw die zich afzetten in de chips & hadden het gevoel dat onze eigen chips ook bevuild waren – bevuild door de mogelijkheid dat zoiets kon gebeuren. Cecile leek zo klein. Maar ze had die chips niet moeten laten vallen. Bij haar voeten vormde zich een dik, vechtend tapijt van meeuwen. Ze raakte in paniek. Flapte met haar handen. Haar mond vormde een grote O. Op dat moment kwam Alan naar voren & redde haar met een paar fikse trappen in de richting van de meeuwen. Al die tijd hield hij zijn eigen fish & chips veilig omhoog. Hij liet ze pas vallen toen duidelijk werd dat Cecile grote behoefte had aan een omhelzing. Dat had hij vast nog nooit eerder geprobeerd, zelfs niet als hij afscheid van iemand nam. Maar op dat moment sloeg hij zijn armen zo volledig om haar heen dat het, van achteren gezien, leek alsof ze verdwenen was. We renden naar voren om de meeuwen van de twee porties fish & chips vandaan te houden die nu op het trottoir lagen. Niet dat we verwachtten dat iemand ze nog zou eten, maar als we de meeuwen daarvan weerhielden, zou het een overwinning voor ons team, voor ons mensen, zijn. Cecile snikte. We konden haar horen, maar haar gezicht was onzichtbaar. Blijkbaar had Alan de juiste dingen gefluisterd, want ze kwam al gauw weer te voorschijn, nat & stralend. 'Wat stom,' zei ze. Maar we hadden haar allemaal op haar zwakst gezien & ze wist dat we het niet zouden vergeten. In een vreemde euforische stemming reden we terug. We overschreden de maximumsnelheid. Dit verhaal zal nog vaak worden verteld.

Toen we terugkwamen, zat Audrey de Kat op de bank. Ze had dus eindelijk haar angst overwonnen. Het dienstmeisje had haar overgehaald, denk ik: lekkere hapjes, aaien, paaien. Fleur kon haar geluk niet op.

De eensgezindheid van het meeuwenteam dat naar Aldenburgh was geweest, was al gauw verdwenen.

Telkens wanneer ik een kamer binnenliep, viel iedereen stil. Toen ik naar buiten ging om even van alles verlost te zijn, zag ik X achter de appelbomen. Hij was in een intens gesprek verwikkeld met Cecile. Ook zij zwegen zodra ze me zagen aankomen. Ik moest weten wat er gaande was.

Het valt me op dat ik – in de loop van de afgelopen anderhalve week – telkens weer gesprekken van een-op-een voer, dus zonder dat er twee of drie anderen bij zijn. Het is net of we een kinderspelletje spelen waarin ik melaats ben of zoiets & de anderen me zo veel mogelijk uit de weg gaan – soms offeren ze een van hen aan me op, maar meestal blijven ze ver van me vandaan. Misschien verbeeld ik het me maar, maar zelfs die verbeelding doet pijn.

Fleur zocht & vond me.

'Marcia heeft me verteld over de brief,' zei ze.

'Onderweg naar Aldeburgh?'

'Ja. Ik ben erg geschrokken en boos. Waarom heb je dat gedaan?'

'Omdat het de enige manier was,' zei ik. 'Iedereen dacht dat ik de schurk was.'

'Nou, dat ben je toch ook?'

'Ik wilde alleen maar mijn kant van de zaak aan Marcia uitleggen. Ik wist dat ze er fair op zou reageren.'

'Dat heeft ze gedaan – heel fair. Ze heeft met jou gepraat, & toen heeft ze met mij gepraat.'

'Heeft ze je de brief laten zien?'

'Nee. Daaruit blijkt wel weer hoe fair ze is.'

'Je mag hem lezen, als je dat wilt.'

'Ik wil het niet. Wat ik wel wil, is dat je niet meer zulke dingen achter mijn rug om doet.'

'Je laat me niet veel keus. Als jij niemand vertelt waarom je me zo haat, moet ik het vertellen.'

'Marcia is een goed mens.'

'Jazeker.'

'Ze is me niet minder aardig gaan vinden.'

'Dat was ook niet mijn bedoeling.'

'Weet je dat zeker?'

Fleur draaide zich om & liep weg. Nog meer scherven te lijmen.

19.00 uur. Simona wil per se een snelle Biecht van een kwartier, voor het eten. *Ik ben zo blij dat ze er is en zich over me ontfermt.* ~~Ik vind het steeds moeilijker om op deze manier met Simona te praten; ik weet nu hoe ze over haar relatie met William denkt, & haar uitgesproken voornemen om hem te verlaten staat op gespannen voet met de *vérité*. Ze blijft erop zinspelen dat ze hem morgen zal verlaten & redenen bedenken waarom ze dat vandaag niet kan doen. De hele situatie zal vast en zeker schadelijk zijn voor onze professionele relatie. Ik denk niet dat ik haar nog als mijn redactrice kan vertrouwen. Als ze zo gemakkelijk tegen me liegt over de vreselijke dingen die William zou doen, waarom zou ik dan verwachten dat ze eerlijk is over mijn boeken? Daar komt nog bij dat ik natuurlijk iets hierover in mijn uiteindelijke tekst moet opnemen. Als ik dat niet doe, heb ik wat William & Simona betreft alleen wat gekibbel in de salon, Simona's bekentenissen over haar eerste huwelijk, Williams pianospel. Als personages zijn ze dan alleen maar dood gewicht, & dat kan ik me niet veroorloven. Ik zou ze er ook helemaal uit kunnen knippen. Dat zou kunnen. Hun contacten met de anderen vormen geen Gordiaanse knoop. Ik kan Simona in bepaalde situaties altijd door Fleur vervangen, & William door Alan. Dat zou de oplossing kunnen zijn.~~

Het is eigenlijk nogal onbarmhartig, deze aandrang om het op te schrijven; ik wou dat die aandrang wegging – nee, nu lieg ik: ik wou dat alle anderen op de wereld weggingen & mij in de gelegenheid stelden het allemaal op te schrijven.

Als ik in zo'n stemming ben, beleef ik nergens plezier aan; het is of mijn hoofd vol bont zit, & ik kan alleen nadenken met een hoofd vol staal & porselein & lange lelies in een glazen vaas & stilte; maar ik zit nu met bruin bont, en niet eens echt bont, maar acryl, geen bizon of beer, alleen maar namaakbont zoals je in een campy modereportage ziet, dingen waarvan niemand verwacht dat iemand ze serieus zal nemen & zal kopen of dragen. Ik vraag me af of het Virginia ook zo is vergaan; ik wed van wel; erger nog, denk ik – op het eind maakte het haar gek; ~~er gingen radertjes los zitten in haar hoofd.~~

Wat gebeurt er nog meer?

Avondeten. Minestrone. Zeeduivel, nieuwe aardappelen & broccoli. De kok levert geweldig goed werk. Hij is nog steeds verliefd op Cleangirl... Hij vindt altijd wel een excuus om bij haar te zijn. Ik dacht dat hij het na de koekjes zou opgeven, maar hij is nogal van het vasthoudende soort. Hij heeft ontdekt dat ze van muntthee houdt en heeft nu een hele partij uit de tuin gehaald, zodat ze altijd verse muntthee kan maken. Ze glimlacht en bedankt hem.

Het grootste deel van de avond ben ik bezig geweest het werk van gisteren in te halen & daardoor miste ik de dingen die vandaag gebeurd zijn. Toen ik X vroeg of er iets gebeurde, zei hij: 'Niets.' Ik keek even naar de camerabeelden en constateerde dat hij waarschijnlijk gelijk had. Iedereen is buiten, behalve Cecile, die onbeweeglijk in haar kamer zit.

Wat ben ik jaloers op katten: als ze geil zijn, gaan ze gewoon naar de achterschutting & schreeuwen ze dat ze gedekt willen worden.

Maandag

Dag Twaalf Week Twee

Wat er op maandag is gebeurd: misschien moet ik het gewoon maar even opschrijven, voor het geval ik het vergeet. Al is dat onwaarschijnlijk. Ik zal het meteen uittypen en printen; dat gaat sneller dan dat ik het met de hand schrijf. Zoals gewoonlijk schreef ik eerst iets over het dageraadkoor. Ik denk dat het gewild grappig was: 'Vanmorgen wilde ik uitzoeken welke boerenkinkel ze in dienst hebben genomen om het apparaat van het dageraadkoor in werking te stellen. "Laat maar," wilde ik tegen hem zeggen. "We snappen het nu wel: de natuur, ver van de stad, elke dag Gods nieuwste zegen, zoveel kleine leventjes met een hartenklop, enzovoort... En zet dat ding nou maar af!" Maar die boormachines zijn weg. Loof de Heer.' Ontbijt met Alan, Simona en Henry. Vreemde combinatie. Henry was nerveus. Ging steeds weer vijf minuten de tuin in. Toen ik vroeg waarom (ik dacht dat hij misschien last had van winderigheid), zei hij dat hij de hele tijd SMS'jes kreeg van degene met wie hij *Zomerdroom* maakte. Ik vroeg hem het me te laten zien; hij liet me niet de berichten maar de telefoon zien: heel slim! Ik vraag me af of die berichten van zijn medeauteur of van Cleangirl kwamen. Wat hebben ze toch te SMS'en op dit uur van de ochtend? Alan zat luidruchtig zijn cornflakes te eten, snuivend, smakkend. Daarna weer naar boven om wat schrijfwerk in te halen en een kwartier te spioneren. Geen bijzondere gebeurtenissen. Onderbroken door het dienstmeisje, dat wilde afstoffen. Naar buiten, het gazon op, om in het openbaar te verschijnen. Een tijdje door het huis gedwaald voor de lunch, op zoek naar gebeurtenissen: niets. Toen gegeten. Een sandwich met brie. Ik krijg genoeg van sandwiches. Weer schrijven; weer spioneren. De ladder weer af. Opeens begon Marcia (we waren in de keuken, waar ze me alleen had aangetroffen): 'Het was fout van je om zo'n brief aan me te schrijven. Wat toen is gebeurd – die zwangerschap – was iets persóónlijks van Fleur, en ik had het recht niet om ervan te weten.' 'Ik had het volste recht om het je te vertellen,' zei ik, 'omdat ik vond dat het kon verklaren waarom mijn zuster zich zo opstelt ten aanzien van mij.' 'Eigenlijk bén ik blij dat ik het weet. Maar het verandert níets aan mijn gevoelens voor Fleur; ik wist wel dat er íets was. Met jou heb ik medelijden, omdat je zo wanhópig was dat je het verdriet van je zuster gebruikte om mij ertoe te brengen je aardiger te vinden.' 'Daar heeft het niets mee te maken. Het gaat erom dat Fleur oneerlijk is. Ze liegt tegen zichzelf over onze relatie. Dat doet me erg veel verdriet en ik weet niet wat ik eraan moet doen. Ik heb al geprobeerd het met haar te bespreken.' 'En wat doet ze dan?' 'Nou... Ze wil er gewoon niet over praten.' 'Precíes. En waarom zou ze ook? Ik zou ook niet graag steeds weer zo'n dag uit mijn leven willen bezoeken.' 'Maar ze komt er wel op terug – elke dag – en ze maakt er een bezoeking van voor iedereen in haar omgeving.' 'Je woordgrap is vergezocht en daarmee is het ook nog niet wáár. 'Jij praat nu tenminste tegen mij. Voordat ik je die brief had gegeven, gebeurde dat niet.' 'Nee,' zei Marcia, 'jíj praat tegen míj, en dat gebeurde niet.' 'Ik weet niet wat je bedoelt.' 'Het heeft te maken met het beeld dat jij van mij hebt – daar praatte je vroeger tegen. Weet je nog, ons laatste gesprek hierover?' 'Je vergist je,' zei ik. 'Het probleem was het beeld dat jij van mij had.' 'We zijn het er dus over eens dat we het daar niet over een zijn.' 'Ja.' 'Goed,' zei ze. 'Het is een begin.' Ze lachte uitbundig. Het kost me steeds meer moeite een hekel aan haar te hebben. 'Dit is een prachtig huis,' zei ze. We praatten over andere dingen, en het was of we nooit iets lelijks tegen elkaar hadden gezegd. Een verbazingwekkende vrouw. Twee uur. De dominee is voor de tweede keer op bezoek geweest. Fleur dacht blijkbaar dat ik hem aan de anderen wilde laten zien om hem belachelijk te maken. Hoewel ik opendeed en hem binnenliet, kwam ze bijna meteen tussenbeide en nam hem mee naar haar kamer. (Hoe wist ze dat hij zou komen? Haar christelijke radar, denk ik.) Hij moet het nogal vreemd, en onbeleefd hebben gevonden, al heeft hij in de loop van de jaren vast nog wel vreemdere en onbeleefdere dingen meegemaakt. Net als andere beroepsbeoefenaars die mensen op hun slechtst meemaken – artsen, kroegbazen, toeristengidsen, boekverkopers – zijn dominees niet te shockeren. Ik volgde hen naar boven en ging naar de grote slaapkamer en vandaar naar de zolder. De dominee zat in de fauteuil in de verste hoek van de kamer. Fleur op het bed! Ze vroegen elkaar hoe het ging. Fleur bood hem thee aan, en de dominee zei ja. Fleur ging thee zetten. ~~En – schitterend – zodra hij haar voetstappen de trap hoorde afgaan, kwam de dominee uit de stoel en begon hij de kamer te verkennen~~. Hij was vooral geïnteresseerd in de inhoud van de kleerkast en de ladekast. In de veronderstelling dat thee zetten minimaal vijf minuten duurde, en ook in de veronderstelling dat niemand anders het recht had om Fleurs kamer binnen te gaan, durfde de dominee het wel aan om hem te voorschijn te halen. Ik zag Fleur in de keuken de theepot van een plank pakken. Tot mijn grote vreugde zag ik haar de suikerpot pakken – ging ze weer naar boven en zou ze de dominee betrappen terwijl hij tegen haar nauwsluitendste jurken aan het rijden was? (Ze heeft een jurk voor speciale gelegenheden, van blauwe zijde.) Nee, ze besloot wat suiker in een kleiner kommetje te doen en hem boven de keus te laten. De dominee ging naar de bovenste la, die met haar slipjes. Zo te zien snoof hij er niet aan. In plaats daarvan droogde hij de binnenkant van zijn mond met zijn zakdoek af en stopte toen een slipje helemaal in zijn mond. Hij deed zijn lippen op elkaar, draaide zich drie keer om en spuwde het toen uit, om vervolgens te kijken of het tekenen van natheid vertoonde. Toen legde hij hem helemaal onder in de la, waarna hij een slipje met ongeveer dezelfde kleur boven op de stapel legde. Ik kon mijn ogen bijna niet geloven: na alle grappen die ik over dominees en ondergoed had gehoord! Fleur zet vaker thee en doet dat erg efficiënt. Toen ze met een vol dienblad tussen haar handen de keuken verliet, waagde de dominee een laatste driedubbele draai; toen ze de trap begon te beklimmen, legde hij het slipje achter in de la; toen ze boven kwam, vroeg hij zich af of hij nog een hapje zou wagen of niet. Maar toen hoorde hij blijkbaar iets, een krakende plank of zo. Hij sloot de la en terwijl Fleur het dienblad op de gang neerzette om de deur naar de kamer zo goed en voorzichtig mogelijk open te maken, deed hij zijn rits weer dicht. Toen Fleur binnenkwam, deed hij zijn best om heel rustig te kijken. Het werd nog even spannend toen de deur van de kleerkast, die hij niet goed dicht had gedaan (door de sleutel om te draaien), langzaam openzwaaide. Die deur bevond zich achter Fleurs rug, want ze was weer op het bed gaan zitten. Maar de dominee kon het duidelijk zien. Het scheelde niet veel of hij spuwde zijn thee uit. Het hele incident was verrukkelijk (al weet ik niet of ik het in in het boek kan opnemen), maar het was ook bijna onvoorstelbaar. Hoe kan zo iemand zichzelf onder ogen komen, in de wetenschap dat hij zo'n cliché is? Ik denk dat seksuele afwijkingen onderling niet veel van elkaar verschillen – ze zijn allemaal een uiting van een groot gebrek aan fantasie. Je kunt veel beter normale seks hebben, rechttoe rechtaan, en daarnaast een ware orgie van vreemde dingen in je hoofd hebben. Bij de thee praatten ze over de kerk, de moeilijke financiële positie waarin deze zich bevond, de succesvolle zending in Afrika. Toen bracht Fleur het onderwerp ter sprake waar het haar

Allemaal laster, vrees ik.

om ging: het spook. Ze wilde weten of de dominee een geestenbanning zou kunnen doen; Edith, zei ze, vertoonde klassieke symptomen van duivelse bezetenheid. In het begin had ze zich geen zorgen gemaakt; ze dacht dat het meisje alleen maar een wat al te levendige fantasie had. Maar toen Edith de kleren van de dochter begon te dragen... Het was angstaanjagend. 'Ik heb er veel voor moeten bidden, en uiteindelijk kwam ik tot de conclusie dat ik het u moest vertellen.' De dominee stelde haar veel vragen over de 'verschijningen'. Ze vroeg hem opnieuw of hij het kon doen. Hij gaf toe dat hij inderdaad wel eens zegeningen verrichtte – om de geesten van de rusteloze doden verder te helpen, op weg naar hun definitieve rustplaats. Fleur vroeg of hij een geestenbanning bij Edith kon doen. En nu begon de man, goddank, te protesteren. Zoiets zou hij nooit kunnen doen, zei hij, zonder toestemming van de eigenaars van het huis. Als de kerk hem op zulke afvallige praktijken betrapte, zou hij waarschijnlijk uit zijn ambt worden gezet. ~~(En vrouwenondergoed in zijn mond stoppen, hoorde dat dan wel bij de uitoefening zijn ambt?)~~ Fleur drong bij hem aan. Als het niet zeker was dat de eigenaars hun toestemming zouden geven, kon er toch wel een uitzondering worden gemaakt? Soms, zei de dominee, moeten we de duivel enkele kleine, plaatselijke overwinningen toestaan om zijn uiteindelijke vernietiging te waarborgen. Fleur keek erg geschrokken, maar ze hield zich in. Ze zei dat ze de eigenaars in september zou schrijven. Zo nodig, zou ze hun een bezoek brengen en hen smeken iets te doen aan het kwaad dat in hun huis aanwezig was. Ze vroeg hem net hoe ze zich ten opzichte van Edith moest gedragen, toen X kwam en me zachtjes van de zolder naar beneden riep. Ik schold hem uit omdat hij de slaapkamerdeur niet achter zich op slot had gedaan. Er waren grote problemen met het dienstmeisje, zei hij. Zij en Edith hadden ruzie gekregen: Edith wilde niet dat de lakens op haar bed werden verschoond. Het dienstmeisje had ze eraf gehaald en Edith had ze uit de wasmand teruggepakt. Het zijn lelijke, oranjebruine lakens. Ze had het bed er zelf weer mee opgemaakt. Ik liet Fleur en de dominee achter en ging naar de keuken om tussenbeide te komen (de twee bevonden zich in verschillende kamers en weigerden iets te zeggen, daarom had ik hun ruzie niet op een van mijn andere schermen gezien). 'Het is heel eenvoudig,' zei ik tegen het dienstmeisje. 'Als zij niet wil dat haar lakens worden verschoond, doe je dat niet.' 'Dank je,' zei Edith achter me. 'Maar ze zijn...' 'Wat ze ook zijn,' zei ik, 'ze blijven waar ze zijn. Is dat duidelijk?' 'Ja,' zei het dienstmeisje. 'En maak je niet druk,' zei ik toen Edith opgetogen was weggegaan. 'Ze is bijna een puber. Je weet dat die van vieze, stinkende dingen houden.' Het dienstmeisje keek nog steeds geërgerd, maar grinnikte nu ook. 'Ik zou het moeten weten,' zei ze. 'Ik heb er zelf ook twee.' 'Precies,' zei ik. 'Jongens,' zei ze. 'En dat is nog veel erger, nietwaar?' zei ik. Ze vertelde me een paar anekdotes waarna ik me erg vies voelde en die ik beslist niet ga opschrijven. Toen ik weer naar boven ging, was Fleur met de dominee in de tuin gaan wandelen. Ik zag ze door mijn raam. Ze keken aandachtig naar de bloemperken. Verdorie! Nu weet ik niet wat ze met betrekking tot Edith hebben afgesproken.

15.30 uur. Dominee weg. De tuin weer in. Ik geloof dat ik het volgende gedeelte bijna woordelijk kan reconstrueren; ik heb van tevoren wat aantekeningen gemaakt. Het is een nuttige scène, denk ik:

Is het niet vreemd dat mensen wier geheimen je het minst graag wilt horen – drankzuchtige daklozen, meisjes met toneelaspiraties – altijd de mensen zijn die het eerst klaarstaan om ze aan je te vertellen? Vanmiddag zocht William me in de tuin op. Ik nam niet de biecht af, dat stond pas voor een paar uur later op het programma; ik ontspande me in een ligstoel en bereiddde me voor ~~op de teleurstelling dat Simona zou komen, en verder niemand~~. William kwam naast me zitten, op het gras, want er was geen andere stoel. (Waar zijn ze gebleven?) Hij had de mouwen van zijn overhemd opgestroopt, helemaal de burgerman. Hij legde er veel nadruk op dat hij ontspannen was, op vakantie, hij zei dat met zoveel klem, dat ik me onwillekeurig doodmoe ging voelen. 'Mag ik je iets vertellen?' vroeg hij. 'Natuurlijk,' antwoordde ik. 'Daar ben ik voor; daar zijn wíj hier voor.' 'Nou...' Hij aarzelde. 'Simona heeft namens mij je uitnodiging aangenomen. Ik wilde eigenlijk niet komen. Nu zul je wel denken dat ik ga zeggen: "Maar nu ben ik blij dat ik er toch ben." Maar dat zeg ik niet. Ik ga dat niet zeggen, want ik ben niet blij. Tenminste, nog niet. Dat is het eerste dat ik wil zeggen: dat ik me nu een moment in de toekomst kan voorstellen waarop ik blij zal zijn dat ik ben gekomen. Het tweede dat ik wil zeggen, is: ik ben nog niet blij dat ik hier gekomen ben, want er gaan zoveel dingen door mijn hart en mijn hoofd dat ik de confrontatie met mezelf gewoon niet wil aangaan, en de publicatie van die dingen is dus wel het laatste dat ik zou willen. Publicatie van jouw hand.' Allemachtig, dacht ik, hij was net een popster die een redacteur van een roddelblad smeekte om niet over hem te schrijven. 'William,' zei ik, 'voor zover ik weet, loopt noch je hoofd noch je hart het risico om in de openbaarheid te komen.' 'Goed,' zei hij. 'Ik geloof niet dat ik het aan zou kunnen.' ~~Het was opmerkelijk: ik kon me al voorstellen wat er van hem zou worden als Simona hem echt zou dumpen: een bergje ingewanden dat van ieders schoot glibberde. Hij zou een reden moeten hebben om zichzelf open te rijten, maar als hij die reden eenmaal had, zou ons niets bespaard blijven. Ik besefte dat als ik enig plezier (of verdriet) aan hem wilde beleven, ik Simona zou moeten bewerken. Hij stond op om weg te gaan. Ik voelde me alsof ik op een kantoorfeestje in een hoek was gedreven door een zweterige man die vroeg of ik niet wilde kijken terwijl hij zijn dikke achterwerk fotokopieerde.~~ Ik ging weer naar binnen om over William te schrijven en begon me voor te bereiden op de biecht. Een snelle blik op de spionageschermen op zolder, maar... GEVAAR. Ik ben sowieso goed in het onthouden van dialogen, maar een gesprek als dit zou ik anders ook niet snel vergeten zijn: Edith in de salon met Marcia en Cecile. Edith hangend over een bank, Marcia rechtop in haar rolstoel, Cecile leunend tegen de schoorsteenmantel. Edith zei: 'Er valt vast wel veel meer te ontdekken over de dochter.'

'Wat wou je doen?' zei Marcia. 'Haar ouders bellen?'

'Nee,' zei ze. 'Er moeten andere dingen in het huis zijn.'

'Zoals?' zei Cecile.

'Ik weet niet. Misschien hebben ze dingen op zolder gelegd.'

'Je kunt via Victoria's kamer op de zolder komen,' zei Marcia. 'Er zit een gat in het plafónd, en er gaat een ladder naartoe. Dat heb ik gezien.'

'Denk je dat ze het erg zou vinden?' vroeg Edith.

'Natuurlijk niet,' zei Cecile. 'Waarom zou ze?'

'Misschien vind ik een dagboek,' zei een opgewonden Edith. 'Of brieven.'

'Zoeken kan geen kwaad,' zei Marcia.

'Wil jij het voor me vragen?' vroeg Edith aan Cecile.

'We kunnen het samen vragen.' O god, dacht ik. Wat moet ik doen? In paniek maakte ik dat ik van de zolder weg kwam – voor het geval er op datzelfde moment al een afvaardiging de trap op kwam. Ik ging op het bed liggen en trok een kussen over mijn hoofd. Als ze nu komen, dacht ik, doe ik of ik ziek ben. Ik kan dat een dag of twee volhouden; ik denk niet dat ze argwaan krijgen. Ze kwamen niet. Daardoor ging ik me nog meer zorgen maken. Ik was ervan overtuigd dat ze het me zouden vragen zodra ik beneden kwam. Wat moest ik zeggen? Ik kon geen kant op. Kon ik niet gewoon zeggen dat ik niemand op de zolder mocht toelaten? Dat zou de gemakkelijkste optie zijn: de schuld afschuiven op de eigenaars. Ik kon zeggen dat ik Edith niet de kamer van de dochter had mogen geven (dat is waar) en dat ze beslist niet haar kleren mocht dragen (ook waar). Ik kreunde en deed of ik mezelf verstikte met het kussen – zoiets kon je altijd troosten. Daarna kon ik zeggen dat als ze nog meer nodeloze stampij maakte ze naar de kinderkamer terug zou moeten. Maar ik was er niet helemaal van overtuigd dat die tactiek zou werken. Het kostte me een halfuur om mezelf weer in de hand te krijgen. Toen ging ik naar beneden, zogenaamd om de biecht af te nemen. Zoals ik had verwacht, gebeurde het bijna onmiddellijk. Icicle vroeg of Edith een kijkje op de zolder mocht nemen; ik zei nee. Ze vroegen waarom niet. Omdat ik geen sleutel had, zei ik – de eigenaars hadden de sleutel meegenomen. Ze waren teleurgesteld. Ik vroeg ze zich voor te stellen dat het hún dochter was geweest die was gestorven; zouden zíj dan willen dat vreemden in haar spullen gingen wroeten?

'Maar ik ben geen vreemde,' zei Edith. 'Ik ken haar al. Ik wil haar alleen beter leren kennen.'

Dat was onzin, zei ik.

'We kunnen ze tenminste bellen,' zei Icicle, 'en ze om toestemming vragen.'

Nee, zei ik. Ik wil ze niet meer lastig vallen. Als we ze nog meer tot last zijn, moeten we misschien wel weg van ze.

Toen kwam Cleangirl uit de tuin naar binnen. Nadat haar was uitgelegd wat er aan de hand was, koos ze – de lieve ziel – meteen partij voor mij. Hoe kon Edith er zelfs maar over denken om in de privéspullen van iemand anders te gaan zoeken? Hoe zou Edith zich voelen als iemand dat met haar deed?

'Als ik dood was, zou het me niet kunnen schelen.'

'En als je een geest was?' zei ik.

'Ik zal Elizabeth vanavond om toestemming vragen,' zei Edith.

'Nee, dat zul je niet,' zei Cleangirl, 'en je trekt nu meteen die kleren uit.'

'Nee,' riep Edith uit. 'Ik wil die kleren aan houden.'

Cleangirl keek mij afwachtend aan. Normaal gesproken zou ik gebruikmaken van Cleangirls steun om Edith uit de kleerkast van de dochter te krijgen, maar op dit moment ging het me er vooral om dat ze niet op zolder kwam.

'Wat is er nou erg aan dat ik haar kleren draag?' vroeg Edith.

'Het kan misschien geen kwaad voor de kleren,' zei Cleangirl, 'maar misschien wel voor jou. Als ik nog eens hoor dat je in andermans persoonlijke spullen wilt rommelen, gaan we weg. Is dat begrepen? Dan haal ik je hier weg.'

Icicle kwam niet tussenbeide. Ze wist dat ze beter niet tussen moeder en dochter kon komen. Edith verstopte zich onder Icicles arm. Ze gingen somber naar Icicles kamer. Ik kon me wel voorstellen wat Edith zou zeggen: 'Ik haat ze. Ik haat ze allemaal. Ze begrijpen het niet.'

'Dank je,' zei ik tegen Cleangirl.

'Ik deed het niet voor jou,' antwoordde ze.

'Nou, evengoed bedankt.' Ik was op dat moment kwaad genoeg om met overtuigende verontwaardiging weg te kunnen lopen, weer naar boven. Geen biecht vandaag. Ik zou graag naar de spionagekamer zijn gegaan om naar hun reacties te kijken: dat is al een soort instinct van me geworden. Maar het leek me te gevaarlijk. Ik besloot daar voorlopig niet heen te gaan, in elk geval de komende paar dagen niet.

Een rustige avond in het huis. We zaten in de salon. Alan en William lazen hun boeken, rechts en links van de haard, en beperkten hun commentaar voor het merendeel tot gebrom. Fleur zat náást Alan en had er blijkbaar geen behoefte aan om iets te doen – ze las niet, ze keek alleen in wat het vuur zou zijn geweest als we de open haard hadden aangestoken. Naast haar, links van haar, zat Marcia op de bank; ze vindt het prettig om even niet in de rolstoel te zitten. Marcia praatte het grootste deel van de tijd, maar we zijn nu zo aan het geluid van haar stem gewend dat we er bijna niet meer naar luisteren. Ik denk dat ze de afgelopen paar dagen herinneringen heeft opgehaald aan bezoeken die ze als kind aan Jamaica heeft gebracht. Er zaten grappige verhalen bij over vruchten die geen vruchten waren, gekke kappers, rum, gekke geiten en een geile oom die waarschijnlijk ontucht met haar wilde plegen. Simona zat naast William en las soms een alinea of twee over zijn schouder mee. Cecile zat rechts van Simona en was in gedachten verzonken. Henry en Ingrid zaten aan beide uiteinden van de bank tegenover de haard. Het was een vierzitsbank en ik zat naast Ingrid. (X was naast me ingedommeld.) Ze las in een blad over woninginrichting dat iemand in Southwold voor haar had gekocht. Henry werkte aan de tekst van zijn toneelstuk. Ik probeerde me op de dagboeken van Virginia Woolf te concentreren, maar werd steeds afgeleid doordat ik onwillekeurig naar de anderen zat te kijken. Edith was er niet; ze was boven en praatte met de dode dochter. Ze had eerst nog een tijdje op de vloer gezeten, met haar hoofd op Ingrids knie. De kok was in de keuken en produceerde speekselopwekkende geuren.

Onder het eten heerste er een mokkende sfeer. Sappige, malse steak op een bed van *roquette*, gebakken aardappeltjes en pastinaken. *Tarte aux pommes*.

Terloops vroeg ik Fleur of ze leuk met de dominee had gepraat.

'Ja,' antwoordde ze.

'Waar hadden jullie het over?' vroeg ik.

Fleur wendde haar hoofd af en praatte met iemand anders.

Toen de borden en al het andere waren weggehaald, begonnen Icicle en de mannen aan wéér een spelletje poker. Ze hebben haar er altijd bij. Ze blijft winnen, heb ik gehoord.

Ik heb genoeg van al mijn kleren. Ik heb ze veel te veel gedragen. Ik wil nieuwe. Ik wil winkelen. Schoenen kopen. Mijn haar laten knippen.

Gezien je biografische opmerkingen, denk ik dat het geen kwaad kan om het nog een paar keer over schoenen te hebben.

Woensdag

Dag Veertien Week Twee

Lepeltje lepeltje in de armen van X, na de seks, wachtend tot ik helemaal wakker ben, verdoofd van gelukzaligheid – dat was ik vanmorgen om zeven uur níét.

Ik heb de Mont Blanc weer weggelegd: dat kost te veel tijd. Typen gaat vlugger. Bovendien schijnt de laptop zich vandaag wat beter te gedragen. Een uur bezig geweest mijn met de hand geschreven aantekeningen over maandag uit te typen – alles precies zo gelaten als het was, met en-tekens & al.

Waarom doet iedereen – behalve ik – zo raar, zo gek, zo onwezenlijk? Edith loopt in lange jurken met veel ruches rond, en de andere gasten behandelen haar alsof ze een vrouwelijke magiër is die aan het hoofd staat van een (voor buitenstaanders) erg ongeloofwaardige sekte. Ik hoop maar dat het slechts een bevlieging is: de spook-bevlieging.

Ik zou natuurlijk veel meer over mijn eigen ontmoeting met het spook kunnen vertellen, maar ik heb besloten dat niet te doen. Dat kost me veel zelfbeheersing: sommige gasten hebben me erover aan de kop gezeurd, ze wilden sappiger details. Maar ik doe mijn best om het allemaal een beetje te bagatelliseren. Ik heb een te levendige verbeelding, zeg ik tegen ze.

Een scène zojuist in de salon, met Cleangirl en Henry.

Ik zat daar in mijn eentje met een lauwe kop koffie een al driemaal gelezen tienerblaadje (van Edith) door te nemen.

Cleangirl was de eerste die binnenkwam. Ik verwachtte dat ze zou weggaan, maar ze bleef en we knoopten een gesprek aan. Ik kon merken dat ze erg graag wilde praten, maar dan wel op een gemaakt luchtige manier. Ze wilde geen vertrouwelijkheden uitwisselen, alleen een beetje babbelen. Dat was haar manier om onze vriendschap te herstellen, na het verraad, enzovoort.

Toen kwam Henry binnen, en alle hoop op luchtigheid vervloog. Hij wilde een doel, actie, plannen. 'Gaan we morgen iets doen?' vroeg hij.

Ik wist niet aan wie van ons hij dat vroeg, en Cleangirl wist dat blijkbaar ook niet.

'Ik denk wel dat we iets gaan doen,' zei ze. 'Maar niets bijzonders.'

'Ergens heen, bedoel je?' zei hij, nog steeds zonder de vraag echt aan haar te richten.

'Misschien wel. Met de auto.'

Ik kon zien dat dit een van die onsamenhangende gesprekken van lang gehuwden zou worden, vol agressieve liefde en gecodeerde beledigingen.

'We zijn hier bijna overal al geweest.'

'We zijn alleen naar Aldeburgh geweest.'

'En overal in Southwold.'

'Er is vast nog wel meer te doen,' zei ik.

'Waarom vragen we het niet aan Edie?' zei Cleangirl, en ze keek Henry nu voor het eerst aan.

'Dat heb ik al gedaan.'

'En wat zei ze?'

'O, wat ze altijd zegt: dat ze alleen maar in haar kamer wil blijven. Ik hoopte dat we iets konden bedenken wat haar enthousiasme zou wekken.'

Cleangirl keek mij even aan. Ze was zich er heel goed van bewust dat ik dit alles registreerde. En toen gebeurde het: ze ging toch met hem in discussie.

'Wat is er verkeerd aan dat ze liever in haar kamer wil blijven? Ze leest toch veel? Waarom moeten we haar dwingen naar buiten te gaan? Het betekent dat wij een beetje meer tijd hebben...'

Henry was zich ook bewust van mijn aanwezigheid. 'Het heeft geen haast,' zei hij. 'Ik dacht alleen dat jij misschien ook eens ergens heen wilde.'

'Dat wil ik wel,' zei Cleangirl, 'maar niet weer om ijsjes te eten in de auto.'

Henry ging weg. Cleangirl keek me sfinxig-lynxig aan. Ik hoopte dat ons gesprek nu serieuze vormen zou aannemen, maar nee hoor.

Cecile is blijkbaar snel hersteld van de meeuwenaanval. (Nu ik haar zo kwetsbaar heb meegemaakt, geloof ik niet dat ik haar nog Icicle kan noemen.) Zij en Alan gaan veel vertrouwelijker met elkaar om (ik zag ze vanmorgen samen ontbijten); ze spreken nu Frans met elkaar. Hij is een soort vader voor haar; groot, log, beschermend, warm. Daarom is ze bereid met hem te flirten. Het doet me goed; het leidt haar enigszins af van Edith, die haar dreigde te monopoliseren.

X kwam terug van 'vissen' (tenminste, hij zei dat hij dat ging doen) met schrammen op zijn linkerwang en zijn handen en enkels en, zoals later bleek, blauwe plekken op zijn onderbuik.

Henry kwam ook met blessures terug, al heb ik ze tot nu toe niet gezien en er alleen maar indirect, van Marcia, over gehoord. Ik heb gehoord dat hij een gespleten lip en een gezwollen oog heeft en zijn rechterpols niet goed kan gebruiken.

Geen van beide mannen wil toegeven dat ze met elkaar hebben gevochten. Als ik X ernaar vraag, glimlacht hij quasi-stoer, alsof hij wil zeggen: 'Noem je dat vechten?' Om razend van te worden.

Voor zover ik kan nagaan, hebben ze blijkbaar onderling afgesproken ertussenuit te knijpen naar een stil plekje en het daar uit te vechten. Ik weet niet waar dat was, op het strand of misschien in een hoek van een weiland. Ik zou dat graag willen weten; op de een of andere manier is het belangrijk.

12.22 uur. Zojuist een vreemd incident met Simona. Ze zocht me in de tuin op. 'Luister,' zei ze. 'Ik wil je even laten weten dat ik aan jouw kant sta, wat er ook gebeurt. Vergeet dat niet.'

'Wat bedoel je?' zei ik.

'Ik kan er niet meer over zeggen,' zei ze. 'Ze mogen niet eens zien dat ik met je praat.'

'Wat is er aan de hand?' vroeg ik. 'Ik weet dat er iets aan de hand is.'

Op dat moment kwam Alan naar buiten.

'De lunch is klaar,' schreeuwde hij.

'Geweldig,' schreeuwde Simona en ze liep nogal lomp door de tuindeuren weer naar binnen.

Stuntelige beleefdheden: borden volscheppen en leegeten.

Ik zat in de ruisende schittering van het strand, in de wind, en voelde dat de huid van mijn gezicht gevaarlijk droog werd. Ik vroeg me af wat ik aan X en Henry moest doen, maar het enige dat ik kon bedenken was: Een vochtinbrengende crème! Nu meteen! En dan vallen alle spanningen plotseling van me af. Ik ben onmiddellijk intens kalm. Ik voel het soort absolute gelukzalige sereniteit waarvan ik weet dat het teweeggebracht wordt door de nadering van een gedachte, en dan wel een gedachte als: *O mijn god, ik heb mijn portemonnee in de trein laten liggen* of *Jezus nog aan toe, hij was mijn grote liefde en ik heb hem aan de kant gezet.* En dan komen alle spanningen meteen weer in dubbele hevigheid terug.

Vreemd. Zojuist zag ik Simona en X achter in de tuin. Zo te zien hadden ze onenigheid. X had zijn handen op zijn heupen gezet en boog zich naar voren. Zijn vingers waren recht, en hoewel hij er niet mee wees, kon ik zien dat hij dat wel zou willen. Simona was rustiger, maar ze had haar armen strak over elkaar onder haar boezem. Ik was in de grote slaapkamer, waar ik heen was gegaan om X te zoeken. Ik keek alleen maar uit het raam omdat het me ergerde dat ik hem niet kon vinden. Een verrekijker die daar lag, door de eigenaars gebruikt om naar vogels te kijken, kwam goed van pas. De woordenwisseling ging enkele minuten door en werd, voor zover ik kon nagaan, geleidelijk aan minder fel. Simona deed haar armen van elkaar en X stak zijn duimen in zijn broekzakken. Toen ze uit elkaar gingen, kwam Simona naar het huis terug; X bleef peinzend langs de achtermuur heen en weer lopen.

Ik ging meteen naar beneden. Simona was alweer met Ingrid over Edith aan het praten. Ik onderbrak hen niet. Het was niet aan Simona te merken dat ze zojuist onenigheid met iemand had gehad, of het moest zijn dat ze iets harder praatte dan gewoonlijk.

De tuin in om met X te praten, maar hij was al halverwege de tuin naar het huis terug aan het lopen – en hij liep snel. Ik bleef in de deuropening staan, in de hoop hem staande te houden. Zijn ogen spraken duidelijke taal: ga opzij. Ik deed het. Hij was grof en het kon hem niet schelen dat hij grof was.

X stormde naar boven. Ik ging achter hem aan zonder zijn naam te roepen. Ik wilde geen aandacht trekken. Hij was al in onze slaapkamer, met de deur achter zich op slot, voordat ik mijn hand naar de knop kon uitsteken.

Ik liet hem alleen.

Het volgende halfuur.

Als een kind was ik drie of vier keer terug geweest en had ik de knop van de slaapkamerdeur geprobeerd. De vierde keer kreeg ik hem beweging.

X lag op het bed naar het plafond te staren.

'Wat is er?' vroeg ik bezorgd. 'Ik denk dat het me gewoon een beetje te veel wordt,' antwoordde X. Het leek me zinloos om te doen alsof ik van niets wist – alleen al omdat we dan niet op het echte onderwerp konden overgaan. 'Ik heb jou en Simona in de tuin gezien. Waar hadden jullie ruzie over?' 'We stonden gewoon te praten.' 'Niet liegen,' zei ik. 'Jullie hadden onenigheid. En toen jullie daar klaar mee waren, ging je hier naartoe om te mokken.' 'We kunnen niet erg goed met elkaar opschieten, zij en ik, dat is alles.' 'Is daar een bijzondere reden voor?' 'Ja,' zei hij, 'je boek.' 'Wat is er met mijn boek?' 'Het felt dat je dat boek schrijft. Hoe zou jij je voelen als je mij was? Ik ben erg kwetsbaar.' 'Ik ga niets in het boek zetten dat kwetsend voor jou is. Waarom maak je je zorgen? Jij bent de held van mijn boek.' Hij wilde iets zeggen, maar hield zich in. 'Ja?' zei ik. 'Ik kan het je niet vertellen,' zei hij. 'Waarom niet?' 'Dat kan ik je ook niet vertellen.' 'Nou, wat kun je me dan wel vertellen?' 'Je wilt weten wat er gebeurd is, nietwaar? Tussen mij en Henry.' 'Natuurlijk.' 'Nou, dat zal ik je vertellen.' 'Waarom heb je het me niet eerder verteld? Waarschijnlijk weet iedereen het al.' 'Nee, dat is niet zo. Ingrid weet het inmiddels misschien wel. Ik denk dat Henry en zij ditzelfde gesprek hebben gevoerd.' 'Vertel het me,' zei ik. 'We kunnen het niet goed met elkaar vinden,' zei hij. 'Draai er nou niet omheen. Waarom kunnen jullie niet met elkaar opschieten?' 'Dat weet ik niet precies. Hij begon me gewoon te ergeren, en blijkbaar was dat wederzijds.' 'Waarom?' 'Hoe moet ik dat nou weten? Omdat we samen in dezelfde kamer zijn, omdat we dezelfde ruimte innemen.' 'Het komt allemaal erg homofiel op me over.' 'We zijn allebei erg competitief ingesteld.' Ik zat met mijn benen over elkaar op het bed en deed mijn uiterste best om kalm te blijven; mijn houding was goed, mijn rug was recht, mijn gewicht was goed verdeeld, mijn ademhaling was regelmatig. 'En jullie wilden weten wie de sterkste was?' zei ik sarcastisch. 'Was dat het?' 'Ik denk dat we er allebei behoefte aan hadden om ons uit te leven. We zitten al zo lang in dit huis opgesloten.' 'Dat is niet de echte reden,' zei ik. 'En als je het me niet vertelt, moet ik maar proberen het uit Henry los te peuteren.' 'Hij zal vast wel ongeveer hetzelfde zeggen.' 'Waarom? Hebben jullie met zijn tweeën een verhaal bedacht?' 'We hebben er na afloop over gepraat.' 'Na afloop waarvan?' Hij ging op het bed zitten, erg dicht bij me. Hij had nu een glimlach die ik, als ik in een betere stemming had verkeerd, schalks zou hebben genoemd. 'Vertel het me nú.' 'Eigenlijk was het wel grappig,' zei hij. 'We gingen ieder afzonderlijk het huis uit en kwamen bij elkaar op de afgesproken plaats, een eindje verder op de oprijlaan, de bocht om, uit het zicht. Toen probeerden we een rustig plekje te vinden...' 'Praatten jullie met elkaar?' 'Nee. Zeg, wil je me niet steeds in de rede vallen?' Ik keek hem met mijn meest onverzettelijke blik aan. 'We liepen over een lang pad. We moesten een plek vinden die aan het zicht onttrokken was. Er waren veel grote weilanden, maar niet veel afgezonderde plekjes. Ten slotte vonden we een paar hoge heggen met een opening ertussen. We waren niet zo ver van het pad vandaan, maar we waren wel uit het zicht. Onderweg hadden we niemand gezien. We waren er vrij zeker van dat we niet gestoord zouden worden. En toen begonnen we...' Hij lachte. 'Ik heb niet meer z'n gevecht geleverd sinds... nee, nog wel na de middelbare school. Ik heb op de universiteit ook een paar keer gevochten. Ik geloof dat het buiten bij een bar was, in Toulouse. Dat moet minstens acht jaar geleden zijn.' Hij zag me nog steeds met die meedogenloze ogen kijken. 'We bleven bij elkaar vandaan, deelden een paar stoten uit, die geen van alle echt doel troffen. Het is eigenlijk idioot, al die regels hoe je fatsoenlijk moet boksen. Je probeert over te komen als een straatvechter à la Mike Tyson, maar je weet dat je eruitziet als een stijve Victoriaanse gentleman die zijn vuisten gebruikt. Al gauw lagen we op de grond. We probeerden elkaars handen vast te grijpen en een paar stoten van dichtbij uit te delen. Hij heeft me vrij goed geraakt.' X trok zijn overhemd omhoog; de blauwe plekken waren donkerder geworden sinds de vorige keer dat ik ze zag. 'Ik denk dat ik hem ook goed heb getroffen. En toen...' X snoof bij de herinnering. Hij keek me met glanzende ogen aan. '... Toen sprong er een struisvogel op ons. Zo zijn we aan de meeste van onze verwondingen gekomen. Natuurlijk rolden we weg. Henry kreeg de volle laag. Die vogel pikte gemeen naar zijn gezicht en wilde hem niet met rust laten. En dus moest ik erop afgaan om hem weg te jagen. Ik gooide kluiten naar het beest; hij trok zich vrij gauw terug. Henry werd een beetje kwaad en begon met stenen te gooien. Ik hield hem tegen. De vogel verloor zijn belangstelling voor ons. Waarschijnlijk had hij ons alleen maar aangevallen omdat hij dacht dat we een gevaar voor hem vormden: dat tumult op de grond, die vuisten die in het rond vlogen. Henry en ik keken elkaar aan en toen pisten we bijna in onze broek van het lachen. En dat was dat. We begonnen naar het huis terug te lopen. Henry gebruikte zijn mobieltje om de politie te bellen. Blijkbaar hadden we de meest gezochte struisvogel van Suffolk gezien. Hij was ontsnapt van een boerderij zo'n tien kilometer verderop. Henry heeft ze zo gedetailleerd mogelijk verteld waar we hem hadden gezien. Ze vroegen ons niet wat we daar deden. En... heb ik je vraag nu beantwoord?'

Ik moet het even over het weer hebben, minstens één keer per dag, anders weten de lezers niet waar ze aan toe zijn. Ik geloof dat ik er de afgelopen week niet veel over heb verteld. Daarom geef ik nu enkele beschrijvende zinnen, die op de desbetreffende plaatsen kunnen worden ingevoegd: 1. 'Het is een heldere, stralende dag, maar wel met een beetje meer wind dan prettig is.' 2. 'Weer een mooie ochtend, met later op de dag hoge witte wolken aan de hemel.' 3. 'De mooiste zomerse dag tot nu toe; het lijkt wel of we op een Grieks eiland zijn, met die scherpe schaduwen en heldere kleuren.' 4. 'De dag begon somber: in de loop van de ochtend nam de zee zijn dampen terug, en daarna werden we gezegend met een wolkeloos blauwe hemel en niet te veel wind.' 5. 'Dit is het soort dag waarvoor ik iedereen hierheen heb gebracht: warm, Engels, helder maar fragiel: als een vrouw van vijftig – als ze glimlacht, ziet iedereen niet zozeer de glimlach als wel de rimpels.' 6. 'Wat kan ik zeggen? Weer een prachtige dag: messcherpe schaduwen.' 7. 'Deze dag werd ontsierd door een wazige nevel, waardoor de lucht iets van een suikerspin kreeg: een soort ozon, denk ik.'

Niemand behalve X praat met me.

Het verhaal van de struisvogel is tot de rest van de gasten doorgedrongen. Marcia bleef er bijna in toen ze het hoorde. (Ik wist zelfs boven waarom ze lachte; niets anders had zo'n effect kunnen hebben.) 'Heb je het gehoord?' zei Edith, die vrolijk als een kind op het schoolplein naar me toe kwam. 'Mijn vader en jouw vriend waren aan het vechten, en toen zijn ze allebei in elkaar geslagen door een grote vogel.' Ach, het verhaal is ook te mooi om niet te worden doorverteld; Henry en X zullen wel hebben afgesproken het aan iedereen te vertellen. Op een vreemde, onverwachte manier heeft het verhaal de mensen weer nader tot elkaar gebracht. Op onnavolgbare wijze. Zelfs toen X me die hele belachelijke episode vertelde, moest ik er onwillekeurig aan denken dat hij en Henry in feite dezelfde persoon zijn waar het hun verlangens, hun antipathieën betreft. Het was niet hun probleem dat ze grote onenigheid hadden waardoor ze lijnrecht tegenover elkaar kwamen te staan, maar dat ze allebei precies dezelfde ruimte wilden bezetten. Als het niet te ijdel was, zou ik zeggen dat ik die ruimte ben (al weet ik niet of ik het prettig vind om te worden bezet; het klinkt een beetje te veel als zwangerschap).

Spioneren. Cleangirl tegen Edith, zittend in de kamer van de dochter. Na de scène van twee dagen geleden maken ze het goed.

Cleangirl zegt: 'Ik vind dat ik niet genoeg aandacht aan je besteed.'

En Edith antwoordt: 'Maak je over mij maar geen zorgen.'

Er volgt een pijnlijke stilte.

'Wil je erover praten?'

'Alleen zoals je over een vakantie of een cadeau wilt praten – niet op de manier waarop jij denkt dat ik erover wil praten.'

'Het is tot nu toe een positieve ervaring, hè?'

'De beste van mijn leven.'

'Dat geeft me niet zo'n goed gevoel. Hoe zit het dan met al die vakanties die we met je hebben gehad, de cadeaus die we je hebben gegeven?'

'O, die waren geweldig, mam. Maak je geen zorgen. Maar dit was iets dat ik kreeg omdat ik "ik" ben – mezelf, bedoel ik. Niet omdat het zomervakantie was, of omdat ik tien werd, niet omdat iemand me iets moest geven omdat ik me anders rot zou voelen.'

'We geven je die dingen omdat we van je houden.'

'Dat weet ik. En dit is gebeurd omdat iemand anders van me houdt. Elizabeth. Of tenminste, ze vindt me áárdig, aardig genoeg om vriendinnen met me te willen zijn.'

'Wees voorzichtig, Edith.'

'Ik hoef niet voorzichtig te zijn. Er wordt op me gepast.'

Cleangirl stond op. 'Nou,' zei ze, 'dit is een gesprek waarvan ik nooit had gedacht dat ik het me je zou voeren; niet voordat er jongens in je leven komen, en dan in een iets andere vorm.'

'Jongens komen niet zomaar langs,' zei Edith.

'Wat?'

'We nodigen ze uit, nietwaar?'

Cleangirl schudde haar hoofd. 'O nee,' zei ze. 'Ze zullen naar je toe komen. Wacht maar af.'

'Dat hebben ze al gedaan.'

'Nee,' zei Cleangirl. 'Geloof me, dat hebben ze nog niet gedaan.'

Het is een mooie dag, maar ik voel iets zwaars in de lucht hangen. Ik bespeur een verandering in de atmosfeer... Wie probeer ik voor de gek te houden: ik denk dat ze hebben ontdekt dat er camera's zijn. Marcia gedroeg zich vanmiddag heel anders dan vanmorgen. Ik zei in het voorbijgaan hallo; ze gaf geen antwoord. Keek me erg duister aan. Ik ga nu naar beneden om mijn theorie te toetsen.

Ik ben niet erg ver gekomen. Er wil nog steeds niemand met me praten.

Ik ben gemarginaliseerd; ik ben een en al zenuwen. Ik ben van het belangrijkste vertrek in het huis (de grote slaapkamer) naar het onbelangrijkste gegaan (de wc op de benedenverdieping). Terwijl ik dit schrijf, hoor ik de beesten buiten. Ze plegen grommend en morrend overleg, maken plannen om mij belachelijk te maken. Ik kan dit echt niet aan, tenzij ik een bondgenoot heb en ik maak geen schijn van kans op een bondgenoot. Ik ben al mijn bondgenoten kwijt. Ik voel wroeging; ik weet dat het wroeging is want het heeft die bepaalde sorbetstructuur in mijn mond, alsof je tong in ijs is veranderd en op het punt staat te smelten zonder dat je eerst kunt zeggen wat je wilt zeggen. 'Hé mensen, ik heb er spijt van. Ik betuig ieder van jullie individueel mijn spijt, en wel om strikt individuele redenen. Als ik het goed kon maken, zou ik het doen; omdat ik dat niet kan, kan ik jullie alleen maar om vergeving vragen.

In de val!

Ik ging hierheen, naar de zolder, omdat ik wat onschuldig spionagewerk wilde doen. Ik wilde weten wat er beneden nu echt gebeurde, wat voor plannen de beesten smeedden, en voor ik er erg in had, had X – *beng!* – de ladder achter me naar boven geschoven en het luik dichtgegooid, zodat ik opgesloten zat. Ik dacht dat het een grap was, zij het een luidruchtige, gevaarlijke grap. En voordat ik erop af was gesprongen en het luik omhoog kon trekken, deed hij het hangslot erop en ik ben doodsbang, ik vind het hier afschuwelijk. Ik begin tot rust te komen, maar in het begin, toen ik besefte dat het geen grap was, raakte ik echt in paniek, en het is kalmerend om dit te typen, want ik kan naar het licht van het scherm kijken en denken: 'Ik heb tenminste iets wat licht geeft.' Ik hoef niet in het donker te zitten, het donker dat ik hier verder overal om me heen heb. Nee, ik hoef ook niet naar de uiterste hoeken van de zolder te gaan – hoeken die duister zijn en waar van alles verborgen kan zitten. Ik kan hier blijven. Tamelijk veilig. Toen X me had opgesloten, schreeuwde en krijste en stampte ik, maar hij reageerde niet. Ik kon niets horen – ik luisterde en was ervan overtuigd dat hij naar beneden was gegaan en niet zwijgend in de kamer stond. Maar toen ging ik naar de monitors om te zien waar hij was en zag ik dat hij wel degelijk in de slaapkamer was gebleven en dat hij daar domweg naar het luik stond te kijken. Ik stampte en krijste en schreeuwde weer. Misschien zou een van de anderen het horen en me komen bevrijden. Alan of Fleur. Het dienstmeisje. Maar er kwam niemand, al maakte ik erg veel lawaai, en toen ik weer op het scherm keek, was hij weg. O, ik kan nu niets meer schrijven. Ik ben weer helemaal van streek. Ik voel me verraden en ik huil en ik kan niet goed meer zien.

Ik moet pissen. Waar ga ik pissen?

Ik heb me enigszins hersteld. Ze kunnen me hier niet te lang opgesloten houden. Waarschijnlijk alleen maar tot vanavond. Hoewel ik ontroostbaar was en zat te huilen, keek ik naar de schermen: X ging vastbesloten door het huis met wat isolatieband dat hij ergens had gevonden en plakte de lenzen van de spionagecamera's af. Ik ben technologisch blind geworden: ik voel me beroofd. Die beeldschermen die ik zo goed heb leren kennen, met hun heldere, flikkerende grijsheid – allemaal zijn ze nu uit, op één na. X herinnerde zich waar alle camera's in het huis waren, behalve één – die in de kinderkamer. Daar heb ik niet veel aan, maar nu heb ik tenminste iets om naar te kijken, en ook een beetje licht. Mijn laptop geeft trouwens ook een beetje licht. Het is allemaal niet zo erg als het eerst leek. Ik heb hier zelfs iets te drinken. Vijf blikjes cola light zonder cafeïne uit een sixpack. En ik heb een geheim voorraadje chocolade waar niemand iets van mocht weten. Er is hier een plafondlamp, maar de gloeilamp is kapot en ik ben er niet aan toe gekomen hem door X te laten vervangen. Ik vond het eigenlijk wel knus om in het donker te zitten, met de monitors als enige lichtbron.

Nu voel ik me een idioot. Maar ja, nu voelt mijn gevangenschap tenminste ook aan als gevangenschap.

Toen X het huis doorliep, heeft hij de microfoons niet afgedekt. Ik heb, waar het hem betreft, nog een klein beetje hoop; misschien heeft hij dat met opzet niet gedaan. Misschien was het afplakken van alle camera's op één na een afleidingstactiek – om te voorkomen dat de gasten me zouden lynchen.

O nee, nu huil ik weer. Ik dacht net aan de mogelijkheid dat het spookmeisje ook hier op zolder is. Maar hier is ze niet; ze spookt toch alleen op de overloop?

Ik huilde een kwartier spookachtig-en-toch-bang-voor-spoken, maar niemand – bovennatuurlijk of niet – schonk er enige aandacht aan.

Zoals ik al zei, had X de microfoons niet afgedekt of losgehaald. Hij was dat vergeten of had het met opzet niet gedaan. Hij weet heel goed dat er niet alleen camera's maar ook microfoons in het huis zijn aangebracht.

Ze kunnen de stroomtoevoer naar de zolder niet afsluiten, want dan hebben twee van de kamers boven ook geen stroom meer. Ik heb nogal met de camera-installateur moeten onderhandelen over de stroombronnen.

Ik kon niet langer wachten en ik kon ook geen geschiktere plek vinden, en dus piste ik in het omgekeerde houten deksel van een oude Singer-naaimachine, die meteen begon te lekken. Ik moest hem op een oude deken zetten om te voorkomen dat het door de vloer liep. Ik schoof hem zo ver weg als ik durfde. Ik maak me nu al zorgen voor het geval ik...

Nadat ze me hadden opgesloten en X de camera's had afgeplakt, was het helemaal stil geworden in huis. Ik luisterde met het volume helemaal open naar de geluiden in elke kamer, maar hoorde alleen het tikken van klokken en het kraken van vloerplanken. Blijkbaar waren ze allemaal de deur uit, de tuin in of naar het strand. Waarschijnlijk overlegden ze over wat ze met me zouden gaan doen, hoe lang ze me hier laten zitten. Ik neem aan dat het dienstmeisje en de kok ook in het complot zitten. Die vinden het natuurlijk prachtig.

Als X de microfoons met opzet aan heeft laten staan, is dat erg slim van hem. In sommige opzichten maakt het feit dat ik niets kan zien deze hele ervaring romanesker, alsof ik de stemmen van mijn personages in mijn hoofd hoor spreken en vervolgens opschrijf wat ze zeggen, verbaasd over hun uitspraken, bekentenissen. De beelden leidden me af en ik kwam er bijna nooit iets door aan de weet: hoogstens dat Alan blikken werpt op Fleur als ze niet naar hem kijkt, en dat zij dat soms ook doet. Het zijn wel ondoorgrondelijke blikken. Dat is het wel zo'n beetje, denk ik. O ja, en Cornwall. En de dominee. Eigenlijk best veel.

Grote consternatie. Marcia is vertrokken.

Er werden pogingen in het werk gesteld om haar te laten blijven, vooral door Alan en Fleur. Maar ze was onverzoenlijk: 'Ik kán niet blijven. Ik moet weg,' zei ze in haar kamer – en daarna hoorde ik anderen, met zware voetstappen. Ze huilde.

'Waar ga je heen?' vroeg Fleur.

'Ik ga natuurlijk naar Londen, naar huis. Ik heb veel tijd nodig om na te denken.'

'Je komt toch wel terug?' zei Alan. 'We hebben je hier nodig.'

'Ik laat mijn kleren en alles achter. Maar ik voel me erg gekwetst en vernederd.'

'Dat voelen we ons allemaal,' zei Fleur.

'Als ik hier vannacht blijf, kan ik niet slapen. Ik wil ver weg zijn...'

Ze hielpen haar met inpakken en inladen. Alle gasten (denk ik) verzamelden zich in de hal om afscheid te nemen, en daarna gingen ze naar buiten om haar uit te zwaaien.

Door mijn oor tegen het hellende dak te leggen kon ik de kleine auto horen wegrijden.

Ik maak me grote zorgen. Marcia's vertrek vergroot de kans dat anderen haar zullen volgen. Als het hele project nu eens mislukt?

Henry en Cleangirl denken nu vast ook over vertrekken.

Het huis brengt zo ongeveer weer de normale geluiden voort. Vooral gesprekken.

Ik zit naar de poppen op de planken in de kinderkamer te kijken, poppen zonder ruggengraat, voorovergezakt, dode liefdes van een dood meisje. Ik zou misschien kunnen proberen te ontsnappen, me door het dak te slaan – maar ik wil het huis liever niet beschadigen, tenminste niet als het niet echt nodig is. (Ik moet betalen voor alles wat er stuk gaat, inclusief kringen van koffiekopjes.) Wat nu gebeurd is, heeft trouwens een zekere betekenis. Ik bedoel dat ik betrapt ben. Als ik mijn project trouw wil blijven, hoef ik alleen maar de ontwikkelingen te volgen en de gevolgen te ondergaan. De gasten maken een veel levendiger indruk nu ze hebben ontdekt wat ik met hen uithaalde. Ze zitten allemaal, X ook, in de salon. Ze praten met zijn allen door elkaar, zodat ik er niet veel van kan verstaan. De flarden van gesprekken die ik wel opvang gaan vooral over de dingen die ik hen misschien heb zien doen. In het kader daarvan duikt mijn naam steeds weer op: in Ediths hoge stem, in Cleangirls lage stem. Ze weten inmiddels dat er geen camera op de overloop was, maar ze vragen zich toch af of ik beelden van het spook heb. Maar ze zijn vooral geobsedeerd door de camera's in hun slaapkamers. Ik hoor veel gelach, luider en uitbundiger dan ooit tevoren. Zoals elke groep mensen zijn ze blij dat ze een zondebok hebben gevonden. Ik probeer verontwaardiging te bespeuren, maar ik merk daar niets van; ze genieten enorm – zonder mij voelen ze zich meer op hun gemak dan ooit tevoren. Dat is nog het meest ontnuchterende besef: ze zijn blij.

Ik heb nog hoop dat er iemand voor me opkomt.

Ik ben in ongenade gevallen. Dat voelt heel prettig aan, erg knus. Ik ben in mijn leven al zo vaak in ongenade gevallen dat ik er inmiddels aardig de weg weet. ~~(Ik kan ook goed uit de voeten in Coventry.)~~ Ongenade heeft veel voordelen. Het is een soort ontwenningskuur. Je hebt rust en vrede en ruimte en tijd, maar je weet dat je uiteindelijk alles moet opbiechten en er veel moeite voor moet doen om vergeven te worden. In de eerste periode van de ongenade, het eerste vijfde deel, wil je daar niets van weten. Je kunt de rust/vrede/ruimte/tijd wel aan, denk je. Je neemt een uitdagende houding aan. Het tweede vijfde deel staat in het teken van de wroeging, het derde in dat van de wanhoop. Het vierde wordt gekenmerkt door kalme overweging, het vijfde door bereidheid. Ik ben nu ongeveer op weg naar de wroeging.

De gong van het diner herinnert me eraan dat ik honger heb, ondanks de chocoladerepen. Ik denk erover om de laatste te bewaren tot morgen – of de dag daarna – wie weet hoe lang ze me hier laten zitten – maar ik eet hem toch maar op. De kauwgeluiden die uit de eetkamer komen, zijn ronduit walgelijk. Vooral Alan is een luidruchtige eter. Dat besef je niet als je met mensen zit te eten: de samenleving heeft je getraind om niet naar hun kauwgeluiden te luisteren. Tenzij ze oud zijn, want dan is het beleefd om het op te merken en achteraf grappen te maken over het sappige lawaai dat ze maken.

Er zit een dunne spleet langs de randen van het zolderluik. Dat bracht me op een idee. Ik had genoeg schrijfpapier en pennen om aantekeningen te maken van mijn spionageactiviteiten. Een uur geleden heb ik een smeekbriefje aan X geschreven. Met enige moeite weerhield ik mezelf ervan om directe bedreigingen aan het adres van bepaalde lichaamsdelen van hem te uiten. Toen ik klaar was, liet ik het briefje door de spleet glijden. Toen het viel, vloog het opzij – ik weet niet waar het is geland. Omdat er een kans was dat het onder het bed of de kaptafel was verdwenen, en dus helemaal niet ontdekt zou worden, schreef ik een tweede briefje. En voor alle zekerheid een derde. Daarin stond alleen: 'Ik heb al twee briefjes laten vallen. Als je dit ziet, en die andere twee niet, kijk dan om je heen en je zult ze vinden.'

Later op de avond zijn de gasten moe. Ze praten langzamer en hebben meer consideratie voor elkaar. Ze vallen elkaar minder in de rede en luisteren aandachtiger. Hier in het donker kan ik me voorstellen dat ze onderuitgezakt op de banken in de salon zitten. Ze hebben het over mij.

'Ik denk dat ze het deed om macht te krijgen,' zegt Cleangirl, 'om alles over ons aan de weet te komen.'

'Vanzelfsprekend...' zegt William.

'Zoals ik al eerder zei,' zegt Simona, 'wist ik hier niets van. Het was een volledige verrassing voor ons.'

'Laat maar, we geloven je,' zegt Henry. 'Maar als je nog veel langer je onschuld betuigt...'

'Waarom spreekt het voor zich dat ze het om macht deed?' vraagt Edith.

'Ze is schrijfster,' zegt Simona. 'Die hebben niet veel macht, en als ze al een beetje macht hebben, gaan ze er belachelijk mee om.'

'In tegenstelling tot uitgevers,' zegt Alan.

'Dat is precies was ik bedoel,' antwoordde Simona, terwijl de rest lachte.

'Het is zo wreed,' zegt Cecile, 'dat spioneren. Het geeft me een gevoel van...'

'Waarvan?' vraagt Edith.

'Niet van iets fraais,' zegt Cecile, die op tijd bedenkt dat Edith een kind is.

'Ze moet er nu voor lijden,' zegt Fleur. 'Laat haar maar een beetje lijden.'

'Victoria is bang in het donker,' zegt X.

'O ja,' zegt Fleur.

'Op school ook al,' zegt Cleangirl. Dat is een leugen: het was juist Cleangirl die bang was. Ze heeft me verteld dat ze haar angst pas overwon toen ze Edith had.

Als je hoort wat een verkeerd beeld anderen van je hebben, kun je alleen maar gefascineerd blijven luisteren.

'Het zou hypocriet zijn als we nu diep geschokt waren,' zegt William. 'Per slot van rekening wisten we dat we hier niet zomaar op vakantie waren. We betalen geen van allen voor kost en inwoning. Victoria wilde gewoon iets in ruil hebben.'

'Ze wilde te veel,' zegt Fleur. 'Ze wilde onze ziel.'

'Dat vind ik ook,' zegt Edith.

'Ik weet het eigenlijk niet,' zegt Alan. 'Onderschatten we nu niet de hoeveelheid eh... spionage die in elk huis plaatsvindt? We hebben allemaal wel eens aan een deur geluisterd...' Enkelen van hen protesteren, maar alleen voor de grap. 'Als we het uiteindelijke boek te lezen krijgen, zullen we zien wat ze te weten is gekomen.'

'~~Maak je geen zorgen,' zei Simona. 'Alles wat te erg is, gaat eruit.'~~

'~~Kun je mij er niet helemaal uit knippen?' vraagt Fleur.~~

~~'Ik ben bang van niet,' zegt Simona. 'Jij bent een belangrijk personage.'~~

'Wat vind jij ervan?' vraagt Cecile. Het duurt even voor ik besef dat ze het tegen X heeft.

'Ik voel me alleen maar schuldig,' zegt hij, 'omdat ik het zo lang heb laten doorgaan zonder het aan jullie te vertellen.'

'Daar hebben we allemaal al over gehad,' helpt Simona hem uit de brand.

'Zó lang duurde het nu ook weer niet,' zegt William.

'Te lang,' zegt Fleur.

Ze praten nog een tijdje door, maar ze hebben het niet meer over mij.

In de loop van het gesprek besef ik iets: Marcia is echt vertrokken – misschien komt ze niet terug – misschien is haar stem nooit meer te horen – haar meningen – haar lach. Jammer. Ik begon haar net sympathiek te vinden. → Vreemd dat je dat nu pas beseft. Je wist het

Het is het eind van week twee. Ik zou 'al' zeggen, maar het lijkt wel of het zes maanden heeft geduurd.

Ik kon niet slapen. ~~Ik heb dit geschreven om de tijd te verdrijven.~~

Toen ze het veld opliepen, boorde de zon zich als een Zoeloespeer door hen heen, tot in de kern van hun lichaam, waar het hart pulseert als een omgekeerde schildpad op een zonnig strand.

'Ben je hier wel zeker van?' snauwde majoor Snow tussen zijn grote witte tanden door, die glinsterden in de zon.

'Heel, heel zeker, ouwe jongen,' antwoordde geheim agent X. 'Je belediging aan het adres van lady Victoria was absoluut onvergeeflijk. Als je niet ogenblikkelijk je verontschuldigingen aanbiedt, zie ik me gedwongen het in fysiek opzicht tegen je op te nemen.'

'Dat doe ik niet,' zei majoor Snow. Zijn stem glipte tussen zijn tanden door als een slang door het gras.

Ze liepen een tijdje door. Geen van beiden sprak, maar ze wierpen beiden nu en dan een blik opzij. Waar zat de zwakke plek van de tegenstander? Hoe konden ze het best in de aanval gaan? Geheim agent X had majoor Snow zien bridgen en wist dat hij de neiging had om te fors in te zetten. Ooit had hij hem drie zonder troef op een handvol brandhout zien bieden. Als geheim agent X dit gevecht wilde winnen, en de eer van lady Victoria wilde verdedigen, zou hij elk grammetje intelligentie in zijn aanzienlijke kersenpit nodig hebben. Majoor Snow was een militair die zich vanouds in de kunst van de oorlogvoering had bekwaamd, met name het gevecht van man tot man. Maar geheim agent X, wiens ledematen op deze warme augustusdag extra soepel aanvoelden, voelde zich zeker van de overwinning.

Plotseling sprong majoor Snow op hem af.

'Hé...' was het enige dat geheim agent X nog kon zeggen, voordat majoor Snow onverhoedse stompen, een gentleman onwaardig, in zijn harde strakke buik pompte.

Natuurlijk, dacht geheim agent X midden in deze ongepaste schermutseling, ik wist dat hij hard en snel in de aanval zou gaan. Maar ik rekende er niet op dat hij vals zou spelen. Hoe kon hij denken dat hij dat straffeloos kon doen? Hij weet dat ik, als we op de club terug zijn, iedereen over de *denouement* van ons *débâcle* zal vertellen. Hij kan niet verwachten dat hij dit zal overleven. Tenzij... En voor het eerst in zijn leven stond geheim agent X oog in oog met echte doodsangst. Tenzij hij van plan is me te doden, zich van mijn lichaam te ontdoen, te zeggen dat we op onze wandeling door een bloeddorstige panter zijn aangevallen, en op een mooie voorjaarsochtend in een kleine kapel in Wales met lady Victoria te trouwen.

Het felle zonlicht en de zware fysieke inspanning lieten beide mannen hevig zweten. Er zaten donkerblauwe kringen van zweet onder hun oksels, in de stof van hun kaki overhemden. Hun lichamen golfden tegen elkaar aan, vlees tegen vlees, een schitterend ballet van geweld.

De twee mannen lagen op de grond te worstelen. Eerst had de een het initiatief, toen de ander, toen weer de eerste, en toen zag de tweede kans het op de eerste te heroveren, enzovoort. Zo ging het een hele tijd door; het was erg opwindend. Totdat majoor Snow een jachtmes te voorschijn haalde. Blijkbaar had hij dat ergens op zijn lichaam meegesmokkeld, waarschijnlijk in een leren zakje onder in zijn overhemd.

'Ha-ha,' zei hij. 'Híer had je vast niet op gerekend!'

'Integendeel,' zei geheim agent X, die zijn kans schoon zag toen majoor Snow het glinsterende wapen boven zijn hoofd hield. Hij greep Snow in zijn kruis en kneep uit alle macht.

Op dat moment, toen geheim agent X het gevecht definitief had gewonnen, en lady Victoria's eer had verdedigd, en in feite hun huwelijk in die kleine kapel in Wales al had aangekondigd, was er geritsel te horen in het zonnige struikgewas en schoof een donkere schaduw het veld op.

Beide mannen voelden het tegelijk, alert als dieren, met trillende neusgaten. Dit was krachtiger dan wie of wat dan ook, krachtiger misschien dan zij tweeën samen, ook wanneer ze als team gebruik maakten van al hun aanwezige rationaliteit. Het was een bloeddorstige panter, en hij brulde naar hen met een bek die zich, met witte tanden en glinsterend nat rood vlees, voor hen leek te openen als een poort die hen, althans in hun verbeelding, tot in de diepste diepten van de hel zou leiden.

Enzovoort, enzovoort. Mooie parodie, maar totaal overbodig.

De tijd verstrijkt.

Donderdag

Dag Vijftien Week Drie

Het is nu twaalf uur geleden dat ze me op zolder hebben opgesloten. Ik begin het benauwd te krijgen – nee, ik begon het gisteren al benauwd te krijgen, met al dat stof hier, maar vandaag ben ik serieus bang dat ik dood zal gaan.

Telkens wanneer ik iemand over de overloop hoor lopen, of meen te horen, om naar een kamer te gaan, bonk ik op de vloer.

Het haalt niets uit. Ze hebben besloten me te vermoorden... door me te laten verhongeren.

Mijn aantekeningen uitgetypt én de inhaalversie van de verloren gegane dag gelezen. Een passage of twee van daarvoor herschreven, die scène met Cleangirl, met mijn toespraak over de schilderijen.

Ik heb het deksel van de naaimachine weer gebruikt. Wat moest ik anders? Het was toch al verpest.

Ongeveer een uur geleden ontdekte ik dat er een spelletje in mijn laptop zit: Tetris. Geweldig. Ik ben een van de Top Ten Comrades. Mijn record tot nu toe is 2452. De tijd gaat veel sneller voorbij als je je met vallende blokjes bezighoudt.

Het record is nu 7792.

Voor zover ik kan nagaan, leven Gorgonen in het 'verre westen'. Maar Medusa (de mooiste) leefde in een grot. Ik laat dit staan – en zal eventuele brieven van pedante classici aan je doorsturen

... en tot overmaat van ramp heb ik nu hoofdpijn door cafeïnegebrek.

Toen ik vanmorgen wakker werd, voelde ik me net – en zag ik er ongetwijfeld ook uit als – een Gorgo die uit de diepten van een goddeloze poel verrijst – verrijzen Gorgonen uit poelen? Checken.

Ik hoop niet dat ik ongesteld word, niet zolang ik hier opgesloten zit; dat zou te erg zijn. Het zou nog een paar dagen moeten duren.

Gisteravond heb ik tot twaalf uur gewacht voordat ik een plekje zocht waar ik kon slapen. (Gelukkig bevindt zich onder de spullen die hier zijn opgeslagen ook een oud matras.) Daarvoor geloofde ik nog steeds dat ik zou worden vrijgelaten, op grond van een collectieve beslissing van het huis of in het geheim door X. Geen van beide gebeurde, en ik zag me gedwongen de zolder bij het zwakke licht van mijn laptopscherm te verkennen. Ik heb een grote hekel aan stof, vooral het soort stof dat je op zolders krijgt, stof dat gruizig is en half levend lijkt, en dat overal kan komen waar je het niet wilt hebben; en ik heb ook een hekel aan spinnenwebben, behalve aan de klassiek gotische webben, en deze hier zijn, omdat ze zo lang ongestoord zijn gebleven, behangen met stukjes neergedwarrelde pleisterkalk. Wanneer ik met mijn hoofd tegen zo'n web kom, is het meteen of ik een hoofdtooi van kralen draag – van spinrag, pleisterkalk, muizenpoep en wat voor walgelijks er nog meer aan de plafonds van zolders hangt. Ik begon echt te denken dat ik misschien gek aan het worden was. Voor de goede orde schreeuwde ik een paar keer. Beneden moeten ze hebben gedacht dat ik me niet alleen aan mijn verblijfsruimte probeerde aan te passen maar ook aan mijn nieuwe *rôle*. Ik stommelde en kraakte ook nog wat, alleen om ze wakker te houden. Het matras lag helemaal in de hoek, dubbelgebonden met touw; ik vraag me af waarom ze het hebben bewaard. Ik sleepte het naar de plek waar ik wilde gaan liggen, het grootste op-het-oog-spinvrije oppervlak van de zolder. (Je hebt stijl of je hebt het niet.) Ik trok het touwtje los en het matras klapte open. Ik had allerhande vlekken verwacht, maar het was best schoon – nieuwig zelfs. Daarom hadden ze het waarschijnlijk ook bewaard. Er waren geen dekens, en ik weet ook niet of ik die had durven gebruiken – ze zouden vol met kriebelend ongedierte hebben gezeten. Ik begon bang te worden, raakte geobsedeerd door de gedachte aan insecten die bijten. Toen ik vroeger een keer in een erg oud huis van een vriend logeerde, werd ik wakker en leek het of het gezichtsveld van mijn linkeroog helemaal zwart en wazig was geworden. Toen werd het vanzelf weer helder, en tegelijk voelde ik een gekriebel dat zich over mijn voorhoofd verplaatste, en ik besefte... dat een kolossale huisspin mijn gezicht had beklommen! De zolder was op dit moment nog niet zo koud, maar ik wist dat het hier aan de kust tegen de ochtend erg kil kon worden en dat ik zou liggen huiveren. Ik keek of ik iets zag om over me heen te leggen. Er waren koffers vol kleren, waarvan sommige duidelijk aan de dode dochter hadden toebehoord. (Het waren kleertjes voor kleine kinderen: rompertjes en slabbetjes.) Maar pas toen ik een zwarte plastic vuilniszak openmaakte, vond ik wat ik zocht: gordijnen. Ze waren van lang, breed, groen of bruin (dat was bij het licht van de laptop bijna niet te zien) fluweel; erg zwaar. Ik trok ze helemaal uit de zak; de mottenballen rolden over de vloerplanken. (Misschien moet ik wat meer over de vloerplanken vertellen; ze zijn stofgrijs, bedekt met een laag stof van meer dan een centimeter dik. Als je te vlug loopt, komt het stof tot leven. Het likt als vlammen omhoog en verstikt je als rook. Ik beweeg me over de zolder als over het oppervlak van de maan, een onbekende maan, waar zich achter elke rots buitenaardse wezens, naaimachines of kartonnen dozen kunnen schuilhouden. Ik rolde wat zachtere katoenen kleren uit een van de koffers op om een kussen te maken. Na al die moeite dacht ik: nu kan het bijna niet anders of X komt me bevrijden. Volgens de klok in de menubalk van mijn laptop was het kwart over een. Beneden me was het nog niet stil in het huis; de gesprekken in de salon waren nog niet afgelopen. Ik wilde me daarvoor interesseren; ik wilde me dwingen me daarvoor te interesseren. Ik kon het niet. Ik stikte bijna. Ik probeerde te slapen in plaats van te stikken. Dat was de enige manier: door alles heen slapen. Maar het duurde een hele tijd voor ik in slaap viel – ik zette de microfoons niet zachter; de menselijke stemmen hadden een geruststellend effect; ik was niet helemaal alleen. Al wist ik dat niemand zou reageren als ik schreeuwde. Ik wist niet hoe ik de aandacht van mensen kon trekken. Morsesceinen? Ik wist daar niets van, en de anderen ook niet. En ik had die briefjes voor X al laten vallen.

Om ongeveer twee uur hield het praten op. Gehuld in fluweel, kwam ik van het matras en keek ik naar het enig overgebleven scherm. X was zich aan het uitkleden in de kinderkamer. Ik keek naar dat deel van de zolder. Ik zou daarheen willen gaan en boven zijn hoofd op en neer willen springen, maar dan zouden ze weten dat ik nog in de kinderkamer kon kijken en zouden ze mijn laatste oog blind maken, en dan zou ik nog minder licht hebben. Ik zag hem in de kinderkamer in bed stappen; ik stak mijn hand niet uit om teder over het scherm te aaien. Nou ja, dat deed ik wel... Hij zag er zo lief uit, met al die poppen op de plank boven hem, en hijzelf half in foetushouding om in het kinderbed te passen. Was het verbeelding van mij of keek hij even met een glinstering in zijn oog naar de camera voordat hij het licht uitdeed en ging slapen? De lamp in de kinderkamer was uit, maar het maanlicht viel vanaf de linkerkant naar binnen. Ik kon de contouren van X zien, de zijkant van zijn gezicht, zijn lange arm. Om ongeveer halfdrie, toen ik hem in slaap had zien vallen, ging ik terug naar mijn matras en probeerde niet meer te denken aan spinnen en ogen, ogen en spinnen.

10.00 uur. Iedereen is vanmorgen na het ontbijt weer naar buiten gegaan. Ik hoorde ze daar regelingen voor treffen. *Psst psst*, heb je het al gehoord, verzamelen onder de appelbomen. Ongetwijfeld gaan ze weer over mij praten.

Het speelt vals! Tetris. Ik weet het zeker. Het stuurt me nooit de blokjes die ik nodig heb – de figuur waar ik naar toe werk: meestal zo'n figuur van vier-op-een-rij. Er is vaak een lange verticale smalle opening, speciaal bestemd voor die figuur, en dan moet ik hem dichtstoppen met zo'n ergerlijk zigzaggeval, alleen om te kunnen overleven. Ik vind dit spel niet leuk. Bovendien stuurt het me figuren waar helemaal niets mee te beginnen is. Aleksej Pazhitnov, dertigjarige Sovjet-wetenschapper, ik haat je omdat je dit duivelse spel hebt uitgevonden; Vadim Gerasimov, ik veracht je omdat je het hebt geprogrammeerd. Jullie zijn kwade geniussen die levens verwoesten, het mijne niet uitgezonderd. Laat me los. Als ik vandaag niet boven de 10.000 kom, word ik gek.

Op het matras gelegen.

Vuil. Angst. En vooral honger.

Weer een briefje voor X laten vallen. 'Kunnen jullie me dan tenminste te éten geven?'

Vanmiddag ging Cecile naar haar kamer terug, en het was nogal bijzonder: ze begon te praten alsof ze het tegen mij had: 'O, Victoria, wat heb je je in de nesten gewerkt. Wat heb je toch je best gedaan om iedereen in dit huis tegen je op te zetten!' Ik sprong op het toetsenbord af en begon te typen wat ze zei. 'Toen ik hier kwam, dacht ik dat we erg goed met elkaar overweg zouden kunnen. En op de een of andere manier heb je je van mij vervreemd. Toch was het de bedoeling dat we erg goede vriendinnen werden.' Het was of ze aan het bidden was; ik zag voor me hoe ze naast het bed geknield zat. Haar stem was moederlijk, overlopend van medemenselijkheid. 'Ik heb het gevoel dat je overal in dit huis bent. Ik vind het een vreemd idee dat je recht boven me bent, maar me niet kunt zien of horen.' Ik stampte bijna met mijn voeten om te laten weten dat ik haar hoorde. 'Waartoe zal dit alles leiden? We hebben nog tien dagen over. En ik wilde zo graag van deze gelegenheid gebruikmaken om je beter te leren kennen. Je bent zo fascinerend, zo heerlijk vol leven, vol verdorvenheid. Maar de anderen zijn er blijkbaar allemaal voor om weg te gaan. Dat zal je niet veel stof voor je boek opleveren.' Ik knikte. 'Ik moet er niet aan denken dat je daar boven zit. X zegt dat die zolder erg groot en stoffig is en dat er allemaal oude kapotte dingen liggen. Zo is mijn hart ook – naarmate ik ouder word, lijkt mijn hart steeds meer op een zolder. Omdat het geen woonkamer is, weet je, er leeft niemand in.' Wat was ze toch verdrietig. 'Ooit heeft daar iemand geleefd. Met al jouw gevoeligheid heb je vast wel geraden dat ik in het verleden door een tragedie ben getroffen. Daardoor voelden we ons in het begin tot elkaar aangetrokken. Ik weet nog precies hoe we elkaar hebben leren kennen. Jij met je honderden tassen; ik die je in die taxi hielp die maar niet wilde komen.' Ik glimlachte naar het glanzende, twinkelende scherm voor me. 'Ik werd lang, lang geleden verliefd op hem. Hij heette...' Ze onderbrak zichzelf. 'Lieve help, wat klinkt dit belachelijk. Dat ik hier zit en doe alsof ik tegen je praat, terwijl je niet eens in de kamer bent! Misschien moet ik in plaats daarvan proberen te bidden, zoals Fleur doet...' Ze werd stil; ik kon er niet tegen. Nadat ik de luidsprekers harder had gezet, stond ik op en liep over de zolder tot ik dacht dat ik recht boven haar kamer was, en toen stampte ik drie keer met mijn hak. 'O,' riep ze uit. Ik stampte nog een keer, nu langzamer. Toen nog drie keer snel achter elkaar. (...–...) Ze slaakte een gilletje alsof ze plotseling een pijnsteek kreeg – een speldenprik, een gestoten teen. Ik herhaalde het ritme. 'Wie is daar?' vroeg Cecile. Natuurlijk, ik was vergeten dat ze zou denken dat het de geest was. Ik stampte duh-der-stilte-duh-der: Vic-tooo-riii-a. 'Eén tik is ja, twee is nee,' zei Cecile, heel praktisch. 'Ben je dood?' Twee tikken. 'Ben je in dit huis?' Twee tikken. 'Ben je Victoria?' Eén tik. Ook op grote afstand van de luidsprekers en de microfoon hoorde ik een diepe, onregelmatige zucht van Cecile. 'Hoe gaat het met je? Ben je ongedeerd?' Ik aarzelde. Eén tik. Dit was niet het moment om te gaan klagen. 'Daar ben ik blij om. Heb je genoeg eten en andere dingen?' Twee tikken. Stilte. Ik dacht dat ze misschien zelfs weg was gegaan, nadat ze had vastgesteld dat ik nog in leven was. Misschien hadden de anderen haar laten beloven dat ze niet tegen me zou praten. (Ze kon natuurlijk ook naar de grote slaapkamer zijn gegaan om naar boven te roepen. Ik geloof niet dat X de deur nog op slot doet.) 'Kun je goed horen wat ik zeg?' Eén tik. 'Luister je door de vloerplanken?' Omdat ik de gecompliceerde technologie van mijn installatie niet kon beschrijven, tikte ik één keer. 'Je beseft zeker wel dat veel van de mensen hier erg kwaad op je zijn?' Ik liet het boetvaardigste tikje horen dat ik kon voortbrengen, een beetje zacht, een beetje aarzelend. 'Heb je spijt van wat je hebt gedaan?' Eén tik. 'Echt spijt?' Eén tik. 'We houden veel van je, Victoria, erg veel. Maar je bent soms zo'n onmogelijk kind. Ik wou dat ik gewoon met je kon praten. We zouden elkaar zoveel te zeggen hebben.' Eén tik. 'Ik heb het gevoel dat alles wat ik tegen je zeg gepubliceerd zal worden, aan andere mensen doorgegeven zou worden, mensen voor wie mijn woorden nooit bestemd zijn geweest.' Twee tikken. Nee! 'Je bent schrijver; ik weet hoe schrijvers zijn, je hebt niet dezelfde loyaliteit als anderen, je hebt geen vrienden, je hebt... bronnen, materiaal.' Twee harde tikken. Hoe kon ze dat van me denken? Wanneer – afgezien van nu – heb ik ooit mijn vrienden op die manier gebruikt? (Lieve help. Misschien had ze van Fleur over hoofdstuk 12 van *Ruimtelijkheid* gehoord...) 'Dat is niet goed, Victoria.' Ik hoorde een rits die werd opengetrokken. Cecile was zich aan het omkleden. 'Luisterde je naar wat ik een tijdje geleden zei?' Eén tik. Weer een stilte. Ik vroeg me af of ze zich geschonden voelde. Haar gebed was niet voor andere oren bestemd geweest. 'Is het al zo laat?' zei ze. 'Ik moet gaan, ik heb een afspraak met iemand.' Ik wou dat er een tik voor *Wie?* was. 'Ik zie je als je naar beneden komt.' Eén tik. 'Nou, tot ziens dan maar, Victoria. De volgende keer dat we met elkaar praten, kan ik gelukkig je gezicht weer zien. Nou, heb ik alles?' Ze neuriede even. 'Ik geloof van wel.' En de deur van haar kamer ging achter haar dicht. Ik vroeg me af naar wie Cecile in godsnaam toe ging. Het klonk niet alsof het een van de gasten was. Misschien had ze een kennis in de buurt wonen. Mensen die zo oud zijn als Cecile, hebben kennissen in alle uithoeken. Vrienden verspreiden zich over de hele wereld, en je hebt er zoveel dat het al gauw lijkt of er in elke stad, elk dorp wel iemand woont bij wie je op bezoek kunt gaan.

Ik liep naar de monitors terug, ging zitten en typte dit uit. Als je dialogen schrijft, wordt de tegenwoordige tijd op den duur een beetje vermoeiend, en dus koos ik voor de verleden tijd.

Ik weet niet of ik dit moet zeggen, maar nu Marcia er niet meer is, is het rustiger in huis. Ik heb geen idee waarom. Misschien bedoel ik niet rustiger, misschien bedoel ik saaier – minder kleurrijk – vooral verbaal kleurrijk. Als Marcia in een kamer is, wordt er gepraat en geflirt en gelachen. Nu ze weg is, gebeurt dat minder. Daarmee wil ik, geloof ik, alleen maar zeggen dat ik – al zit ik hier opgesloten – haar erg mis.

Ik vraag me af of ze terugkomt. Ik denk dat ze over een paar dagen weer komt opdagen, en dat ze dan haar spullen bij elkaar pakt en wegrijdt zonder iets tegen mij te zeggen – vooropgesteld dat ik dan nog op zolder zit.

Henry en Ingrid zijn op dit moment in hun kamer en praten over hun relatie. Bla bla bla, totdat...

'Jij hebt met Victoria zitten flirten.'

'We flirten altijd,' zei Henry. 'Dat hebben we altijd gedaan.'

'Je voelt je tot haar aangetrokken, hè?'

'Ze is een erg aantrekkelijke vrouw.'

'Je weet wat ik bedoel. Hou je maar niet van de domme.'

'Ik ga er niets mee doen.'

'Wat dacht je dan dat je zou kunnen doen?'

'O, ik weet het niet. Dat ik haar alleen op het strand zou treffen en dat ik haar onstuimig achter een duin zou nemen.'

'Je hebt mij nooit onstuimig genomen.'

'Dat heb ik wel. Een paar dagen geleden nog.'

'Noem je dat onstuimig?' zei Ingrid.

Het was even stil.

'Je voelt je echt tot haar aangetrokken, hè?'

'Zoals ik al zei: ze is een erg...'

'Ik maak nu geen grappen meer. Je bent verliefd op haar.'

'Nee.'

'Je zou graag bij haar willen zijn, niet bij mij.'

'Ingrid, je weet dat dat niet waar is.'

'Ik heb gezien hoe je soms naar haar kijkt.'

Dan fluistert Henry iets.

'Ik méén het,' zegt Ingrid. 'Ik maak geen grapje. Dit is de waarheid.' En ik kan horen dat ze huilt.

'Laten we naar buiten gaan,' zegt Henry. 'We kunnen dit gesprek beter niet in deze kamer voeren, hè?'

'Zo gemakkelijk kom je er niet van af.'

'Dat probeer ik ook niet.'

Ze zeggen niets meer tot ze in de salon zijn.

'En ons huwelijk?' zegt Ingrid. 'Hoe moet het daarmee?'

Henry doet van ssst, en ik hoor niets meer.

Ik heb het begin van hun gesprek niet weergegeven, maar dat was ook niet zo interessant. Ze hadden het eventjes over Marcia. Ik begon pas goed te luisteren toen ze over het flirten begonnen.

Ik heb zó'n honger. Het was verschrikkelijk om ze te horen eten. Ik kan me alleen maar troosten met de gedachte dat ik nu afval.

Ik koester de hoop dat X me vanavond, als alle anderen naar bed zijn, komt bevrijden. Of dat hij me komt opzoeken.

Weer een nacht: ze houden me hier nog een nacht. Ik ben ontroostbaar.

9112

Gelukt! Voor het eerst boven de 10.000!

Vrijdag

Dag Zestien Week Drie

Ochtend van de tweede zolderdag.

Nog meer dan ik X mis, of seks of Londen of mijn vrienden, mis ik de middelen om me te wassen. Als ze me vrijlaten, áls ze me vrijlaten, zal ik er zó verschrikkelijk uitzien – dan ben ik zo'n afschuwelijke wrattige oude voddenbaal van een heks. De huid van mijn gezicht voelt aan alsof er duizend muizen met minuscule brillosponsjes onder hun pootjes overheen zijn gemarcheerd. Ik heb daar even om gehuild. Als ik weer voor een spiegel sta, zal ik lijnen zien die ik de rest van mijn leven tot de afgelopen paar dagen, tot dit verblijf op zolder, zal kunnen herleiden. Zal dit het waard zijn? Zal ik een prijs krijgen? In ieder geval geven ze me nu te eten. Toen ik vanmorgen wakker werd, zag ik dat iemand (ik denk dat het X was) kans had gezien een kartonnen doos met proviand op zolder te zetten zonder me wakker te maken. Al met al is het een heel pakket: wc-papier, een po, twee grote flessen met mineraalwater zonder prik, appels, bananen, noten en niet te vergeten dat boek van Sebald dat Henry aan het lezen was. (Ik kan het bij dit licht niet lezen, maar het is attent van hem.) Dit is het eerste teken van medeleven dat ik in meer dan vierentwintig uur heb gekregen. Omdat ik zo aan wreedheid gewend ben geraakt, bracht dit gebaar me tot tranen. Hij heeft aan me gedacht, dacht ik. Hij heeft dit in de doos gedaan, want hij wist dat ik het wilde lezen – hij dacht dat ik me misschien zou vervelen. Ik dronk ongeveer de helft van een van de flessen water en maakte toen meteen gebruik van de po. Dat Singer-ding moet ik wegdoen – naar de vuilnisbelt brengen, in de tuin verbranden. Het zou me niet verbazen als ze het beneden konden ruiken. Vandaar die po.

Ik denk aan de ochtend buiten. Zeven uur. Ik heb maar vierenhalf, vijf uur geslapen. Het verbaast me dat ik zelfs maar een minuut heb geslapen. Mijn dromen waren rustig. Ik droomde van meren met vogels erboven. Misschien beloonde mijn onderbewustzijn me voor de nachtmerrie om me heen. Ik verwachtte dat het spookmeisje op een gegeven moment door mijn dromen zou spoken, maar ze heeft zich niet laten zien. Ze was voortdurend ergens naast mij, dacht ik, een kern van kilte, trillend aan de rand van mijn gezichtsveld. Ik keek of er een briefje in de doos zat. Dat zat er niet. Ik ging zitten om naar de enige monitor te kijken, de poppen met gebroken rug op de plank. (X had de kinderkamer al verlaten en daarbij had hij nog meer chaos gecreëerd: de lakens in een prop omdat ik er niet was om ze glad te strijken; een van de kussens op de vloer.) Ik zie op het scherm dat het licht in alle helderheid door het raam naar binnen valt en neem aan dat het buiten een mooie dag is. Hierboven hangt nog de kou van de nacht, sluiers van kou. Als je hier rondloopt, ga je er soms doorheen, als een spook door een muur.

Pas om halftwaalf vond ik het briefje.

Ik had naar het ontbijt en de nasleep daarvan geluisterd. Ze maakten weer plannen voor een uitstapje. De halve groep had, om redenen die ik niet kon doorgronden, besloten langs de kust ten zuiden van Southwold te gaan rijden – eerst naar Dunwich en dan naar de kernreactor van Sizewell; de anderen wilden, ook met auto's, nog een keer naar Aldeburgh, opnieuw voor fish & chips.

Toen het huis was overgegaan tot wat hier, in dit huis, voor stilte doorgaat – een erg zacht lawaai – pakte ik Henry's boek op.

Het briefje viel theatraal tussen de bladzijden uit. Het zat in een envelop van dik, geschept papier.

Vol spanning maakte ik de envelop open. Ik verwachtte de geschreven stem van Cecile. Had ze misschien ook schrijfgerei in haar koffertjes gehad? Of had ze het gekocht toen ze in Southwold aan het winkelen was? Het werd een teleurstelling: ze hadden het schrijven van het briefje aan Fleur overgelaten.

We hebben besloten, nadat we er enige tijd over hebben gesproken, je vanavond om zes uur vrij te laten. Derhalve hebben we je voorzien van alle benodigdheden tot dan toe. Probeer niet te ontsnappen. We zijn allemaal nog erg kwaad op je en we willen daarover met je spreken zodra dat kan. Enkelen van ons staan op het punt om weg te gaan. We hadden zoiets als dit niet verwacht. Maar we willen je vergeven. Het is verschrikkelijk verschrikkelijk wat je hebt gedaan. Maar we wachten af wat je over deze schanddaad te zeggen hebt.

Het briefje was een mengeling van stemmen. Een halfuur probeerde ik ze te ontwarren. Ik hoorde mijn zuster. *Maar we willen je vergeven.* En Simona: *We wachten af wat je te zeggen hebt.* (Simona is mijn redactrice en wacht dus altijd af wat ik te zeggen heb.) Ik vermoedde dat William de auteur was van de regel: *Enkelen van ons staan op het punt om weg te gaan.* Dat zou hem een excuus geven om te vertrekken zonder dat hij de breuk met Simona hoefde uit te leggen. Dat *derhalve* klonk erg juridisch en zou ook wel van William zijn. Edith klonk nogal luid door in: *Het is verschrikkelijk verschrikkelijk wat je hebt gedaan.* Ik kon Cecile niet bespeuren, en misschien was ze gracieus afwezig geweest toen het briefje werd opgesteld. *Derhalve hebben we je voorzien van alle benodigdheden tot dan toe.* Alan? Dat stuntelige *benodigdheden tot dan toe* leek me net iets voor hem. X was misschien degene die eraan toevoegde: *Probeer niet te ontsnappen.* Hij dacht altijd aan praktische dingen en wilde niet dat me iets overkwam; op die manier verzekerde hij me in code dat alles goed zou komen. Die eerste zin, met die ongelukkige zinsvolgorde, is afkomstig van de hele groep.

Ik hoor de kok de afwas doen. Het dienstmeisje gaat met haar stofzuiger van kamer tot kamer.

10.936

Ik heb nagedacht over wat ik ga doen als ik vrij kom – god, ik klink net als een gedetineerde in de Broadmoor-gevangenis. Eerst neem ik een lang warm bad om de zolder uit mijn haar en botten te krijgen. Ten tweede een warme maaltijd met vlees. Ten derde een wandeling over het strand (of in de tuin, als ik niet veel tijd heb). Ten vierde een voltallige bijeenkomst waarop ik mijn verontschuldigingen zal aanbieden. Ten vijfde geef ik ze gelegenheid me aan te vallen, hoe lang dat ook mag duren. Ten zesde naar bed met X – op een fatsoenlijk of een onfatsoenlijk uur – voor half geluidloze seks. Ten zevende morgenvroeg verkwikt weer op.

11.005

15:47 uur. De deelnemers aan een van de twee uitstapjes komen terug.

16:03 uur. In de keuken, daarstraks: 'Het spijt me,' zegt Fleur, 'als ik me onmogelijk heb gedragen.'

'O nee,' zegt Alan. 'Het komt niet door jou.'

'Ik draag je geen kwaad hart toe – ik vind dit alleen erg moeilijk – moeilijk om door te maken. Zeker nu.'

'Ik weet het,' zegt Alan, en dan verduidelijkt, versterkt hij het: 'Ik weet dat het moeilijk is. Je denkt onwillekeurig terug aan wat je allemaal hebt gedaan, hoe je bent geweest.'

'Alsof je je daar toch al niet heel goed van bewust was,' zegt Fleur.

'Ik krijg zin om in een hoekje weg te kruipen en met niemand te praten,' zegt Alan. 'En om...'

'Nee, dat moet je niet doen,' zegt Fleur. 'Victoria kan die *rôle* zelf ook erg goed spelen.'

Ik hoor metaal tegen metaal kletteren en vermoed dat Fleur aan het afwassen is. Kopjes en borden. Ondeugende meid.

'Sinds we het hoorden, is het erg moeilijk om in dit huis te zijn, vooral omdat we naar bed gingen met haar boven ons hoofd.'

'Dat vind ik ook,' zegt Fleur. 'Het is nu net of het huis bezocht wordt door spoken, doden en levenden.' (Dat is vrij goed – als opmerking: ik ben trots op haar. Help. Haal me hier weg.)

'Zou je er een tijdje uit willen?' zegt Alan. 'Eh, voor een wandeling, bedoel ik. Ik was van plan vanmiddag naar Southwold te gaan. Maar het geeft niet als je niet gaat; ik, eh, ga evengoed.'

O, waarom vraag je haar niet gewoon of ze mee wil?

'Dat...' zegt Fleur, flirtend. Is ze aan het flirten? Dat is moeilijk te zeggen. 'Dat zou erg leuk zijn.'

Ze hebben dagenlang niet met elkaar gesproken, en nu ik veilig en wel op zolder zit opgeborgen, beginnen ze zowat aan een vrijpartij op de keukenvloer!

'Zullen we bij de voordeur afspreken? Over een halfuur?' zegt Alan.

'Jammer dat Domino er niet meer is,' zegt Fleur. 'Het zou leuk zijn om hem bij ons te hebben. Ik denk dat hij en Audrey uiteindelijk wel met elkaar overweg hadden gekund.'

Een concessie? Een verontschuldiging? Hoe durft ze? Waarschijnlijk omdat ze weet dat ik uiteindelijk word vrijgelaten. Wacht even... Nee, Alan is weg. Die scène is voorbij.

Fleur weet dat ik naar beneden zal komen en dan weer ga spioneren. Als ze intussen iets interessants doet, zal ik me daar mateloos aan ergeren.

Heb ik een overdreven beeld gegeven van het complot dat de gasten tegen mij hebben gesmeed? Nee, ik denk het niet. Het feit dat ik hier opgesloten zit, wijst erop dat ik het complot voortdurend heb onderschat.

Ik zou blij moeten zijn: Alan en Fleur zitten weer op de koers die ik in mijn synopsis heb voorspeld. Dat ik het niet te zien krijg, en dat mij – als het tot iets komt en ze gelukkig worden – alleen maar een negatief soort dank ten deel zal vallen – die dingen zouden er eigenlijk niet toe moeten doen. Maar ze doen er wel iets toe. Ik voel me gekwetst. De harteloosheid om mij op te sluiten. Na verloop van tijd zal ik een hekel aan X krijgen. Op dit moment wil ik alleen maar dat hij me komt redden. Maar wat is dat? De deur van de kinderkamer gaat open, terwijl beneden in de salon het rumoer gewoon doorgaat. Het zijn William en Simona. Waarom zijn ze niet naar hun eigen kamer gegaan?

'Ik ben het met je eens,' zegt William. 'We hadden dit al veel eerder moeten doen.'

Het is zo goed om mensen te zíen, om ze te zien bewegen.

'O, Brompton,' zegt Simona, 'hoe kan het toch dat we er zo vreselijk aan toe zijn?' Ze zit op het bed; hij balanceert op het kinderding waarvan ik de naam niet precies weet. Het is zo'n geval van bureau-met-stoel waarbij de stoel ook beweegt als je het bureau in beweging brengt, omdat ze met metalen stangen aan elkaar vast zitten.

'Weet je, eigenlijk geloof ik niet dat het echt onze schuld is, de jouwe noch de mijne.'

'Wat bedoel je daarmee?'

Hij trekt een grimas. Zwijgt even. Geeft me de tijd om... nee: 'We zijn alleen veel eerder aan het eind gekomen dan we verwachtten. En dat niet omdat we geen van beiden geschikt zijn voor een langdurige relatie. We werken ons alleen snel door mensen heen. We werken ons door ze heen, en op het eind denken we dat het uitgewerkt is.'

'En dat is dat.'

'En dat is dat.'

'Dus,' zegt Simona, 'het is nu afgelopen?'

'Ja... Ik denk van wel. Wat denk jij?'

'O, ik weet het niet, Brompton.' Waarom noemt ze hem zo? 'Als je met "het" ons bedoelt, het geheel van ons, niet alleen in het openbaar, wanneer andere mensen ons kunnen zien – dan ben ik het volkomen met je eens.'

'Maar om dezelfde redenen?' vraagt hij.

'O, ik heb wat andere redenen, heel eigen redenen – maar ik denk dat die niet al te sterk verschillen van jouw redenen. Dat is het frustrerende, een van de frustrerende dingen: als we dezelfde of ongeveer dezelfde redenen hebben om er een eind aan te maken, bewijst dat misschien dat er een zekere mate van overeenstemming is waar we blind voor zijn. Misschien zijn we gedoemd elkaar te verliezen omdat we niet zien hoe goed we bij elkaar passen.'

'Ik ben op dit moment zo ongelukkig,' zegt hij.

'Ik ook, geloof me, en dit is ook al niet bevorderlijk.' Ze wijst om zich heen naar het huis.

Hij grinnikt, alsof hij voor iemand anders dan Simona een grinniklachje nadoet. 'Mijn apenmeisje,' zegt hij. Gaat ze hem nu slaan? Nee. Het is een koosnaam. Ze omhelzen elkaar. Brompton en het apenmeisje. Een raadsel verpakt in een mysterie verpakt in geheimtaal verpakt in elkaars armen. Ze is gaan huilen. Ik heb haar eerder zien huilen, een paar keer. Dit komt nogal geforceerd over, alsof ze pas wil geloven dat de relatie voorbij is als ze op het eind nog even gaat huilen. Hij troost haar. Streelt haar haar. Houdt haar hoofd tegen zijn schouder. Ik kan zijn woede niet zien, de woede waarover Simona me vertelde. Waar zijn de bedreigingen? Ze maken zich van elkaar los.

'Ik ben erg gek op je,' zegt Simona. 'Alleen... ik haat je.'

Hij lacht. 'Dat weet ik... Dat weet ik... Ik ben het waard om te haten, weet je. Echt waar.' Ze omhelzen elkaar weer.

'Ik vind het... geen prettig idee om alleen te zijn,' zegt Simona. 'Niet nu... in deze tijd.'

'Apenmeisje is een piepkuiken in vergelijking met mij...'

'Je hebt mijn leven verwoest, Brompton,' zegt Simona.

William zwijgt even. 'Jij hebt ook flink huisgehouden in het mijne,' zegt hij. 'Je hebt er een apenrots van gemaakt.' Wat is dit? Bijnaampjes moeten verdwijnen als de liefde verdwijnt.

'Ik heb niet veel meer te zeggen.'

'Schrijf me een brief,' zei William. 'Zoals je vroeger deed.'

'Ja, dat deed ik, hè? Heb je die nog?'

'O ja, tot de laatste snipper.'

'Wil je ze verbranden?' Ze verlaten de kamer.

'Natuurlijk,' zegt hij. En het is voorbij. Ik huil; ik glimlach. Ik zal terug moeten bladeren om er een paar beschrijvende passages tussen te zetten. Het mooist vond ik het toen Simona zei dat hij haar leven had verwoest. Ze pakte de pop van de plank, die grote, die ik heb willen verplaatsen vanaf het moment dat ik hier opgesloten kwam te zitten, en hield hem tegen haar borst. Het was zo'n kitscherig detail; ik zou een personage in een boek nooit zoiets laten doen. In zijn aspiratie tot pure wansmaak was het bijna Victoriaans: als een poster van een kind met grote betraande ogen en een kapotte pop. Maar mensen doen echt zulke dingen; daar begin ik achter te komen. Ze doen de dingen die voor de hand liggen. O, dit is een Verdediging van de Rechten van Vrouwelijke Schrijvers. Wacht... William en Simona komen net de salon binnen. En... ze zeggen helemaal niets. Nee... Niets. Ze gaan helemaal op in het blije gebabbel van de anderen. Ongetwijfeld zal een van hen vannacht in de kinderkamer slapen. William, denk ik. Ik kom daar nog wel achter – maar niet gauw genoeg. De pop die Simona had opgepakt, een van die lange lappenpoppen met armen die net niet zo buigzaam zijn als je zou verwachten, ligt helemaal languit op het bed. Hij ligt uitgestrekt met zijn lange armen en benen op het bed en ja, hij heeft zijn armen over zijn borst gevouwen, alsof hij dood is. Simona heeft een symbool voor me achtergelaten. Ik hoop dat zij in de kinderkamer gaat slapen. Het zou een mooie ommekeer zijn: Edith eruit, zij erin. En ze praat soms in zichzelf. Ze heeft me verteld dat ze zelfs in haar slaap praat. (Ze was bang dat William iets zou horen over haar plannen om hem te verlaten.)

O, dit is zo goed en tegelijk zo slecht. Hier zit ik dan, vol van triomf omdat mijn voorspellingen zijn uitgekomen – Fleur en Alan die elkaar vinden, Henry en Ingrid die onder druk staan, Simona en William die uit elkaar gaan – en ik zit opgesloten op de zolder. Maar misschien komen mijn voorspellingen alleen maar uit omdát ik opgesloten zit op de zolder. Dat is niet na te gaan. Omdat de gasten niet meer het gevoel hebben dat ze voor mij optreden, gedragen ze zich zoals ze zouden hebben gedaan als ik er niet was geweest. (Dat is niet helemaal waar: als ik er niet was geweest, zouden ze niet in dit huis zijn geweest. Als zich problemen voordeden, heb ik ze afgedwongen – of ik nu fysiek in de kamer aanwezig was of niet.)

Maar ik ben het nu echt zat om me met anderen te bemoeien. Ik wil alleen nog maar de armen van X om me heen. Wat Cecile gisteren in onze kleine *séance* tegen me zei, was waar: ik had mijn vrienden niet op deze manier mogen gebruiken (misbruiken?).

Ik ben een slecht mens, ook omdat ik me beroerder zou moeten voelen dan ik me voel, na alle dingen die ik heb gedaan.

Kon ik maar een hevige woede opwekken; dan kon ik na mijn vrijlating de juiste rol spelen.

Ja. Ik begin te geloven dat ze me echt vrij zullen laten, spinnenwebvrouw die ik ben. Vlinder van het plafond. Stoffig.

17.10 uur. O, ik zou ook zo graag een sigaret willen – al rook ik niet meer, zoals ik steeds weer tegen mezelf zeg.

17.13 uur. En ik wil mijn tanden poetsen; de chocolade van eergisteren moet enige schade hebben aangericht. Tot nu toe ga ik zonder vullingen door het leven; dat wil ik zo houden.

17.20 uur. Het zou een mooi gebaar zijn, nietwaar, en een goed voorteken, als ze me er een beetje eerder uitlieten dan ze hadden beloofd?

17.22 uur. De menigte verzamelt zich in de salon. Het klinkt als een onweersbui in de verte, gemompel waar nu en dan een verstaanbaar woord uit opkomt: *Victoria, streng, weggaan, blijven.*

17.30 uur. Folteraars. Ze hebben allemaal het huis verlaten. Ik hoor alleen het gerommel van de kok – dat is een van de redenen waarom ik hier op zolder mijn verstand niet heb verloren; al hebben die recente Top-40-nummers die hij soms fluit het tegenovergestelde effect.

17.33 uur. Ik ga niet meer schrijven; voortaan ben ik verstandig en zet ik alles wat ik heb gedaan op de floppydisck, en daarna verstop ik de floppy.

17.40 uur. Ik moet dit noteren: Marcia is terug. Automotor buiten. Luide begroetingskreten vanuit het huis. Het kan geen toeval zijn dat ze juist op dit moment is teruggekomen.

17.55 uur. Kom op, kom op. Als het nu eens alleen maar wreedheid van ze was en ze helemaal niet van plan zijn me vrij te laten? Als ze nu eens zojuist hebben besloten me hierboven te laten? Of zelf weg te gaan? Maar ze hebben hun kleren niet opgehaald; ik heb niemand horen pakken. Misschien gaan ze naar een ander huis hier in de buurt kijken en komen ze later hun spullen halen. O, dit is ondraaglijk. Ik wou dat ik een kam had, en wat lipstick, een spiegel. Wacht even. Geluiden beneden. Geluiden die naar boven komen. De onweersbui komt dichterbij. Het is tijd. De heks mag naar beneden komen. Tot later, trouwe rechthoek van licht.

Zaterdag

Dag Zeventien Week Drie

Toen ik net was vrijgelaten, was ik te emotioneel om iets te kunnen schrijven. Nou, tussen dat moment en het eind van gisteren is het volgende gebeurd:

Ik was ernstig getraumatiseerd – en dat was precies hun bedoeling, denk ik.

Ik mocht me niet opknappen; ik werd naar de salon gesleurd – sommigen trokken letterlijk aan me – en moest in een fauteuil gaan zitten; de heks, niet ik – de heks mocht haar magie niet uitoefenen om weer een prinses te worden. Simona trad op als woordvoerster van het hele stel, al kan de hele groep niet echt unaniem achter haar hebben gestaan.

'We hebben besloten...' Blijven of weggaan, blijven of weggaan? '... om te blijven – maar alleen onder bepaalde voorwaarden.'

Ik knikte.

'Je moet de zolder helemaal ontruimen,' zei Simona streng. 'Je doet hem op slot en geeft ons de sleutel. Het moet afgelopen zijn met dat spioneren. De zolder is verboden terrein.'

'Maak je geen zorgen,' zei ik. 'Daar krijg je mij niet meer naartoe.'

'Luister naar ons, Victoria: de zolder gaat op slot, en je krijgt pas een sleutel als de maand voorbij is. Afgezien daarvan gaat alles gewoon op dezelfde manier door. We wisten allemaal de hele tijd dat we op de een of andere manier bespioneerd werden; we wisten allemaal dat je over ons zou schrijven op de manier die jou goeddacht. Zo naïef zijn we nou ook weer niet. Maar we dachten niet dat je naar ons zou kijken terwijl we sliepen en ons uitkleedden, al die persoonlijke dingen. Zoals we al in ons briefje schreven, vinden we het een schanddaad. Ik weet niet of twee weken lang genoeg is om het vertrouwen weer op te bouwen, want op dit moment bevindt het zich op een nulpunt.' Ik keek om me heen naar de gezichten; gezichten – het deed me goed om gezichten te zien, al stonden ze nog zo kwaad.

'Ik heb er veel spijt van,' zei ik.

'We hebben nog méér te zeggen,' zei Simona. 'We hebben allemaal nog veel meer te zeggen, maar ik zeg nu niet alles. Je zult met ieder van ons apart moeten praten. Je gaat ons precies vertellen wanneer je ons hebt bespioneerd en wat je ons hebt zien doen. En dan zullen we jou vertellen of je die informatie al dan niet mag gebruiken wanneer je je boek schrijft. Akkoord?'

'Akkoord,' zei ik. 'Als dit toch nog een tijdje gaat duren, mag ik dan ten minste iets te drinken hebben?'

X, de goede ziel, ging naar de keuken. Ik moest bijna huilen om dat gebaar. Nadat ik hem de afgelopen twee nachten in zijn eentje in de kinderkamer had zien slapen, waren mijn gevoelens voor hem vreselijk moederlijk geworden.

'Je let niet op,' zei Marcia.

'Dat doe ik wel.'

'Je keek naar de keukendeur.'

'Ik hoop dat het een gin-tonic wordt. Misschien had ik dat moeten zeggen.' Ze maakten spottende opmerkingen en probeerden allemaal te doen alsof ze zich enorm ergerden. Sommigen, zag ik, kon het helemaal niet zoveel schelen. Maar wat ze vooral niet wilden, was verbannen worden naar het Land der Paria's – waar ik me bevond. Op dit moment in mijn eentje. (De Paria's hadden geen land, hè? Dat moet ik eens aan Fleur vragen.) Ze stonden in een halve kring om me heen en keken op me neer. Ik voelde me niet geïntimideerd; ik vertikte het om me door zoiets theatraals te laten intimideren. Ik voelde me net het arme domme sletje dat in een of andere talkshow is neergeplant om te bekennen dat ze haar man heeft bedrogen; het hypocriete boegeroep, de melodramatische beschuldigingen. Zelfs Audrey de kat was getuige van mijn vernedering. Toen keek ik Edith aan en zag ik hoe bedroefd ze was. En ik besefte iets: ze meenden het echt. Ik was mijn populariteit kwijtgeraakt. Dit was geen spel, of als het dat was, was het niet meer het spel dat ik had gespeeld. Cecile had genoeg van het staan en ging op het puntje van een van de banken zitten. De meeste anderen bleven staan. Dit was een belangrijke scène voor hen; sommigen hadden hiernaar uitgekeken vanaf het moment dat mijn oneerlijkheid was ontdekt. Toch kon ik het niet opbrengen om zelf te gaan staan: voor mij was het moment waarop ik de ladder afging het belangrijkste moment van de afgelopen achtenveertig uur geweest. Toen ze me eenmaal hadden vrijgelaten, wist ik dat ze niets ergers konden doen. Tenzij ze echt heidens waren geworden. Met mensenoffers en zo.

X kwam terug met een groot glas gin-tonic. Ik stak mijn hand uit en hij hield het me voor.

'Nee,' zei Fleur. 'Ze krijgt het pas als we klaar met haar zijn.'

'Maar dan gaat de prik eruit,' zei ik.

Ingrid lachte – haar enige bijdrage.

'Dan maak ik een nieuwe voor je,' zei X, maar ook hij deed zijn best om zich erbuiten te houden.

'Ik heb er spijt van,' zei ik. Er waren tranen, ergens in mijn hoofd – er was altijd een zee van tranen die daar rondklotste; het was zaak dat ik ze vond, dat ik er gebruik van maakte, dat ik ontspande. 'Wat willen jullie dat ik nog meer zeg?'

Ze gaven me geen hints. Ze stonden daar met hun armen over elkaar als viswijven die hun laat thuiskomende, kroeglopende echtgenoten verwelkomen. Fleur en Marcia wilden me best nog een tijdje laten spartelen. Alan daarentegen hield zich op de achtergrond; bespeurde ik enig medeleven?

'Heb je er écht spijt van?' vroeg Edith. Dat was een verrassing; ze was een erg dapper meisje.

'Ja,' zei ik. 'Het was fout van me. Alles wat ik doe...' En nu vond ik eindelijk de tranen. 'Alles blijkt fout te zijn. Ik wilde meer over jullie te weten komen, jullie iets van jullie zelf laten zien wat jullie nog niet wisten. Dat was mijn bedoeling. Dat weten jullie.' Het was stil in de kamer. Ik herinnerde me het geroezemoes, het onweer. 'Mag ik dan tenminste een sigaret?' De rokers onder hen konden die smeekbede niet weerstaan. William haalde er een te voorschijn, gaf hem aan mij, boog zich naar me toe en gaf me vuur. 'Dank je,' zei ik. Hij keek me aan met een glimlach waarmee hij tegelijk *Dit gaat ook voorbij* en *Waarom heb je het gedaan, kreng?* leek te willen zeggen. Ik werd gered door de gong voor het eten. Simona zei: 'We hebben nog meer te zeggen, en geloof maar dat we dat niet achterwege zullen laten.' Als kristallen die oplosten, begon de structuur van hun woede te verzwakken, wazig te worden, weg te spoelen. De zitting was voorbij. Ze gingen naar de eetkamer.

X kwam naar me toe en omhelsde me. Het glas gin-tonic drukte in de vorm van een verleidelijke halvemaan tegen mijn hals. 'Dom meisje,' fluisterde hij. Ik had geen zin om me zo neerbuigend te laten behandelen, maar ik had ook geen zin om hem tegen te spreken.

'Je liet de microfoons aan,' fluisterde ik terug.

'Natuurlijk,' antwoordde hij zachtjes. En plotseling besefte ik helemaal opnieuw waarom ik van X hield en met hem wilde trouwen en kinderen met hem wilde krijgen. Hij was me de hele tijd dat ik in ballingschap verkeerde trouw gebleven. Hij had me geholpen mijn verstand niet te verliezen.

Toch was ik nog steeds woedend op hem. Er waren dingen waarover we moesten praten.

'Ik ga nu naar boven,' zei ik. 'Zou je wat te eten voor me kunnen bewaren?' Hij zei dat hij dat zou doen. Ik draaide me om in zijn armen, pakte de gin-tonic en deinde weg op heupen die mij zeeziek en hem ziek van liefde maakten.

En ik ging naar boven en draaide beide kranen helemaal open.

Soms ga je niet alleen in bad om schoon te worden; soms is het een dringende behoefte van je ziel. Dit bad, moet ik zeggen, was bijna mystiek, een nirwana met bubbels.

Gegeten. Alleen.

Mmm. Voedsel. Vlees.

X over het naaimachinedeksel en de deken verteld. Hij heeft met beide voorwerpen afgerekend: een vuurtje in de tuin. Edith was de enige die het zag.

Ik mis de camera's. Ik wou dat ik naar boven kon gaan om te zien en te horen wat er gedaan en gezegd werd in de rest van het huis. Voortaan zal ik wat meer vindingrijkheid aan de dag moeten leggen.

Ik heb hierover nagedacht vanaf het moment dat ik Ediths bedroefde kleine gezichtje zag: hoe kan ik laten zien dat mijn personage wroeging heeft? Hoe kan ik een scène construeren waaruit dat naar voren komt? Ik heb er écht spijt van. Maar het heeft geen zin dat ik dat opschrijf. *Je moet het niet vertellen maar laten zien*, zeggen docenten van schrijfcursussen altijd. Ik zou het boek gewoon kunnen laten voor wat het is; misschien heb ik dat al gedaan. (Ik ben bang – ik wil mijn oude leven niet helemaal verliezen.) Ik wil X.

Je hebt hem toch zeker eerst gevraagd hoe de gasten de camera's hadden ontdekt? Of vermeed je die vraag opzettelijk om de enige bondgenoot niet te verliezen die je nog had, of die je dácht nog te hebben?

'Ik weet wat je gaat zeggen,' zei X, toen we naar bed gingen.

'Nou,' zei ik, 'wat ga ik dan zeggen?'

We waren in dezelfde slaapkamer, aan weerskanten van het bed. Ik was me de hele tijd bewust van het luik in het plafond.

'Je gaat zeggen dat ik meer had kunnen doen om je te beschermen...'

'Ja.'

'... en dat ik, als ik maar slim genoeg was geweest, op de een of andere manier had kunnen voorkomen dat je op de zolder werd opgesloten.'

'Je was zelf degene die me opsloot.'

'Je gaat zeggen dat ik je meer had moeten verdedigen – dat je hebt gehoord wat we zeiden, een deel van wat we zeiden, toen je op zolder zat, en dat ik niet protesteerde toen ze allemaal op je afgaven.'

'Dat is waar.'

'Je gaat zeggen dat ik mezelf wilde redden. Ik had van het begin af van het spioneren geweten, en toch lukte het me om de gasten niet tegen me in het harnas te jagen. Jij was de enige die op de zolder werd opgesloten.'

'Je was achterbaks.'

'Je zult iets zeggen in de trant van: "Je zult nooit weten hoe het was om daar twee dagen opgesloten te zitten."'

'Dat is waar.'

'En ten slotte zul je me ergens mee gaan dreigen... Ik weet niet waarmee je zult dreigen. Dat je me het huis uit gooit?'

'Nee. Daar vergis je je in. Ik wil dat je blijft. Je moet wel goedmaken wat je hebt gedaan.'

'O, dat was ik vergeten. Je zult zeggen dat ik boete moet doen.'

'Ja, en je zult je moeten verontschuldigen.'

'Waarom?' zei hij. 'Als ik en Simona er niet waren geweest, zou je nu een leeg huis hebben gehad. Wij tweeën hebben iedereen hier gehouden. Door ze de kans te geven hun woede op jou uit te leven, zonder dat het uit de hand liep, hebben we het hele project gered.'

'Nou, ik dank jullie beiden hartelijk.'

'Als je tot rust bent gekomen, zul je vast wel inzien dat ik niets anders kon dan ik deed. Van het begin af verkeerde ik in een onmogelijke positie. Als ze dachten dat ik jouw spion was, zouden ze niet met me praten. Ik moest me van jou distantiëren.'

'Dat hoefde je niet ook te doen als we alleen waren.'

'Ik zat helemaal in mijn rol. Sorry.'

'Ik ga je niet vergeven,' zei ik, 'niet in de loop van dit gesprek.'

'Dan kan ik het net zo goed opgeven.'

'Ging ik verder nog iets zeggen?'

'Je zou kunnen zeggen dat je toch nog van me houdt, ondanks alles wat ik heb gedaan.'

'Dat zou ik kunnen zeggen,' zei ik.

Slapen.

Vanmorgen (zaterdag) ben ik opgestaan. Ik heb ontbeten en over gisteren geschreven.

Ik voel me iemand die van een ziekte herstelt, blij met het feit dat ik na maanden onder bruine dekens liggen weer naar buiten mag. Het voelt aan als puur geluk dat ik naar de zaterdagse zee mag kijken; en ik stel het zaterdagse landschap zoveel meer op prijs dan toen ik er alleen maar vlakten in zag: de saaie achtergrond van de groezelige gebeurtenissen die ik in dit prachtige huis wilde orkestreren. Het gebeurt maar heel zelden in je leven dat je je op de perfecte plaats bevindt voor het moment dat je beleeft; ~~heel zelden stuit je op een fout die pathetisch genoeg is.~~ Misschien tien keer in ~~eenendertig~~ negen en twintig jaar heb ik me extatisch gelukkig gevoeld omdat ik op de plaats was waar ik was. De tuin hier ziet er zo heerlijk fris en levendig uit, vergeleken met de stof en doodsheid van de zolder. Het is erg verkwikkend om door de zeelucht te lopen; ik weet niet of ik ooit zo blij ben geweest dat ik op een planeet woon die door de zon wordt beschenen. Misschien zie ik dat niet helemaal in het juiste perspectief (geen licht, geen leven), maar de meeste gevoelens met een religieus karakter zijn in wezen absurd.

Als je over je leeftijd wilt liegen, wees dan tenminste consequent.

Zij – de gasten – waren zo goed me na niet meer dan twee dagen vrij te laten. Ik vind het bijna onvoorstelbaar dat ik, al die tijd dat ik op zolder was, niet besefte dat ze eigenlijk alleen maar excuses van me wilden horen. Ze wilden me niet eerder vrijlaten, maar toen ze dat deden, verwachtten ze waarschijnlijk een beetje meer berouw. Ik probeer dat nu goed te maken.

Ik was zo kwaad, zo geïsoleerd. Ik verschanste me achter mijn project en zag niet in dat het een edelmoedige daad van hen is dat ze hier zijn, een gebaar van vertrouwen. Het enige dat ik, om een geweldig boek te kunnen schrijven, nu nog kan doen, is naar hun unieke individuele persoonlijkheden kijken – door middel van de dagelijkse ervaringen die we met elkaar delen; zoals Virginia Woolf zelf deed, of probeerde te doen.

Haar project was zoveel nobeler dan het mijne (nobeler: niet een woord dat ik vaak gebruik). Ze wilde mensen bestuderen, niet aan de kaak stellen; begrijpen, niet exploiteren. Gedurende deze hele heilloze onderneming heb ik alleen maar gedacht aan de voordelen die ik er zelf aan zou onttrekken. *Voorbij de vuurtoren* was een boek dat ik niet zozeer wilde *schrijven* als wel *geschreven wilde hebben*, en als dat geen kwade trouw is, weet ik het niet meer.

Door te bewijzen dat ik het gedrag van mijn gasten niet beheerste, bewees ik in feite helemaal niets. Dat (dat gebrek aan beheersing) is de conclusie die iedereen zou trekken die er ook maar even over nadacht.

Ik moet me voortaan aan concrete gegevens houden en deze genuanceerde planeet van ons met verwondering en dankbaarheid bestuderen. De mensen die er leven, zal ik met meer nederigheid en een zuiverder vergevingsgezindheid moeten gadeslaan. Ik heb mijn les geleerd. Ik heb het licht gezien. Sterker nog, ik heb het licht van verscheidene mensen gezien.

Toen ik daar wandelde, kwam Edith naar me toe en vroeg of ik had gezien dat ze zich uitkleedde. Ik verzekerde haar van niet; zoiets zou ik nooit doen. (Ik heb wel een aantal keren gezien dat ze zich áánkleedde, gewoon om te zien hoe ze het deed; of er een zekere bovennatuurlijke bezetenheid te zien was in de manier waarop ze de kleerkast openmaakte en de kleren van de dode dochter uitkoos. Maar ze had dat op een alledaagse manier gedaan, helemaal niet spookachtig.)

Het verbaast me dat mensen zich zorgen maken over hun naaktheid. Ik heb al verschillende mensen moeten verzekeren dat ik geen video-opnamen of stills kon maken.

'Ik denk dat vooral Marcia zich gekwetst voelt,' zei Edith. 'Ik denk dat ze vond dat je echt veel te ver bent gegaan. Eigenlijk verbaast het me dat ze is teruggekomen.'

'Mij ook,' zei ik. 'Heb je de geest weer gezien?'

'O ja,' zei Edith, 'elke avond. We zijn nu goede vriendinnen. Maar ik wil er liever niet te veel over praten. Het maakt de anderen bang.'

'De andere geesten?'

'Nee, de andere mensen in het huis.'

Terwijl we daar liepen te praten, kwam Simona naar ons toe. 'Hoe bevalt het leven in de buitenwereld je?' vroeg ze.

'Erg goed,' zei ik. 'Het contrast maakt alles erg bijzonder. Mijn kop koffie vanmorgen was geweldig. Ik kan me nu voorstellen waarom middeleeuwse heiligen extatische visioenen hadden en zich een jaar lang van alles onthielden.'

'Jouw onthouding had niets met heiligheid te maken,' zei Simona. 'Je was erg ondeugend.'

'Ze was erger dan ondeugend,' zei Edith. 'Ze was vulgair.'

Het leek me niet mogelijk dat ze zelf op die formule was gekomen: Cecile zat erachter. Ik was gekwetst. Ik was zelfs nog meer gekwetst dan wanneer Cecile het zelf tegen mij had gezegd. Dat ze het tegen Edith had gefluisterd, zonder het verbod het woord ooit in mijn bijzijn te herhalen, ook als ze er niet bij vertelde van wie ze ze had, wees erop dat ze mijn daden beneden alle peil vond.

'Ik zal je dat maar vergeven,' zei ik.

'Omdat je weet dat het een beetje waar is,' zei Edith.

'Waarschijnlijk wel,' zei ik, 'maar dan vooral omdat ik het schrijven van romans een vulgaire bezigheid vind.'

'Maar je wordt er vulgair goed voor betaald,' merkte Simona op.

'Dat is een deel van de vulgariteit,' zei ik. 'Ik zou niet werken als het niet hoefde.'

'Onzin,' zei Simona. 'Je hóéft al niet meer te werken sinds die filmmaatschappij een optie op *De heerlijke plek* nam.'

'Het kan allemaal zomaar verdwijnen,' zei ik, 'al het geld, alles.'

'Ik denk dat ik Cecile ga opzoeken,' zei Edith. 'Wij koken vanavond, weet je.'

'Iets onvulgairs, hoop ik,' merkte ik op.

'*Bien sûr*,' antwoordde ze om me te overtroeven. Simona en ik zagen haar het huis in lopen.

'Als ze volwassen wordt...' begon Simona, maar ze liet de rest van de zin in de lucht hangen.

Ik had het eerste officiële een-op-een-gesprek sinds ik van de zolder ben: met Marcia.

Het was erg. Ze was erg boos.

Ik vertelde haar in alle eerlijkheid dat ik haar nauwelijks had bespioneerd. Ze vertelde me weer uitgebreid dat ze zich 'geschonden' voelde. Meermalen vergeleek ze mijn gedrag met verkrachting.

'Ik vond het een fijn huis. Ik voelde me hier ontspannen. Ik genoot. En dat heb jij verpest.'

'Het spijt me,' zei ik, steeds weer.

Schuchter vroeg ik haar waar ze was geweest op de dag dat ze niet in het huis was. 'Thuis,' was het enige dat ze wilde zeggen.

Tetris verwoest mijn leven; ik ben er nog steeds verslaafd aan. Telkens wanneer ik ga zitten om op de laptop te werken, moet ik een spelletje of vijf spelen. Ik kom niet ver boven de 11.000; ik kan er met niemand over praten. Het kost me meer dan een uur per dag, tijd die ik eigenlijk aan mijn werk zou moeten besteden.

Lunch. Ik ben gek op eten.

Na afloop met het dienstmeisje gepraat. Ze vindt het allemaal erg grappig. Ik denk dat ik de amusantste werkgeefster ben die ze ooit heeft gehad, en dat is een hele prestatie.

Haar twee zoons hebben twee weken geleden iets gruwelijks met een koe en een motor gedaan.

Middag.

Sommige gasten hebben geprobeerd me te rehabiliteren, al was het alleen maar voor henzelf. Ik heb mijn best gedaan om zoveel mogelijk in de openbaarheid te verschijnen en hun op die manier duidelijk te maken dat ik echt niet meer in de spionagekamer kom.

'Waar is het misgegaan?'

'Ik denk dat het idee van het begin af verkeerd was.'

Alan en ik, in de voorkamer: hij antwoordt zonder enige aarzeling, alsof hij veel over het onderwerp heeft nagedacht.

'Waarom dan?' vraag ik.

'Omdat je van te veel dingen uitging, vooral dat je vrienden zouden accepteren wat je hun aandeed. Maar dat accepteren ze niet. Niet dat je ze bespioneert.'

'Ik bespioneerde ze niet. Ik wilde alleen...'

'Het voelde aan als spioneren, en het is aan ons om te beoordelen of het bespioneren was of niet.'

'Ja. Misschien heb je wel gelijk.'

'Ik denk dat je de waarde die de meeste mensen in dit huis aan je werk hechten hebt overschat.'

'Dat spijt me dan.'

'Naar je vrienden luisteren, in hun leven geïnteresseerd zijn – je maakte dat alles tot iets agressiefs.'

'Maar wat kan ik daar nú aan doen?'

'Je hebt je al verontschuldigd. Dat scheelt een hoop. Jij ziet dat misschien niet, maar ik wel. Een paar anderen stonden gisteren nog op het punt om weg te gaan. Als jij niet de juiste dingen had gezegd, zouden ze zijn vertrokken.'

'Wie?'

'Cecile.'

'Echt waar?'

'Ze huilde.'

Ik zei bijna: *Ik heb haar niet horen huilen.* Ik hield me in. 'Je zag haar húilen?'

'Heel zachtjes, toen we in de tuin bespraken wat we gingen doen. Wat jij had gedaan, zei ze, was... vulgair.'

Dat bevestigde wat ik had gedacht toen ik Edith dat woord had horen gebruiken. Ze waren nu samen in de keuken, waaruit boterige, uiige, Franse geuren kwamen.

'Ik ben blij dat te horen. Maar nu? Wil iedereen graag blijven? Wie hebben er nog meer over gedacht om weg te gaan?'

~~'Simona was heel kwaad. Ze zei dat ze niets van die camera's wist. Je hebt er nooit met haar over gesproken, zei ze.'~~

~~'Dat is waar. Maar zei ze dat ze misschien weg zou gaan?~~'

~~'Nou, William zei dat hij bereid was weg te gaan, als zij dat wilde~~.'

~~'O ja? Dat verbaast me~~.'

~~'Ze dachten dat je lezers zouden afkeuren wat je had gedaan~~.'

~~'Mijn lezers komen het niet te weten. Ik ga helemaal niets gebruiken van wat ik door de camera's heb gezien. Het was alleen maar research~~.'

'Als je niet uitkijkt, haalt Henry zijn hele gezin weg. Ik denk dat hij heimelijk bewondering voor je had omdat je zo meedogenloos was. Dat is de producer in hem. Ingrid vindt het allemaal maar niets. Edith wil natuurlijk niet weg. Ze amuseert zich hier het best van iedereen.'

'Ik stel het op prijs dat je me dit alles vertelt.'

'Nou, ik zal niet zeggen *Niemand anders zal het je vertellen*, maar het zou je moeite kosten om iemand te vinden die het je zo direct zal zeggen. Ik probeer nog steeds je vriend te zijn, Victoria. Ik weet niet waarom: ik voelde me ook gekwetst. Vooral omdat je mij niet genoeg vertrouwde om het me van tevoren te vertellen. Ik ben een vreemd type. Ik zou misschien ook zijn gekomen als ik had geweten dat je met camera's zou werken. Waarschijnlijk zou het voor mij niet zoveel hebben uitgemaakt: het is beter om bespioneerd te worden omwille van de literatuur dan de boekhouding te doen of winkels af te lopen.'

Ik boog me naar hem toe en kuste hem op de wang. 'Dank je,' zei ik.

(Gedurende het hele gesprek had ik me moeten inhouden om hem niet te vragen hoe zijn wandeling met Fleur was verlopen: ik word niet geacht iets te weten van de dingen die gebeurd zijn toen ik op zolder zat.)

16.00 uur. Simona kwam vanmiddag naar de biecht; ~~ze is nog steeds mijn trouwste bezoeker~~. Niet dat ze ooit iets te biechten heeft. Ze maakt van de gelegenheid gebruik om met me te praten over 'hoe het met het boek gaat'. Het is net of ze ~~doet alsof ze~~ een medeauteur is, ~~en dat ergert me. Het enige dat ze doet, is eisen dat bepaalde dingen erin komen en andere dingen eruit gaan. Als ze de kans kreeg, zou ze het hele boek vernietigen~~. Vandaag wil ze over het zolderincident praten. 'Ga je dat ook opnemen?' 'Natuurlijk,' zei ik. 'Het is gebeurd, dus ik moet het opnemen.' 'Ik maak me zorgen, Victoria; ik maak me zorgen, omdat niemand van ons er erg positief uit naar voren komt.' 'Dat is meestal zo in romans,' zei ik. 'Dit is geen roman,' zei ze. Ik antwoordde: 'Ik bedoelde: werken op het snijvlak van de non-fictie.' Ze leunde achterover en zuchtte; ~~ik kreeg het gevoel dat ze me de les las alsof ik een klein kind was. O Simona, wat heb je een geduld met me gehad, o dank je~~. 'Trouwens,' zei ik, 'op dit moment probeer ik alleen maar zoveel mogelijk op te schrijven; later ga ik wel selecteren.' 'En natuurlijk zal ik je daarbij helpen,' zei

Mis. Ik wil dat je een winkerverwolg schrijft.

Het was me een genoegen.

Ik schrap het gewoon - kijk maar.

Simona. 'Als ik het inlever, is het zo goed als klaar,' zei ik, 'zoals gewoonlijk; en zoals gewoonlijk hoef je er nauwelijks iets aan te doen.' 'Zoals het "nauwelijks iets" in *Ruimtelijkheid*.' 'Dat,' zei ik, 'was een uitzondering.' 'Dat was het zeker,' zei Simona, en ze schudde haar hoofd. ~~Haar wee mij-act was uiterst irritant.~~ Mijn irritatiemeter gaf zo'n hoge score aan dat hij dreigde te exploderen. Ander onderwerp. 'Wanneer gaat William weg?' vroeg ik. Simona, geschrokken: 'Maar hij gaat niet weg.' 'Maar je had met hem afgesproken dat hij dat zou doen. In de kinderkamer. Ik heb jullie gehóórd.' Simona glimlachte. Ik kon het niet geloven of begrijpen. Het was niet de bedoeling dat ze glimlachte, maar dat ze woedend werd. 'Natuurlijk heb ik het gehoord,' zei ik, 'alle microfoons in het huis stonden aan. Ik heb alles gehoord.' Simona grinnikte, ~~het grinniklachje van een oude Frans vrouwtje dat naar een *fillette très belle* kijkt en aan de dwaasheden van haar eigen jeugd terugdenkt.~~ 'We dachten dat je daar niets over zou zeggen,' zei Simona. '~~We dachten dat je het fatsoen zou hebben om daarover te zwijgen.~~' Dit was... Dit was iets; ik wist niet precies wat. Dit was bizar. 'Je bedoelt,' zei ik, 'dat jullie het wísten?' 'Natuurlijk wisten we het. Denk je dat Cecile er een gewoonte van maakt om hardop in zichzelf te praten?' Ik was geschokt. Ik zei niets. 'Denk je,' ging Simona vol leedvermaak verder, 'dat Alan en Fleur als personages uit een slechte Victoriaanse roman praten?' 'Dus wat ik hoorde, was niet echt,' zei ik. ~~Nu begon ze pas goed te lachen.~~ 'Echt? Wil je na dit alles nog steeds dat de dingen écht zijn? O, Victoria... Ik geloof niet dat je jezelf erg goed begrijpt.' 'Vertel me dan,' drong ik aan, 'vertel me dan precies wat ik niet van mezelf begrijp.' Simona klopte me op de knie; ~~ik deinsde terug – ze maakte hier een paar ons pathos van.~~ Een zachtmoedig glimlachje, een scheef schouderophalen. 'Ik zou willen zeggen: "Hoeveel tijd heb je?"' zei ze. 'Maar dat zou niet goed zijn. Het heeft jou nooit erg geïnteresseerd wat echt was en wat niet. En dat is geen probleem. Het interesseert je lezers ook niet. Daarom zijn ze zo gek op jou, afgezien van *Ruimtelijkheid*.' 'Ja,' zei ik, 'dat hoef je niet steeds te zeggen; ik weet heel goed hoe slecht dat ~~het~~ heeft ~~gedaan~~.' 'Volgens mij niet,' zei Simona, ~~en daarmee riskeerde ze een volledige breuk met mij.~~ 'En daar was een reden voor: het ging te ver. Je lezers willen iets waarvan ze zichzelf kunnen wijsmaken dat het echt is, ook al genieten ze er juist van omdat ze eigenlijk wel beter weten.' 'Dat begrijp ik niet.' 'Het is ook niet de bedoeling dat je het begrijpt. Waarschijnlijk zou ik je dit niet moeten vertellen. Het kan schadelijk zijn voor je werk, ~~al denk ik dat je tamelijk immuun bent~~.' Ik keek haar nu nors aan. ~~Ik dacht eraan om even goed naar haar te kijken, zodat ik kon zien hoe ze er op dat moment uitzag. Het enige woord dat ik kan bedenken, is 'schijnheilig'. Dit was haar moment; een moment waar ze al een hele tijd verbaal naar toe had gewerkt; ze had elke zin bijgeschaafd tot de randen zo glad of zo scherp waren als ze wenste~~. Een groot deel van mijn hersenen werd nog in beslag genomen door de gedachte dat ze die scènes voor me hadden gespeeld, als een hoorspel: Henry en Ingrid ook. Cecile! Simona ging verder: 'Ik denk dat jij je lezers meestal precies geeft wat ze van je willen. Ze willen geloven dat het leven soms zo is als het leven dat mensen in romans leiden. Dat betekent – voordat je daarnaar vraagt – dat de dingen veel gemakkelijker gaan. Alles gaat gemakkelijk: mensen gaan met elkaar naar bed, mensen worden verliefd, mensen lijden. Als je de eerste bladzijde van een roman opslaat, weet je dat er íets gaat gebeuren. De meeste mensen willen in hun echte leven helemaal niet dat er iets gebeurt.' 'Maar sommige van mijn romans hebben een ongelukkig einde.' 'Dat hebben ze niet,' zei ~~smaalde~~ Simona, 'ze hebben een erg melancholiek einde. Als personages van jou ongelukkig worden, zorgen ze wel dat ze eerst hun intrek nemen in een erg goed hotel en de room service laten komen.' 'Maar dat is het nou juist. ~~..' Ze onderbrak me, want ze was nog niet klaar met haar script~~. 'Mensen, vrouwen, mogen graag denken dat er iets bijzonders is aan hun emoties; en het feit dat iemand als jij hun het gevoel kan geven dat die emoties... dat het de moeite waard is om die emoties te hebben, omdat ze kunnen omslaan in iets wat eruitziet alsof het er voorgoed zal zijn – nou, daar zijn je lezers je erg dankbaar voor.' Ze wees om zich heen als een hindoebeeld ~~– ze deed een ik-ben-een-theepot met haar handen~~ – naar de fraaie kamer waarin we ons bevonden. 'Ze zijn bereid je daar erg goed voor te belonen. Je zou hun dankbaar moeten zijn.' 'Dat ben ik ook,' zei ik. 'Natuurlijk ben ik dat.' 'En je zou je best moeten doen om ze precies het soort dingen te leveren dat ze willen hebben: en zoals ik je al een hele tijd aan je verstand probeer te peuteren, heeft dat bijna niets te maken met "echtheid". Schrijf nog meer romannerige romans voor ze, als dat is wat ze willen.' Ik begon te huilen, trots op mezelf omdat ik me zo lang had ingehouden. 'O Victoria,' zei ze, 'ik dacht dat je een beetje beter wist waar je mee bezig was; je doet het zo goed, weet je. Je bent echt een van de besten, maar waar je goed in bent, is niet... nou, het is niet echt. Daarom is het idee van dít...' Een weids handgebaar naar het huis, de mensen erin, alles. '... zo geweldig.' En ik, met een keel die bijna dichtgesnoerd was: 'O ja?' 'Ja, want snap je het dan niet? Dit bewijst je lezers dat het leven op een roman kan lijken.' 'Maar niemand is met iemand naar bed gegaan!' klaagde ik. Simona glimlachte, en haar ogen glinsterden ~~van ondeugende herinneringen.~~ 'In elk geval niet met iemand die interessant is,' zei ik. 'Het is briljant,' zei Simona. 'Wat je hebt gedaan: je slecht gedragen. Iedereen tegen je keren. Je hebt een huis vol conflicten, inclusief dat tussen jou en mij. Het zijn alleen geen échte conflicten.' 'En wat ik zag van jou en William in de kinderkamer was niet echt?' 'We zijn geen slechte acteurs, hè?' 'Nee,' zei ik, 'jullie zijn alleen erg slechte mensen.' ~~Omdat ze dat niet kon verwerken, ging ze er niet op in.~~ 'Ik denk dat de gasten nu zo over jóu denken.' 'Ik weet niet of ze zoiets denken,' zei ik. 'We zullen zien,' zei Simona. 'Ik wist niet dat je zo'n lage dunk van mij had. Dat is nogal een schok voor me.' 'Het is geen lage dunk; het is een hogere dunk dan jij ooit zou kunnen beseffen, want jij weet wat mensen willen zonder dat ze weten dat jij het weet. En dat lijkt me een gave. Ik hoop dat ik die gave niet heb vernietigd door je erover te vertellen. Maar je zou het zelf ook wel hebben beseft, op een dag, vroeg of laat: ik heb het proces alleen een beetje versneld. ~~En ik kan er vast wel op vertrouwen dat je ijdelheid je gauw genoeg weer in je gebruikelijke staat van extreme eigendunk zal brengen, dat wil zeggen, zodra je mij hebt afgedaan als een saaie onbenul die jou nooit echt heeft begrepen – want dat is per slot van rekening mijn functie in het leven, nietwaar?' 'Nou,' zei ik, 'als je een toespraakje wilde houden dat letterlijk in het boek terecht gaat komen, ben je daar niet in geslaagd. Ik neem niets van die idiote navelstaarderij op. Dit boek gaat niet over mij, maar over jou, jou en de anderen.' Simona glimlachte naar me, neerbuigend zoals alleen een saaie onbenul als zij dat kan zijn. 'Ik ben blij dat je dat denkt; echt waar.~~ En schrijven, jij.'

Ze liep weg en liet de deur open. Het was tien voor halfvijf. Ik moest nog tien minuten beschikbaar zijn. ~~Ik had een leeuwenformaat tong no-~~

~~dig om mijn kattenformaat wonden te likken~~. Waar was X toen ik hem nodig had? Twee minuten gingen voorbij. Er zou niemand meer komen. Ik ging naar de hal op de benedenverdieping. Het huis leek me verontrustend stil. Ik ging naar de salon. Als X er niet was, kon ik misschien een beetje medeleven van Cleangirl krijgen. Er was niemand in de salon; ik ging naar de keuken. Waarschijnlijk had Simona op haar eigen manier geprobeerd me te troosten. Toch had het meer als een aanval aangevoeld – een overval. Niemand in de keuken. Ik legde mijn hand op de waterkoker. Die was gloeiend heet. De tuin in, en daar waren ze allemaal. 'Is het waar dat Simona het je heeft verteld?' zei Cecile, die naar voren kwam om als woordvoerster op te treden. 'Wat?' zei ik, 'dat ik een schrijfster ben die niet weet wat ze doet?' 'Nee,' zei Cecile geërgerd, 'dat we een hoorspel voor je hebben opgevoerd toen je op zolder zat.' 'Ja,' zei ik, 'zoiets heeft ze verteld.' En toen... toen voelde ik de dreun van een migraine die in mijn hoofd binnendrong; er ging een golf van misselijkheid door me heen en ik voelde dat de tranen uit mijn ogen liepen. Het was of ik een brandweerman met een grote slang in me had, en hij had die slang zojuist aangezet en richtte hem op het bovenste deel van mijn schedel. 'En geloofde je ons,' vroeg ze, 'toen we het deden?' Ik pakte een van de krukken van de openslaande tuindeuren vast. 'Ja,' zei ik zachtjes in hun stilte. Ze juichten en applaudisseerden en een van hen stootte een jubelkreet uit en toen begonnen ze elkaar te omhelzen. De hoofdrolspelers – William en Simona, Alan en Fleur, Henry en Ingrid en vooral Cecile – voerden een quadrille van wederzijdse felicitaties op. 'Ik kan niet geloven dat ze jou geloofde,' zei Edith tegen Alan. 'Je moet wel een erg goede acteur zijn.' 'Ach...' zei Alan, en hij noemde het schooltoneelstuk. Cecile zelf, de grootste en gemeenste van de acteurs, liet haar onderlichaam omhelzen door Marcia. Henry stond ernaast, zijn gezicht samengetrokken van pret. X vertelde een grap aan Ingrid – die nogal zorgelijk naar me keek, moet ik zeggen. Ik hield op met haar aan te kijken, in de hoop dat ze naar me toe zou komen om me geruststellend toe te spreken. Toen ik weer keek, fluisterde ze weer in het oor van X. Ik had nu wel genoeg gezien. Ik draaide me om en liep het huis in. Ieder moment hoopte ik dat iemand me riep, terughaalde, vergaf, troostte – als een kind dat een dekentje achter zich aan sleept. (Het enige dekentje dat mij kan troosten, is het feit dat ik over ze schrijf, ze omlaag haal, ze laat zien zoals ze zijn, hun gedrag aan de kaak stel.) In de slaapkamer stortte ik volledig in. ~~Ik zakte weg in die draaikolk van onbewustzijn waarin je, afgezien van slaap en seks, alleen maar terechtkomt wanneer je door extreem verdriet getroffen bent.~~ Ik voelde me diep vernederd. Het huis had zich verenigd – tegen mij. Ik was volkomen tekortgeschoten in alles wat ik wilde bereiken. Of niet? Toen ik plannen maakte voor dit alles, was ik toen niet van plan mezelf tot de grote schurk te maken? En is dat niet precies wat ik ben geworden? Maar ik had dat plan al opgegeven voordat ik aan de synopsis begon; ik dacht dat de mensen me niets zouden vertellen als ze me niet vertrouwden. En nu dit. Het is bijna onvoorstelbaar.

Ik ben bijna hersteld, en ik heb diep nagedacht.

Die kleine scènes die ze voor mij opvoerden om me te vernederen, maken me iets duidelijk: *Simona heeft mijn synopsis gelezen.*

Hoe konden zij en William anders zo precies weten wat ze in de kinderkamer moesten zeggen?

Toen herinnerde ik me al haar biechtgesprekken met mij. Natúúrlijk weet ze wat ik wil dat er tussen William en haar gebeurt. Ik heb haar dat zelf verteld.

Maar Alan en Fleur dan? Is het voor hen zo duidelijk te merken geweest dat ik ze aan elkaar probeerde te koppelen?

En Ingrid en Henry? Mijn geflirt met hem?

En Cecile? Hoe weet ze dat ik niets liever wil dan vertrouwelijk zijn met haar?

Het kan geen toeval zijn dat alle vier die scènes zo nauwkeurig overeenkwamen met wat ik in mijn synopsis heb geschreven.

Simona maakte mijn synopsis bekend; ze regisseerde die optredens, zoals Henry stukken van Shakespeare regisseert.

En wat nog erger is: ze vindt het niet erg dat ik dat weet. Ze wil juist dat ik het weet.

Door de synopsis te vroeg open te maken (Wanneer? Zodra ze hem in handen kreeg?) heeft ze mijn vertrouwen volledig beschaamd.

Ook dat wil ze me laten weten. Sterker nog, ze wil ermee te koop lopen, het aan de andere gasten vertellen en daarmee een totale mislukking van de hele maand riskeren.

Hoe zou ze dat niet hebben kunnen weten? Je liet die arme vrouw de hele maand amper met rust.

Waarom? ~~Haat ze me zo erg~~?

~~En dan besef ik nu nog iets: in de synopsis heb ik de camera's ook genoemd. Dus zij en William moeten de hele tijd hebben geweten dat ze in de gaten werden gehouden. Waren al die scènes ook nep?~~

Bingo!

O mijn god. Wat zit ik in de problemen.

Henry kwam net naar me toe. Hij doemde voor me op alsof hij uit de as verrezen was. Ik had in een soort trance over het avondstrand gelopen, niet te ver van het huis vandaan. Henry stond opeens voor me. In zijn handen had hij wat papieren die ik eerst alleen maar vaag herkende. 'Ik heb het gelezen,' zei hij. 'Ik heb het gelezen, en je kunt mensen dit niet aandoen. Je zult een keuze moeten maken.'

'Wat heb je gelezen?' zei ik.

'X of mij – je moet kiezen.'

'Is dat de synopsis?' zei ik verschrikt.

'Ik hou van je,' zei Henry. 'God, wat een opluchting is het om je dat te vertellen. Ik hóu van je.'

'Hoe heb je dat in handen gekregen?' vroeg ik, en toen: 'Je houdt van me.'

'Ja. De afgelopen paar dagen waren verschrikkelijk. Ingrid en ik voerden die grote scène voor je op, maar toen werd het echt. We zeiden dingen die we echt meenden. En daarna wist ik dat het zou kunnen.'

'Heeft Simona je de synopsis gegeven?' vroeg ik.

'Nee,' zei Henry, die enkele ogenblikken nodig had om zich van zijn liefdesverklaring los te maken. 'Ik heb hem gestolen. Ik wist dat ze een exemplaar had – ze las er ons een beetje uit voor in de tuin. Maar ik kon merken dat ze ons alleen maar een selectie liet horen. Er gebeurde bijna niets in die passages. Ze zei dat je had voorspeld dat Ingrid en ik een enerverende periode zouden doormaken. Maar ik wist dat er meer was, en daar had ik gelijk in. Je wilt me. Je voelt je tot me aangetrokken. Je zegt zelfs dat je denkt dat je misschien verliefd op me bent. Nou, dat kun je nu zijn. Het is veilig.'

'Henry.'

'Het is voor jou veel gemakkelijker om je relatie met X te verbreken dan het voor mij is om een eind aan mijn huwelijk te maken en mijn dochter te verlaten. Maar ik ben daartoe bereid, als het tussen jou en mij iets kan worden. Je kent X niet echt. Je weet niet hoe hij echt is. Hij is niet de man die je denkt dat hij...'

'Henry, hou op.'

'Ik weet dat dit te snel gaat,' zei hij, door het zand lopend. 'Het is waarschijnlijk de verkeerde manier, maar het is romantisch, nietwaar? Het is onstuimig. En jij houdt van romantische dingen.'

'Het gaat niet gebeuren.'

Voor het eerst had ik het gevoel dat hij naar me luisterde.

'Waarom niet?'

'Omdat ik van X houd.'

'Maar je zegt hier...' Hij zwaaide met de synopsis.

'Als je het hebt doorgelezen...'

'Ik kan tenminste hopen. Je wilt een verhouding met me om te zien hoe het is als we bij elkaar zijn. Nou, dat bied ik je aan. En er hoeft niets tussen te komen. Ik weet dat het nogal wanhopig overkomt, maar ik denk dat mijn huwelijk met Ingrid al een tijdje voorbij is. Je hebt ons gezien...'

'Ik hoef dit niet te weten.'

'Je moet dit wel weten. Dit wilde je. Je zei dat ik geweldig was. Het is er – een kans met mij.'

Hij kwam dicht bij me en stak zijn armen uit om me vast te pakken.

Ik ging een stap terug.

'Henry, rustig nou.' Dit was afschuwelijk. Ik had meer dan een ogenblik nodig om na te denken, maar een ogenblik was beter dan niets.

'Ga zitten,' zei ik.

'Dat kan ik niet,' antwoordde hij. 'Ik heb te veel energie, te veel liefde.'

Ik keek in zijn gezicht en zag tot mijn droefheid dat het echt zo was; zijn ogen schitterden ervan.

'Ik wil wel toegeven dat ik in de synopsis heb geschreven dat ik me tot je aangetrokken voelde en dat het misschien wederzijds was...' (Ik deed mijn uiterste best om me precies te herinneren wat ik had geschreven.)

'Dat ís het.'

'Alsjeblieft, laat me uitpraten.'

'Sorry.'

'Maar je hebt de rest niet gelezen. Het ging mij er alleen maar om dat X jaloers werd en dat het weer goed zou komen tussen jou en Ingrid. Sindsdien ben ik tot het besef gekomen dat ik alleen bij X wil zijn.'

'Dat is laf,' zei hij. 'Waarom dacht je er eerst anders over?'

'Omdat ik niet wist wat een idioot ik ben, en niet besefte hoe blij ik mocht zijn dat ik iemand als X had gevonden, iemand die bereid is met zo'n idioot als ik door het leven te gaan.'

'Ik ben daar ook toe bereid.'

'Nee,' zei ik. 'Jij denkt van wel, maar het is niet zo.'

'Ik zou het graag willen proberen.'

Hij kwam dichterbij.

'Denk er een paar dagen over na,' zei ik. 'Dan zul je inzien dat ik gelijk heb.'

'Hoe kan ik dat inzien? Ik geloof pas dat ik het mis heb, als me dat wordt bewezen, en dat gebeurt alleen als we het proberen.'

'Nee,' zei ik. 'Echt: nee.'

Hij keek ontredderd. Ik wilde hem troosten, maar ik durfde geen enkele vorm van toenadering te zoeken.

'Heb je het Ingrid verteld?' vroeg ik.

'Wat?'

'De synopsis. Dat je haar wilt verlaten.'

'In haar hart weet ze dat het voorbij is. Maar we hebben er niet over gepraat. We hebben ruzie gehad.'

'Elkaar op de proef gesteld?'

'Ja. Heb je dat gemerkt?'

'Wacht een paar dagen af. Doe nu nog niets.'

'Dat zal erg moeilijk worden.'

'Denk aan Edith, aan de gevolgen die het voor haar zou hebben.'

'Ze weet vast ook wel dat we niet gelukkig met elkaar zijn. Ik bedoel, kijk maar eens naar haar – kijk naar haar gedrag. Getuigt dat van evenwichtigheid?'

'Als je je huwelijk verbreekt, moet je dat niet vanwege mij doen. Ik vraag je het niet te doen. Ik zég je het niet te doen.'

'Ik kan zo niet verder,' zei hij met een snik.

'Henry,' zei ik, en omdat ik er nu vrij zeker van was dat hij het niet verkeerd zou opvatten, sloeg ik mijn armen om hem heen.

'Ik voel me zo ellendig,' zei hij. 'Ik wist niet dat ik me zo ellendig kon voelen.'

Ik hield hem een tijdje vast, bang dat een van de andere gasten voorbij zou komen. Hij kwam tot rust en verontschuldigde zich.

'Niet erg aantrekkelijk, hè?' zei hij.

Ik glimlachte zo meelevend als ik kon.

'Ik ga naar het huis terug.'

'Mag ik dat hebben?' vroeg ik.

Een ogenblik wist hij niet wat ik bedoelde, en toen gaf hij me de synopsis: Simona's exemplaar met aantekeningen.

Avond.

De maaltijd van Cecile en Edith: scherpe *bouillabaisse* vol verrassingen, medaillons van varkensvlees in een zoete saus, aardappelen en *haricots verts*, en ten slotte *crème brûlée*.

Ik kon er niet echt van genieten. Ik zat rustig aan de tafel en probeerde naar de conversatie te luisteren. Mijn gasten waren erg beleefd tegen me.

Na het eten verstopte ik me.

Er zijn zoveel dingen die ik moet uitwerken. Ik kan er waarschijnlijk wel vanuit gaan dat Henry niet met Ingrid gaat praten. Maar misschien heeft hij nu een beeld van zichzelf als een hartstochtelijke, romantische held en gaat hij daardoor iets stoms doen, zoals je van hartstochtelijke, romantische helden mag verwachten.

De gedachte aan Edith zou hem moeten tegenhouden, maar als dat nu eens niet zo is? Misschien komt hij tot rust, nu ik hem heb afgewezen. IJdele hoop, vrees ik.

Ik vraag me af hoe X zal reageren als hij erachter komt. Weer een vechtpartij? En waar ging die vechtpartij met Henry eigenlijk over? Jaloezie, zoals ik dacht? Vochten ze om mij?

En dan is er nog al dat toneelspel. Ik weet nu dat ik geen van de gasten kan vertrouwen. Ze hebben er allemaal maar al te graag aan meegewerkt dat ik belachelijk werd gemaakt.

Waarschijnlijk wilden ze gewoon wraak nemen omdat ik ze had bespioneerd, en eigenlijk is dat wel grappig. Ik heb er een aantal grappige scènes aan overgehouden.

~~Maar Simona en William moeten van het begin af toneel hebben gespeeld.~~ Ze wisten van de camera's en besloten een grap uit te halen. De ruzies? De zogenaamde vechtpartijen? Dat ze hem sloeg? Dat William snikte? Dat William naakt door de gang liep? Ik weet niet wat ik van dat alles moet denken.

Simona wilde er zeker van zijn dat er deze maand iets gebeurt (daar hoeft ze zich nu geen zorgen meer over te maken), en William wilde haar op alle mogelijke manieren helpen. Misschien is dat de beste verklaring die ik kan vinden.

Ik weet zeker dat ze erover heeft gedacht hem te verlaten. Dat vertelde ze me lang voordat ik op het idee van dit project kwam.

~~Ik denk niet dat ik het haar rechtstreeks kan vragen.~~

pak de telefoon.

Zondag

Dag Achttien Week Drie

Regen. De eerste regen in dagen, neerdalend als een sluier over een toneeldecor.

Nu ben je de pathetiek toch wel een klein beetje te veel aan het opvoeren, God. Pas maar op, straks gaan de mensen nog geloven dat we echt in een romantisch universum leven, waar bomen buigen onder het gewicht van onze zorgen en wolken de ergste huilebalken zijn van allemaal.

Over God gesproken: Fleur is van plan meteen naar de kerk te gaan. Ik wed dat ze de dominee vertelt over mijn schandalige gedrag, de zolder, het spioneren, enzovoort.

Ik vraag me af wat Henry in zijn schild voert. Heeft hij Ingrid al over onze scène op het strand verteld?

Als hij dat heeft gedaan, komt ze vast meteen naar me toe. Dat wil zeggen, als ze niet gewoon in de auto stapt en wegrijdt.

Ik heb zoveel om over na te denken. Ik moet me bijvoorbeeld afvragen of de breuk van hun huwelijk iets te maken heeft met Ediths geestelijke conditie.

Ik twijfel niet echt aan het bestaan van Elizabeth, niet nadat ik haar zelf ben tegengekomen. Maar ik denk dat er een reden voor Ediths overgevoeligheid moet zijn. Het is niet zo vreemd om een onzichtbare vriendin te bedenken, en als je die dan tegenkomt, is dat wel wat vreemder, maar zoveel verschil maakt dat niet.

Ik wou dat X wat vaker bij me was. Dan zou ik me niet zoveel zorgen maken over Henry, die dan niet meer zo gemakkelijk de kans zou krijgen me te bespringen. Ik ben ervan overtuigd dat...

Onderbroken door Simona. Ze kwam regelrecht uit haar kamer.

'Victoria,' zei ze, 'we hebben een probleem. De synopsis is uit mijn kamer gestolen.'

'O ja?' zei ik, alsof ik van niets wist.

'Dit zou een ramp kunnen worden.'

'Waarom?' vroeg ik. 'Ze weten toch allemaal al wat er in staat.'

'Nee. Ik heb maar een paar stukjes voorgelezen. Als sommigen van de gasten horen wat jij dacht dat ze zouden doen...'

'Wat dan?'

'Dan gaan ze weg.'

'Ze zullen het ook in het manuscript lezen.'

'Maar je wilt het nu nog niet algemeen bekend hebben, niet in het huis.'

'Het is al bekend.'

'Wie denk je dat hem heeft gestolen?'

'Ik heb geen idee.' Ik besloot niet aan haar te vertellen dat het Henry was, en dat ik de synopsis had, en dat ik haar aantekeningen had gelezen.

'Wat kunnen we doen?'

'Afwachten.'

'Blijkbaar maak jij je niet veel zorgen.'

'Alles is al zo verschrikkelijk de mist in gegaan. Wat doet dit er eigenlijk nog toe?'

Ze ging gepikeerd weg. Ik vraag me af wie van de gasten ze verdenkt.

14.00 uur. Een regenboog, en niemand heeft me dat verteld.

Hij was er zo'n vijf minuten, ongeveer een halfuur geleden. Alleen zichtbaar vanaf de voorkant van het huis. De meeste anderen verzamelden zich daar; niemand kwam mij halen.

Dat is, sinds ik van de zolder ben gekomen, het meest kwetsende dat me is overkomen.

Word ik voortaan overal buiten gehouden? Blijkbaar. Heb ik het recht verspeeld om deel uit te maken van het huis? Blijkbaar.

Ik heb me bij Fleur verontschuldigd. Tenminste, dat heb ik geprobeerd.

Ik heb me afgevraagd wat ik anders had moeten doen met *Ruimtelijkheid*. Misschien had ik het helemaal niet moeten schrijven. Ik heb Araminta te veel op Fleur laten lijken. Dat was een artistieke tekortkoming van de eerste orde. Uit kleinzieligheid, omdat ik wraak wilde nemen, kon ik geen volledig afgerond personage creëren. Ik ben nu bang dat ik in dit boek hetzelfde ga doen. Maar maakt dat iets uit? Geloof ik niet echt dat Fleur – met haar God en haar complexen – helemaal geen volledig afgerond personage is? En als ik dat denk, moet ik dan niet proberen haar ook zo te laten overkomen? Moet ik er niet naar streven haar eendimensionaal te laten blijven? Of tweedimensionaal? Ze is een grote donut: rond maar met een groot gat van suikerige lucht in het midden.

Ik besloot na haar kerkgang met haar te gaan praten. Omdat ze beneden nergens te vinden was, ging ik naar boven en klopte op de deur van haar kamer. 'Binnen,' zei Fleur. Toen ik de deur opendeed, richtte ze zich net uit geknielde houding op. 'O,' zei ze, toen ze zag dat ik het was. 'Ik ben gekomen,' zei ik, in antwoord op haar onuitgesproken vraag (*Wat wil je?*), 'om met je te praten.' Ditmaal verwoordde ze het: 'Waarover?' 'Over jou en mij, onze relatie; over het feit dat ik jou in *Ruimtelijkheid* heb geportretteerd,' zei ik. 'O, Victoria,' zei ze, 'moet dat nu?' En nu ik erover was begonnen, voelde ik plotseling een sterke aandrang om erover te praten, langdurig, tot in detail. 'Het hóéft niet nu meteen te gebeuren,' zei ik, 'daar is geen dwingende reden voor.' (Afgezien van het feit dat ik zojuist heb besloten dat ik het wil.) 'Ik denk er veel over na,' zei Fleur, 'en dat maakt me doodmoe, maar ik zou graag willen dat je me... dat je me mijn gedachten laat ordenen.' 'Kun je niet gewoon het eerste zeggen dat in je opkomt?' 'Nee, Victoria,' zei ze, 'dat gen heb jij; ik mis dat volkomen.' We voelden allebei de onenigheid tussen ons; die danste als een vuurtje over de vloer, en we hadden allebei een benzineblik zonder dop in onze hand. 'Een andere keer dan maar,' zei ik. 'Victoria,' zei Fleur, 'laat mij naar jou toe komen; en als ik dat doe, scheep me dan die ene keer niet af.' Typisch mijn zuster; ze kon me sneller een beroerd gevoel bezorgen dan ieder ander op de wereld ~~(met twee uitzonderingen, een die ik niet zie en een die onzichtbaar is)~~. 'Ik zal het proberen,' zei ik. 'Zolang je me maar niet komt storen terwijl ik seks heb.' Ze giechelde. Ze wist waarop ik zinspeelde – een kampeervakantie in de Black Mountains, zij vijftien en ik dertien, ik in de tent met Rhys, een plaatselijke zigeuner, terwijl zij buiten nat regende. Onze ouders hadden ruzie gekregen en waren in tegenovergestelde richtingen vertrokken, naar verschillende cafés. 'Laat me erin,' zei Fleur steeds weer, maar ze kreeg geen antwoord. Toen Rhys en ik eindelijk te voorschijn kwamen, en hij terug was gegaan naar het woonwagenkamp waar hij woonde, had ik tegen mijn doorweekte zus gezegd: 'Stoor me nooit meer als ik seks heb.' En nu, in de slaapkamer, proestte Fleur het uit.'Je had geen seks,' zei ze; dat was haar volgende tekst. 'Ik niet, maar hij wel!' zei ik; en dat was de mijne. Mijn zuster, die me ook sneller dan wie ook een vrolijk gevoel kon bezorgen.

Ik ging weg; Fleur liet zich weer op haar knieën zakken om te bidden, te bidden, te bidden.

Ik heb laat geluncht, in mijn eentje.

12.092

Simona probeerde op een biecht aan te dringen, maar ik heb haar afgescheept. Ik ben er echt niet voor in de stemming.

De gong, gevolgd door het avondeten.

De kok heeft Ingrids favoriete gerechten klaargemaakt: kreeft en vruchtentaart.

Simona is erg gespannen. Ik kan haar naar de gezichten van de gasten zien kijken. Ze wil weten wie de synopsisdief is. Ik probeer ervoor te zorgen dat ze me niet naar haar ziet kijken.

Tegelijk ben ik bang dat Henry haar een of ander teken zal geven. Ik weet niet wat voor teken. Bovendien ben ik bang dat hij opeens in het openbaar zijn liefde gaat betuigen. Maar hij maakt een rustige indruk en zegt bijna geen woord. Misschien gaat hij mokkend verder met zijn huwelijk en hoor ik nooit meer iets van hem.

Aan het eind van de maaltijd komt de kok vragen of de maaltijd Ingrid goed is bevallen. Ingrid zegt dat ze het heerlijk vond en kijkt hem stralender aan dan ooit tevoren. Henry schijnt het niet te merken.

Er schijnt een eind te zijn gekomen aan de fascinatie van de gasten voor het toilet. Voor zover ik kan nagaan, viel dat samen met mijn zolderdagen. Ik zie niet hoe die twee dingen met elkaar in verband kunnen staan.

X ontliep me nog steeds.

Hij stond vroeg op en was het grootste deel van de dag weg. Zeevissen, denk ik. Ik kreeg pas de kans om met hem te praten toen we naar bed gingen.

'Weet je, ik ben blij dat je die microfoons hebt aangelaten. Anders zou ik misschien door het lint zijn gegaan.'

'In plaats daarvan ging de rest door het lint.'

'Waren ze erg kwaad?'

'Toen Marcia het hoorde, besloot ze bijna meteen weg te gaan. Ze kwam pas terug toen Ingrid haar belde.'

'Waarom heb ik dat niet gehoord? Waarom gebruikte ze de telefoon in het huis niet?'

'Ik weet het niet. Misschien heeft ze dat wel gedaan.'

'Nee.'

'Dan zal ze haar mobieltje wel hebben gebruikt. Ik weet het alleen omdat Henry me vertelde dat ze het zou proberen.'

'Ik zal haar moeten bedanken.'

Hij ging op de rand van het bed zitten en trok zijn broek uit. Zonder zich naar me om te draaien zei hij: 'Je hebt me in grote moeilijkheden gebracht, weet je. Het scheelde niet veel of ik werd samen met jou op zolder gestopt. Ze waren... Jij hebt ze alleen gezien toen ze tot rust gekomen waren. Voortaan kan ik het niet meer voor je opnemen.'

'Dat zal ook niet nodig zijn. Want voortaan zal ik me netjes gedragen.'

'Ik hoop het.'

'Kom nu hier,' zei ik.

X kwam in bed. Ik sloeg mijn armen om hem heen en kuste hem. Zijn lippen bleven strak op elkaar.

'Nee,' zei hij.

'Waarom niet?' vroeg ik.

'Gewoon niet,' zei hij.

Maandag

Dag Negentien Week Drie

Ochtend.

Ik was daarnet in mijn kamer en tekende een gezicht op mijn gezicht, toen achter me, heel langzaam, de deur, die op een kier had gestaan, krakend openging. Echt krakend – zoals het in een spookhuis betaamt. Ik zat aan de andere kant van het bed en draaide me om in de verwachting dat ik ons meisje/spook zou zien. En er was niets! Het was of mijn hart door een buigzaam rietje mijn keel in werd gezogen. Toen begon ik, heel dapper, voor alle zekerheid om het bed heen te lopen om de deur dicht te doen... en voelde iets aan de binnenkant van mijn linkerbeen, een koele, elektrische, donzige beweging. Ik durfde bijna niet omlaag te kijken! Het was Audrey de kat.

12.092. Ik moet ermee stoppen, echt.

Ik zou iets nuttigs met mijn tijd moeten doen, bijvoorbeeld naar de vuurtoren gaan. Ik heb er een paar keer over gedacht om er met alle gasten tegelijk naartoe te gaan. Dan weer besloot ik alleen met X te gaan. En nu besloot ik in mijn eentje te gaan. Binnenkort.

Voor morgenavond staat de leesclub *Naar de vuurtoren* op het programma. Ik had dat al opgegeven, want ik dacht dat mijn persoonlijke onpopulariteit dat plan in de weg stond. Maar het is blijkbaar toch aangeslagen doordat gasten de exemplaren oppakten die ik in de salon had laten liggen. Vooral Marcia is enthousiast, en Edith bijna net zo erg.

Laat in de ochtend.

Ik lag in de tuin te zonnen toen er plotseling een cameraploeg van een plaatselijk televisiestation verscheen. Het dienstmeisje had ze binnengelaten; ze was erg onder de indruk omdat ze de verslaggever al vanaf haar vijftiende op de televisie had gezien. (Hij was zo verweerd dat zijn huid bijna van leer leek.) Naast hem stond een cameraman in een flodderig leren jasje verveeld uit zijn ogen te kijken. Ik had een bikini aan en zei dat ik minstens een halfuur niet met ze kon spreken. Ze vroegen of ze opnamen van het huis mochten maken. Ik zei: 'Nee.' (De eigenaars zouden dat vast niet willen.)

'En de tuin?' vroegen ze.

Ik vroeg me al af wat ik zou aantrekken.

'Goed,' zei ik.

Ik ging naar boven en stelde een outfit samen: kaki broek, lichtblauw shirt, pumps, zonnebril – 'prinses Diana in het mijnenveld'. Toen ik me aan het omkleden was, en net in mijn beha stond, keek ik uit het raam en zag dat de camera recht op me gericht was. Ik geloof niet dat ze iets voorbij mijn hals in beeld kregen. Wat ik veel erger vond, was dat Marcia op de veranda zat, samen met de verslaggever, en dat ze – help! – druk aan het praten waren. Terwijl ik daar stond, zag ik dat de camera zich op haar richtte; het praatje was zojuist in een interview overgegaan. O neeeee! Ik trok vlug mijn shirt over mijn hoofd, schoot mijn pumps aan en bracht mijn haar in een of ander model. Toen ging ik de tuin in, en daar zei ik: 'Ik dacht dat ik had gezegd dat u geen opnamen van het huis mocht maken.'

'We filmden de bloemperken,' zei de cameraman op nogal brutale toon, 'en toen volgde ik de klimop tegen de muur omhoog.'

'Naar mijn slaapkamerraam,' zei ik. Hij richtte de camera op mij. 'Zet dat ding meteen uit,' zei ik. 'Ik heb alleen toestemming gegeven voor een officieel interview.' De camera keek naar de gelooide journalist, die knikte. De camera bleef draaien, de lens op mij gericht.

'Is het waar,' vroeg de journalist, 'dat u spionagecamera's in alle kamers van het huis hebt geïnstalleerd, zelfs in de douches en toiletten?' De camera zoomde nu op me in om mijn reactie vast te leggen.

'Nee,' zei ik. 'Dat is niet waar. Ik wil dat u weggaat. Nu meteen.'

'Ze hingen niet in de douches en toiletten,' zei Marcia, 'maar wel op alle andere plaatsen – gangen, slaapkamers.'

Ik zou mijn zelfbeheersing niet verliezen. Dat zouden ze helemaal prachtig vinden: dat ik de camera te lijf ging.

'U zou drie dagen zonder eten en drinken op de zolder opgesloten hebben gezeten. Is dat waar?' vroeg de journalist me.

'Gaat u weg,' zei ik voordat hij nog meer kon zeggen. 'En jij houdt je mond,' zei ik tegen Marcia.

Ik draaide me om en wilde hen door het huis terug leiden, met de camera uit. Ik liep via de tuindeuren naar binnen. Ze volgden me niet. Toen ik me omdraaide, was de cameraman me nog aan het filmen: mijn geschreeuw, de grote stappen waarmee ik wegliep. Ik zag ze daar met zijn drieën rustig naar me kijken en werd woedend. 'Gaat u nu wég?' schreeuwde ik.

Ik rende naar boven. Vanuit de slaapkamer keek ik naar buiten. Marcia was nog bij hen op de veranda en liet zich interviewen. Ik luisterde. Ze beantwoordde elke vraag tot in alle afschuwelijke details.

Tien minuten later leidde ze hen door het huis en zwaaide hen uit op de oprijlaan. Na zorgvuldige overweging heb ik besloten haar het huis uit te schoppen.

Ingrid wéét het. Ik denk niet dat Henry het haar heeft verteld; ze weet het.

Ik ging de keuken in en zag dat ze openlijk met de kok aan het flirten was. Ze waren bijna aan het knuffelen. Hij voerde haar een soort drab aan het eind van het een stuk selderie.

'O hallo,' zei hij, toen hij mij zag.

'Victoria,' zei Ingrid. Ik verwachtte een blos van schaamte, maar die bleef uit.

Op dat moment kwam Henry achter me binnen. Ingrid deed een stap van de kok vandaan, maar dat deed ze alleen om nogal agressief op mij en Henry af te komen.

Ze richtte een *ja?* over mijn schouder.

'Niets,' zei Henry. 'Ik vroeg me alleen af waar je was.'

'Nou, ik ben hier,' antwoordde Ingrid. 'Nu weet je het.'

'Ik wil je spreken,' zei hij. 'Over...'

'Edith,' zei Ingrid. 'Ja, dat wil je altijd, hè?'

Hij draaide zich om en ging weg. Ze volgde hem zonder mij aan te kijken.

'Ik kom terug,' zei ze over haar schouder.

'Daar kijk ik naar uit,' zei de kok.

Ik dacht erover om iets tegen hem te zeggen. *Je bent ontslagen*, was een reëele mogelijkheid. Maar ik kon er niet tegen om daar bij hem in de keuken te blijven. Die arrogante kerel.

Lunch. Waar is Marcia? Weer ziek, zeggen ze. Ik denk eerder dat ze zich verstopt. Ik ben trouwens van gedachten veranderd. Ik gooi haar het huis niet uit.

William is ook afwezig. Hij is naar het café. Door al dat drinken ziet hij er niet goed uit. In het algemeen maakt hij een versufte indruk.

Vroeg in de middag. Nadenken: Henry, ik, X, Ingrid, de kok.

Fleur kwam de salon in. 'Laten we een eindje gaan wandelen,' zei ze tegen me. Ik aarzelde niet, nam niet eens de tijd om iets warmers aan te trekken. Ik had met Alan op de bank gezeten zonder dat we over veel bijzonders praatten: het leven. Toen Fleur binnenkwam, probeerde ik een *frisson* tussen hen te bespeuren, maar ik merkte niets. We slenterden het gazon op. Ik wachtte, begon niet te praten. Wat had ze gisteren ook weer gezegd? 'Laat mij naar jou toe komen, en als ik dat doe, scheep me dan niet af.' Om mijn lichaamstaal zo open mogelijk te houden vouwde ik mijn handen op mijn rug samen. Fleur begon te praten zodra haar voeten van gras op zand overgingen. 'Ik kan alleen maar denken,' zei ze, 'dat je dit nu ter sprake wilt brengen, juist nú, omdat het nuttig voor je is. Dat is een van de vele redenen waarom ik eigenlijk niet wil praten. Maar ik heb erover nagedacht en ik heb gebeden, en ik besef dat ik maar beter elke gelegenheid kan benutten die zich aandient. Misschien krijgen we geen tweede kans.' Ik knikte. Ik dacht dat ik eruit moest zien als een jonge non die een bezoekende moeder-overste begeleidde. 'Je hebt me erg gekwetst door die dingen te schrijven. Ik denk dat je gisteren naar me toe kwam om je excuses aan te bieden. Is dat zo?'

'Ja.'

'Dank je, is het eerste dat ik zou moeten zeggen, al zit het me niet lekker. Het zal wel betekenen dat je vindt dat je verkeerd hebt gehandeld.'

'Wat ik deed, kwam de roman niet ten goede.'

'En het was kwetsend voor mij.'

'Daar heb ik spijt van.'

'Ik weet niet of je precies begrijpt hoe het me kwetste.' Terwijl we van Southwold vandaan liepen, legde Fleur me precies uit hoe het haar had gekwetst. Ik zal niet gauw vergeten wat ze zei. Het kostte nogal wat tijd, en het heeft geen zin om het hier op te schrijven. Ik zal het nooit gebruiken. Wat ze zei, kwam hierop neer: ik had mijn hele leven mijn best gedaan om gezien te worden, en zij had altijd geprobeerd zich onzichtbaar te maken. Door haar in *Ruimtelijkheid* te zetten had ik haar dat onmogelijk gemaakt. En terwijl ik de macht had om haar, zonder dat ze het wilde, de wereld in te sleuren, was zij niet in staat om iets terug te doen. Ze wilde dat wel, maar ze kon het niet. Toen besefte ze dat ze geen wraak kon nemen. Het beste dat ze kon bedenken om bij anderen wraaklust op te roepen, was mij vergeven. 'Ik bid voor je, Victoria,' zei ze. 'Ik bid de hele tijd voor je. Ik weet dat je het verschrikkelijk vindt om me dat te horen zeggen.'

'Dat valt wel mee,' zei ik. 'Ik ben veranderd. Ik ben het steeds prettiger gaan vinden.'

Toen zei ze iets anders. Ze had zich gerealiseerd dat het ijdelheid en in zekere zin ook blasfemie was geweest om te proberen zich onzichtbaar te maken. 'God wil dat we bestaan. Hij creëerde ons om te bestaan. Misschien heb je gelijk en moeten we proberen ons bestaan zo groot en permanent te maken als we kunnen.' Voor het eerst in jaren gaf mijn zuster toe dat ik misschien gelijk zou kunnen hebben. 'Dat is een van de redenen waarom ik besloot hierheen te komen – een concessie aan jou, een experiment voor mij.'

We praatten over onze ouders. Dat deden we onder de strikte conditie dat ik nooit, in woord of geschrift, iets zou weergeven van wat we zeiden.

Net terug van het ziekenhuis in Lowestoft (de eerste hulp), waar ik Alan naartoe had gebracht nadat hij een teennagel was kwijtgeraakt. Het ongeluk had zich als volgt voorgedaan: Alan – de pechvogel – was net klaar op de wc boven; Fleur, die na de zoveelste lange wandeling over het strand erg nodig moest, rende over de overloop (de beneden-wc was bezet door Marcia, die niet ziek meer is, maar ik heb nog niet over het incident met de cameraploeg met haar gesproken); Alan maakte de deur open en draaide aan de kruk op hetzelfde moment dat Fleur, die het klikken van het slot niet had gehoord, kwam aanstormen; ik moet hieraan toevoegen dat Alan op blote voeten liep. Door de klap van de deur sprong de nagel van zijn linker grote teen er in één klap af; het enige dat achter overbleef, was een kersenrood gat. Fleur was erg van streek. Alan strompelde, zonder tranen of klachten, naar beneden en vroeg of iemand hem naar het ziekenhuis kon brengen. (Een aantal van ons zat in de salon en praatte over het verschil tussen mijn spionagecamera's en de camera's van plaatselijke journalisten, al was ik de enige die enig belang aan dat verschil hechtte.) Er brak meteen veel tumult los; iedereen bood een lift aan. Maar Alan zei *ja* tegen mij; en *dat zou geweldig zijn*, en *dank je*, en *weet je dat zeker?*. Dat verbaasde me. Het zou voor de hand hebben gelegen dat hij voor Marcia had gekozen, in ruil voor al die persoonlijke diensten die hij haar had verleend (het bad in en uit, de wc). Hoe dan ook, ik was in zo'n vijf minuten klaar om te vertrekken. De rit nam ongeveer een halfuur in beslag en er gebeurde onderweg van alles. Op een gegeven moment vroeg ik me zelfs af of Alan met opzet zijn teennagel had opgeofferd om uitgebreid met mij te kunnen praten. En waarover? Nou... Hij begon zodra we op de weg waren. 'Over Fleur.' 'Mmm-hmm.' 'Je weet wat er gebeurd is, hè?' Ik dacht na. Natuurlijk wist ik van Domino en Audrey, maar dat was zo lang geleden en dat bedoelde hij vast niet met *wat er gebeurd is*. Ik wist ook van hun gespeelde liefdesscène in de keuken. Misschien bedoelde hij de wandeling waartoe ze hadden besloten, vooropgesteld dat ze inderdaad waren gegaan. 'Wat precies?' 'Toen je ons aan elkaar had voorgesteld, gingen we met elkaar om zonder het jou te vertellen. Dat duurde ongeveer twee maanden.' Ik keek even naar Alans voet met de rode teen. 'O ja?' zei ik. In de afgelopen week was ik eraan gewend geraakt dat gasten me leugens vertelden en me op nog andere manieren misleidden; ditmaal trapte ik er niet in. 'Ja,' zei hij. 'Ik reed het ene weekend naar haar toe en zij kwam het andere weekend naar Londen. We gingen uit, maar alleen naar plaatsen waar we jou niet zouden tegenkomen.' Ik was nieuwsgierig of Alan ook details kon geven – verzonnen of niet. 'Zoals?' 'O, gelegenheden in Zuid-Londen: Italiaanse restaurants, duistere kroegen. En als we in de binnenstad uitgingen, was het naar de schouwburg. Naar musicals. Naar *matinées*.' Dat detail was te komisch om zomaar te verzinnen. 'Je meent het?' 'Natuurlijk. Had je geen vermoeden?' 'Hoe kon ik het vermoeden?' 'Nou, doordat we elkaar uit de weg gingen?' Ik herinnerde me mijn synopsis: het is verbazingwekkend hoe ver weg die voorspellingen soms lijken. Sinds duidelijk werd dat Simona minstens delen ervan in de openbaarheid heeft gebracht, heb ik me er nauwelijks meer mee beziggehouden – of de voorspellingen nu uitkwamen of niet. De laatste tijd hebben de gasten het te druk met mij dwarsbomen om de dingen te doen die ik had voorspeld. En natuurlijk had ik niet voorzien dat ze mijn voorspellingen te horen zouden krijgen. 'Ik dacht dat jullie vrij goed met elkaar konden opschieten.' 'O, en juist omdat we die indruk wekten, dacht ik dat je het zou inzien.' 'Hoe kon ik daar nu iets uit afleiden?' 'Ik weet het niet – op een romaneske manier die voor ons gewone stervelingen onzichtbaar blijft.' Ik vond het verschrikkelijk als Alan in clichés praatte; dat was beneden zijn waardigheid. 'Om je vraag rechtstreeks te beantwoorden: ik had geen idee.' We reden nu over landweggetjes en er moest een beetje kaart gelezen worden, anders zouden we verdwalen. Alan deed dat. Ik begon hem vragen te stellen.

De verhouding begon meteen na mijn etentje. Alan, die op niets was voorbereid en moest improviseren, zag kans zijn telefoonnummer op te schrijven – met eyeliner op een van die uitscheurbare abonnementenformulieren in de damesbladen die ik in mijn badkamer naast de wc had liggen. Hij schoof dat papier in de binnenzak van Fleurs jas. Toen ik van mijn verbazing bekomen was en tegen hem zei dat me dat niets voor hem leek, beaamde hij dat een beetje zuur maar ook wel met enig genoegen. Het was alsof hij wilde zeggen: 'Ja, en kijk nu wat ervan geworden is.' Toen hij met een taxi naar huis ging, rekende hij op uren, zo niet dagen, van kwellende onzekerheid. Hij had niet de gelegenheid gehad om, zoals hij van plan was, iets in de trant van 'Kijk in je zakken' in Fleurs begeerlijke oor te fluisteren. Ik had te goed opgelet. Ik had de hele tijd naar hun gezichten gekeken, spiedend naar tekenen van wederzijdse aantrekkingskracht. Fleur zou het briefje misschien helemaal niet vinden, in geen weken, maanden. Maar toen hij thuiskwam, stond er een bericht op zijn antwoordapparaat. Het was maar vijf minuten daarvoor ingesproken en het was Fleur. Ze belde vanuit het huis van de vriendin bij wie ze altijd logeert als ze in Londen is. Alan wilde me niet precies vertellen wat ze had ingesproken. Ik kon merken dat het een dierbare herinnering was en drong niet aan. Voordat Alan de kans kreeg om terug te bellen, belde Fleur opnieuw. Binnen een halfuur was ze met een taxi naar hem toe gekomen en... Alan liet de rest aan mijn verbeelding over. Met diezelfde verbeelding moest ik me voorstellen dat mijn zuster tot zoveel romantiek in staat was. Sinds haar huwelijk met Clive had ik niet meer gedacht dat ze ooit nog iets impulsiefs zou doen.

In de lome ochtend wisten ze dat ze met elkaar wilden blijven omgaan. En zo begonnen de uitstapjes naar Italiaanse restaurants in Zuid-Londen en *matinées* van musicals die ze geen van beiden wilden zien (ik vroeg me af waarom ze er niet voor hadden gekozen om naar artistieke films te gaan, want daar ga ik ook bijna nooit heen. Maar 'bijna nooit' is iets heel anders dan 'alleen onder grote dwang', en zo is het met mij gesteld wat musicals betreft.) 'En waarom vertel je me dit nu?' zei ik. 'Je had gemakkelijk door de komende, wat is het, twaalf dagen, heen kunnen komen zonder dat ik ooit iets had vermoed.' 'Alsjeblieft, dwing me niet het te zeggen; het is te gênant.' Ik vond dit prachtig, maar ik ergerde me ook: waarom had hij er bijna drie verspilde weken over gedaan om hiermee voor de dag te komen? 'Jullie zijn een paar stiekemerds, hè?' zei ik. 'Dat hadden jullie altijd al met elkaar gemeen.' 'Ik wil haar terug,' zei hij, 'en ik denk dat zij mij ook wil.' 'O, Alan,' zei ik, en ik nam mijn hand van de versnellingspook om de zijne aan te raken, 'arme jij.' 'Heeft ze iets tegen jou gezegd? Jullie hebben vandaag een lange wandeling met elkaar gemaakt, hè?' 'Ze zei niets, en ik heb haar er beslist niet naar gevraagd.' Hij wendde zich van me af en keek somber voor zich uit. 'Dit is iets hartstochtelijks,' zei hij. 'Ik geloof niet dat ik weet hoe ik met hartstocht moet omgaan.' 'Je gaat niet met hartstocht om,' zei ik. Ik voelde me nu veel meer op mijn gemak. 'Je ondergáát het: hartstocht is passief.' 'Dan moet je iets doen om te helpen.' Ik hield de vraag *Waarom?* maar voor me. 'Voordat ik hierheen kwam, was het me bijna gelukt haar uit mijn hoofd te zetten. En nu heb ik het meer te pakken dan ooit. Het is een vreselijke hulpeloosheid, een verlamming. We zijn zo dicht bij elkaar en toch zou het allemaal nog mis kunnen gaan. Ik heb het gevoel dat ik nog maar vier woorden tegen haar kan zeggen – *ja*, *nee*, *alsjeblieft*, en *o*. Als ik een zin met een werkwoord voor haar zou construeren, zou het zijn om mijn eeuwige...' Nu was hij het die het gewenste woord in de lucht liet hangen. 'Ik zal je helpen,' zei ik. 'Sterker nog, ik heb al geholpen door jullie weer bij elkaar te brengen; vier woorden zijn beter dan helemaal geen woorden. Als je wilt dat het gebeurt, gebeurt het vast wel.' 'Ik kan bijna niet wachten tot de vakantie voorbij is,' zei Alan, 'want dan heb ik tenminste een paar uur respijt.' Hij boog bedroefd zijn hoofd van me vandaan en beet een halvemaan van zijn nagel. 'Hoe is het met je teen?' vroeg ik. 'Hij bloedt niet meer,' zei hij. 'In tegenstelling tot mijn hart.' Alan was een amateur in het omgaan met zijn emoties, en daarom was het allemaal erg gênant: zijn dialoogteksten moesten nodig opgefrist worden.

De rest van de rit zwegen we, maar we hadden nu een pact gesloten.

Toen we in de wachtkamer zaten, las ik de vragenrubrieken in de tijdschriften, omdat ik dat leuk vond en – misschien – ook om nuttige tips te vinden. In zekere zin was ik de Lieve Lita van het hele huis: ik veroorzaakte de problemen en loste ze op. In het geval van Alan en Fleur mocht ik niet falen. Er moet ergens een 'En ze leefden nog lang en gelukkig...' zijn, en in hun geval lijkt het me mogelijk. Ik meen me te herinneren dat ik eerder in de maand ook zoiets heb gedacht.

Alans naam werd afgeroepen en ik hielp hem terwijl hij naar de twee lichtgrijze zwaaideuren strompelde. Ze behandelden hem in een klein kwartier. In die tijd bladerde ik niet eens in de tijdschriften; ik maakte plannen, zoals ik altijd doe.

Toen Alan weer te voorschijn kwam, liep hij op krukken. Zijn teen was verpakt in schoon wit verbandgaas, waar al bloed doorheen begon te druppelen. 'Ik red me verder wel,' zei hij tegen de zuster. Hij kon zich inderdaad prima redden tot aan de auto. Maar toen hij eenmaal zat en de gordel had omgedaan, begon hij geluidloos te snikken. 'Alan?' zei ik zachtjes. Hij jammerde woorden die ik niet kon verstaan. Hoewel de versnellingspook in de weg zat, en er mensen voorbijliepen en zich bij onze aanblik afvroegen wat voor terminale ziekte de artsen bij hem hadden geconstateerd, trok ik hem dicht tegen me aan. 'Vertel het me,' zei ik. 'Ik heb de pest aan ziekenhuizen,' zei hij met een stem vol slijm. 'Dat kan het niet zijn,' zei ik. 'Ik voel me weer een kind,' zei hij. Die complexe mensen en hun simpele emoties: christenen die aan de genade van leeuwen waren overgeleverd. Ik begon te huilen en dacht onwillekeurig aan de hulpeloosheid van tweejarigen, de woede van peuters van drie, de gekwetste trots van kleuters van vierenhalf. Toen we helemaal uitgehuild waren, zei Alan: 'Denk je, eh, dat het in de loop van de tijd erger of minder erg wordt?' En ik zei: 'Ik zou het niet weten – waarschijnlijk erger.' 'Ik bedoelde de hartstocht,' zei hij. 'O,' zei ik, 'dat? – dat wordt beslist erger voordat het beter wordt.' Dat was niet wreed bedoeld, maar hij huilde opnieuw. Toch had mijn opmerking me van hem losgeweekt – als een wondkorst: ik was gevoelloos, hij leed opnieuw pijn. 'Ik moest bijna huilen waar de zuster bij was,' zei hij, en hij snoot zijn neus. 'Dat is ze vast wel gewend,' zei ik, en bij de gedachte aan al die pijn in dat ziekenhuis wilde ik zo snel mogelijk weg. Ik reed achteruit de parkeerplek af en ramde bijna een auto die in mijn dode hoek zat. Onderweg naar huis vertelden we elkaar hoe fantastisch Fleur kan zijn – soms.

Ik heb gehoord dat wij – het huis, ik, Marcia – uitgebreid in het plaatselijke avondnieuws te zien zijn geweest. Ik heb dat gemist; ik stond onder de douche om ziekenhuisgedachten weg te spoelen. Het was het derde item van het nieuws, na een moord en een schoolmeisje dat precies een jaar geleden ontvoerd was. Ze maakten een een heleboel ophef over de spionagecamera's en over het feit dat ik op de zolder gevangen was gehouden. Om van de spoken nog maar te zwijgen. Toen ik vroeg (Edith vertelde me dit alles vol pret) of ze ook de opname hadden gebruikt van mij toen ik me aan het omkleden was, grijnsde ze; ik denk dus van wel.

Ik probeerde Marcia te vinden, maar die was al naar bed – ze voelde zich weer eens niet zo lekker, kreeg ik te horen. Leugens.

12.705. In stilte houd ik de score bij, zoals een verslaafde haar methadondoses bijhoudt.

Avondeten. Een vreemde stemming aan de eettafel, opgewonden, bijna feestelijk. Enige hypocriete afkeuring van onze plaatselijke roem (raad eens van wie). Simona overgelukkig; William geamuseerd. Over het geheel genomen vinden de gasten dat ze het volste recht hadden om mij op zolder op te sluiten. 'En toen zeiden ze...' zei Edith keer op keer. Hoewel ze zelf niet in beeld was geweest, vond ze het opwindend om zo dicht bij het middelpunt van de publieke belangstelling te hebben gestaan. Henry en Ingrid stelden geen pogingen in het werk om haar te kalmeren; ze zaten allebei zwijgend en met lange gezichten te eten. Ik ben bang dat ze erover denken om weg te gaan. Ik wou dat ik hun gesprek na de scène in de keuken had gehoord. Simona schijnt zich lang niet meer zo druk te maken om de gestolen synopsis. Misschien denkt ze dat het allemaal wel meevalt, omdat er tot nu toe niets ergs is gebeurd. Misschien verdenkt ze zelfs mij. Ik ben de voor de hand liggende kandidaat. Sommigen van ons verheugen zich op de Leesclub.

Ik ben er vrij zeker van dat de pers nog meer aandacht aan ons zal schenken. Misschien komt dat kleine muisje van een journaliste terug, op jacht naar het verhaal dat haar de eerste keer is ontglipt. Ik geloof trouwens niet dat het verder zal reiken dan de regio East Anglia, al is het komkommertijd. Simona is het daar niet mee eens ~~en voert 's avonds in haar kamer een aantal telefoongesprekken met Londen~~.

Sinds Alan uit het ziekenhuis terug is, heeft Fleur hem overladen met verontschuldigingen. Voor het avondeten haalde ze bier voor hem; onder het eten praatte ze met hem; na afloop gingen ze de tuin in – ze hielp hem voortstrompelen. Alan was verrassend ontspannen, al geneert hij zich omdat ik inmiddels zijn gevoelens ken. Voor zover ik iets kon horen van de dingen die ze aan tafel tegen elkaar zeiden, hadden ze het alleen maar over de trip naar het ziekenhuis. Een paar keer moest ze om hem lachen. Ze lachten om mij (om mijn gewoonte om de wachtkamertijdschriften van ziekenhuizen door te nemen? Om het feit dat ik bijna verdwaald was?), maar dat vind ik helemaal niet erg; als ik direct of indirect een bijdrage kan leveren, vind ik dat geen probleem. Ze zijn minstens een kwartier samen in de tuin geweest. Sommigen van de andere gasten zagen het; ze wisselden blikken en glimlachjes uit. Wat weten zíj?

De leesclub van *Naar de vuurtoren*. Deelnemers: ik, Fleur, Marcia, Alan, William (al gaf hij toe dat hij maar de helft had gelezen en verder afging op herinneringen aan een verfilming die hij eens had gezien), Simona, Henry (erg enthousiast, enthousiaster dan ik) en Edith. Natuurlijk zou het gemakkelijker zijn om gewoon te zeggen: 'X, Ingrid en Cecile zaten in de tuin', en ik wed dat zij veel Bloomsbury-achtiger waren dan de rest van ons. Het was een prachtige avond – lange wolkenlinten in de lucht, fel oranje en vlammend rood. Omdat ik me herinnerde dat het me tot nu toe niet goed gelukt was zulke bijeenkomsten te leiden, nam ik een risico en delegeerde ik de leiding van de groep aan Henry (hij bood het onder het eten aan, en ik ging akkoord). Ik wilde niet dat dit mislukte omdat iedereen vond dat ik het te autoritair aanpakte. Henry, moet ik hem nageven, had zijn huiswerk gedaan: hij wist meer over het boek dan in de inleiding vermeld stond. Ik denk dat hij naar de bibliotheek van Southwold is geweest. Nadat hij een fraaie, korte schets van Virginia Woolfs leven had gegeven (ik wist niet dat ze ooit eens aan boord van de Dreadnought was geslopen, verkleed als sjeik), zei Henry: 'Misschien kunnen we eerst het eind van het boek bespreken en ons dan naar het begin terugwerken.'

'Nou, het heet *Naar de vuurtoren*,' zei William, 'maar ze komen nooit bij de vuurtoren aan, hè? Daar is het boek bekend door geworden.'

'Precies,' zei Henry.

'Ze komen er bíjna,' zei Marcia.

'Maar zijn voet raakt de grond niet,' zei Edith. 'Het boek eindigt voordat hij op het eiland van de vuurtoren is.'

'Ja,' zei Henry om zijn dochter aan te moedigen, 'en waarom zou dat zo zijn?'

Edith merkte dat hij haar neerbuigend aansprak, maar ze wilde wel graag antwoord geven. Iedereen wachtte beleefd tot ze iets zei, maar toen het duidelijk was dat er niets kwam, zei Marcia: 'Woolf houdt van dingen die niet áf zijn. Het middelste deel, "Time Passes", gaat over alles wat is weggelaten.'

'En *Jacob's Room*,' voegde Henry daaraan toe, 'gaat over iemand die nooit komt opdagen.'

'Heeft ze dat voor of na *Naar de vuurtoren* geschreven?' vroeg Fleur.

'Ervoor. Daar ben ik vrij zeker van,' zei Henry.

'Ervoor,' bevestigde Alan. 'Maar ik zou graag terug willen keren naar wat Marcia zei: ik denk dat er een groot verschil is tussen dingen die niet zijn afgemaakt en dingen die zijn weggelaten.'

'Nou, het is ongeveer hetzelfde,' zei Marcia.

Onder andere omstandigheden zou Alan zo'n zweverige redenering de grond in hebben geboord. Fleur moest tussenbeide komen en het hem uitleggen.

'Je kunt zien waarom een schrijfster als Woolf beide doet. Het zijn erg modernistische trucjes,' zei Fleur, 'maar ze verschillen nogal.'

'Ik zou het geen trucjes willen noemen,' zei ik. 'Ze zijn de waarheid van de roman. Volgens mij probeert Henry ...'

'Bedoel je de moraal van de roman?' zei Marcia. 'Ik dacht dat modernistische romans geen moraal hadden.'

Een paar mensen lachten; Edith keek verbaasd en kon het niet laten om te vragen: 'Wat is modernistisch?'

Henry gaf haar een korte uitleg, die erg indrukwekkend was. Alan knikte mee, behalve toen Henry zei dat het modernisme een reactie op het victorianisme was.

De woordenstroom was tijdelijk tot stilstand gekomen.

'En dus...' zei Henry, in de hoop het gesprek weer op gang te brengen.

'Volgens mij probeert ze met het einde te zeggen dat het leven nu eenmaal zo is,' zei Fleur.

'Wat denk jij?' vroeg Henry aan mij. 'Jij bent de romanschrijfster hier in huis.'

Ik keek de anderen aan om me ervan te vergewissen dat ze er geen bezwaar tegen hadden me uitgebreid aan het woord te laten. Verrassend genoeg keken ze allemaal enthousiast terug. Dat bracht me nogal van mijn apropos.

'Nou...' zei ik. 'Ik denk dat haar beslissing meer met de ópzet van het boek te maken heeft.'

'En daarmee bedoel je...' drong Henry aan, met een flikkering van zijn ogen in Ediths richting.

'Ik bedoel dat er in het hele boek momenten zijn waarop de tijd stilstaat, bijvoorbeeld wanneer ze de bal overgooien.'

'O, dat is geweldig,' zei Marcia. 'Dat is mijn favoriete deel van het boek, denk ik. Ik moest huilen.'

'Ik ook,' zei Edith, 'al wist ik niet precies waarom.'

'En waarom zou dat zo zijn?' vroeg Henry, mij weer het woord gevend.

'Waarom ze die stilten inlast?' zei ik. 'Nou, Virginia – ik bedoel Woolf – noemde het "momenten van het zijn".' Ik keek Edith aan. 'Ik denk dat ze daarmee momenten bedoelde waarop de dingen het meest zichzelf zijn, momenten waarop mensen levender zijn dan ze ooit zullen zijn. Het einde is het meest levende einde dat ze kon bedenken.'

'Precies wat ik zei,' schreeuwde Marcia.

'Als je het boek in één zin moest beschrijven,' vroeg Henry aan iedereen, om het over een andere boeg te gooien, 'welke zin zou dat dan zijn?'

'Ik zou zeggen,' begon Edith, aangemoedigd door de directheid van de vraag (en duidelijk denkend in schoolmeisjestermen van hokjes en vakjes), 'dat het gaat over wat er in mensen omgaat – soms.'

'Dat is mooi,' zei Alan.

'Mmm,' beaamde Fleur.

'William,' zei Henry om de sombere zwijgende deelnemer bij het gesprek te betrekken, 'wat denk jij?'

Zonder aarzeling begon William: 'Het gaat over vrouwen, nietwaar? Het gaat over een zuiver vrouwelijke kijk op de wereld, wazig en emotioneel en vol geuren en hoe de dingen aanvoelen. Het gaat over...'

'Eén zin,' zei Henry, die een heel betoog verwachtte.

Ze keken elkaar indringend aan. Fleur kwam tussenbeide met: 'Ik denk dat het gaat over wel of geen kinderen nemen – het verschil tussen die twee. Of je een ouder bent of dat je, zoals Lily Briscoe... geen ouder bent.'

'Ik hou van Lily,' zei Marcia. 'Ik geloof dat ze mijn favoriete personage is.'

'En in één zin?' zei Henry, de gids. 'Hoe zou je het boek omschrijven?'

'Als een mooie, diepgaande, fantastische verkenning van alles wat mooi en pijnlijk is aan het leven,' zei Marcia.

'Ja,' zei ik een beetje geërgerd, 'dat kun je van de meeste romans zeggen, de meeste goede romans. Als je wilt proberen het boek zo te beschrijven dat iemand precies zou weten waar we het over hebben...'

'Dan zou het niet toereikend zijn,' zei Henry.

'Nou, als dat de bedoeling is,' zei William, 'dan gaat het over een jongen die naar een vuurtoren toe wil.'

'Jij hebt je beurt al gehad,' zei Edith bestraffend.

William lachte, blij dat hij een standje kreeg van iemand die zo jong was. 'Sorry,' zei hij, en hij stak zijn handen omhoog.

Simona, van wie me was opgevallen dat ze erg stil was geweest, zei: 'Ik zou zeggen dat deze roman over een huis in de zomer gaat, een huis met een gezin en hun vreemde mengelmoes van gasten, en over hun relaties met elkaar, en over wat hen het meeste bezighoudt; in het geval van Lily is dat kunst, in het geval van de jongen is dat de vuurtoren.'

'Bravo!' zei William, applaudisserend voor zijn vrouw. 'Probeer dat maar eens te verbeteren!'

'Dit is geen wedstrijd,' zei Henry. 'Als we zo gaan beginnen, degenereert de hele zaak tot...'

'Iets leuks,' zei William.

'*William*,' zei Simona streng.

'Goed, goed,' zei hij. 'Ik denk dat ik bij de anderen in de tuin ga zitten. Ik ga een sigaretje roken.'

Hij stond zo waardig mogelijk op, ging rechtop staan en liep weg, en totdat hij buiten was, sprak niemand een woord.

'Dat vind ik toch zo jammer,' zei Simona. 'Hij is naar een particuliere school geweest: als hij iets in groepsverband doet, heeft hij altijd het gevoel dat hij moet winnen.'

We lachten; de spanning was doorbroken.

'Ik zou graag over de driehoek op het schilderij willen praten,' zei Edith. 'Dat lijkt me het belangrijkste gedeelte van het boek.'

'Vanuit artistiek oogpunt,' zei ik, 'heb je waarschijnlijk gelijk. Lily is net als Woolf, maar dan in het boek.'

Maar Henry zei: 'Laten we het niet te veel vereenvoudigen. Lily is ook de Kunstenaar, zoals mevrouw Ramsay de Moeder is, en meneer Ramsey de...'

'Wie is er nu aan te veel aan het vereenvoudigen?' zei ik.

'Ik geloof niet dat je mensen reduceert als je van ze zegt dat ze moeder of kunstenaar zijn,' zei Marcia.

'Ik bedoel, in autobiografische zin,' zei ik. 'Lily denkt zoals Woolf schrijft, in haar dagboeken.'

'Jammer genoeg hebben we die niet allemaal gelezen,' zei Henry.

'Het is een prachtig boek,' zei Marcia. 'Ik denk dat het veel verstandige dingen over gezinnen zegt, over de verschillende manieren waarop mensen met elkaar omgaan.'

'Ze beschrijft steeds weer het licht, nietwaar?' zei Edith. 'Waarom zou ze dat doen?'

'Om het boek mooi te maken,' zei ik. 'Het helpt, als je dat soort dingen erin stopt.'

'Nee!' zei Fleur. 'Ze kan er niks aan doen. Het licht maakt deel uit van het beeld dat ze van iets transcendents heeft – iets waaraan ze door haar triviale sociale leven geen uiting aan kan geven.'

'Met andere woorden, God,' zei ik.

'Ik geloof niet dat ze hem zo zou noemen,' zei Fleur. 'Ik denk dat ze God te paternalistisch vindt.'

'Nou,' zei ik, 'ik denk niet dat Woolf het sociale leven triviaal vindt. Dat is zo geweldig aan die Bloomsbury-mensen: ze zien mensen als waarden – in sommige opzichten misschien gewoon Strachey of Carrington, maar ze staan ook voor iets ultiems, iets belangrijks, zoals de schimmen van Plato.'

'Dames,' zei Henry. 'Orde.'

'Ik begrijp niet goed wat je bedoelt,' zei Edith. 'Maar ik geloof dat ik het met Victoria eens ben.'

'Dit boek is tegen de orde,' zei Marcia. 'Het is een anarchistisch boek, vind ik.'

'Dat is erg interessant,' zei Henry, die de beschaafde toon uit het begin graag terug wilde hebben. 'Kun je daar meer over vertellen?'

Er werd niets meer van enig belang gezegd, behalve door mij, Henry en Edith, die, geloof ik, waarschijnlijk degene was die het boek het meest kon waarderen. Zelfs ik had veel te bewijzen, in mijn relatie tot het boek; het is bijna of het boek niet door Virginia maar door mij is geschreven, zo nauw voel ik me er op dit moment mee verbonden.

Na de leesclub. Henry maakt in de salon van de gelegenheid gebruik om mij onder vier ogen te vertellen dat hij het eens was met bijna alles wat ik zei, maar dat hij zich tijdens de leesclub niet bevooroordeeld had willen opstellen. Ik maak dat ik zo gauw mogelijk weg kom, voordat hij van onderwerp kan veranderen.

Alan en Fleur weer samen, ditmaal met whisky's op de bank.

Bedtijd. De confrontatie met X aangegaan.

'We hebben geen seks meer gehad sinds de eerste avond dat we hier waren,' zei ik.

'Dat weet ik,' antwoordde hij. 'Ik kan je waarschijnlijk wel het exacte aantal uren vertellen, als je me even de tijd geeft om het uit te rekenen.'

'Maar waarom dan niet?'

'Ik dacht dat je niet wilde,' zei hij. 'Ik dacht dat je al je energie in het huis wilde steken.'

'Dat is ook zo,' zei ik, 'maar ik dacht dat je het evengoed zou missen.'

'Ja,' zei hij. Hij probeerde over te schakelen op romantiek, maar dat wilde niet lukken. De versnellingsbak klonk alsof er tien zakken spijkers in lagen. Hij kwam dichterbij; ik schudde hem van me af. Voorzichtig streek hij over mijn hals. Ik schokschouderde alsof zijn vingers een wesp waren. 'Ik heb zo naar je verlangd,' zei hij. 'Ik heb het mezelf ontzegd omdat ik dacht dat je dat wilde.'

'We hadden hierover moeten praten,' zei ik.

Dinsdag

Dag Twintig Week Drie

6.00 uur. Een harde klop op de voordeur. Marcia, het dichtstbij en al wakker, doet open en schreeuwt dan naar boven om mij wakker te maken. Het is een journaliste, met een fotograaf, en Marcia heeft ze allebei binnengelaten! Gorgo die ik ben, in mijn ochtendjas met blote benen, ga ik naar beneden en houd mijn handen over mijn gezicht. 'Geen foto's,' zeg ik. De fotograaf laat langzaam zijn camera zakken. 'Hallo,' zegt de journaliste, een vrouw van middelbare leeftijd met dun blond haar. 'Ik ben Sheila Burrows van de *Mirror*. Ik vroeg me af of je dit al had gezien.' Ze legde een sensatiekrant in mijn handen: de *Mirror*. Niet de voorpagina, maar pagina 4; ik was het niet, het was BIG SISTER. 'Geen commentaar,' zei ik. 'En nu wegwezen.' 'Als je me een halve minuut geeft,' zei Sheila Burrows, 'vertel ik je wat je het beste kunt doen.' Ik schreeuwde X zijn naam; hij hoefde niet van ver te komen, want hij had boven aan de trap staan luisteren. 'Als je een contract met ons afsluit, kunnen we je beschermen tegen de andere kranten. Ze zijn nu op weg hierheen. Ik was hier alleen maar als eerste omdat ik op de motor ben.' 'Eruit,' zei ik. 'Je maakt een fout,' zei Sheila Burrows. De fotograaf probeerde een foto van me te maken, maar ik legde mijn hand op de lens. Dat, moet ik toegeven, gaf me een gevoel van glamour. X liep om ons heen en maakte de voordeur open. Sheila Burrows liet haar kaartje op de tafel vallen. 'Bel me als je van gedachten verandert.' Ik pakte het op en scheurde het aan flarden, terwijl X de deur dichtdeed voor hun niet eens erg teleurgestelde gezichten. Onmiddellijk draaide ik me om naar Marcia. 'Waarom heb je ze binnengelaten?' 'Omdat ik dacht dat je ze wilde ontvangen.' 'Je dacht er niet aan om te vragen van welke krant ze waren?' 'Dat heb ik gevraagd. Toen dacht ik nog steeds dat je ze wilde ontvangen.' Ik had het exemplaar van de *Mirror* nog in mijn hand. X probeerde de krant te lezen, al gebruikte ik hem om naar Marcia te wijzen. Hij snoof. Ik hield de krant voor mijn ogen en las. Het was zo erg als maar mogelijk was, erger dan ik me had kunnen voorstellen. De sappigste aantijgingen werden allemaal toegeschreven aan 'een bron in het huis'. 'We hebben een spion in ons midden,' zei ik. 'Wat, je bedoelt nog één?' zei Marcia, die had toegekeken terwijl ik het eerste artikel las (er waren nog drie kleinere artikelen). Voordat ik antwoord kon geven, was ze haar kamer weer ingereden. Ze deed dat niet erg snel, maar ik had ook tijd nodig om een gepaste venijnige opmerking te bedenken. Ik word daar blijkbaar steeds slechter in. Ik las de rest van de stukken, terwijl X over mijn schouder meelas. Die enigszins bedorven ochtendgeur van hem, als van iets wat te lang in de koelkast had gestaan, yoghurt of zo, kwam geruststellend op me over. Het was zo vertrouwd. Het liefst zou ik in die geur klimmen en helemaal verdwijnen, verdampen. Ik was wakker geworden in een andere wereld, een hardere wereld waar mensen niets zouden geloven van wat ik zei. Ik werd heen en weer geschoven over een miljoen ontbijttafels, met vetvlekken die steeds dieper in me doordrongen. Ik wist dat ik nu meer boeken zou verkopen dan ooit tevoren, maar ik moest er niet aan denken wat mijn nieuwe lezers voor mensen zouden zijn, en welke verwachtingen ze van me zouden hebben. Ik denk dat X iets wilde zeggen in de trant van: 'Het had erger gekund', maar toen hij alles had gelezen wat de krant over mij schreef kwam hij blijkbaar tot de conclusie dat hij die woorden niet overtuigend genoeg uit zijn mond zou kunnen krijgen.

'Wat vind je?' vroeg ik.

'Je bent nu beroemd,' zei hij.

'Berucht, bedoel je.'

'Ik dacht dat dat geen verschil meer maakte.'

Wie is het?

Wie is de 'bron in het huis'? Ik moet erachter komen en de persoon in kwestie het huis uit zetten. Wie is mijn vijand, en waarom doet diegene dit?

Vanaf het moment dat ik die krant onder ogen kreeg, heb ik de kandidaten door mijn hoofd laten gaan; de categorieën Beslist Niet, Misschien en Heel Goed Mogelijk.

Beslist Niet:

X, gewoon daarom; Henry om ongeveer dezelfde redenen; Alan, die doet dit niet, die kan dit niet; Edith, die is te jong; Cecile, die zou nooit zoiets vulgairs doen als haar verhaal aan een boulevardblad verkopen.

Dat zullen we nog wel eens zien.

Misschien:
Simona? Met enige moeite kan ik het me voorstellen. Maar ik kan me niet voorstellen dat ze de publicatie van het boek op het spel zet. Ze heeft er te veel geld in zitten. ~~Ze weet dat ik het haar nooit zou kunnen vergeven als ze me op die manier bedroog~~. Zou ze dat risico willen lopen? Vast niet.

William? Hij zou nooit iets doen wat Simona niet wil, dus dezelfde argumenten gaan ook voor hem op.

Ingrid? Om me dat gedoe met Henry betaald te zetten? Ik kan me niet voorstellen dat ze zo wraakzuchtig is. Maar ze schrijft wel al die brieven. Als dat nu eens dagelijkse bulletins voor Sheila Burrows zijn geweest?

Heel goed mogelijk:
Het dienstmeisje. Het feit dat ze vandaag niet op haar werk is verschenen, is verdacht. Zij is de hoofdverdachte. Maar sommige van de details die in het artikel worden aangehaald, hebben te maken met incidenten waar het dienstmeisje niet bij was, tenzij een van de gasten haar alles vertelt; dat komt er nou van als je het personeel vertrouwt.

~~De kok. Omdat hij zoveel grijnst. En omdat hij ook niet is komen opdagen.~~

Fleur. Die ook degene kan zijn geweest die alles aan het dienstmeisje heeft verteld. Fleur heeft alle motieven om wraak te nemen, maar ook alle motieven om me te vergeven. En zou ze op zo'n manier wraak nemen?

Marcia. Ik ken haar niet goed genoeg om te weten waartoe ze in staat is. Maar ze praat zoveel. Zoals ze met die gelooide journalist praatte.

Het is weer helemaal de Moord in het Landhuis. Iemand probeert mijn carrière te vermoorden door mijn boek te vermoorden.

9.30 uur.

Zodra iedereen is opgestaan (wat door al dat geklop en gebel nogal vroeg is), roep ik iedereen bij elkaar voor na het ontbijt.

We gaan allemaal aan de eettafel zitten, ikzelf aan het hoofd. De gasten gaan zitten zonder dat ik ze daartoe opdracht hoef te geven; ze willen erg graag horen wat ik te zeggen heb. (Met het dienstmeisje en de kok zal ik later moeten praten – als ze weer komen opdagen.) Ik begin met: 'Ik neem aan dat jullie inmiddels allemaal de *Mirror* van vandaag hebben gezien?' Hij lag, zacht als doek, voor me op de tafel. Iedereen reageert: Cecile kijkt ernstig, Edith giechelt, Alan huivert, de meeste anderen knikken neutraal. 'En jullie hebben de telefoon horen overgaan, tot we de stekker eruit trokken. En jullie hoorden de deurbel rinkelen, voordat we hem buiten werking stelden. Nou, dan weten jullie dat alles is veranderd.'

'Opnieuw,' zei William.

'De aasgieren van de boulevardpers hebben het op ons gemunt,' zeg ik. Edith grijnst naar Alan, die fronsend terugkijkt. Ik ga verder: 'We kunnen niet naar buiten zonder dat we op de foto komen. Doe wat jullie willen. Ik hou jullie niet binnen – maar hou er dan wel rekening mee dat het jullie waarschijnlijk net zo zal vergaan als mij vanmorgen.' Er wordt geglimlacht en gegrijnsd. 'En dat was geen prettige ervaring, laat ik jullie dat vertellen. Hoe dan ook, ik zou alleen tegen de "bron in het huis" willen zeggen, wie dat ook is, dat ik erg teleurgesteld ben. Misschien denken sommigen van jullie dat deze controverse alleen maar is wat ik...'

'Victória,' zegt Marcia, 'ik denk dat ik namens iedereen spreek als ik zeg: "Hou je mond." Jij hebt niet langer de leiding hier in huis.'

Ik kijk naar de gezichten. 'Is dat zo?' vraag ik. 'Spreekt ze namens iedereen?' Plotseling is het of ze rond een rouletteschijf zitten: alle ogen zien hem draaien.

'Ik bedoel dat op een aardige manier,' zegt Marcia.

'Ik denk dat Marcia probeert te zeggen,' komt Simona tussenbeide, 'dat deze bijeenkomsten voortaan misschien een beetje democratischer moeten verlopen.'

'Maar ze zijn altijd democratisch geweest,' zeg ik.

'Wat je wilt weten,' zeg William, 'is of iemand gaat bekennen dat hij je heeft verraden. Nu, het is duidelijk dat de desbetreffende persoon dat niet gaat doen, anders had hij of zij het al gedaan.'

'Is dat waar?' zeg ik. Ik kijk vooral naar mijn hoofdverdachten: Marcia en Fleur. Geen van beiden geeft een krimp.

'Victoria,' zegt Alan, 'als je nu eens gewoon ging zitten en de anderen liet praten, zoals ze blijkbaar het liefst willen doen?'

Ik ben er de rest van de bijeenkomst niet echt met mijn gedachten bij. Ik ligt nu met mijn hoofd tegen X zijn borst en snik zo zachtjes als ik kan.

De hele morgen gaat de telefoon: journalisten, vooral Sheila Burrows. Ze vraagt of ik 'mijn kant van het verhaal' wil vertellen.

Wat is dit? Les 1, hoofdstuk 1 van 'Hoe word ik journalist'.

Ik zeg op besliste toon tegen haar dat mijn kant van het verhaal míjn roman van honderdduizend woorden wordt, niet háár snertstukje van duizend woorden.

Dan begint ze naar het boek te vragen. Hoe gaat het heten? Wanneer verschijnt het?

En ik voel me verplicht om antwoord te geven. Dat is precies wat ze wil, maar in zulke situaties kun je niets anders doen. Je wordt opgevoed om beleefd te zijn, en journalisten weten dat en buiten het uit. Ze weten dat we – vanaf onze puberteit – nooit gewoon halverwege het gesprek ophangen. Ze blijven vragen stellen, de ene na de andere. Uiteindelijk vind ik een manier om er onderuit te komen: 'Praat maar met mijn agent,' zeg ik. Dan bel ik onmiddellijk mijn agent en zeg: 'Wat je ook doet, praat niet met Sheila Burrows van de *Mirror*.' Maggie gaat akkoord en vraagt hoe alles gaat. Misschien heeft ze nog niets van dit gedoe gehoord. Of misschien ook wel, en wil ze mij erover laten beginnen om na te gaan hoe ik erover denk. Een oude tactiek van haar.

'Nou,' zeg ik, 'je weet dat ik bang was dat er niets ging gebeuren?'

Ja, zegt mijn agent.

'Nou,' zeg ik, 'daar had ik me geen zorgen over hoeven te maken.'

Ik vertel wat er gebeurd is, en hoewel ze doet alsof ze ontzet is, is ze in werkelijkheid opgetogen; en ik kan nog steeds niet peilen of ze het al wist of niet.

Lunch. We picknicken in de keuken. Brood met kaas. Sinaasappelen.

Al die waanzin van de boulevardbladen werkt in op de atmosfeer in het huis, die na mijn terugkeer van de zolder misschien dan nog niet helemaal in een normale stemming was overgegaan, maar dan toch zeker wel in een vakantiestemming.

De ligstoelen in de tuin stonden op een rij, er liepen steeds mensen naar binnen en naar buiten om drankjes klaar te maken, warm of koud. Er werd geroddeld en over onbeduidende dingen gepraat. De gasten hadden het gevoel dat ze hier in alle privacy leefden toen ze mijn ogen uit hun slaapkamers hadden verwijderd. Er kwam een nieuwe verbondenheid tot stand, omdat we samen iets hadden doorgemaakt.

En nu: wanorde, gevangenschap, wantrouwen.

Middag.

Ondanks mijn voorzorgsmaatregelen ziet Henry kans om met mij alleen te zijn in de salon. Hij lijkt gevaarlijk opgewonden. Zijn haar zit in de war.

'Maak je geen zorgen,' zegt hij. 'Ik zal je niet bespringen.'

'Daar ben ik blij om.'

Hij is even van zijn apropos en moet opnieuw beginnen: 'Ingrid en ik hebben besloten het nog een keer te proberen.'

'Goed,' zei ik. 'Dat is de juiste beslissing.'

'Niet dat ik niets voor jou voel.'

Ik keek om in de richting van de deuren. Er zou vast wel iemand binnenkomen. Waar waren ze allemaal?

'We hebben daar al over gepraat,' zei ik.

'Maar Ingrid is nog steeds mijn vrouw.'

'Dat weet ik.'

'En dat betekent iets.'

'Ja,' zei ik. 'Dat is zo.'

'Ik houd nog steeds van haar,' zei hij. Ik had medelijden met hem. 'Het is alleen niet hetzelfde...'

'Vergeet het nou maar, Henry. Van mij hoef je niks te verwachten.'

'Dat doe ik ook niet,' zei hij. 'Dat is het juist.'

Voordat ik me kon losworstelen, had hij zijn armen strak om me heen geslagen. Op dat moment komt William aangelopen.

'Interessant,' zei hij.

Ik heb een besluit genomen: voortaan moet ik op de hoogte zijn van alles wat zich buiten afspeelt.

Ik hoef me niet meer de illusie te maken dat dit een zuiver Bloomsbury-achtig paradijs is, onbezoedeld door hedendaagse waarden. (Heeft dat ooit bestaan?) En dus heb ik Maggie weer gebeld en tegen haar gezegd dat we voortaan elke morgen alle kranten bezorgd willen hebben. Toen belde ik Sally en vroeg haar voor alle zekerheid hetzelfde.

Ik ga X vragen de televisie uit de kamer van de dochter naar beneden te brengen, dan kunnen we tenminste zien wat er in de buitenwereld gebeurt.

Sinds vanmorgen houden we alle gordijnen aan de voorkant van het huis helemaal gesloten; bij de minste beweging daarvan komen de camera's in actie. Ik denk dat er nu zo'n tien cameraploegen rondlopen, en twintig *paparazzi*. Ik heb geen idee welke plaatjes ze denken te kunnen schieten.

We kunnen nog in de achtertuin zitten, op de veranda, denk ik; het hek is dicht en op slot; de muren zijn zo hoog dat tot nu toe niemand een uitkijkpost heeft gevonden van waaruit hij ons kan bespioneren. We zitten zo ver van het strand vandaan dat ze zich ook niet in de duinen kunnen installeren; dan zouden ze geen goede opnamen meer kunnen maken. Op die manier krijgt iedereen in het huis tenminste nog een beetje zon.

Maar er hangt opstand in de lucht. Ik weet wat ze denken: als die camera's er niet waren geweest, als ik niet had toegekeken terwijl sommigen van hen aan het vrijen waren, zou dit alles niet gebeurd zijn. Ze weten wat er nu waarschijnlijk gaat gebeuren, en ik geloof niet dat ook maar iemand van hen zich daarop verheugt. We staan op het punt om in een parallel universum te komen, dat van kleine zomerberoemdheden.

Om het maar eenvoudig te zeggen: ik was in de keuken. William was daar ook.

Ik dacht erover om hem uit te leggen hoe het met die omhelzing van Henry zat, maar dat zou het allemaal waarschijnlijk nog interessanter voor hem maken.

William had sigaretten en ik bietste er een. 'Ik stuur je een hele slof als ik thuis ben,' zei ik.

'Doe dat,' zei hij.

De waarschuwing op het pakje, ROKEN VEROORZAAKT KANKER, hield mijn vingers even tegen. Ik nam er toch een. Maar toen ik William had bedankt voor het vuurtje dat hij mij had gegeven, zei ik, omdat ik niets beters te zeggen wist: 'Maak je je er nooit zorgen over?'

Hij keek verbaasd.

'De waarschuwingen,' zei ik. 'Kanker.'

'O,' antwoordde hij. 'Daar is het een beetje te laat voor.'

'Je denkt dat je te oud bent om ermee te stoppen?'

Hij keek me aan en zei zo neutraal als het maar kon: 'Nee, ik heb al kanker.'

'Wat? Waar?' zei ik. 'Ik bedoel, welk soort kanker?'

'Nou,' zei hij, en hij draaide zich om naar het raam alsof hij het wilde nagaan. 'Ik denk dat ik inmiddels zo ongeveer overal kanker heb. Maar ze zeggen dat het in mijn longen is begonnen.'

'Wat erg. Waarom heb je me dat niet verteld?'

'Omdat ik dat niet wilde.' Hij glimlachte, vriendelijker en vaderlijker dan ooit tevoren. ~~Het feit dat hij doodging, maakte hem in zijn eigen ogen volwassener dan ik. Dat is waar.~~

'En waarom vertel je het me nu?'

'Het kwam ter sprake, nietwaar? Vanzelf. In het gesprek.' Hij nam een diepe trek.

Ik vloekte, aarzelde, beet op een nagel en nam ook een diepe trek. 'Vind je het erg om erover te praten?'

'Het is niet mijn favoriete onderwerp. Ik probeer het zoveel mogelijk te vermijden.'

(Denk niet dat ik niet dacht dat hij misschien loog. Ik verdacht hem van weer een stukje acteerwerk om mij te misleiden, te vernederen.)

'Hebben ze je een idee gegeven...'

'Je bedoelt de artsen?'

Ik knikte en rookte.

'Artsen,' zei hij, en hij maakte grijze kringen met zijn sigaret in de lucht. 'Artsen...' Zijn aarzeling drukte wel duizend wrange, zinloze scheldwoorden uit.

'Ik had het niet moeten vragen,' zei ik.

'"Eerder maanden dan jaren."'

We zwegen minstens een halve minuut.

'Waarom wilde je hier dan aan meedoen?'

'Ik dacht dat het interessant zou kunnen zijn, een intenser stukje leven dan wanneer ik gewoon thuis zat. Ik had gelijk. Dat was het.'

'Wil je niet gaan reizen?'

'Ik heb gereisd. Nee, ik wil alleen een beetje langer leven. Dat is alles. Met reizen zou ik niets opschieten.' Zonder enige bitterheid drukte hij zijn sigaret uit. 'Ik zou niet graag het idee hebben dat je door mij met roken bent gestopt,' zei hij, knikkend naar mijn sigaret. 'Dat is waarschijnlijk een van de redenen waarom ik het niemand vertel: ik wil nietrokers niet tot voorbeeld dienen. Ik wou dat ik negentig was geworden en negentig sigaretten per dag had gerookt. Maar dat haal ik niet.'

Glimlachend verliet hij de keuken. En voor het eerst vond ik hem aardig: ik vond hem aardig toen ik hem zag weglopen. Ik weet niet of hij dat heeft gevoeld. Ik weet niet of mensen dat soort dingen ooit voelen: dat de mensen die je achterlaat je zullen missen als je er niet meer bent.

Toen herinnerde ik me dat hij zich naakt aan me had vertoond. Misschien had hij toen op een vreemde manier geprobeerd het me te vertellen – door zich helemaal bloot te geven. Of misschien was het gewoon een extra vrijheid geweest die hij zich nu meende te kunnen permitteren. Hij zou er niet voor gestraft worden.

~~Het verbaast me dat terminaal zieken niet meer misdaden plegen: bankovervallen door aids-lijders, zelfmoordaanslagen door mensen met multiple sclerose. Misschien ga je door de naderende dood de waarde van het leven inzien. Misschien is dat het, of een andere zondagsschoolbanaliteit.~~ Erg diep. Erg eruit.

Ik heb Alan en Fleur de hele middag niet gezien. Volgens de geruchten hebben ze een hele tijd zitten praten. (In dit geval kwamen die geruchten van Marcia – die weer tegen me praat.) Onder het eten zetten ze het gesprek voort. Nogal wat andere gasten zijn blij met deze stiekeme kleine romance, al zien ze natuurlijk niet graag dat mijn synopsis uitkomt.

De kok had tonijnsteaks gekocht, en Ingrid had ze met plezier geroosterd. Salade. Fruitsalade.

Aan tafel zijn William en Henry zoals ze altijd zijn, de een nors, de ander mild. Ingrid maakt een levendiger indruk, maar dat kan schijn zijn. Edith geniet van de belegering. Ze bespioneert de journalisten door een kier tussen de gordijnen. Marcia heeft ze ook geplaagd door hun heel even een blik in haar slaapkamer te gunnen.

Laat op de avond.

Ik vertelde X over de Tetris-verslaving, en hij kwam met de voor de hand liggende oplossing: het programma helemaal van de harde schijf halen. Ik zei dat ik dat niet zou kunnen opbrengen. Het zou te erg zijn.

'Geef maar hier,' zei hij, en hij deed het erg snel. 'Weet je zeker dat het weg is?' zei ik, toen hij me de laptop teruggaf. 'Ja,' zei hij. Ik huilde, vooral van opluchting. Ik heb weer iets van mijn leven terug.

Seks met X.

Ik was niet helemaal vergeten hoe goed het was, maar mijn herinneringen waren lang niet zo bevredigend als het echte werk.

Waarom hebben we geen seks gehad? Wat zonde.

We houden van elkaar: ik zei het tegen hem en hij zei het tegen mij.

Woensdag

Dag Eenentwintig Week Drie

10.00 uur. Ik kan het nauwelijks aan om op te staan en aan de dag te beginnen, de kranten te lezen. In de *Mirror* is nog steeds sprake van 'een bron in het huis'. Ik ben ervan overtuigd dat het Fleur of Marcia is, of Fleur en Marcia samen. Mijn andere verdachte, het dienstmeisje, is opnieuw niet op haar werk verschenen, en de kok ook niet – we moeten ons zelf maar redden. Een snel onderzoek bracht aan het licht dat de voorraadkast leeg is – geen brood, de melk bijna op. Verdomme.

Sally belde Simona. Ze wilde Simona (en via haar mij) laten weten hoe *vreselijk blij* ze zijn met alle aandacht die we voor het boek krijgen. Ze heeft contact opgenomen met een stuk of wat bladen om te zien of ze geïnteresseerd zijn in achtergrondartikelen, interviews, enzovoort. De respons was fantastisch, zei ze. We zouden mijn verhaal wel zes keer kunnen verkopen. En er is veel belangstelling voor het boek als feuilleton.

Aantekeningen over het beleg. Televisiecamera's zijn net zwart geverfde tanks, zijwaarts gedraaid, op stelten, met glimmende lenzen op de voorkant (oorlogstanks, geen watertanks); of misschien niet op stelten: op de ouderwetse driepoten van negentiende-eeuwse camera's. Drie poten of vier? De volgende keer dat ik ze zie, zal ik ze tellen. De lichten zijn – als ze branden – zoals felle lichten altijd zijn: als permanent brandende vuurpijlen, die wazig worden als je ogen ervan beginnen te tranen.

De journalisten – saaie kleren, bruin, blauw en grijs, warm voor de nacht. Ze roken allemaal; ze luisteren allemaal elk uur naar het BBC-nieuws; ze houden allemaal van tijd tot tijd op met het praten in hun mobieltjes; ze zijn bijna geen van allen slank. Nu en dan lachen ze harder om een grap dan strikt noodzakelijk is; ze lachen sadistisch, juist omdat het helemaal niet grappig is wat ze hebben gezien: angst, schrik en de buitenkant van niet al te interessante gebouwen.

Soms heb ik bijna medelijden met hen – wil ik naar buiten gaan om ze thee en koekjes te brengen; me sportief opstellen – ze van me laten houden. Dan herinner ik me een paar citaten uit de kranten van vandaag en neem ik de moeite hen daarmee in verband te brengen – 'Big Sister Victoria, 32, auteur van de ranzige sekskomedie *Wat hangt door...*' Daarna koelt mijn hart sneller af dan denkbeeldige thee.

In dit huis wordt verschillend op al die aandacht van de media gereageerd: sommigen zweren dat ze het zagen aankomen, anderen zijn hevig ontzet. Ik weet zelf niet zo goed wat ik ervan moet denken. Natuurlijk is het goed voor het boek – maar dat is er nog lang niet en als gevolg van dit alles zal ik het anders moeten schrijven. Het publiek zal al weten wát er gebeurd is en zal willen weten hóé het gebeurd is. Ik denk dat ik dat wel voor elkaar krijg, al is het verdomd irritant. En wil ik het echt?

Een stille ochtend.

We moeten iets organiseren om ons te vermaken, alsof er bombardementen aan de gang zijn en we in een schuilkelder zitten. We kunnen niet gewoon maar slapen, praten, ~~winden laten~~ en zingen. We moeten strijd leveren tegen de duisternis en de ratten. Maar als ik een bijeenkomst organiseer, zullen ze zeggen dat ik weer voor dictator probeer te spelen. Ik geloof niet dat ik dat aankan.

Een vreemd moment met Ingrid.

We komen elkaar op de trap tegen, zij op weg naar beneden, ik op weg naar boven. En gedurende amper een seconde blijft ze in het midden staan en wil ze me niet laten passeren.

Als ik in haar ogen probeer te kijken om daar iets uit af te lezen, is ze al opzij gegaan en doet ze alsof er niets gebeurd is.

Sinds het incident met de kat/geest loopt Audrey stilletjes achter me aan. De hele dag door is ze graag zoveel mogelijk bij me. Als Fleur en ik in twee hoeken van een kamer zitten, en we roepen allebei Audrey naar ons toe, zal ze vast naar mij toe komen, zo gek is ze tegenwoordig op me. Katten zijn zo wispelturig, zo gauw gekwetst; daarom is het ook zo mooi als ze hun minachting laten varen. Audrey is echt verschrikkelijk terughoudend: in de loop van de dagen brengt ze Fleur bijna tot tranen (door haar te negeren, door er niet te zijn), en dán overrompelt ze haar met een schootsprong, een wanglik. Alle katten zijn experts in sadisme; Fleur heeft met Audrey de grootste expert gevonden. En omdat ik van het begin af een hekel aan haar heb gehad, probeert Audrey me in te palmen, te charmeren, opdat ook ik op een dag helemaal in haar ontzaglijke, klauwscherpe ban zal raken. (Dit is erg grappig. X heeft de grap gemaakt dat Audrey een lesbische kat is en dat ze verliefd op me is. Audrey wil niets van hem weten, en dat zal ook nooit veranderen; ze vindt hem ordinair, en daardoor vind ik hem dat soms ook.) Het probleem is dat ik ervoor bezwijk, voor haar bezwijk. Sterker nog, ik heb mezelf er al een paar keer op betrapt dat ik naar haar verlangde. *Kssst* roepen wordt een ander soort ergernis dan tevoren; het doet nu echt pijn. Als ik in haar ogen kijk, zie ik mijn katachtige heerseres terugkijken – ze heeft macht en staat op het punt om me te krabben.

11.55 uur. Net nu het te laat lijkt, kunnen Cecile en ik zo goed met elkaar opschieten als ik had gehoopt. Ze kwam me tegen op de overloop en maakte me subtiel duidelijk dat ze graag onder vier ogen met me zou willen praten. Zelfs nu weet ik nog niet hoe ze me dat liet weten; een lichte buiging van het hoofd, bijna een knikje? Ik draaide me weer om naar de slaapkamer, waar ik net vandaan kwam. Cecile zou toch niet op me hebben gewacht? Alsof ze zich wilde verontschuldigen, droeg ze de kleren die ik me van Dag Drie of Vier kon herinneren, die blouse met blauwe broek. We gingen naast elkaar op het bed zitten.

'Victoria, ik wil me verontschuldigen,' zei ze. 'Ik geloof dat ik hier niet had moeten komen.'

'O Cecile, nee...'

'Alsjeblieft,' zei ze. 'Ik heb iets...' Maar ze haperde en begon opnieuw. 'Dit is een mooi huis, maar ik kan niet zien dat het mooi is. In mijn ogen is het lelijk en..' Ik wist welk woord ze nu zou gaan gebruiken. '...vulgair. Dit huis laat mensen lelijke, vulgaire dingen doen.' Ik vroeg me af over welke mensen in het bijzonder ze het had, en welke dingen; daar is niet bepaald een tekort aan. 'Wat je ook van me wilde, Victoria, ik kon het niet geven, niet onder deze omstandigheden.' Een blik in de richting van de zolder, een glimlachje. 'Ik voel me anders, onrustig. Je hebt mijn leven sterk beïnvloed. Het is niet eenvoudig een kwestie van... bedrog. Ik wilde je dat laten inzien. Ik wil dat je dat wéét.'

'Het spijt me,' zei ik, en een ogenblik begreep Cecile me blijkbaar verkeerd.

'Ja, ik vind ook dat je spijt moet hebben. Je kunt mensen niet dwingen tot elkaar te komen, of misschien kan dat wel, maar het verandert de dingen die daarna met ze gebeuren. Ook als ze bij elkaar blijven, worden ze zwakker. Kunstmatig samengevoegd. Een broeikas.' Ze had haar vingers op haar schoot liggen, verstrengeld en naar boven wijzend, trillend als hongerige kleine vogeltjes in een nest. 'Ik hoop dat we op een ongedwongen manier vriendinnen kunnen zijn, als dit is afgelopen. Alsjeblieft, wat er ook gebeurt, onthoud dat ik dit heb gezegd.'

Ik besloot de vraag te stellen, een van de vragen. 'Ik weet van Cornwall.'

Cecile verstijfde meteen. 'Wat weet je van Cornwall?'

'Door de camera,' zei ik. 'Ik zag de kaart aan je muur.'

Zo te zien was ze opgelucht, maar ze zei niets.

'Was het iets verschrikkelijks?' vroeg ik.

Cecile glimlachte met genegenheid naar me. 'Als we met Kerstmis nog vriendinnen zijn, zal ik het je vertellen. Maar je moet het me niet opnieuw vragen. Je had het helemaal niet moeten vragen.' Ze stond gracieus op.

'Dank je,' zei ik.

'O nee,' zei ze. 'Je moet me later bedanken, of misschien wel nooit.'

Lunch. Tomatensoep uit blik, kaas en koekjes. Een paar appels, gehalveerd, gedeeld. We beginnen al door ons voedsel heen te raken. We hebben ongeveer genoeg voor de rest van de dag.

Simona en ik praten in de salon met elkaar.

'William heeft het me verteld,' zeg ik.

'Dan moet hij wel op je gesteld zijn.'

'Ik vond het heel erg om te horen...'

'Maar jij bent niet zo erg op hem gesteld, hè?'

'Ik heb hem verkeerd ingeschat.'

'Dat is zo,' zegt ze.

We wachten tot we op een gespreksonderwerp kwamen. Er schiet mij iets te binnen. 'Henry heeft de synopsis gestolen. Hij heeft het bijna meteen bekend.'

'O,' zegt Simona, 'en waarom vertel je me dat nu?'

'Om je er niet langer over te laten piekeren.'

'Ik piekerde niet,' zegt ze. 'Ik vermoedde al dat hij het was.'

'Hoezo?' zeg ik.

'Hij had de beste reden.'

'Welke dan?'

'Jou.'

'Lieve help. Ik dacht dat hij zich goed had ingehouden.'

'Ik kon het zien. Hij houdt van je, toch?'

'Hij probeert het opnieuw met Ingrid.'

'Ik vat dat op als een "ja".'

'Waarom heb je de synopsis voorgelezen? Waarom heb je de gasten zelfs maar laten weten dat er zoiets bestond?'

'Het leek me op die manier leuker. Ze kregen iets om over na te denken – in plaats van weg te gaan.'

'~~Maar het betekende wel dat de dingen beslist niet meer zouden gebeuren zoals ik had voorspeld.~~'

'~~Dat zouden ze toch al niet.~~'

~~'Misschien niet,' zeg ik.~~

'~~Daar ging het juist om, hè~~?'

'~~Jij en William,' zeg ik, 'jullie waren nooit van plan om uit elkaar te gaan, hè?~~'

'~~Nee, nee~~.'

'~~Jullie speelden van het begin af komedie.~~'

'~~Niet helemaal~~.'

~~'Maar ik moet zelf maar zien dat ik de dingen eruit pik die oprecht waren~~.'

'~~Hij was de hele tijd eerlijk. Maar jij moet maar zien dat je de dingen eruit pikt die niet gespeeld waren.'~~

'~~Krijg ik hints?'~~

'~~Nee.'~~

Ik heb erg genoten van deze scene.

~~Begin van de middag.~~

De verstokte rokers (William, Simona en Alan, maar ook X, Marcia en Fleur) kwamen tot een besluit: ze waren nog niet door hun sigaretten heen, maar het scheelde niet veel. Ze maakten plannen voor een uitval naar Southwold. Ze nemen ook levensmiddelen mee. Ik kwam binnen toen ze het erover hadden. Marcia had me in de salon gevonden en vroeg of ik iets voor mezelf wilde hebben. Ze zaten in de salon, dicht op elkaar op de banken, met een uitdagende tabakslucht om hen heen. Voordat ik binnenkwam, hadden ze besloten de auto van Henry en Ingrid te gebruiken: die was sneller en wendbaarder dan de andere. Henry was tot chauffeur benoemd. Op het moment dat ik me in de discussie mengde, maakte William net duidelijk hoe graag hij erbij betrokken wilde zijn. 'Ik vind het niet erg om met mijn kop in de kranten te staan.'

'Je kunt een hoed opzetten,' zei Fleur.

'Waarom zou ik?' zei William. 'Iedereen mag best zien dat ik het ben.'

'Meen je dat?' vroeg Alan.

'Ja, dat meent hij,' zei Simona, en ik denk dat ik begreep waarom.

Ze vroegen zich af of er nog iemand anders mee moest, maar kwamen tot de conclusie dat ze daar niets mee zouden opschieten.

'Als ik nu eens voor een afleidingsmanoeuvre zorg, terwijl jullie naar buiten sluipen?' vroeg ik, want ik wilde graag meedoen.

'Wat precies?' vroeg Simona. Ze keek me aan alsof ik had voorgesteld om voor de paparazzi te gaan *streaken*.

'Ik weet het niet,' zei ik. 'Ik zou een persconferentie kunnen geven.'

'Schiet je daarmee niet juist je doel voorbij?' vroeg Alan. 'Het is de bedoeling dat we dit zo onopvallend mogelijk doen.'

'Victoria, dat is een geniaal idee,' zei Simona. 'Maar het is in zo korte tijd niet goed te regelen, denk ik. We hebben tijd nodig om te bepalen hoe je je gaat presenteren en wat je gaat zeggen.'

'Ik wil gewoon naar de auto rennen en hard wegrijden,' zei William. 'Dat is de halve pret.'

'Laten we gaan,' zei Henry.

We gingen allemaal opgewonden naar de hal.

'Ik haal de deur van het slot,' zei Simona. 'Blijven jullie uit het zicht.'

William en Henry stonden op, klaar om te vertrekken, terwijl de rest van ons naar de voorkamer schuifelde.

William knikte. 'Nu!' zei Henry, en daar gingen ze. We keken door de gordijnen en zagen ze naar de auto rennen. Verrast door de plotselinge manoeuvre, hadden de fotografen enkele ogenblikken nodig om te beginnen met klikken. De verslaggevers waren sneller – ze riepen vragen, die William en Henry negeerden terwijl ze in de auto gingen zitten. Henry startte de motor, liet hem een paar keer agressief ronken, en toen schoot de auto naar voren. De fotografen bogen zich naar de voorruit toe om close-ups te maken. Henry reed dwars door de menigte heen en raakte iemand met zijn rechterzijspiegel. Wij, de toeschouwers, lieten een juichkreet horen. De auto bulderde over de oprijlaan en spuwde grind naar weerskanten. Sommige fotografen sprongen op motoren en reden achter hen aan; er bleven er genoeg achter om ons in het huis gevangen te houden.

We gingen de salon weer in en wachtten daar op William en Henry's triomfantelijke terugkeer.

16.00 uur. We wachten nog steeds tot ze terugkomen.

Deed Henry dit om indruk te maken op mij of op Ingrid of op ons beiden?

Simona kwam niet naar de Biecht; en verder ook niemand.

Lieve help, wat een ironie.

De spionagecamera's zijn nu een week uit, en toch heb ik zojuist beter dan ooit voor luistervink kunnen spelen. Het was zo eenvoudig: ik zat in de grote slaapkamer en keek door het open raam naar de zee; Alan en Fleur kwamen de veranda op, gingen op de treden zitten en begonnen een vertrouwelijk gesprek. Ditmaal ben ik er bijna zeker van dat ze geen komedie speelden. Al sinds de tijd van de zolder let ik erop dat ik niet te vaak uit het zicht ben. Maar ik was naar boven gegaan omdat ik er behoefte aan had om een tijdje alleen te zijn.

'We waren niet te jong,' zei Alan, in vervolg op wat ze binnen hadden gezegd.

'Ik denk eerder dat we te oud waren,' zei Fleur, 'of dat graag wilden denken.'

'Je bedoelt vrijgezel en oude vrijster, allebei een beetje ontevreden omdat we gestoord werden in onze ellende.'

'Ja, en denk maar niet dat ik voor een beetje gescharrel mijn lieve kat van streek ga maken.'

'Dacht je dat echt?'

'Audrey is een erg aristocratisch dier. Door jou en je bezoeken, met Domino erbij, raakte ze helemaal van de kook.'

'Dat spijt me.'

'Het is niet jouw schuld. Ze was gewoon veel te verwend. Ik had haar niet zo moeten verwennen. Ik wist dat ze uiteindelijk wel aan elkaar zouden wennen. Van onszelf was ik minder zeker.'

'Ze zijn een raar stel,' zei Alan.

'Niet half zo raar als wij,' zei Fleur.

'Ik ben blij dat we een stel zijn.'

'O, ik ook.'

Ze kusten elkaar, denk ik. Ik keek niet. Dat kon ik niet aan.

'Ik hoop echt dat het deze keer iets wordt,' zei Fleur.

'Wat kunnen we doen om daarvoor te zorgen?'

'Weet je,' zei Fleur, 'ik heb geen flauw idee, behalve dat ik zal moeten proberen niet zo mal te doen...'

'En ik moet ophouden met mokken.'

'Het spijt me dat ik je daarover de les las...'

'Nee, dat geeft niet. Je hebt gelijk. Dat is niet de manier om met dingen om te gaan. Voortaan zal ik het meteen zeggen, als iets me niet zint. Als je niet uitkijkt, ga ik je misschien nog slaan.'

En mijn zus lachte.

(Ze gaan zo ontspannen met elkaar om. Ze móéten seks hebben gehad. Maar wanneer?)

17.00 uur. Nog geen teken van Henry en William. Ingrid probeert Henry op zijn mobieltje te bellen, maar dat staat uit; Simona doet hetzelfde bij William, met hetzelfde resultaat. Misschien zijn ze naar Londen terug gevlucht, of, wat waarschijnlijker is, zitten ze in de kroeg. Met journalisten?

Een gesprekje met Edith in de hal.

Ik vraag haar hoe het met Elizabeth gaat; haar antwoord klinkt helemaal niet bovennatuurlijk. Het is een vakantievriendschap tussen meisjes.

Ik probeer haar over mijn ontmoeting op de overloop te vertellen, maar ze is niet geïnteresseerd. 'Je maakt je zorgen om je vader, hè?' zeg ik.

'Hij redt zich wel. Hij redt zich altijd.'

Ik denk dat het gesprek daarmee afgelopen is, en wil me al omdraaien, maar dan zegt Edith: 'Je zus is erg gespannen, hè?'

'Ja,' zeg ik. 'Hoezo?'

'Ze kijkt me zo vreemd aan. Alsof ze denkt dat ik ziek ben.'

'Ze denkt dat de meeste mensen... iets missen.'

'Nou, ik wou dat ze niet zo deed.'

'Sorry, maar zo is ze nu eenmaal.'

18.00 uur. Edith had gelijk: Henry redt zich wel. Hij kwam terug, maar in zijn eentje. William was gearresteerd wegens mishandeling van een van de fotografen. Hij zat in een politiecel. Henry was gevaarlijk bleek, zoals bij daar tussen de plastic plastic tassen stond. We gaven hem iets te drinken. Het verhaal kwam eruit. Het was geen probleem geweest om bij de winkel te komen. Parkeren was ook geen probleem. Maar toen kwamen de fotografen. Ze gingen achter hen aan de winkel in. William werkte het boodschappenlijstje af en vulde een stuk of tien plastic tassen met voedsel, alcohol, sigaretten en tabak. Toen ze buiten kwamen, bleek de auto te zijn klemgezet door twee motoren, een ervoor, een erachter. William vroeg ze weg te gaan; dat deden ze niet. Ze bleven foto's maken. William maakte zich kwaad; Henry probeerde hem te kalmeren. 'Het was doorgestoken kaart,' zei Henry, die nog ontdaan was. Ingrid had haar arm om hem heen. 'Een van de fotografen wist hem op stang te jagen, en een ander belde de politie.' William, zei hij, liet de draagtassen vallen, zodat de inhoud eruit viel. De fotograaf stapte op een pakje sigaretten van Simona's merk. William begon tegen de fotograaf te duwen. Hij wilde dat hij naar de winkel terugging om een nieuw pakje te kopen. Andere fotografen legden dat allemaal vast. 'Toen,' zei Henry, 'zei hij: "En nou ben ik het zat", en hij stompte de fotograaf in zijn maag. De man ging tegen de grond. Er waren veel getuigen. Camera's flitsten. De politie kwam een paar seconden later. Ze arresteerden William meteen. Ik ben op het bureau geweest. Ik heb geprobeerd ze over te halen hem vrij te laten.'

Simona was erg huilerig. Ze wilde William gaan redden. Henry zei dat er niets meer aan te doen was. De politie was vastbesloten William tot morgen vast te houden om hem een lesje te leren. Simona kreeg meer details uit hem los. Hij had een kaartje met het telefoonnummer van het politiebureau. Ze belde en sprak met hen; toen sprak ze met haar advocaat in Londen; daarna met een advocaat bij ons in de buurt. Ze gingen voor haar naar het politiebureau. Belden een uur later terug. William zou die nacht in de cel blijven. Simona was ontroostbaar. 'Hij is ziek,' zei ze. 'Begrijpen ze dat dan niet? Hij is ziek.'

De maaltijd verliep in een sombere sfeer: champignonrisotto, gevolgd door taart.

Na afloop werd er provocerend gerookt. Henry had alle boodschappentassen kunnen meenemen; de politie had ze niet als bewijsmateriaal in beslag genomen.

Einde van de derde week. Goddank.

Donderdag

Dag Tweeëntwintig Week Vier

Erg, erg vroeg wakker geworden. Weer in slaap gevallen. Door het dageraadkoor heen geslapen. Opgestaan. Door de smalste kier tussen de gordijnen gekeken: vreemd om het gazon te zien, glazig nat van de dauw; vreemd om de lucht te zien, zo kleurloos. Een trui aangetrokken. Het gevoel dat alles in het huis op zijn eind loopt; het gevoel dat ik ongesteld ga worden; mijn binnenste had erg veel medelijden met zichzelf. Als Virginia Woolf ongesteld wordt, schrijft ze in haar dagboek: 'Vanwege de gebruikelijke omstandigheden moest ik de dag liggend doorbrengen.' God, wat wou ik graag dat ik de dag liggend kon doorbrengen. Ik nam een pijnstiller, ging douchen. Ik mis Tetris. In mijn droom van de afgelopen nacht was ik een skelet, rechtop en onder water, en plotseling viel ik helemaal uit elkaar. Mijn botten vielen weg, dreven weg, verspreidden zich in het donkerblauw, aangevreten door snelle, felgekleurde vissen.

Ochtend. O, ik heb besloten de titel van het boek te veranderen. *Voorbij de vuurtoren* lijkt me te pretentieus, alsof ik met Virginia zou kunnen concurreren. Ik houd het nu op *Zelfbeeld*; dat is waarschijnlijk al honderd keer eerder door zelfhulpgoeroes gebruikt, maar het gaat nu niet meer om originaliteit maar om eerlijkheid, als dat niet veel te pretentieus is.

O.P., schat

9.30 uur. William komt terug. Grote opluchting. Zijn haar in de war en zijn kleren in de kreukels, grijze stoppels op zijn kin, het hoort er allemaal bij: de Held van het Huis. (Achteraf zijn al velen dat geweest: Marcia, Fleur, Edith... zelfs ik, een ogenblik.)

Zijn gewelddadige verrichtingen van gisteren hebben ons nog meer aandacht van de sensatiepers opgeleverd. Vandaag staan er uitgebreide artikelen in over alle personen in het huis (al wisten ze, zoals te verwachten was, minder over Cecile dan over de andere volwassenen – ze hadden geen schandaaltjes kunnen vinden). We werden met naam en toenaam aan het grote publiek gepresenteerd, met een uitvoerige beschrijving van onze karakters, in alle gevallen weinig vleiend, afgezien van Edith, die een kind en dus een slachtoffer is. Ikzelf word het slechtst afgeschilderd: ik ben de aartsmanipulator, de spion in het huis van liefde. Als je dat soort riooljournalistiek leest, denk je onwillekeurig: *Nee, jullie zitten er helemaal naast, laat me uitleggen wie ik ben en wat ik echt heb gedaan en gezegd en gedacht en gevoeld.* Ik verwacht dat sterren dat de hele tijd hebben, en op de een of andere manier leren ze ermee te leven, waarschijnlijk door naar de kerker te gaan en een paar uur lang hun goud te tellen; degenen zonder goud, en met een zolder in plaats van een kerker, moeten iets anders bedenken. De kranten krijgen vast wel een keer genoeg van ons.

Midden van de ochtend.

In overleg met Simona en Sally besloot ik dat het tijd werd om met een verklaring te komen. (Ik voor mij had gedacht aan een persconferentie in de voortuin, maar Simona raadde me dat af: te onvoorspelbaar.)

Ik was een kwartier bezig een verklaring op te stellen en liet de definitieve versie toen aan de twee professionals over. Hij luidde:

> Na de controverse over het 'Big Sister'-huis wil Victoria About graag de volgende verklaring doen uitgaan. 'Ik heb niemand gedwongen deel te nemen aan dit project. Alle gasten wisten op welke grondslag ze in het huis waren uitgenodigd; alle gasten hebben een contract getekend. In dat contract stond duidelijk vermeld dat ze om maar één reden in het Huis waren: om te worden gadegeslagen. Het werd hun ook duidelijk gemaakt dat hun handelingen nauwkeurig bekeken zouden worden. Het feit dat daarvoor bepaalde technologische middelen zijn gebruikt, doet eigenlijk niet ter zake. In het licht van zoveel kritiek moet worden opgemerkt dat sinds de 'onthullingen' in de pers géén van de gasten de wens

heeft geuit het huis te verlaten. Met andere woorden, iedereen is hier uit vrije wil. De publicatie van *Voorbij de vuurtoren*, Victoria Abouts roman die op dit project is gebaseerd, zal, zoals gepland, plaatsvinden in de zomer van volgend jaar. Dank u.

Ik besloot de zaak niet extra gecompliceerd te maken door Simona te vertellen dat de titel veranderd was in *Zelfbeeld*. Dat is gemakkelijker te doen wanneer ik het manuscript inlever.

Lunch.

Alan en Fleur zijn nu helemaal het gelukkige stel in huis. Zij is totaal veranderd – dat zijn ze allebei: Alan staat niet meer suffig voor zich uit te staren. Fleur heeft besloten me alle slechte dingen die ik heb gedaan te vergeven (omdat ik hen tweeën weer bij elkaar heb gebracht). Gisteravond, onder het avondeten, vroeg ze beschaamd of ze naast elkaar mochten zitten, en Marcia vond het geen enkel probleem om met Alan van plaats te ruilen. Dat werd begroet met een hartelijk sarcastisch applaus. 'Eindelijk,' verzuchtte Edith, blasé als een kind van elfenhalf. Alan en Fleur kusten elkaar in het openbaar, een snelle kus op de lippen. Het doet me goed dat minstens één deel van mijn synopsis is uitgekomen.

Om twee uur vanmiddag werd er aanhoudend op de voordeur gebonkt. Marcia was in haar kamer bezig haar teennagels paars te verven. Ze zou het lawaai hebben genegeerd, zoals we alle pogingen van de journalisten om onze aandacht te trekken tot nu toe hebben genegeerd. Maar er werd ook hard geschreeuwd. Eerst schonk ze daar weinig aandacht aan. Toen ving ze een paar woorden op: 'binnen' – 'huis' – 'ons' – 'kan niet' – 'kom op!' – 'politie'. Ze tuurde door een kier in de gordijnen en zag twee mensen staan die er niet als journalisten uitzagen. Ten eerste waren ze te oud, en verder hadden ze allemaal koffers om zich heen staan.

Zonder te wachten tot haar nagels waren opgedroogd (ze had maar één voet gedaan), zwaaide Marcia zich in haar rolstoel en ging ze naar mij op zoek. Ze had me gauw gevonden. Ik stond in de salon de ramen te lappen. 'Victoria,' zei ze.

Ik keek nauwelijks op. 'Hmm,' zei ik.

'Victoria, ik vind dat je moet opendoen.'

'Waarom?' zei ik.

Marcia legde het uit.

'Maar dat kan niet,' zei ik. 'Die zouden pas eind volgende week terugkomen.' Ik liep vlug naar Marcia's kamer. Ze had er goed aan gedaan mij te roepen: het wáren de eigenaars.

Ik controleerde mijn uiterlijk in de spiegel in de hal en deed open. 'Wat geweldig,' zei ik. 'Bent u...'

'Probeer me maar niet te paaien,' zei Johnson. 'We willen u hier weg hebben. Onmiddellijk!'

De journalisten luisterden mee; de fotografen maakten foto's. Sommige gasten waren achter me komen staan. Het openen van de voordeur is tegenwoordig een hele gebeurtenis.

'Komt u binnen,' zei ik. 'We kunnen hier binnen over praten.'

'U hoeft me niet uit te nodigen in mijn eigen huis,' zei Johnson.

'Alstublieft,' zei ik. Hij pakte twee van de grotere koffers op en sjouwde ze de hal in. Zijn vrouw stormde binnen zonder iets te dragen.

X, de lieve ziel, ging naar buiten en pakte ook twee koffers op; Alan hielp met de strandtas en een kartonnen doos.

Zodra alles in de hal stond, deed ik de deur dicht om de stortvloed van vragen tegen te houden. Onmiddellijk begon Johnson: 'Het zit heel eenvoudig in elkaar – we hoorden wat u in dit huis hebt gedaan, en eerlijk gezegd walgden we ervan. We vinden dat u hierdoor het contract hebt geschonden dat we hebben getekend. U hebt in strijd met verscheidene clausules gehandeld, en daarom willen we dat u ogenblikkelijk vertrekt.'

'Dat is onmogelijk,' zei ik. 'We blijven hier tot woensdag. We zijn nog lang niet klaar.'

'Dat bent u wél,' zei hij. 'U hebt schade toegebracht aan het huis.'

'Dat is niet waar.'

'U hebt camera's geïnstalleerd in de slaapkamers, god nog aan toe!' Hij schreeuwde nu. Zijn vrouw, naast hem, toonde haar woede en instemming door beurtelings te verbleken en rood aan te lopen.

'Komt u maar kijken,' zei ik, wijzend naar Marcia's kamer. 'Als je een vlieg doodmepte tegen de muur, zou dat een grotere vlek achterlaten.'

Alle gasten waren inmiddels naar de hal gekomen.

‘U hebt dit huis gebruikt voor illegale en immorele praktijken,’ zei ~~Johnson.~~

‘Zoals?’

‘Spionage.’

‘Al deze mensen,’ zei ik, ‘hebben een contract getekend dat inhield dat ik hen mocht observeren. Omdat ze niet erg blij waren met die camera’s, heb ik ze uitgezet.’

‘Ze hebben u op de zolder opgesloten.’

‘O,’ zei ik. ‘Dus u heeft de kranten gelezen.’

‘Natuurlijk hebben we die ~~klote~~kranten gelezen. Daarom zijn we teruggekomen. Al onze vrienden bellen ons al sinds dinsdag. We hoefden de kranten niet zelf te lezen. Ze wilden ze ons maar al te graag door de telefoon voorlezen. Dus ja, we weten precies wat u hebt uitgespookt.’

‘Nee, dat weet u niet,’ zei ik.

‘Bent u Elizabeths moeder?’ vroeg Edith, en ze liep naar mevrouw ~~Johnson~~ toe. Dat gebeurde zo plotseling, en viel zo volledig buiten de context, dat de vrouw antwoord gaf zonder erbij na te denken. ‘Ja, dat ben ik.’

‘Ik ben Edith,’ zei Edith. ‘En u bent Elizabeths vader. Ik heb door de telefoon met u gesproken. Dat weet u toch nog wel?’

‘Ingrid,’ zei ik. ‘Wil je Edith alsjeblieft wegbrengen?’

Ingrid kwam naar voren om te doen wat ik zei.

‘Alstublieft, gooi ons er niet uit,’ zei Edith. ‘We zijn hier allemaal zo graag, en we hebben het huis niet beschadigd, en als we dat wel hebben gedaan, zullen we het repareren of ervoor betalen.’

‘Zullen we naar de voorkamer gaan?’ vroeg ik. ‘Daar kunnen we in alle rust praten.’

‘Ik laat me niet ompraten,’ zei ~~Johnson.~~

‘Hallo,’ zei Simona. ‘Ik weet niet of u zich mij herinnert: Victoria’s uitgever, Simona Princip.’

‘O, hallo,’ zei ~~Johnson,~~ voor het eerst een beetje kalmer. Simona maakte hem bang of maakte in ieder geval indruk op hem. Ik had dat ook al opgemerkt toen we over het huis onderhandelden.

‘Victoria,’ zei Simona, ‘als je meneer en mevrouw ~~Johnson~~ dit nu eens rustig met mij liet bespreken?’ Ze keek de eigenaar aan. ‘Ik verzeker u dat Victoria zich zal houden aan alles wat ik haar voorleg.'

'O ja?' zei ik.

'Ja,' zei Simona glashard. 'Want anders pakken we allemaal onze koffers – nu meteen.'

~~Johnson~~ vond het prettig dat er met zo weinig respect tegen mij werd gesproken; hij begon al op Simona te reageren.

'We kunnen nog niet vertrekken,' zei ik. 'Ik heb geen einde.'

'Ik ben geen auteur,' zei ~~Johnson~~, 'maar dit lijkt me een verdomd goed einde.'

'U lijkt sprekend op haar,' zei Edith tegen mevrouw ~~Johnson~~.

'Ingrid!' zei ik.

'Zullen we?' zei Simona, en ze liep de voorkamer in. ~~Johnson~~ volgde haar en keek toen zijn vrouw weer aan. Ze sprak nu voor de tweede keer: 'Schat, ik ga met Edith praten. Als je ze eruitgooit, is dit misschien onze enige kans.'

'Alsjeblieft,' zei hij.

'Nee,' antwoordde ze.

'Kom,' zei Edith, en ze leidde mevrouw ~~Johnson~~ aan haar hand naar de kamer van de dochter.

Ik liep naar de deur van de voorkamer, want ik voelde er niets voor om alle macht aan Simona over te dragen, maar die deur ging onverbiddelijk voor mijn neus dicht.

Ik keek X aan. 'Wat moet ik doen?' zei ik.

'Laat Simona het maar afhandelen,' zei hij. 'Ze wil vast niet dat we er voortijdig uitgegooid worden.'

'Maar als dit nu eens het einde is?' zei ik.

'Je kunt er vast wel iets van maken.'

Een halfuur later kwamen Simona en ~~Johnson~~ samen de salon in. Afgezien van Edith en mevrouw ~~Johnson~~, die nog boven waren, hadden ze het hele huis als gehoor.

'De afspraak is als volgt,' zei ~~Johnson~~. Hij zweeg even, deels omwille van het effect en deels omdat hij het verschrikkelijk vond wat hij nu ging zeggen. 'U mag blijven – maar niet langer dan tot zondag. Op zondagavond bent u hier allemaal weg, inclusief de camera's, microfoons en wat u nog meer aan apparatuur hebt geïnstalleerd.'

'Akkoord,' zei Simona. Ze keek me aan met een blik die geen tegenspraak toestond.

'Ik moet daar even over nadenken,' zei ik.

'Nee, dat moet u niet,' zei de eigenaar. 'U gaat akkoord of u vertrekt nu meteen.'

'X, kom mee,' zei ik. Ik pakte zijn hand vast en leidde hem door de half gezeemde tuindeuren naar buiten. Een paar stappen de tuin in, en toen vroeg ik hem: 'Wat vind jij?'

'Ik vind dat je niet erg veel keus hebt. Wat denk je dat er in die paar extra dagen nog met ons kan gebeuren? We zitten in het huis opgesloten.'

'Er kan van alles gebeuren,' zei ik. 'Er is al meermalen van alles gebeurd.'

'Waarom ben je daar dan niet tevreden mee?' zei hij. 'Simona heeft zojuist een erg goed akkoord voor je gesloten. Toen hij hier binnenkwam, was hij van plan je eruit te gooien. Hij had het vast prachtig gevonden om de politie te bellen.'

Eigenlijk hadden we het niet over het akkoord; ik wilde X laten weten dat hij weer bij me hoorde en dat zijn mening de enige was die ik belangrijk vond.

'Geef me een kus,' zei ik. Hij deed het, zij het niet bepaald hartstochtelijk.

Hand in hand gingen we naar de salon terug.

'Akkoord,' zei ik zonder een dramatische pauze in te lassen.

Simona liet ~~Johnson~~ en mij handen schudden. Toen vertelde ze dat de eigenaars hun intrek zouden nemen in de Swan, het beste hotel in Southwold – het hele weekend, op mijn kosten. Ik kon niet geloven dat ik daar ingetuind was. 'Nee,' zei ik.

'Maak je geen zorgen,' zei Simona. 'Je hoeft het niet echt te betálen. We trekken het gewoon van de royalty's af. Maar de afspraak is als volgt: ze logeren in de Swan en eten in de Crown.'

~~Johnson~~ grijnsde me kwaadaardig toe. Hij dacht natuurlijk al aan de minibar die hij zou plunderen, de weelderige handdoeken die hij mee naar huis zou nemen.

In de stilte die uit mijn verontwaardiging voortkwam, bood X aan een taxi te bellen.

‘Ik ga even kijken hoe het met ~~Shirley~~ gaat,’ zei ~~Johnson.~~ ‘Ze ging toch naar boven?’

Het duurde nog een halfuur voordat de eigenaars en Edith de salon binnenkwamen.

Ik heb geen idee wat ze tegen hen had gezegd – als er één scène is die ik graag met de camera had vastgelegd, was het deze – maar ze zagen er doodmoe uit, volkomen uitgeput. ‘U kunt nu een taxi voor ons bellen,’ zei ~~Johnson.~~

Ze gingen aan de keukentafel zitten en hielden elkaars hand vast. Ze spraken geen woord.

De taxi kwam na tien minuten. William en Alan droegen de bagage weer naar buiten. Edith deed de eigenaars uitgeleide, alsof het huis van haar was en niet van hen. Ze gingen gemoedelijk met haar om.

De gasten keerden naar de salon terug, en ik kon mijn hysterie niet meer bedwingen: ik lachte tot ik huilde tot ik lachte tot het pijn deed en ik huilde om me te laten ophouden.

‘Wat heb je tegen hem gezegd?’ vroeg X aan Simona.

‘Ah…’ zei ze, maar verder zei ze niets.

Daarstraks stuitte ik op Ingrid en Fleur in de salon. Toen ik binnenkwam, ving ik een glimp op van hun gezichten, en die waren ernstig en gesloten; lippen dun als strepen. De enige woorden die ik hoorde, waren ‘Edie moet’ van Ingrid. Het was duidelijk dat ze niet gestoord wilden worden. Ze wachtten tot ik weer wegging, al deed ik daar zo lang over als ik kon. Wat zouden ze toch in hun schild voeren?

17.00 uur. Iemand heeft mijn laptop gehackt, denk ik. Hoe ik dat weet? Nou, van elk document staat de tijd vermeld waarop ik het de laatste keer heb veranderd; en het document van Dag Tweeëntwintig Week Vier (vandaag) is vanmiddag om 16.37 uur veranderd, toen ik met Simona beneden zat voor een van onze biechtsessies. (We hadden elkaar weinig te zeggen. Ik klaagde over het akkoord dat ze met ~~Johnson~~ had gesloten. Ze zei dat ik blij mocht zijn dat we niet onmiddellijk hoefden te vertrekken. Een impasse.) De laptop stond in de grote slaapkamer; de deur zat op slot; er zijn maar twee sleutels, en er is dus maar één mogelijke verdachte: X. Natuurlijk herinner ik me nu ook een paar dingen uit de afgelopen weken. Hij moet al vaker in mijn computer hebben gezeten; daardoor ben ik Dag Twaalf kwijtgeraakt – hij had dat document per ongeluk gewist. Ik herinner me nu ook wat Alan me op een van de eerste avonden vertelde, die keer dat we erg dronken waren: over die afgesloten deur en het piepen van de zolderladder. Omdat we die dagen erg met het spook bezig waren, dacht ik dat dat het was geweest, maar dat kan natuurlijk niet, toch? Nee, het was iemand op zolder. Het was X. Als het iemand anders was geweest, zou die de anderen over de spionagecamera's hebben verteld, en dat is niet gebeurd, want toen ze het later hoorden, waren ze allemaal diep geschokt. Afgezien van Simona, en waarschijnlijk ook William, was hij de enige die wist dat er daarboven iets interessants gebeurde. Maar hoewel Simona het wist, kon ze daar niet komen – ze had geen sleutel. Het moet X zijn geweest. Ik ben geschokt, verbijsterd, en kan bijna geen samenhangende tekst meer schrijven. De laatste persoon die ik vertrouwde, heeft me bedrogen. Waarschijnlijk heeft X de zoekfunctie gebruikt om de tekst door te nemen, en kwam zichzelf keer op keer tegen. Wat ontdekte hij? Natuurlijk denk ik meteen aan de allerergste dingen die hij misschien over mij heeft ontdekt: dat ik wilde dat hij me ten huwelijk vroeg, en dat ik van plan was hem zover te krijgen door hem jaloers te maken op Henry, en dat ik bereid was heel ver te gaan – tot het uiterste – om hem jaloers te maken. Hij zou het verschrikkelijk vinden dat ik zoiets met hem wilde uithalen. Hopelijk heeft hij ook gelezen over de geweldige seks, en de gevoelens die ik heb als ik bij hem ben. Voor zover ik kan nagaan, heeft hij niets veranderd; de tekst eindigt nog steeds op dezelfde pagina als toen ik die kort voor de biecht achterliet. ~~Of hij moet precies dezelfde hoeveelheid tekst hebben ingevoegd, maar ik heb nu geen tijd om dat na te gaan. Het lijkt me niet dat hij zoiets zou doen, want dan zou de datum van het document zeker veranderen. Maar misschien deed hij het toen hij al zeker wist dat hij die fout toch al had gemaakt. Misschien had hij toen nog wat veranderd, omdat het toch geen kwaad meer kon.~~ Ik zou het hem voor de voeten kunnen gooien; ik zou hem ook sluw kunnen bespioneren; de zaak vergeten is het onmogelijke derde alternatief. Ik zal mezelf veel meer tot rust moeten brengen voordat ik met hem ga praten...

Overbodig.

Ik stoorde Fleur, die achter in de tuin in een mobiele telefoon stond te praten. (Wiens telefoon? Ze heeft er zelf geen een.) Zodra ze me zag, zei ze: 'Ik bel je later terug.'

Wie? Een journalist?

Ze rende naar het huis voordat ik het kon vragen. Erg verdacht.

Ondanks de run op de supermarkt die William en Henry gisteren hebben ondernomen, is er niet veel eten in huis (wie heeft hén de boodschappenlijst laten opstellen?). Niemand heeft zin om te koken en we besluiten zes grote pizza's te bestellen.

Ik verheug me al op een salami-chili-pizza. Maar als we hebben ontdekt dat de dichtstbijzijnde pizzeria zich in Lowestoft bevindt, moeten we iets anders verzinnen. Gegeven de omstandigheden is een currymaaltijd het beste dat we kunnen krijgen.

Simona helpt me de bestellingen van iedereen op te nemen. Alan is de enige die een *vindaloo* wil; de rest kiest voor minder scherpe gerechten.

Ik bel en zeg tegen de bezorger dat hij drie keer moet aanbellen – om te laten weten dat hij het is, en geen journalist. Simona glimlacht; het is een beetje idioot.

X gaat de deurbel weer aansluiten.

De curry's komen; we eten ze op – wat valt er nog meer te zeggen?

20.30 uur precies, en er werd drie keer getoeterd op de oprijlaan, door een auto die heel stilletjes moet zijn gearriveerd. We zitten om de tafel en kijken elkaar een beetje verbaasd aan. Was dit weer een truc van de journalisten?

'Verwachten jullie iemand?' vroeg ik. Bijna iedereen schudt zijn hoofd, maar twee van hen schuiven hun stoel naar achteren: Cecile en Alan. Het ontging mij, maar X zei later dat hij ze duidelijk naar elkaar had zien knikken, en toen ik Marcia ernaar vroeg, kon ze bevestigen dat het van Cecile was uitgegaan. De twee stonden op. 'Neem me niet kwalijk,' zei Alan, en hij ging naar de deur.

'Nou,' zei Cecile, 'het was me een genoegen jullie te leren kennen, diegenen van jullie die ik nog niet kende, en met jullie om te gaan, diegenen met wie ik dat heb gedaan. Deze drie weken zijn op veel verschillende en onverwachte manieren erg interessant en mooi geweest.' Ze keek Edith aan, wier ogen fonkelden van de tranen. 'Ja, meisje,' zei Cecile, en ze streek over de wang van haar kleine vriendin, 'ik neem nu afscheid.' Ik was nog niet van de schrik bekomen. Ik wilde haar onderbreken, maar ik wilde ook weten wat ze nog meer te zeggen had. 'Ik vind dat ik hier niet langer kan blijven. Ik moet iets anders gaan doen. Victoria,' zei ze, en ik voelde dat alle anderen nu ook naar me keken, 'als jij ons niet had bespioneerd, zou ik dit niet eens hebben overwogen.' Buiten werd weer drie keer getoeterd. 'Maar dat was reden genoeg, zelfs wanneer ze me geen andere redenen hadden geboden; een paar duizend andere redenen.'

'Wat?' zei ik. Ik begreep niet meteen dat ze het over geld had.

'Dat is een auto van de krant,' zei Cecile, 'of tenminste, dat hoop ik, want anders zouden we enkele erg pijnlijke minuten op hun komst moeten wachten.'

Ik stond op. 'Hoe kon je dat doen?' vroeg ik, smeekte ik.

'Het bleek heel gemakkelijk te zijn,' zei Cecile. 'Ik had iets wat zij nodig hadden, informatie; zij hadden iets wat ik nodig had, geld.'

Ik was stomverbaasd; ik wist niet wat ik nog kon zeggen om haar te laten blijven. Het drong met een schok tot me door dat geen enkel argument haar zou kunnen overhalen. 'Doe je het alleen omdat ze je betalen?' zei ik met mijn hardste stem.

'Nee,' zei Cecile. 'Dat was op zichzelf niet genoeg. Maar je hebt mijn privacy op een onvergeeflijke manier geschonden. En daarom...' Alan verscheen weer in de deuropening. Hij droeg Ceciles koffers, waarvan het mysterie me nog steeds niet was verklaard. Zo te zien waren ze niet erg zwaar. Toch moest het er allemaal in zitten, dacht ik: de kleren, de kaart. 'Tot ziens,' zei Cecile, en ze keek de tafel rond. 'Ik hoop jullie terug te zien. Maar Victoria,' zei ze, en haar ogen keken in de mijne, 'ik denk dat het erg lang zal duren voordat wij elkaar weer kunnen ontmoeten.' Ze wendde zich tot Alan. 'Dank je,' zei ze. Ze liep naar hem toe en hij liep achteruit door de deuropening.

Ik ging achter hen aan; ze waren de voordeur uit; de anderen kwamen achter mij aan. 'Cecile,' zei ik. Ze draaide zich om, dat moet ik haar nageven. Wanhopig riep ik uit: 'Wat betekent Cornwall?'

Ik kon Sheila achter het stuur zien zitten, haar gezicht zag er afschuwelijk (nog afschuwelijker) uit door het rode en gele licht van het dashboard: als een toneelduivel in *La damnation de Faust*.

Alan deed de kofferbak open en zette de koffers erin, de koffers die nog steeds alle mysteries van Ceciles vrouwelijkheid bevatten, koffers die ik nooit zou zien opengaan.

Cecile kwam naar me toe, kuste me op de ene wang, op de andere, en fluisterde in mijn oor: 'Cornwall betekent vaarwel, Victoria.'

En na die woorden draaide ze zich om en stapte in de auto, waarvan de deur al was geopend door Alan. Nu deed hij hem dicht; nu startte de motor; nu stond X naast me; nu zagen we het witte licht van de koplampen overgaan in het dieprood van de achterlichten, en daarna waren het vlekjes rood, toen denkbeeldige stipjes. 'Wat heb ik gedaan?' vroeg ik.

'Daar kunnen we later over praten,' zei hij.

'Wat schieten we daarmee op?' zei ik. 'Ze is nu weg. Met praten krijgen we haar niet terug.'

Het was een scène. De anderen keken toe alsof ze langs de lijn stonden en naar een plaatselijke voetbalwedstrijd keken.

'Ik ga een eindje wandelen,' zei ik. Ik wurmde me los uit X zijn armen en baande me een weg door de menigte.

Ik rende het huis in, de tuin door, de tuindeur uit, die ik eerst van het slot moest halen. Ik verwachtte een menigte journalisten, maar er was er maar één: een jonge, aantrekkelijke, dikke vrouw – ze zat met een thermosfles thee op een zitstok en las de krant. 'Alsjeblieft, laat me erdoor,' zei ik.

Ze ging opzij. 'Mag ik u een paar vragen stellen?'

'Nee,' zei ik. 'Ik zal met u praten, als ik terugkom.'

Ze kwam niet achter me aan.

Ik ging deze keer naar een ander strand dan waarover ik eerder had gelopen: eenzaam alsof de wereld nog maar net geschapen was – dreigend, onheilspellend, al kon ik de vuurtoren en de lichten van andere, niet ronddraaiende huizen zien.

Ik heb er geen andere woorden voor: ik voelde me verraden. Waar waren mijn waarden nu, de waarden die gebaseerd waren op Ceciles denkbeeldige beschaving? Maar ik dacht niet in grote woorden. Ik vroeg me af hoe ver ik de zee in kon zwemmen voordat ik verdronk (niet serieus); hoe lang ik hier kon blijven voordat de gasten naar me op zoek gingen. Of zouden ze me daar laten slapen, totdat het licht en dauwig werd, om me weer een lesje te leren? Het zat me vooral dwars dat de Cecile die zulke vulgaire dingen had gedaan niet onherkenbaar voor me was geweest – haar houding was nog hetzelfde geweest, haar mildheid was niet verloren gegaan. Ze was dezelfde vrouw als eerst, maar dan wel met haar scherpe rug naar mij toegekeerd. En ik voelde me ook gedwarsboomd als verhalenverteller. Ik hou niet van losse eindjes, onafgedane zaken: ik ben iemand die de dingen graag helemaal afrondt. Hoe kan ik de naam Cornwall bij mijn lezers introduceren, en alles waar die naam aan doet denken, romantiek en een voorbijflitsend verleden, Cecile en een mysterieuze persoon – hoe kan ik dat alles aanstippen zonder het goed uit te leggen? *Ruimtelijkheid* bewoog zich in de richting van een meer onbesliste poëzie van atmosfeer, een soort ambiance waarin de personages zich bewogen zonder dat er veel met hen gebeurde. Mijn lezers vonden dat maar niets. Ceciles vertrek zou een natuurlijk dieptepunt binnen de structuur vormen. Maar het zou pas echt indruk maken als ik iets van de ontzetting van de andere gasten kon vastleggen.

Ik ben ongeveer een halfuur op het strand geweest, en de maan was te voorschijn gekomen om het hele tafereel wat minder grimmig te maken. Hij wierp lange dunne stroken kwikzilver over de golven die het strand naderden; hij hing fel glanzende zwaarden aan de verticale stijlen van de hekken; hij liet mijn handen, als ik ze voor mijn gezicht hield, eruitzien alsof ze van levend lood waren. Ik draaide me weer om naar het huis, liep om een kleine duin heen en liep toen recht in de armen van X. 'Het gaat alweer,' zei ik. 'Ik huil niet meer.'

'Mijn liefste,' zei hij.

'Hoe gaat het met de anderen?' vroeg ik.

'Ze zijn nogal geschokt, zou ik zeggen. Niemand verwachtte zoiets van haar. De enige die ze het van tevoren had verteld, was Alan, vooral omdat hij haar met haar bagage naar beneden kon helpen.'

'Kunnen we naar het huis terug lopen?' vroeg ik. We draaiden ons om, onder de boog van zijn arm door, maakten ter plekke rechtsomkeert, hij om mij heen.

'Ik zou zeggen,' zei X, 'dat mensen zich zorgen maken over wat ze gaat zeggen, over jou maar ook over ons. Sommigen van ons vinden dat we te ver zijn gegaan.'

'Wanneer? Toen jullie mij op zolder opsloten?'

'Ja, en toen we die scènes speelden.'

'Maar dat wordt juist het leukste deel van het boek, nietwaar?'

'Dat zit er wel in,' zei X.

'En Ceciles vertrek is tenminste dráma, nietwaar?' vroeg ik. Hij hield me tegen en liet me hem aankijken.

'Als dit voorbij is,' zei hij, 'kunnen we dan een tijdje zonder drama leven? Kunnen we ergens heen gaan en met blinddoeken voor en koptelefoons op, en gewoon in de zon liggen en niets tot ons door laten dringen?'

Ik liet een tinkelend lachje horen. 'Dat klinkt als de hel,' zei ik.

De journaliste was er nog. Ik liet haar een vraag stellen en zei toen: 'Ik heb daar niets over te zeggen.' Ze stelde nog een vraag, en daar gaf ik geen antwoord op.

'Kreng,' hoorde ik haar zeggen.

We liepen over het gazon en gingen het huis in. Ik had het gevoel gehad dat er een ommekeer had plaatsgevonden toen ik op het strand was. Het hoogtepunt was voorbij, het gevaar was geweken. Nu kwam het lange ritardando van de melancholie.

Vrijdag

Dag Drieëntwintig Week Vier

Ik ben nu echt ongesteld: vanmorgen in bed schold ik X uit omdat hij te luid ademhaalde.

Ceciles stuk staat in de *Mirror* van vandaag. Ze hebben een kokette Française met een interessant verleden van haar gemaakt: chique, onschuldig. 'Mijn drie weken in de hel van het Big Sister-huis.' Ik kon het niet aan om meer dan de kop te lezen. Het zou niet Cecile Dupont zijn die daar aan het woord was, maar Sheila Burrows.

Het huis is viezig.

Sinds het dienstmeisje weg is, hebben de gasten hier en daar wat schoongemaakt – vooral in hun eigen kamer en in de keuken.

Maar onder hen heerst – geloof ik – een algemeen verlangen om wraak op me te nemen, wraak om zoveel dingen, wraak door middel van vervuiling.

De wc beneden is nu ronduit barbaars.

Onmiddellijk na het ontbijt komt Edith naar mijn kamer. Stilletjes doet ze de deur dicht en begint te fluisteren dat 'ze' Elizabeth willen vermoorden en dat 'ze' haar weg willen jagen uit het enige huis dat ze ooit heeft gekend, alsjeblieft, alsjeblieft, laat ze dat niet doen!

'Wie?' vraag ik.

'Zíj. Ik heb ze gehoord. Ze is slecht, die zuster van jou. En mijn moeder is ook tegen me. Ze willen Elizabeth hier weg sturen – de wijde wereld in.'

'Ze gaan niet...'

'Lizzie heeft me verteld wat er met haar zou gebeuren als het hen lukt. Het is nog erger dan de hel. Het is als een blad dat maar om en om dwarrelt in de wind, zonder dat je kunt beïnvloeden waar je bent of waar je terechtkomt. Dit huis is haar boom, weet je. Als ze haar hier weghalen, kwijnt ze weg, maar ze gaat nooit dood, want je kunt maar één keer doodgaan. Ze is dan net een skelet van een blad, terwijl ze nu nog groen en gelukkig is. Hier hoort ze echt thuis, hierboven. Waarom willen ze haar wegjagen? Ze heeft nooit iemand kwaad gedaan. Ze is een aardige geest, een beetje bedroefd, maar dat zou jij ook zijn als je zoveel van je leven had gemist. Ze heeft me verteld wat ik moet doen.'

'Ik denk dat je moeder zich daar zorgen over maakt.'

'Wil je me helpen haar te verdedigen?'

Ik dacht daar even over na, terwijl Edith ongeduldig wachtte. In de dagen dat ik op zolder zat, heb ik ervaren hoe het is om in de marge van het bestaan te leven. Dat gaf voor mij de doorslag, denk ik.

'Ja,' zei ik. 'Als ik dat kan.'

Edith kuste me op mijn voorhoofd, wat nogal bizar is, en erg BBC-Edwardiaans.

Ik ging op zoek naar Fleur en Ingrid, maar ik kon ze nergens vinden. Op de een of andere manier hebben ze kans gezien het huis uit te sluipen, langs de journalisten – door de tuin, denk ik. Wat voeren ze in hun schild?

De kok was vandaag op televisie. Hij was te gast in een programma en maakte een van de maaltijden klaar die hij voor ons had klaargemaakt. Ik bleef niet staan om ernaar te kijken. Ik zei alleen: 'Ha! Daar heb je hem, de kleine rotzak,' en liep door naar boven, waar ik met een kop thee ging zitten mokken. Later hoorde ik van degenen die wel hadden gekeken dat hij een nogal opgeleukte versie had klaargemaakt van de okra met bonen die hij ons een paar weken geleden had voorgezet. Ze vroegen hem natuurlijk of hij op de video was gekomen terwijl hij aan het vrijen was. 'Nee,' zei hij, 'maar er was een camera op me gericht in de keuken.' (Ik heb daar nauwelijks naar gekeken, in elk geval niet om te zien wat hij deed; alleen om te zien of hij íets deed en niet maar wat stond te lummelen.) 'Hij was erg goed,' zei Simona peinzend. De presentatoren zeiden dat hij de volgende week terug zou komen. Maar dan is hij niet zo actueel meer, want hij weet niet wat we de laatste paar dagen hebben gegeten. Misschien gebruikt hij deze kleine carrièrekans om televisiekok te worden; hij heeft het soort charme dat met moeite vijfentwintig minuten uit te houden is. Waarschijnlijk komt het wel goed met hem. In elk geval betaal ik hem geen salaris over deze afgelopen week.

Ik heb het gedaan.

Ik heb alle schijn van glamour laten varen en de wc beneden grondig schoongeboend.

Ik kreeg de smaak te pakken en deed meteen ook de wc boven.

Ik was net de hal aan het vegen toen Marcia uit haar kamer kwam. 'Ah,' zei ze. 'Schoonmaken, eindelijk!'

'Ja,' antwoordde ik. 'Het werd allemaal te...'

'Ik weet precíes wat je bedoelt,' zei ze, en ze bood aan om te helpen.

'Dank je,' zei ik. Ze zag dat ik er moeite mee had. Ik wist niet precies wat ze kon en wat ze niet kon.

'Waarom geef je mij de bezem niet?' zei ze.

Ik gaf hem aan haar, en ging de badkamer op de benedenverdieping een goede beurt geven. Daar was ik mee bezig tot aan de...

Lunch. Ingrid en Fleur waren er nog steeds niet.

’s Middags stofzuigde ik de overloop, terwijl Marcia de rest van de vertrekken op de benedenverdieping veegde, inclusief de keuken.

We schijnen een soort rage te hebben ontketend. Edith heeft alle spulletjes op alle planken afgestoft. William ontfermde zich over het koper; Simona ging de spiegels te lijf.

De schoonmaakrage gaat door: er is nu een rij van stapels lakens die wachten tot ze in de wasmachine kunnen; alle stofdoeken en andere doeken zijn uit de keukenkast verdwenen; in het hele huis hoor ik zacht geborstel en gestommel; iedereen wil heel erg graag naar huis, denk ik.

17.00 uur.
Door de voordeur kwamen onverwachts, met een extra sleutel, de eigenaars het huis binnen, samen met Ingrid, Fleur en de dominee. De dominee droeg een lichtbruine koffer. Ik keek naar hun ernstige gezichten en het kostte me minder dan een seconde om te begrijpen wat ze van plan waren.

‘Nee,’ zeg ik. ‘Dat kan niet.’

‘O ja, dat kan wel,’ zegt Fleur. Ze keek de dominee aan. ‘Laten we eerst de bovenverdieping doen.’

‘Goed,’ zei hij met dezelfde kalme blik als wanneer hij op het punt stond de cake en de versierde kleerhangers op de jaarmarkt te beoordelen.

Toch was het even stil toen de dominee naar de voorkamer ging – hem aangewezen door Fleur – om zich voor te bereiden. Hij zette zijn koffer op de pianokruk, legde zijn duimen op de sloten en liet ze openklikken. In de koffer zag ik witte gewaden, plastic flessen met ‘wijwater’, een bijbel en een polaroidcamera. Hij trok de gewaden aan en deed een riem om zijn middel. Het ging er allemaal erg zakelijk aan toe – hij kuste alles, mompelde gebeden. Toen deed hij de koffer dicht en kwam de hal in.

Pas op dat moment herinnerde ik me mijn belofte aan Edith. 'U kunt dit absoluut niet doen.'

'Bemoei je er niet mee, Victoria,' zei Ingrid. 'Jij hebt hier niets mee te maken. De mensen die hierbij betrokken zijn, vinden het allemaal het beste.'

'Ze zijn overgehaald,' zei ik. Ik keek Fleur aan. 'Door jóu.'

'Nee,' zei Ingrid. 'Door óns. En voordat je iets zegt: Fleur heeft mij niet overgehaald. Ik ben naar haar toe gegaan.'

'Zullen we?' zei de dominee.

Fleur leidde de groep naar boven. Ze gingen regelrecht naar Ediths kamer, waar het arme kind in alle onschuld in haar dagboek zat te schrijven. Ik liep achter ze aan. Edith had nog minder tijd nodig om te begrijpen wat ze wilden gaan doen.

'Alsjeblieft,' zei ze. 'Het is verkeerd.'

'Kom, Edith,' zei Ingrid. Haar stem bezat de kracht van elfenhalf jaar moederschap. 'Maak nu geen toestanden. Als je dat doet, zullen we maatregelen moeten nemen.'

'Ik haat je,' zei Edith. 'Ik haat je zo lang als ik leef. Al word ik duizend jaar, dan haat ik je nog steeds.'

Fleur keek de dominee aan alsof ze wilde zeggen: *Hoort, Satan spreekt.*

'Wat gebeurt er?' hoorde ik Marcia roepen, vanaf de voet van de trap. Ze had, hoorde ik later, een dutje gedaan in haar kamer en was net wakker geworden. Ik wilde het haar gaan vertellen, maar hier gebeurde iets wat ik niet mocht missen.

'Rustig blijven,' zei de dominee, meer tegen de kamer in het algemeen – het behang, de gordijnen – dan tegen Edith.

Henry wurmde zich de kamer in en ging tussen mij en zijn dochter in staan.

'Ik heb haar verteld waar we wonen,' zei Edith. 'Als ze het kan vinden, komt ze bij ons.'

'Ik denk dat we maar beter meteen kunnen beginnen,' zei Fleur.

De dominee zei: 'Wil iedereen met mij het onzevader opzeggen?'

'Wat gebeurt er?' gilde Marcia.

Edith was zo hevig ontzet dat ze flauw dreigde te vallen. Haar gezicht was roze en verwrongen en haar ogen stonden bol van de tranen. Ze huilde zo erg dat ze geen woord kon uitbrengen en keek mij smekend aan. *Help me.*

'Stop,' zei ik tegen de dominee. 'Dit kunt u niet doen.'

'We hebben hem uitgenodigd,' zei mevrouw ~~Johnson.~~ 'Dit is óns huis. Elizabeth was ónze dochter. Het troostte ons enigszins dat ze er nog was, al was het alleen maar om bij ons te spoken. Maar we beseffen dat het nu tijd wordt om haar definitief te ruste te leggen. Fleur en Ingrid hebben ons geholpen dat te regelen. Dat alles staat nog los van het effect dat het verblijf in dit huis op dit jonge...'

'Ach, hou toch op,' zei Edith. 'U weet niet waar u het over hebt.'

'Edith!' zei Henry.

'Luister naar haar,' zei ik.

'Ik ga nu beginnen,' zei de dominee.

'~~Nee, dat doet u niet.' Ik wees naar hem. 'Want als u dat doet, vertel ik iedereen hier over de dag waarop u bij Fleur op bezoek kwam. Ik denk dat u wel weet wat ik bedoel. De camera's stonden nog aan op die dag. En ik keek. En ik zag wat u deed. In haar kamer. Toen ze naar beneden ging.'~~

~~De dominee keek beschaamd, maar niet dodelijk verschrikt; tot mijn ergernis zag ik dat het feit dat hij betrapt was deel van het genot uitmaakte.~~

~~'Niemand is volmaakt,' zei hij. 'Ik beweer niet zonder zonden te zijn.'~~

'Victoria,' zei Ingrid. 'Alsjeblieft, ga weg.'

Edith keek me wanhopig aan. Mijn interventie had haar enige hoop gegeven. Ze was helemaal alleen in een woud van volwassenen en ik had als enige haar kant gekozen.

'Vertel me eens iets!' gilde Marcia. Ook zij zou misschien voor Edith zijn opgekomen, en Cecile zou dat vast en zeker hebben gedaan. Maar omdat Cecile weg was, en Marcia beneden, stond ik er alleen voor.

'Kom hier,' zei ik tegen Edith. Zonder aarzeling stond ze op, maar Ingrid legde haar hand op haar schouder en drukte haar omlaag.

'Blijf,' zei Ingrid, en om het niet als een bevel tegen een hond te laten klinken voegde ze eraan toe: 'Daar zitten.'

Henry legde zijn hand op mijn arm. 'Kom, Victoria,' fluisterde hij. 'Je kunt dit niet tegenhouden.'

'Maar het is verkeerd,' zei ik, of beter gezegd, raaskalde ik, want ik had alle hoop opgegeven dat ik Edith kon redden. 'Ze mankeert niets. Ze is een volkomen gezond meisje met een grote fantasie. Ik heb haar gezien toen ze met Elizabeth praatte: ze slaapt. Ze droomt die gesprekken. Ze is niet bezeten.'

'Stil,' zei mevrouw ~~Johnson~~.

'Dit moet gebeuren,' zei ~~Johnson~~. 'U kunt het niet tegenhouden. Ga weg.'

'~~Hij,' zei ik, wijzend naar de dominee, 'was met je ondergoed aan het rotzooien~~.'

~~'Dat kan me niet schelen,' zei Fleur. 'Begrijp je het dan niet? Dit is veel belangrijker~~.'

~~'Hij stopte je slipje in zijn mond,' zei ik~~.

~~De dominee had zijn ogen dicht, alsof hij verwachtte dat hij van alle kanten onder vuur zou worden genomen~~.

~~Fleur kon het niet laten een blik op hem te werpen. Maar ze zei: 'Het doet er niet toe wat hij deed.~~'

Ik keek nog één keer naar Edith, maar ze gaf geen antwoord. Zo te zien was ze in een catatonische staat geraakt. Ze staarde naar de vloer alsof ze in een afgrond tuurde.

Henry trok me naar achteren, de overloop op. Mevrouw Johnson duwde de deur dicht. Ik verwachtte een jammerkreet van Edith te horen, iets dramatisch, iets uit een horrorfilm. Maar ik hoorde niets – misschien was mijn ademhaling te luid – ik begon ook te huilen – tranen van woede en frustratie. Terwijl ik mijn beide schouders optrok, maakte ik me van Henry los – liep over de overloop – ging de trap af en vertelde Marcia wat er aan de hand was. Ze schudde haar hoofd, keek naar het plafond in de richting van Fleurs kamer en zei: 'Het is slecht.'

De geestenbanning duurde maar een paar minuten, en toen kwamen de dominee en de rest te voorschijn en gingen ze naar de andere bovenkamers – inclusief het toilet – om ze te zegenen. Hij ging alleen naar de zolder en werd daar op gelaten door Fleur, die X op de een of andere manier had overgehaald haar de sleutel te geven. Hij kon de monitors met eigen ogen zien. Ik weet niet of hij ze heeft gezegend of dat hij dacht dat ze niet meer te redden waren. Overal waar hij ging, sprak hij met luide stem gebeden uit en tekende hij kleine kruisjes van wijwater op de muren.

De benedenverdieping kostte hem weinig tijd, en daarna begon hij aan de mensen. Marcia en ik waren de enigen die weigerden. We gingen uit protest in haar kamer zitten. Maar de eigenaar deed de deur open zonder te kloppen. De dominee moest, zei hij, op zijn minst de gelegenheid krijgen de kamer te zegenen. Marcia ging met tegenzin akkoord. Hij zei het gebed een paar keer en sprenkelde scheutig met wijwater.

'Weet u het zeker?' vroeg hij aan ons beiden.

'Ga weg,' zei ik, '~~slipjesvreter.'~~

~~Hij boog zijn hoofd. Hij kon me niet aankijken.~~ Ik hoorde Ingrid en Edith boven tegen elkaar schreeuwen.

Fleur en de eigenaars en de dominee namen in de hal afscheid van elkaar. Fleur bedankte hem overdadig. De dominee vertelde de eigenaars dat hij over een dag of twee terug zou komen om te kijken of alles goed ging.

Ongeveer een halfuur nadat de dominee was vertrokken, klopte ik op Ediths deur. 'Laat me met rúst,' jammerde ze.

'Ik ben het,' zei ik. 'Victoria.'

Het was even stil.

'Kom binnen,' zei Edith.

Ze was een hoopje ellende met een roze neusje.

'Lieve help,' zei ik. 'Wat erg.'

Ik ging naast haar zitten.

Ze drukte zich tegen mijn buik en begon te huilen. Ik legde mijn armen om haar heen en wiegde haar een beetje. Nu ze zich eenmaal aan haar tranen had overgegeven, begon ze hevig te huilen. Het was angstaanjagend – haar snikken leken nog groter dan zijzelf. Iets aan die snikken trof mij rechtstreeks, fysiek, en ik begon ook te huilen.

Ze zei iets. Ik denk dat het was: 'Waarom zijn mensen zo wreed?'

We huilden samen een hele tijd door. Toen liet ik haar alleen.

Nasleep van de geestenbanning.

Ik praat niet met Fleur of Ingrid. Een kort gesprek met Alan maakt me duidelijk dat hij zijn twijfels had, maar dat hij hen in feite heeft gesteund bij wat ze deden, en dat was, neem ik aan, contact opnemen met de dominee en de eigenaars (een aantal telefoontjes gisteravond, waarvan ik er een heb verstoord) en vanmorgen met de dominee naar de eigenaars in het hotel gaan. De dominee voelde er weinig voor om zo snel in actie te komen, zei hij. (Al herinnerde ik me dat Fleur hem naar geestenbanning vroeg toen hij de vorige keer op bezoek kwam.) Maar uiteindelijk was hij overtuigd. Het probleem was niet alleen de geest, het was Edith in combatie met de geest – en als hij nog langer wachtte, zou ze weg zijn.

'Het is middeleeuws,' zei ik.

'Maar het, eh, zou Edith kunnen helpen,' zei hij.

'Dat meen je niet.'

'Haar moeder gelooft het.'

'En denk je dat haar moeder helemaal bij haar verstand is?'

'Ze maakte op mij een volkomen normale indruk.'

'Nou, onterecht.'

Ik ging Marcia vertellen wat Alan zei, en zij vindt ook dat het volkomen absurd is.

Later. Ik ga nog eens bij Edith kijken. Ze weigert met iemand te praten, behalve met mij. 'Kijk eens of je haar kunt overhalen om iets te eten,' zegt haar vader.

Als ik binnenkom, nadat ik zachtjes heb aangeklopt, is ze erg kalm. Haar ogen zijn nat maar staan helder. Haar rug is recht en ze lijkt minstens een jaar ouder te zijn geworden sinds ik haar de vorige keer sprak.

'Ik vergeef ze,' zegt ze. 'Maar ik denk dat het ze niet is gelukt. Ik kan Elizabeth niet horen, maar ik denk dat ze hier nog is.'

'In het huis?'

'Ik weet het niet zeker. Ik denk dat ze zich ergens heeft schuilgehouden toen ze probeerden haar te verjagen.'

'Het spijt me dat ik ze niet kon tegenhouden,' zeg ik. 'Ik heb het wel geprobeerd.'

'Dat weet ik. Dank je.' Dit zou het eind van het gesprek kunnen zijn, maar Edith wil nog iets zeggen: 'Ze zouden het vast niet eens hebben durven proberen als Cecile er nog was geweest.'

'Ik weet het niet.'

'Zij zou ze hebben tegengehouden.'

'Misschien,' zeg ik, al zou ik niet precies weten wat ze meer had kunnen doen dan ik.

'Cecile weet alles van geesten.'

'Ik denk dat we na deze maand allemaal een beetje meer weten.'

'Vanwege Cornwall.'

Een ogenblik kon ik geen woord uitbrengen. Edith zit op het bed en ziet er niet uit alsof ze me wil kwellen. Ze heeft dat woord misschien niet in alle onschuld maar toch zeker zonder venijn uitgesproken. Had ze gehoord hoe ik Cecile de vorige avond had gesmeekt mij het geheim te vertellen, toen Cecile in de auto van die journaliste stapte?

'O, jij weet daarvan?' Ik stel me onverschillig op, maar verwacht niet dat Edith denkt dat het me echt koud laat. Ik denk dat ze het misschien wel in me waardeert dat ik haar niet meteen probeer te paaien.

'Ze heeft me er alles over verteld, Cecile, ze heeft het me verteld. Wil je het weten?'

Er gaat zo'n golf adrenaline door me heen dat ik automatisch knik; mijn mond en keel zijn helemaal droog geworden, alsof daar nooit vloeistof is geweest.

'Dan moet je wel stil zijn terwijl ik het je vertel. Ik wil niet worden onderbroken.'

Ik beloof dat door te knikken.

'Cecile is opgegroeid in Frankrijk, dat weet je al, maar toen ze ongeveer vijftienenhalf was, ging ze in een landhuis in Cornwall werken. Ze was kamenier en hielp de dame des huizes met haar kleren en parfums. Die dame was geen slechte vrouw, maar ze vond het niet prettig als personeelsleden te lang voor haar werkten, misschien omdat ze dan al haar geheimen te weten kwamen, en ze had veel geheimen. Die vrouw had wel tien bewonderaars; ze had verhoudingen. Een van haar kinderen, ze had drie kinderen, was in werkelijkheid de zoon van iemand anders dan haar man. Haar man was een rijke bankier die het grootste deel van zijn tijd in Londen doorbracht, en daarom verveelde ze zich en kon ze zoveel verhoudingen hebben. Het was een groot landhuis met een lange rechte oprijlaan; je kon de zee niet zien, maar wel horen. Al die tijd dat Cecile in Cornwall was, was ze ongelukkig. Al sinds haar zesde, vanaf de eerste klas lagere school, was ze verliefd op een jongen uit een dorp bij haar in de buurt, in Frankrijk. Ze heeft zijn naam niet genoemd; die was haar te dierbaar. Maar ze zei dat hij charmant en knap was en nooit de spot met haar dreef, zoals de andere jongens deden, omdat ze zo klein en tenger was. Cecile droomde dat hij op een dag over zee zou komen om haar te redden. Ze was eenzaam in dat grote landhuis, en ze stuurde hem brieven. Eerst beantwoordde hij elke brief binnen een dag of twee, maar toen begon het langer te duren en beantwoordde hij nog maar één op de twee brieven. Cecile was bang dat hij een ander meisje had. Het was twee jaar geleden dat Cecile naar Engeland was gegaan en in al die tijd had ze haar grote liefde niet één keer gezien. Ze kreeg nooit vakantie. Ze reisde wel en ging zelfs een keer met de dame en de familie naar de Rivièra; maar juist als ze op vakantie waren, had ze het meest te doen – ze moest de kleding en de affaires regelen. En op een avond, toen de echtgenoot naar een banket voor bankiers in Londen was, kwam de dame niet thuis. Het werd twaalf uur, één uur, en ze was er nog steeds niet. Ook de volgende morgen kwam ze niet thuis. Cecile wist niet wat ze moest doen; ze dacht dat ze het waarschijnlijk aan de bankier moest vertellen. De andere bedienden wisten het: de kok wist het toen de koffie onopgedronken terugkwam; de chauffeur omdat de auto niet terug was; andere dienstmeisjes omdat het bed niet beslapen was. Cecile vertelde de butler wat ze kon vertellen: dat de dame had besloten een eind te gaan rijden, maar niet was teruggekomen. De butler wilde net naar de club van de bankier in Londen bellen, toen er op de deur werd geklopt. Het was de politie. Cecile kon zich nog goed herinneren hoe ze daar in hun blauwe uniform stonden. Ze leken zo ouderwets. Ze hadden de auto van de dame, een kleine sportwagen, op een weggetje gevonden, een kleine tien kilometer van het huis vandaan, met draaiende motor. Maar de dame was nergens te bekennen. De politie kreeg te horen dat de dame sinds de vorige avond uit was. Ze geneerden zich, kon Cecile merken, maar ze wilden weten wie de laatste was die haar had gezien. Dat was Cecile. Ze was doodsbang; ze wist niet wat ze hun kon vertellen zonder dat de dame woedend zou worden als ze terugkwam. Ze probeerde zo min mogelijk te vertellen.'

Er wordt zachtjes op de deur geklopt. Edith en ik springen zo'n eind de hoogte in dat we bijna ons hoofd tegen het plafond stoten.

'Ga weg,' zegt Edith.

'Edith,' kirt haar moeder.

'Ga wég.'

We horen het krakende geluid van vertrekkende voetstappen. Edith doet haar ogen dicht, haalt diep adem om tot rust te komen en kan, gelukkig voor mij, verder gaan met haar verhaal.

'De politie vroeg waar haar werkgeefster heen was gegaan. Cecile antwoordde in alle eerlijkheid dat ze het niet wist. Natuurlijk wist ze naar wie de dame toe was gegaan. Zelfs als de dame het haar niet had verteld, had ze het kunnen afleiden uit het soort kleren dat de dame had willen hebben, en uit het parfum dat ze gebruikte: de dame had voor elke minnaar een apart parfum – dat hielp haar om hun namen te onthouden; als ze die vergat, hoefde ze alleen maar haar ogen te sluiten en diep in te ademen en de naam schoot haar weer te binnen. Hoe dan ook, de politie vroeg Cecile of de dame iemand had ontmoet. Cecile zei dat ze het niet wist. De politie zei dat ze het moest weten. Cecile was loyaal en zei dat ze het niet wist. De politie keek haar streng aan, maar stelde verder geen vragen. Toen Cecile uit de slaapkamer kwam, waar ze was ondervraagd, had zich een gerucht door het huis verspreid: de dame was vermoord. En je zou kunnen zeggen dat niemand ooit meer te weten kwam dan dat. De dame kwam nooit meer terug. Haar lichaam werd nooit gevonden, maar het huis stond dicht bij de zee en daar kon het gemakkelijk in gedumpt zijn. Alle bedienden verdachten de heer des huizes; ze dachten dat hij eindelijk genoeg had gehad van de affaires en had besloten zich van zijn vrouw te ontdoen. Hij had voor een alibi in Londen gezorgd, was in vermomming naar Cornwall teruggekeerd, had achterhaald waar hij zijn vrouw kon overmeesteren, had haar gewurgd en zich van het lichaam ontdaan en was naar Londen teruggereden, op tijd voor een laat ontbijt op zijn club. Maar er waren geen bewijzen. Cecile werd bijna meteen ontslagen. De bankier had geen kamenier nodig, al leek het waarschijnlijk dat er gauw genoeg een nieuwe vrouw des huizes zou zijn. De meeste andere bedienden werden ook ontslagen, behalve de butler, en daardoor dachten ze allemaal dat de butler de bankier had verteld waar zijn vrouw die avond zou zijn. Cecile ging naar Frankrijk terug en zag daar haar angst bewaarheid: de liefde uit haar kinderjaren was verliefd geworden op een ander meisje en met haar verloofd. Cecile was kwaad op zichzelf omdat ze er niet was geweest. Ze wist dat ze hem zou hebben gehouden als ze in Frankrijk was gebleven. Zodra ze terugkwam, werd hij weer verliefd op haar en vergat hij dat andere meisje. Maar dat was niet genoeg voor Cecile. Ze was te diep gekwetst door zijn verraad. Ze wist niet wat ze moest doen. Ze had niets meer in Frankrijk te zoeken. Haar ouders waren allebei dood; dat was de reden waarom ze kamenier was geworden. Ze waren tamelijk rijk geweest, maar hadden hun geld aan mooie dingen uitgegeven. En dus leende Cecile een beetje geld van een tante en ging ze naar Cornwall terug. Ze wilde uitzoeken wat er met haar werkgeefster was gebeurd. Omdat ze er zoveel van wist, dacht ze dat ze meer zou kunnen ontdekken dan de politie. En dus begon ze te doen wat ze 'Sherlock Holmesje spelen' noemde. Het lukte haar alle minnaars van de dame op te sporen. Een van hen, die diep geschokt was door haar dood, bood aan haar onderzoek te financieren, hoe lang het ook duurde. Hij was erg rijk en Cecile had geen andere bronnen van inkomsten – ze had weer kamenier kunnen worden, maar dat wilde ze beslist niet meer. Uiteindelijk was ze vijf jaar met het onderzoek bezig. Ze trok door heel Cornwall en praatte met iedereen die haar werkgeefster ooit had gekend. En uiteindelijk kwam ze tot de conclusie dat de bankier haar waarschijnlijk niet had vermoord: de butler had het gedaan. Hij ging vervroegd met pensioen, drie jaar na de moord, en kon zijn eigen landhuis kopen en zijn eigen butler in dienst nemen. Cecile dacht dat hij zich dat nooit had kunnen permitteren als hij niet royaal was beloond door de bankier. Maar ze vond geen bewijs. Het was vreselijk frustrerend. Ze ging in Oxfordshire wonen, in het dorp bij het huis waar de butler was gaan wonen; ze hield hem de hele tijd met een verrekijker in de gaten, op zoek naar tekenen van schuld. Ze had de postbode omgekocht om haar zijn brieven te laten zien, maar hij kreeg er nooit een van de bankier. Intussen was de bankier met iemand anders getrouwd, de vrouw van een van zijn zakenrelaties. Ze hadden het huis in Cornwall verkocht en waren in Zuid-Frankrijk gaan wonen. Ten slotte stierf de oude minnaar van de dame en kreeg Cecile geen geld meer voor haar onderzoek. Ze ging naar de politie en vertelde alles wat ze had ontdekt, maar ze waren niet geïnteresseerd – in elk geval deden ze niet veel met de informatie. Cecile bleef in Londen. Ze heeft me niet verteld wat ze daarna deed.'

'Dank je, Edith,' zeg ik. 'Ik ben blij dat ik dit weet.'

Fleur komt met me praten.

'Ik weet dat je de dingen die zijn gebeurd sterk afkeurt...'

'Ik vind ze verachtelijk,' zeg ik.

'We hebben er veel over nagedacht.'

'Nou, ik hoop dat je nu tevreden bent.'

'Er zijn dingen die jij nog niet begrijpt,' zegt ze somber.

'Waarom vertel je me die dan niet?'

'Dat kan ik niet,' zegt ze. 'Dat is niet aan mij.'

'Dan heb ik niet veel aan je,' zeg ik.

En ze gaat weg.

Audrey blijft me het hof maken. Als het niet zo lachwekkend was zou ik het verontrustend vinden. Ik ben niet aan dit project begonnen met het idee dat ik het object zou worden van de verleidingskunsten van een lesbische kat. Ze wil zo graag op mijn schoot zitten dat ik bij wijze van voorzorg tegenwoordig grijze kleren draag waarop haar haren niet te zien zijn. Als ik haar afwijs, doet ze snelle uitvallen naar mijn tenen; als ik haar niet in de kamer laat, begint ze de kattenblues te zingen.

En wat denk je dat er na al dat schoonmaken gebeurde?

Het dienstmeisje. Kort na vijf uur komt ze terug en vraagt of ik nog wil dat ze voor ons schoonmaakt; ze is binnengekomen met de sleutel die ze heeft bewaard – en ze is meteen naar me toe gekomen om het uit te leggen.

Ze was weg geweest vanwege een 'gezinscrisis'. Het had helemaal niets met de kranten en de televisie te maken.

Ik vraag haar zonder omhaal of ze de 'bron in het huis' was. Ze zegt van niet, en ik ben bijna overtuigd.

Laat ik haar terugkomen? Vertrouwen we haar?

Ik pak haar sleutel af, zeg dat ik haar zal bellen en stuur haar weer weg. Ze put zich uit in verontschuldigingen.

18.00 uur. We houden een bijeenkomst.
We besluiten het dienstmeisje nog een kans te geven en haar weer een sleutel toe te vertrouwen. (Ik pleit voor haar.) Ik bel haar op, en ze zegt dat ze meteen zal komen. Dat hoeft niet, zeg ik. Ze staat erop en ze is er binnen een kwartier. Als ze ziet dat de kok er niet is, zegt ze dat ze ook kan koken, en daar begint ze meteen mee.

Avondeten.
We praten over Cecile en haar mogelijke beweegredenen om weg te gaan. Dat is het veiligste onderwerp. Iedereen is er, behalve Ingrid, die zich volgens Henry niet goed voelt en even is gaan liggen – ze is boven in hun kamer, maar ze is niet gaan liggen: we horen haar rusteloos rondlopen terwijl we zitten te praten.

Om ongeveer halfnegen 's avonds gaat het dienstmeisje eindelijk weg.

Toen ze klaar was met de afwas, kwam ze naar me toe, opnieuw onder het uitspreken van tal van verontschuldigingen. Ik kreeg het gevoel – misschien is dat onredelijk van me – dat ze me aan het uithoren was.

'Hoe voelde u zich?' vroeg ze. 'Terwijl u al die tijd opgesloten zat op zolder? U moet zich wel afschuwelijk hebben gevoeld.'

Ik praat er een tijdje omheen en zeg dan tegen haar dat ik dingen te doen heb. Ze blijft langer dan nodig is.

Als ze weg is, vraag ik een paar mensen (Alan en William) of ze vinden dat ze meer praatte dan anders. Ze zeggen allebei dat hun niets aan haar is opgevallen.

Mannen, ze zijn zo ~~baks.~~ waardeloos.

Ik weet dat je met 'baks' bedoelt 'ongeveer zo nuttig als iets wat je in de vuilnisbak gooit'. Maar je lezers begrijpen jouw privé-jargon niet.

Laat op de avond.
... en toen hoorden we het geschreeuw. Het was niet moeilijk te raden van wie het afkomstig was (erg schel): Edith. We renden naar waar we dachten dat het vandaan kwam: boven. Toen we langs de hal kwamen, zagen we koffers – gepakt, op een rij gezet, klaar om te vertrekken. Edith begon te gillen: 'Nee, nee, nee!' Ik had haar nog nooit zoveel lawaai horen maken. Ik rende naar boven om te zien wat er aan de hand was. Ze was in haar kamer en klampte zich aan een bedstijl vast; haar moeder

had haar arm om haar heen, maar Edith probeerde zich verwoed los te spartelen. Er stonden nog een paar gepakte tassen op de vloer. 'O nee,' riep ik met Edith mee. Ik probeerde naast hen tweeën op het bed te gaan zitten, maar ze maaiden zo wild met hun armen dat het te gevaarlijk was. Ze zouden me per ongeluk een blauw oog kunnen slaan. Ik deed een stap terug. 'Waarom?' jammerde Edith. 'Waaróm?' Henry kwam binnen en pakte de tassen van zijn dochter op alsof er niets aan de hand was.

'Waarom ga je weg?' vroeg ik. Hij gaf geen antwoord. Met één tas in elke hand draaide hij zich om en liep over de overloop. Edith huilde zo hard dat ze niet kon praten; Ingrid streelde haar haar en fluisterde in haar oor. Ik nam even de tijd om na te denken: hoe kon ik dit voorkomen? Het was me bij Cecile al niet gelukt. Ik keek uit het raam en zag Henry bagage in de kofferbak van hun auto stoppen; de koplampen waren aan. In het donker van de oprijlaan leek die auto net een verlicht schip op volle zee.

Ingrid sprak haar dochter sussend, moederlijk toe. 'We moeten weg. Je weet dat we hier weg moeten. We hebben het hier geen van allen prettig gehad.'

'Jullie hoeven niet weg te gaan,' zei ik.

'Zie je wel?' jammerde Edith. 'Zij zegt ook dat we niet weg hoeven.'

'Begrijp je dan niet,' zei Ingrid tegen haar dochter, 'dat zij een van de belangrijkste redenen is waarom we weg moeten?'

'Nee,' zei Edith. Er hing een sliert snot onder haar neus. 'Ik wil niet.'

'Wij zijn je ouders,' zei Henry, die de kamer weer binnenkwam. 'Wij hebben een besluit genomen.' Er hoefde nog maar één tas te worden meegenomen; hij pakte hem op.

'Nee!' schreeuwde Edith, alsof ze een moeder was en ze haar kind bij haar weg haalden.

Henry keek een laatste keer om zich heen in de kamer om te zien of hem iets was ontgaan. Ik zag dat hij en Ingrid even oogcontact hadden, een efficiënte blik: hun besluit stond vast. Hij draaide zich om en ging met de laatste tas naar beneden.

'Wat kan ik zeggen zodat jullie blijven?' vroeg ik.

'Zeg maar niets,' antwoordde Ingrid.

Ik hoorde de auto starten. Ingrid was nu bezig Ediths vingers van de bedstijl los te peuteren – een voor een kwamen ze los, waarna ze elk voor zich probeerden de stijl weer vast te grijpen.

'Ik kan niet weggaan zonder dat ik Elizabeth nog een keer heb gesproken,' jammerde Edith. 'We moeten afscheid nemen! Laten we vannacht blijven, alleen vannacht nog. Ik ga morgen mee zonder dramatisch te doen.'

'Nee,' zei Ingrid. 'Het besluit is genomen.'

Henry liep met grote passen de kamer weer in. Hij kreeg blijkbaar meer zelfvertrouwen, nu alle bagage in de auto zat. 'Nou,' zei hij. Hij keek mij even aan en ik voelde de haat die van hem uitging. Inwendig wankelde ik. Wat was er met hem gebeurd? Waarom gedroeg hij zich zo?

Toen Henry zijn dochter van het bed lostrok, deed hij dat gewelddadiger dan Ingrid had gedaan: hij pakte haar zo hard bij haar polsen vast dat het pijn deed. Ze verslapte meteen; haar vader was zo sterk dat verzet zinloos was. 'Je gaat met ons mee,' zei hij.

'Als ze niet wil, hoeft ze niet,' zei ik. 'Ze mag tot het eind blijven.'

'Denk je...' begon Ingrid.

'Dat gebeurt niet,' zei Henry.

'Het is jouw schuld dat ze zo is,' zei Ingrid.

'Ik ben niet degene die haar aan het huilen maakt,' zei ik.

'Bemoei je er niet méér mee dan je al hebt gedaan,' zei Ingrid.

Henry had Edith half over zijn schouder hangen, als een soldaat die een plunjezak draagt; ze maakte geen gebruik meer van taal en jengelde als een dier. 'Klaar?' zei Henry tegen Ingrid. Ze keek mij aan. 'Als we iets hebben achtergelaten, wil je het dan nasturen? Je bent toch niet zo kinderachtig dat je...'

'Goed,' zei ik.

Henry draaide zich om, zodat Ediths hoofd bijna tegen de open deur stootte, en toen liep hij over de overloop, de trap af. Er was niets van zijn dochter over; ze was een en al gehuil, gesnotter en geluid.

Na een laatste blik door de kamer, waarbij ze oogcontact met mij vermeed, stond Ingrid op. Toen zag ik haar het besluit nemen de confrontatie met mij aan te gaan. Opgericht in volle lengte, kwam ze naar me toe. 'Ik zal je schrijven,' zei ze, 'om het uit te leggen.' Ze boog zich naar me toe om me een kus te geven. Ik bracht mijn armen omhoog om haar te omhelzen, maar ze duwde ze zachtjes weg. 'Dit is afschuwelijk,' zei ze.

'Jullie kunnen nog van gedachten veranderen,' zei ik.

'Dat kunnen we niet,' antwoordde ze. Toen was ze de deur uit. Ik liep achter haar aan naar de oprijlaan. De andere gasten stonden daar al.

Henry boog zich over de achterbank om Ediths gordel vast te maken; het meisje verzette zich niet meer. Ingrid wierp een snelle blik op Edith en ging toen voorin zitten. Henry richtte zich op. 'Alsjeblieft,' zei ik tegen hem. Hij keek beschaamd; na die korte blik kon hij me niet meer aankijken. 'Tot ziens,' zei hij, en stapte in.

We liepen bij de auto vandaan. Hij startte en reed weg. Ik zag contouren en profielen in het roodachtige licht van het dashboard. Ingrid had de kaart op haar schoot om Henry aanwijzingen te geven. Ze waren op weg naar huis.

Ik ben doodmoe.

Was ik maar op een eiland, zonder journalisten, alleen X en ik. Zoals in juni. Iraklia.

De prozastijl is nu helemaal weg. O, ik kan me daar echt niet druk meer om maken. Wat een puinhoop!

In het huis zijn nu nog: ik, Fleur en Alan, William en Simona, plus Marcia.

De rest van de avond heb ik mezelf verwijten gemaakt. Marcia is fantastisch vergevingsgezind, en eigenlijk verdien ik dat niet.

Zaterdag (op een na laatste dag)

Dag Vierentwintig Week Vier

Mijn nachten van lust met de schuinsmarcherende X: ik sliep met het vriendje van Big Sister

Nee, geen nachtmerrie – het is de kop in een van de smerigste schandaalkranten van vanmorgen. Hoewel ze hebben geprobeerd mij van die krant vandaan te houden, hoorde ik uiteindelijk hoe erop gezinspeeld werd. Ik vroeg ernaar en kreeg hem te zien (Simona, het kreng). De man op de foto (ja, mán), het bovenlijf ontbloot, keek alsof hij slipjes voor een catalogus had moeten showen. Hij droeg een strakke spijkerbroek en had geen schoenen aan; hij had erg behaarde tenen.

Ik voelde eerst niet wat ik geacht werd te voelen. Heel rustig ging ik de trap weer op naar de slaapkamer. Heel rustig ging ik onder de dekens liggen. Heel rustig besloot ik X zijn ballen eraf te hakken.

Nadat hij me tien minuten de tijd had gegeven om inwendig te razen en te tieren, kwam X zachtjes de kamer in. 'Victoria,' zei hij. Hij wachtte een halve minuut tot ik *Wat?* had gezegd en ging toen verder: 'Ik verwacht niet dat je nu naar me luistert. Maar als je dat doet, zal ik je alles uitleggen.'

'Nee.' Ik ging rechtop zitten. Mijn gezicht, wist ik, was helemaal nat en glibberig, als een zachtgekookt ei. 'Ik kan nu luisteren,' zei ik. 'Vertel het me. Leg het me uit. Zeg dat het niet waar is.'

'Het is waar,' zei X. 'Op een heel verwrongen manier is het waar.'

'Je hebt seks met hem gehad.'

'Ja,' zei X.

'Wanneer?'

'Rond Kerstmis. Hij woont bij mijn ouders in de buurt.'

'Ik wil niet weten waar hij woont.' Dit werd vernederender dan ik voor mogelijk had gehouden. Ik keek naar X, die uitdagend, heel erg hetero, terugkeek. 'Waarom?' vroeg ik.

Hij gaf meteen antwoord. 'Omdat we het allebei wilden.'

'Ik weet dat we een open relatie hebben...' begon ik, maar ik hoefde niet verder te gaan.

'Het spijt me dat ik het je niet heb verteld,' zei X.

'Slaap je vaak met mannen?' vroeg ik.

'Nee,' zei hij. 'Ik slaap nooit met mannen. Maar soms vind ik het prettig om met ze naar bed te gaan.'

'Hoe vaak is soms?'

'Een paar keer per jaar.'

'Verjaardagen en Kerstmis,' sneerde ik.

'Vreemd genoeg is het vaak rond Kerstmis, ja,' zei X.

'Het begon zeker toen de kerstman je slaapkamer binnenkwam,' zei ik. Ik had dat niet willen zeggen, want ik had op dat moment geen enkele behoefte aan dit soort humor.

'Nee,' zei X. 'Om de een of andere reden vind ik mannen aantrekkelijker in de winter, en vrouwen in de zomer.'

'Dat is het stomste dat ik ooit iemand heb horen zeggen.'

'Ik weet het,' zei hij. 'Maar toch is het waar.'

'Ga weg,' zei ik.

'Het spijt me,' zei hij. 'Ik had het je eerder moeten vertellen: ik wist dat je er uiteindelijk achter zou komen.'

'En dat alle anderen er ook achter zouden komen?'

Hij schuifelde met zijn voeten. 'Nee, dat nou ook weer niet – niet op deze manier. Hoe kon ik dit nou weten?'

'Ga weg,' zei ik. 'Ik zeg het geen derde keer. Als ik het een derde keer moet zeggen, hoef je niet meer terug te komen.' Bijna geluidloos verliet hij de kamer.

Zodra ik weer alleen was, had ik een kleine instorting. Ik probeerde me voor te stellen dat X seks had met de man in de krant, maar gaf het op, want het lukte niet. Toen probeerde ik me niet voor te stellen dat X seks met hem had, maar ook daar slaagde ik niet in. Ik bleef ergens halverwege hangen – het beeld was er wel, en het was weerzinwekkend, maar het wilde niet aan de oppervlakte komen. X was veranderd; ik had nu een heel ander beeld van hem: ik wilde dat hij zijn armen om me heen sloeg, en tegelijk wilde ik hem niet bij me in de buurt hebben. Ik wilde dat hij zijn verontschuldigingen aanbood en toch heel streng werd gestraft. Ik schaamde me, en ik schaamde me omdat ik me schaamde. Strikt genomen had X niets verkeerds gedaan: we hadden afgesproken dat we met andere mensen naar bed mochten gaan; we hadden niet expliciet gezegd dat die andere mensen niet tot hetzelfde geslacht mochten behoren als wijzelf. X zou me waarschijnlijk hebben aangemoedigd om met een vrouw naar bed te gaan; zijn seksualiteit, had ik gedacht, was zo ongecompliceerd heteroseksueel. Lesbische seks wond hem eerder op dan dat het een serieuze emotionele bedreiging vormde. Reageerde ik overdreven? Ik wist het niet zeker. Ik wou dat ik Cecile met al haar verbeeldingskracht bij me had gehad om het te vragen. Een gesprek met haar (mijn geïdealiseerde versie daarvan) zou zoiets zijn als over een lange, lommerrijke laan van een Frans landgoed wandelen – telkens een ander perspectief, allemaal diep, regelmatig en met een duidelijk doel. Tot overmaat van ramp was mijn menstruatie nu in volle gang; ik voelde me ellendig, huilerig, opstandig en op een onduidelijke manier beledigd. Ik herinnerde me wat Henry tegen me had gezegd: 'Je kent X niet echt. Je weet niet hoe hij echt is. ' Hij had geprobeerd het me te vertellen. En hun vechtpartij? Was dat echt een vechtpartij geweest? O, X was zo mooi. Waarom had ik het niet kunnen zien?

Ik wil groots en glorieus, zelfs modieus, zijn en hem dit vergeven. Ik wil een trend aangeven waarover de bladen kunnen schrijven:

> Toen Victoria About van de ontrouw van haar vriend hoorde, *met een andere man*, moedigde ze hem juist aan. 'Waarom zou ik niet willen dat hij zijn seksualiteit ten volle verkent en tot uiting brengt?' zei ze, achterover leunend op een *chaise longue* in haar stijlvolle Borough-appartement. 'Ik ben toch geen Victoriaanse gouvernante?' Victoria droeg...

Maar dat ben ik wel, hè? In mijn hart ben ik een Victoriaanse gouvernante: ik wil dat hij gebonden is aan allerlei voorschriften tegen viezigheid. Waarom ben ik niet minder burgerlijk, minder huisvrouwelijk, volwassener, wezenlijk beschaafder? Dit is voor mij een gelegenheid om mijn persoonlijkheid te verrijken, en het enige dat ik kan doen is ervoor terugdeinzen.

Een halfuur liet het huis me helemaal met rust. Ik had de tijd om te huilen, te klagen, te schelden, te typen.

Toen werd er zacht op de deur geklopt. Ik was klaar met de laptop; ik had zo vaak mijn vingers over de woorden laten glijden dat het scherm er wazig van was.

'O, kom maar binnen,' zei ik.

Het was Fleur.

We wisselden een blik en ik zocht naar een triomfantelijke blik in haar ogen. Die was er niet.

'Ik weet niet wat je verwacht hier aan te treffen,' zei ik, 'maar je zult niet...'

'Je bent gekwetst,' zei Fleur. En – o god – dat was het enige dat ze hoefde te zeggen.

Het woord, *ja*, kwam er in vloeibare vorm uit, en minstens een halfuur hoefde ik verder niets concreets meer te zeggen. Fleur werd de grote zus; ik werd de kleine zus; ik was ontroostbaar; ze troostte me.

Het dienstmeisje is er; ik weigerde haar te ontvangen.

X komt de kamer in en vraagt of ik wil dat hij weggaat. 'Natuurlijk wil ik dat je weggaat,' zeg ik.

Hij kijkt me gekweld aan, zo gekweld dat ik bijna toegeef: ik wil hem niet verliezen, niet om zoiets relatief onbeduidends als dit.

'Dan ga ik maar,' zegt hij, net als ik erover denk om *Nee* te zeggen. Maar dat moment gaat voorbij.

Hij zet een koffer op de vloer en begint vlug zijn T-shirts uit de kast te pakken.

'Ik ga naar de tuin,' zeg ik. 'Ik kom niet terug voordat jij weg bent.'

'Goed,' zegt hij.

Ik sta op en ben al bijna de deur uit, als hij zegt: 'Victoria.'

Zelfs in mijn woede hoop ik dat hij een ongelooflijk slimme manier bedenkt om ons weer met elkaar te verzoenen: ik houd van hem; ik ben hulpeloos. Hij kijkt me aan, kijkt door me heen.

'Als het op deze manier moet gaan, wil ik niet dat je mijn naam in het boek gebruikt. Niet mijn echte naam – haal die eruit,' zegt hij. 'Het doet er niet toe dat iedereen het al weet – o, ik wil gewoon niet dat je met verbittering over me schrijft.'

Iedereen weet nu toch al wel wie hij is – al blijft hij altijd 'x'

'Goed,' zeg ik, al heb ik een gevoel dat er in mijn borst lakens in repen worden gescheurd. 'Je naam komt er niet in.'

'Dank je,' zegt hij.

'Je hebt het al gelezen, hè?' zeg ik. 'Je sloop de kamer binnen als ik er niet was, en je hebt mijn aantekeningen gelezen.'

Hij kijkt verrast, maar hij zal ergens wel hebben verwacht dat ik dit ter sprake zou brengen.

'Ik weet niet waar je het over hebt.'

'Dat weet je wel,' zeg ik.

'Echt niet,' zegt hij.

Een ogenblik doe ik mijn best om hem te geloven; het lukt niet.

'Waarom lieg je?' zeg ik.

'Ik lieg niet,' zegt hij.

Ik ga in de deuropening staan. 'Ik hou nog steeds van je,' zeg ik. 'Alleen... O, ga nou maar weg.'

'Ik begrijp het,' zegt hij met tederheid in zijn stem.

'Nee, je begrijpt het niet,' zeg ik, en ik ga weg. Ik denk: *Jij begrijpt het niet; ik begrijp het niet, dus hoe zou jij het kunnen begrijpen?*

Tot laat in de middag was ik niet veel waard.

Toen ik X had horen wegrijden, ging ik naar de slaapkamer terug, pakte de laptop en veranderde met Zoek & Vervang zijn naam in X. Zelfs in mijn ellende dacht ik erover om hem W te noemen (waarom o, waarom was ik ooit op hem gevallen?), of Z (de letter van de eindigheid). Maar misschien is X de juiste letter: in de toekomst ligt misschien een schat begraven, of misschien wordt hij echt mijn ex. Ik kan die gedachte niet verdragen.

Fleur had met Alan afgesproken dat ze naar de kennel zouden gaan om Domino op te halen; ze gingen om een uur of twee weg. Ik ging naar Marcia's kamer. Ik had behoefte aan medeleven, en ze was ontzaglijk aardig en had alle begrip. Toen ze klaar met me was, was ik er bijna aan toe om weer met X te praten, hem op zijn mobiele telefoon te bellen. Ze moest me ervan overtuigen dat het daar nog te vroeg voor was. Fleur en Alan kwamen terug, met Domino dartelend aan de lijn. Ze hadden op de terugweg honden- en kattenvoer ingeslagen. Er waren maar een paar journalisten achter hen aan gekomen, en die waren niet erg in het ophalen van het huisdier geïnteresseerd geweest. Voordat Alan en Fleur weggingen, hadden ze ervoor gezorgd dat Audrey in het huis was en hadden ze de instructie achtergelaten dat de kat niet naar buiten mocht. Ze wilden een confrontatie ensceneren. Marcia haalde me over om naar de salon te gaan, waar ze allemaal bij elkaar gekomen waren om te kijken. Audrey verstopte zich onder een van de banken; Domino mocht van de lijn. Hij ging snuffelend op zoek naar Audrey. Een pootje kwam bliksemsnel onder de bank vandaan, zo snel dat het nauwelijks te zien was, en Domino maakte een sprong achteruit, zijn neus bloedend van een venijnige kleine haal. Hij draafde jengelend naar Alan terug. Alan keek geschrokken maar ook een beetje blij. Fleur riep Audrey; we bleven allemaal in de kamer. Een paar minuten later kwam ze te voorschijn. Domino wilde nog eens bij haar gaan kijken. Alan liet hem gaan, maar ditmaal was hij behoedzamer; hij bleef buiten krabbereik. Audrey ging dichter naar hem toe en hij trok zich terug. Dit was niet bepaald een verzoening, maar er was een zeker evenwicht tot stand gekomen. Er ging een applaus op onder de gasten. Ze waren zo in het dierendrama opgegaan dat ze nauwelijks naar mij hadden gekeken, maar nu deden ze dat wel. 'Ik heb niets te zeggen,' zei ik. 'Ik ben niet erg gelukkig.' Ze omhelsden me allemaal, en daarna ging ik naar boven om een tijdje alleen te zijn. Ik huilde niet.

Ik ging in mijn eentje naar Ceciles oude kamer. Ik had pas vandaag aan die mogelijkheid gedacht, en dat is vreemd, want er was geen enkele reden waarom ik het niet zou doen. Het gevoel dat die kamer nog steeds verboden terrein was, had me daar weg gehouden – de herinnering aan die keer, kort nadat ze was aangekomen, toen ze de deur niet voor me wilde opendoen; ik had me op een vertrouwelijk gesprek verheugd en kwam voor een dichte deur te staan. De kleine slaapkamer ruikt nog vaag naar Ceciles parfum; vooral de kleerkast, en het kussen nog meer. Ik wilde iets van haar vinden, al was het maar een haarklemmetje. Maar voor zover ik kon zien, had ze niets achtergelaten, behalve een pluk haar in de prullenmand, maar ik vond het beneden mijn waardigheid om die op te pakken. In plaats daarvan ging ik met de prullenmand naar de keuken en gooide ik het weinige dat erin zat in de afvalbak onder het aanrecht. Als gebaar was het niet erg bevredigend, maar het zou nog veel minder bevredigend zijn geweest als ik dat haar had laten liggen. Nadat ik de prullenmand had teruggezet, ging ik op het bed zitten en keek ik op naar de lens van de spionagecamera. Ik kon hem niet zien, al wist ik waar hij moest zijn. Ik heb met de mannen van de beveiligingsfirma afgesproken dat ze zondag de apparatuur komen weghalen. Ze zeggen dat het acht uur duurt. Ik zal ze extra moeten betalen.

Bij de eerste gelegenheid die ze kreeg, verdween Audrey weer achter in de tuin, een terugkeer naar de slinkse schuttingdagen van eerder deze maand. Er had zich dus geen wonderbaarlijke liefdesaffaire tussen haar en Domino voorgedaan. Fleur is trouwens niet zo heel erg teleurgesteld. 'Het is een beginnetje,' was het enige dat ze zei. Ook Alan blijft er filosofisch onder: 'Dat stomme mormel.'

15:17 uur. Weer geschreeuw. Ditmaal van Fleur, in Fleurs kamer. Ik ben toevallig op de overloop en ga meteen haar kamer in: er staan twee mannen die ik nooit eerder heb gezien. Een van hen komt de kleerkast uit, de ander komt onder het bed vandaan. Die van onder het bed heeft een grote zwarte camera aan zijn nek hangen, en ook een camera in zijn handen. Hij is nog maar net overeind gekomen of hij begint al foto's van mij te maken. Fleur gaat ervoor staan, al is ze nog zo van streek. Inmiddels zijn er nog meer gasten bij gekomen – Alan, William – en dan komt ook het dienstmeisje.

'Ik hoef niet te vragen wat jullie hier doen,' zeg ik, terwijl Alan de fotograaf met zachte drang van zijn camera's ontdoet. (Hij is zo groot, als hij kwaad is.)

'Vertel me hoe jullie zijn binnengekomen.'

'Ik heb ze binnengelaten,' zei het dienstmeisje.

'Waarom?' vroeg ik.

'Ik zei toch dat je haar niet moest vertrouwen?' zei Marcia.

'Ze boden me geld aan,' zei het dienstmeisje. 'Zo simpel lag het.'

'Hoe zit het dan met de beloften die je ons gisteren nog hebt gedaan?'

'O, ze zeiden dat ik zou moeten liegen. Maar dat doet er niet toe. Iedereen wil weten wat er hier gebeurt.'

'Maar dat geeft je nog niet het recht...'

'Hoe voelt het om een van de beruchtste vrouwen van Engeland te zijn?' vroeg de journalist, die een slecht zittend leren jasje droeg.

'Mag ik mijn camera's terug?' zei de fotograaf.

'Natuurlijk,' zei Alan, en hij haalde het filmpje uit beide toestellen.

'Bent u pervers?' vroeg de journalist.

'Kom nou,' zei ik.

'Geniet u ervan om mensen te bespioneren?' vroeg hij. 'Krijgt u daar een kick van?'

We gingen de trap af, de journalisten als krijgsgevangenen in ons midden. Alan en William bleven het dichtst bij hen, groot en dreigend. Zij – het journaille – herkenden William en hadden hem al een van hun soortgenoten zien aanvallen. Ik kon merken dat hij dat best wilde herhalen.

We brachten ze naar buiten. Op het laatste moment gaf Alan de camera's terug – minus de filmpjes. Toen namen we het dienstmeisje mee naar de salon en probeerden haar zo ver te krijgen dat ze berouw toonde. Het was zinloos; ze bleef zich halsstarrig rechtvaardigen, zoals mensen doen die weten dat ze fout zitten.

'Maar we gaven je een tweede kans,' zei Marcia. 'Daar hadden we geen reden voor, maar we deden het toch.'

'Nou, dan zijn jullie een beetje stom, hè?' antwoordde ze, en toen zei ze: 'Kan ik nu gaan?'

Natuurlijk nam ik haar de sleutel af. Ik zei dat ze nooit meer terug moest komen.

'Goed,' zei ze. 'Ik zou ook niet weten waarom ik dat nog zou willen.'

We leidden haar naar buiten.

'Opgeruimd staat netjes,' zei Marcia.

Het zonlicht valt schuin door het raam op de sprei van het bed, als de vislijnen van de hengelaars op het strand.

Ik begrijp niet veel van de stemming waarin Fleur momenteel verkeert. Het lijkt wel of ze twee mensen is: een van hen huppelt rond en vlecht bloemen in het weefsel van de lucht (metaforisch); de ander zit ineengedoken onder een donkergrijze donderwolk, huiverend alsof het kogellagers regent.

Ik was ~~vrij~~ tevreden over de biecht van vandaag; ~~tenminste, dat was ik in het begin~~.

Om vier uur precies klopte Simona op de deur van de grote slaapkamer. Ze wilde naar beneden gaan, naar de voorkamer, waar we anders altijd met elkaar praten. 'Kan het niet hier?' vroeg ik.

Ze aarzelde. 'Natuurlijk.' Ze wilde net gaan zitten, toen ze zei: 'Wil je een kop thee?'

Ooit had ik het dienstmeisje een dienblad met thee voor me laten klaarmaken; een tijdlang heb ik dat achterwege gelaten, en nu ze weg is, zal het nooit meer gebeuren. 'Ja, graag.' (Het maakt de biecht ook wat korter.)

Simona ging de trap af naar de keuken en kwam een kwartier later met een vol dienblad terug. Ze had ook ergens een pak chocoladekoekjes opgeduikeld. ~~Ze had alles nog maar net neergezet of haar houding werd formeler.~~ Ze schonk de thee in, verdeelde de koekjes, vouwde haar handen samen en zei: 'Ik heb de laatste tijd nogal veel nagedacht, en ik ben tot de conclusie gekomen dat wij – als dit boek af is – zo ver zijn gegaan als we kunnen, als auteur en redactrice. Ik vind het alleen maar eerlijk om je dat van tevoren te laten weten.'

'Wat bedoel je?'

'Ik bedoel dat je beter met iemand anders kunt gaan samenwerken. Hierna zal het volgende boek, hoe briljant dat misschien ook is, vast een teleurstelling worden. Deze maand was zo leuk. Waarom geven we niet toe dat we dit nooit kunnen verbeteren?'

'Nee!'

'Je hoeft niet bang te zijn dat ik me niet voor dit boek zal inzetten. Ik weet voor honderd procent zeker dat dit je beste boek wordt. Ik ben er ook voor honderd procent zeker van dat het je succesvolste boek wordt.'

'En als ik niet wil dat je ermee ophoudt?'

'Dan moeten we er nog wat langer over praten. Uiteindelijk zul je het begrijpen.'

'Waarom vertel je me dit nu... ik bedoel vandaag... Het is nou niet bepaald een fantastische dag voor me geweest, en nu vertel je me dit.'

'Je kunt het beter horen op een dag die toch al bedorven is dan dat ik een andere dag bederf die nog helemaal goed was.'

'Is het de samenwerking met mij?'

'Hoe bedoel je? Natuurlijk is het in zekere zin de samenwerking met jou. Maar dat wil niet zeggen dat ik niet van het hele...'

'En als ik nee zeg?'

'Ik ben bang dat je er niets over te zeggen hebt. De directie zal me misschien onder druk zetten, vooral wanneer je met dit boek zoveel succes zult hebben als ik verwacht, maar uiteindelijk is het mijn eigen besluit.' Ze dronk haar theekopje leeg. 'Ik laat je nu alleen, dan kun je erover nadenken. We kunnen er morgen verder over praten.'

'Je kunt me dit niet aandoen,' zei ik. 'Ik heb je nodig.'

'Dat is erg vleiend,' zei Simona, die nu opstond. 'Maar je weet heel goed dat het niet waar is.'

Ik deed mijn uiterste best om niet tegen haar te schreeuwen.

'Alsjeblieft, denk er nog eens over na,' zei ik.

Met een langzaam glimlachje zei ze: 'Natuurlijk zal ik er nog wat over nadenken, als jij dat wilt.'

'Ik wil niet dat je me in de steek laat; niet nadat alle anderen dat al hebben gedaan.'

~~Simona ging daar niet op in. 'Morgen,' zei ze.~~
Natuurlijk veranderde ik bijna meteen van gedachten.

William in de voorkamer. Hij speelt piano, iets wat half vrolijk en half melancholiek klinkt. Het muziekstuk gaat steeds heen en weer tussen het een en het ander, alsof het geen besluit kan nemen. Ik vraag me af wat het is. Ik vind het niet mooi; het werkt op mijn gemoed.

Ik moest zo huilen om deze beschrijving. Het is zo typisch William. Ik ken dat stuk al weet ik de titel niet.

Ik heb vreselijk veel medelijden met William; ik weet dat hij dat niet wil, maar allemachtig, hij is pas zevenenvijftig – zevenenvijftig en stervende! Ik besef nu pas hoe jong dat is; vijf jaar geleden besefte ik dat nog niet.

Ik begrijp niet hoe hij het volhoudt om te doen alsof hij helemaal fit is en intussen te wéten... En Simona ook. Ik denk dat ze het al een tijdje weten en een manier hebben gevonden om hun leven erop in te stellen.

Stel je voor dat het X was: ik weet dat het alles voor ons zou veranderen. Ik zou niet eens doen of ik in iemand anders geïnteresseerd was; ik zou de rest van zijn leven aan hem toegewijd zijn. Ik weet zeker dat we het er in de laatste stadia van zijn ziekte over zouden hebben dat ik een ander zou kunnen nemen. X zou daarop staan, ik zou zeggen dat ik de gedachte niet kon verdragen. Hij zou doodgaan en ik zou me een hele tijd erg eenvoudig kleden. Ik zou sombere parfums gebruiken, discrete (niet bungelende) sieraden dragen en naar een land reizen waar ik nooit was geweest, Tunesië of Nieuw-Zeeland. Ik zou een lang strand vinden, daar gaan lopen en het dan uitschreeuwen naar de zee, als een meeuw, en ten slotte voelen hoe het verdriet in me brak. Instorting, bevrijding. En dan zou ik aan de lange terugreis beginnen. Ik zou me blijven verbeelden dat X ieder moment terug kon komen, lachend om het succes van zijn wrede grap. Misschien zouden ze me het lichaam in het ziekenhuis laten zien; misschien zou ik hem moeten identificeren – maar zo zou het niet gaan... Hij zou in mijn armen zijn gestorven, zo mager en hulpeloos. Zijn laatste adem zou zoiets zijn als scheurend papier, en dan een langgerekt kreungeluid en een beetje lekkende vloeistof, en dan niets meer. Ik zou het aankunnen; op dit moment weet ik dat ik het absoluut zou aankunnen. Maar dit alles zorgt ervoor dat ik naar X wil, hem wil vinden, hem een hele tijd wil vasthouden zonder dat ik zeg waarom. En ik wil William ook in mijn armen houden – hem genezen met liefde, of hem ten minste laten weten dat hij niet alleen is. Maar dat is Simona's taak; hij moet weten dat hij niet alleen is.

Avond.
Ik maakte het afscheidsdiner klaar; geen *bœuf en daube*, zonder kok om me te assisteren zou dat te hoog gegrepen zijn. Nee, het was een eenvoudige roastbeef met aardappelen, pastinaken, doperwten, wortelen, jus. Het was een stuk minder veeleisend, omdat ik voor maar vijf personen plus mezelf hoefde te koken.

Scène op de bank. Een gesprek over de dierbaren die zijn heengegaan. We zullen ze natuurlijk allemaal vreselijk missen.

'Het huis lijkt leeg,' zegt Marcia.

'Denk je dat er echt een geest was?' vraagt Alan.

'Ik heb een gemoedsrust die ik hiervoor niet had,' zegt Fleur, aan wie de vraag gericht was.

'Maar dat komt toch doordat er nu minder mensen zijn,' zegt William. 'Er is gewoon veel minder lawaai.'

'Nee,' zegt Fleur heel resoluut. 'Het huis is anders. Het voelt frisser aan. Ik kan het niet uitleggen. Ik weet zeker dat de zegening heeft gewerkt.'

Alan doet zijn best om te kijken alsof hij het ermee eens is, al kost hem dat moeite; het rationalisme leeft weer in hem op.

'Ik geloof niet dat de geest weg is,' zegt Marcia dan. 'Ik denk dat de geest zich ergens schuilhoudt tot we weg zijn.'

'Dat zou ik ook graag willen denken,' zeg ik.

'Victoria!' zegt Fleur. 'Wil jij dat de geest bij die mensen blijft spoken?'

'Het is duidelijk dat ze nog steeds door hun hoofd spookt,' zeg ik. 'Hoe zou het ook anders kunnen? Trouwens, ik denk dat het vertrek van Cecile het meeste verschil heeft gemaakt. Toen zij wegging, veranderde de hele atmosfeer.'

'Denk je dat?' zegt William. 'Ik vind eigenlijk helemaal niet dat het zoveel verschil maakt. Ze was zo terughoudend.'

'Maar ze hield alles bijeen,' zeg ik.

Niemand heeft zin om antwoord te geven; ze kijken nogal nerveus. Ten slotte zegt Alan: 'Nou, eh, iemand moest dat doen... anders...'

'Anders wat?' vraagt Marcia.

'Anders zou het nog veel erger zijn geweest dan het was,' zegt Fleur om haar stuntelende geliefde te redden.

'Op haar eigen manier,' begint William, 'denk ik dat *Ingrid* de spil van het huis was.'

'Waarom?' vraag ik geërgerd. 'Ze deed niet veel.'

'Precies,' zegt hij. 'Het stille middelpunt.'

Ik heb geen zin om met hem in discussie te gaan, niet alleen omdat hij stervende is maar ook omdat deze scène zonder woordenwisseling veel mooier is.

'Als ze terugkijkt,' zeg ik, 'denk ik niet dat ze dit als een periode van stilte ziet.'

‘Stilte voor anderen is heel iets anders dan stilte voor jezelf,’ zegt Fleur.

‘Daar heb je gelijk in,’ zegt William, en hij grinnikt nogal grof. Hij kijkt even naar Simona, en ze vat het op als een commentaar op hun huwelijk.

‘Zeg jij maar niks,’ antwoordt ze, maar ze zegt dat flirtend.

Ik was toch van plan om naar de vuurtoren te gaan? Dat was een van de dingen waar het me om te doen was. Misschien heb ik er morgen de tijd voor. Maar ik betwijfel het.

Koffers in de hal; afscheid in de keuken; beloften in de lucht; ik in tranen – ik zie het al voor me. Hoe afschuwelijk het ook is geweest, ik wil niet dat er een eind aan komt.

Zondag (de laatste dag)

Dag Vijfentwintig Week Vier

2:33 uur. In het holst van de nacht wakker geworden, mijn rechterarm verdoofd naast me in bed. Doodsbang. Weer in slaap gevallen.

Ik heb deze ochtend varkensoogjes van het huilen. Mijn haar ziet eruit alsof ik ermee in een kom losgeklopte eiwitten heb geslapen. Maar dat heb ik niet – geslapen, bedoel ik.

Geen journalisten achter het huis.

In mijn eentje naar het strand geslopen en de zon zien opkomen.

Golven die zacht over het zand rollen, in het schemer-schemerlicht; de hele wereld stil, afgezien van de hondenuitlaters. Die zagen dat ik alleen wilde zijn en respecteerden mijn wens.

Kijk, dacht ik, de lucht is zilverig geworden.

Het licht van de dageraad is hier nog merkwaardiger dan het licht van de avondschemering. Het past bij deze omgeving. Het is licht en toch warm en delicaat.

In deze maand heeft de schoonheid van de zee me meer ontroerd dan ooit tevoren. Ik heb er een voortdurende troost uit geput: de zee aanvaardt altijd en stelt nooit teleur.

Ik heb de laatste tijd niet veel aan beschrijvingen gedaan. De lezers zullen weten wat er gebeurd is, maar niet hoe het eruitzag. Virginia was daar altijd erg goed in, altijd graniet en regenboog. Het strand, vind ik, is meer winters geworden; de tinten zijn lichter, bleker, reflecteren zachter op de huid. Bij zonsondergang wordt de zee melkachtig; dan is het echt of hij geen andere kleur zou kunnen hebben. De baai verandert in een grote schaal van parelmoer.

Nu pas besef ik hoeveel ik van X houd, en hoeveel hij voor mij betekent; niet alleen wat de grote dingen betreft, de liefde die ik terugkrijg, het fysieke aspect, maar zelfs als hij er niet is – het feit dat voorwerpen in onze kamer enigszins zijn verplaatst; de vloer van de douche, thuis in Londen, is nat tegen de tijd dat ik daar kom; dat we samen naar het journaal kijken en hetzelfde over de dingen denken en dat we dat allebei aan het eind van de dag aan de ander proberen te vertellen; de trots die ik voel omdat híj bij míj is.

Ik vraag me af wat voor dag het wordt.

O ja, het dageraadkoor. Ik hoorde het hier voor het laatst. Twinkelend.

Zoals gewoonlijk ben ik veel te vroeg klaar met pakken. Alle anderen zijn nog bezig, en ik heb dus tijd – te veel tijd, tijd om... Ik weet het niet. Er is niets meer dat ik nog hoef te doen.

Heel lang in een bad vol schuim gelegen.

Ik lag daar en vroeg me af of X mij net zo erg mist als ik hem. Waar is hij? In zijn flat, vast – maar in bed? In de keuken?

Ik mis zijn aanwezigheid – dat hij het gewicht van dingen verandert, de lucht dichter maakt; ik mis het prikken van zijn borsthaar tegen mijn tepel, als ik me naar hem toe buig om hem te kussen; ik mis het hoe goed ik voor hem had kunnen zijn; ik mis het dat ik zoveel goeds voor hem had kunnen doen; ik mis de kans om goed voor hem te zijn, de kans die nu verloren is gegaan; ik mis specifieke dingen en ik mis dingen die ik niet graag wil toegeven, de gedachte aan de kinderen die we misschien zouden hebben gekregen, de last die ze voor ons zouden hebben gevormd; ik mis de langetermijnschade die elke relatie oploopt, de brokken die wegvallen, de zones die te gevoelig zijn om ze aan te raken; ik mis, zoals vrouwen in boeken, zijn geur – en ik zou mijn gezicht in zijn kussen begraven om de verbrande-lucifer-geur van zijn huid te ruiken, als ik niet wist dat ik dat nooit in geschrifte zou kunnen toegeven – ik zou geen clichévrouw van mezelf willen maken – en dat is eigenlijk precies wat ik nu ben: een versmade vrouw, een vrouw die aan de kant is gezet. Ik vraag me af of hij in zijn auto zit. Ik vraag me af of ik hem ooit terugzie. Ik wauwel.

Toen ik uit het water kwam en poeder strooide waar je dat doet, meende ik plotseling de zee te horen, het geluid versterkt, maar het was de talkpoeder die de schuimbellen van het bad liet ploppen, een voor een, duizenden.

De mannen van de beveiligingsfirma zijn er. Ze hebben de grote slaapkamer overgenomen. Als we in de salon zitten, kunnen we ze over de zolderladder op en neer horen gaan. Ik kan bijna niet geloven dat ik dat – hoe lang? – bijna een week heb kunnen doen zonder dat iemand me hoorde. Er is gekraak en gestommel, en natuurlijk zullen ze vast wel iets waardevols breken waarvoor de eigenaars een vergoeding zullen eisen. Een van de beveiligingsmannen haalt de spionagecamera's uit alle kamers. (Maar ik heb een sluw verzoek gedaan – dat ze er eentje in de kinderkamer achterlaten. Als daad van verzet stelt het niet veel voor, ik weet het, maar het geeft me toch een bevredigend gevoel.) Ze hebben me verzekerd dat ze vanmiddag om vijf uur klaar zijn.

Marcia was de eerste die klaar was met pakken. Ze reed door de salon om te kijken of er iemand was om mee te praten. In plaats daarvan vond ze mij. Bij wijze van uitzondering huilde ik niet – maar ik werd zo door mijn eigen verdriet in beslag genomen, terwijl ik daar door de tuindeuren naar buiten staarde, dat ik haar niet eens hoorde binnenkomen. (Als ze wil, maken haar wielen geen enkel geluid.) 'Victoria?' zei ze, en dat was alles wat ze hoefde te zeggen. Ik moest het iemand vertellen, ik moest het eruit gooien, of anders... Anders zou ik niet echt gék worden, maar dan zouden de dingen die ik probeerde te verzwijgen onbeheerst op alle mogelijke momenten uit mijn mond vliegen: emotionele Tourette. 'Ik wil hem terug,' zei ik. 'X, ik wil hem zo graag terug...' Marcia was zo aardig. Voorzichtig liet ze zich op een van de banken zakken en toen zei ze: 'Kom híer.' Dat deed ik, en ze nam me volledig in haar armen en zei: 'Je kríjgt hem terug – ik ben er zéker van dat je hem terugkrijgt.' Ik snikte zo hevig dat ik me net een deur voelde die een dronken man probeerde in te trappen. 'Rustig maar,' zei Marcia. Wat was haar huid zacht, haar onderarmen die mijn voorhoofd aanraakten – bijna alsof het geen huid was maar lucht op lichaamstemperatuur – als die blaashockeytafels op de Southwold Pier, met kleine gaatjes voor de lucht. Hijghockey. Hoe heet dat precies? Ik schreef bijna: *Dat moet ik X vragen.* Oeps, nee... Ik vertik het om weer te gaan huilen. Toen het Marcia was gelukt me te kalmeren, vertelde ik haar alles. Hoe slecht ik X had behandeld. Dat ik er allemachtig veel spijt van had. Dat ik het hem al bijna had vergeven dat hij met een man naar bed was geweest, of met meer dan één man. Dat ik hem zo graag terug wilde hebben. Ze herhaalde, met absolute zekerheid: 'Je krijgt hem terug.' 'Waarom?' vroeg ik. 'Waarom zeg je dat?'

'Omdat jullie voor elkaar geschápen zijn,' zei ze. 'Jullie verdienen elkaar. En ook om de rest van ons tegen jullie beiden te beschérmen. Bedenk eens hoe het zou zijn als jullie allebei los rondliepen.' Ze lachte om zichzelf. Ik bedankte haar; ze omarmde me innig; ik zei tegen haar dat ik hoopte dat het goed zou komen met Mo. Ze trok een grimas en zei: 'Ik kan Mó wel aan. Ik weet alleen niet of Mo míj aankan.' Na een laatste kus ging ik naar boven om me op te knappen – ik kan er niet verfomfaaid bijlopen op een dag als deze: een mooie, weemoedige zonnige dag. Er schijnt een septemberzon vanmorgen – augustus is het alleen nog in naam.

Fleur staat erop dat ze deze ochtend naar de kerk gaat, en Alan staat erop dat hij haar vergezelt. 'Ik heb in geen vijf jaar een zondagsdienst overgeslagen,' zegt ze, 'en dat ga ik nu ook niet doen, alleen omdat er een stel camera's in de weg staat.'

'Dat begrijp ik,' grapte ik, 'maar kun je niet gewoon de dominee bellen voor een afhaaldienst of zo – dat hij je hier persoonlijk komt zegenen of zoiets?'

'Daar gaat het niet om,' zei Fleur.

'Waarom gaan we niet allemaal,' onderbrak Marcia ons, 'zoals we die eerste zondag deden?'

'Het gaat erom dat je deel uitmaakt van een gemeenschap,' zei Fleur, 'en dat die gemeenschap zijn liefde voor God toont door Hem samen te aanbidden.'

'Maar tot voor een paar weken geleden had je de mensen in die kerk nog nooit ontmoet.'

'Dat is juist het geweldige,' zei Fleur. 'Ik kan elke christelijke kerk binnenlopen, en dan maak ik net zo goed deel uit van die gemeente als wanneer ik daar al jaren naar de dienst zou gaan.'

'Ja,' zei ik, 'afgezien van de kerken waar ze meteen beginnen te schieten.'

'En waar is dat dan precies?' zei ze.

'Ik weet het niet,' zei ik, 'gevaarlijke kerken met mannen in uniform.'

'Ik, eh, vind het jammer als dit je van streek maakt,' zei Alan.

'Het maakt me niet van streek,' zei ik. 'Jullie moeten alleen wel beseffen dat jullie morgen in alle kranten staan.'

Ze draaiden zich om en gingen zich omkleden.

Een kwartier later kwam Fleur weer naar beneden. Ze had haar mooiste kerkpakje aan.

Ik keek naar haar en moest onwillekeurig glimlachen – ze zag er zo volslagen belachelijk uit.

'We zijn allebei zo koppig,' zei ze. 'Nietwaar?'

'Misschien hebben we dát dan tenminste met elkaar gemeen,' zei ik.

'O, veel meer dan dat alleen,' zei Fleur, 'maar dat wil jij niet zien.'

Met die woorden verwijderde ze zich van de ontroering en was ze hard op weg naar een preek. 'Doe God de groeten van me,' zei ik.

'Dat doe ik altijd, en Hij...'

'Ik weet het,' zei ik. 'Hij doet altijd de groeten terug.'

'Zoiets,' zei Fleur.

Alan, die – als een goed afgerichte echtgenoot – de twee zusters enkele ogenblikken samen had gegund, kwam nu de keuken in. Hij leek vandaag nog langer dan anders.

'Nou,' zei ik, terwijl ik een rukje aan zijn revers gaf, 'gaat heen en wordt beroemd.'

'Victoria,' zei hij met een huivering. 'Je weet dat we het niet daarom doen.'

'Kom,' zei Fleur, en ze haakte haar arm door de zijne. 'Anders komen we te laat.'

Ze liepen naar de voordeur en bleven even staan om na te denken en adem te halen. 'Lieve help,' hoorde ik Alan zeggen. Ik ging kijken wat er aan de hand was. Alan draaide het slot open en ze gingen naar buiten; ik deed vlug de deur achter ze dicht.

Ik verwachtte natuurlijk het zachte klikken van camera's te horen, maar dat kwam niet.

'Ze zijn weg,' hoorde ik Alan zeggen.

'Echt waar?' vroeg ik, door de deur.

'Echt waar,' zei Fleur.

Ik dacht niet dat ze een grap met me uithaalden, niet op die manier, niet op zondag, en dus deed ik de deur weer open en ging naar buiten.

Het was waar. Er was niet één journalist of fotograaf achtergebleven; na die laatste poging van vanmorgen hadden hun hoofdredacteuren natuurlijk besloten dat we niet meer genoeg nieuwswaarde hadden (of dat het te veel moeite was) en hadden ze ze weggeroepen om iemand anders te gaan lastigvallen. Alleen aan een paar chocoladereepwikkels en een heleboel sigarettenpeuken was te zien dat ze hier ooit geweest waren.

'Wat geweldig,' zei Fleur. 'Ik verheugde me daar al helemaal niet op.'

Ik kan niet ontkennen dat ik een beetje geïrriteerd was: wie was er plotseling interessanter dan wij?

'Laten we, eh, dan maar gaan,' zei Alan, en hij pakte mijn zus bij de arm.

Toen ze wegliepen, kon ik me gemakkelijk verbeelden dat ze dat op de muziek van Mendelssohns Bruidsmars deden, in een of andere tochtige kerk; ze waren nu zo goed als getrouwd, en ik voelde me onwillekeurig voldaan omdat ik voor de tegenslag had gezorgd die hen bij elkaar had gebracht.

William kwakte een fikse lepel havermoutpap in mijn kom. 'Zout,' zei hij tegen Marcia, 'geen suiker.'

'Dat kan ik niet,' zei ze heel nuchter. 'Niet voor mijn ontbijt.'

'En je doet de melk er aan de buitenkant omheen, dan koelt het niet zo gauw af.'

'Maar ik wil de melk in het midden, en dan wil ik aan de buitenkant eten.'

'Ik probeer je alleen maar te vertellen hoe we het in Schotland doen,' zei William.

'Waarom moeten er regels zijn over het eten van páp?' zei Marcia geërgerd. 'Er zijn geen regels voor cornflakes.'

'Hartelijk dank,' zei ik, nadat ik mijn kom in twee helften had ingedeeld, elk in overeenstemming met de wensen van een van hen, een snufje zout, maar ook wat bruine suiker, melk langs de randen, een klodder room bovenop.

Ik ging naar de salon; niemand had de gordijnen al opengedaan, en toen ik het deed, zag ik dat het een adembenemend mooie dag was.

Ik ging op de bank aan de rechterkant zitten. Het licht viel naar binnen en strekte warme witte vingers naar me uit. Ik keek er een hele tijd naar en liet het vreemde dingen met mijn gezichtsveld doen; op dat moment voelde ik me een licht-religieuze sensatie.

Ik was bijna mijn pap vergeten. Die had de tijd gehad om af te koelen. Toen ik mijn lepel erin liet zakken, werd ik misselijk: de substantie in de kom had die vreemde gluten/gelatineglans en zou, daar was ik zeker van, een beetje slijmerig smaken. Ik deed een beetje op de punt van mijn lepel en drukte het tegen mijn verhemelte, achter mijn tanden. Als het licht religieus was, was dit mystiek, transcendentaal: helemaal niet slijmerig, maar geruststellend stevig en vreemd genoeg toch ook mild, net tussen zoet en zout in. Ik nam nog een wiebelend beetje op mijn lepel. Het effect was minder overdonderend, maar bevredigender; deze mondvol smaakte zouter, maar ik was nu meer aan het zout gewend – het voelde goed, niet walgelijk. De inhoud van de kom bezorgde me, in combinatie met het licht en de lege kamer, mijn gelukkigste ogenblikken in dagen: ik zat op de bank, keek in het licht, at die heerlijke havermout en huilde zonder reden. Het was net een liefdesverklaring waarnaar ik lange tijd had uitgekeken; het was alsof ik in een droom door een dode die ik erg miste werd omhelsd. Ik voelde me erg zwak en tegelijk erg sterk, en ook erg belachelijk.

Toen ik in de keuken terugkwam, waren William en Marcia daar nog. Hij had haar kunnen overhalen om wat zout in haar pap te doen en probeerde haar er nu vanaf te brengen om er nog meer in te doen. 'Hoe smaakte het?' vroeg hij.

'Heerlijk,' zei ik.

'Echt waar?' zei hij.

'O ja,' zei ik. 'Goddelijk.'

'Ik dacht wel dat je het lekker zou vinden.'

Marcia is de eerste die vertrekt. Ik huil. Wat een goed mens is ze, en wat heb ik haar in het begin ongunstig weergegeven. Ik hoop dat we vriendinnen blijven. Zoals ik haar heb behandeld, en dat ze me toch heeft vergeven. Dat geeft me hoop. Misschien ga ik volgend weekend bij haar logeren.

Alle overige gasten hebben gebruikgemaakt van onze bevrijding: Alan ging uit rijden met Fleur en Domino, zonder te zeggen waar ze heen gingen; Simona ging winkelen om cadeautjes en souvenirs te kopen (ze kocht een reproductie van de vuurtoren van Southwold); William hing de kleine beroemdheid uit in enkele plaatselijke cafés.

Ikzelf maakte in mijn eentje een laatste wandeling over het strand. En toen ik dat deed, dacht ik nostalgisch terug aan onze eerste dagen in het huis toen iedereen er nog was; de patronen waarin we vervielen: de paren die zich parig gingen gedragen, de alleenstaanden die hen meden en stoorden; mannen versus vrouwen; alle gasten (behalve misschien Marcia) die de tijd vonden om zich in alle rust in het huis te installeren. Ik dacht aan iedereen afzonderlijk: Alan, die in zijn ochtendjas en op blote voeten door de keuken stapte, met een vreselijke tijgeradem, en die vieze koffie zette om daar vervolgens, nog steeds op blote voeten, mee naar het bedauwde grasveld te lopen; Marcia, over wie we altijd struikelden, als ze haar rolstoel in een of andere hoek had geparkeerd om te kunnen breien; Ediths liedjes en meisjesachtige vrolijkheid, totdat ze Elizabeth ontmoette en ondanks mijn verbod in de kleren van dat meisje begon rond te lopen. Wat was dat allemaal heerlijk spookachtig geweest; William die Bach instudeerde op de piano, terwijl hij rookte; Simona die me lastig kwam vallen voor weer een biecht (al drong het maar langzaam tot me door hoe hardnekkig ze daarmee zou doorgaan); Ceciles *présence*, waaraan ik niet zonder enige verbittering kan terugdenken – al maakt die verbittering, hoe scherp ook, de rest alleen maar beter: als zout in de pap; Henry die geen letters kon zien of hij moest ze lezen, al stonden ze op een pak ontbijtvlokken; Ingrid die zich van tijd tot tijd terugtrok; de kookkunst van de kok en het strijken van het dienstmeisje; Fleurs Fleurheid, haar Fleurismes, haar Fleurialiteit; X zijn geruststellende aanwezigheid en wat ik ooit als zijn liefde voor mij beschouwde. (Waarschijnlijk, hopelijk, is daar geen verandering in gekomen.)

Toen ik door de tuin naar het huis terugliep, keek ik naar het huis zelf en herinnerde ik me andere lichten en stemmingen op andere dagen en op andere tijden. Hoe het ochtendlicht dat door de ramen aan de zeekant viel ieders huid zo blauw en fotogeniek maakte; hoe de salon bij avond, de gordijnen dicht en de kaarsen aan, ons verwarmde tot we niets dan behaaglijkheid waren. En ook geluiden: muziek in het huis: Alans bandjes van Louis Armstrong en Duke Ellington; Ediths jongensgroepen; Marcia's levensliederen, Dusty Springfield, Charles Aznavour; Williams uitvoeringen van Bach en Schubert, zijn toonladders en arpeggio's; Ceciles liedjes-in-zichzelf, terwijl ze zich aankleedde.

Ik besef dat ik in de afgelopen dagen, al voordat hij wegging, X halfbewust uit dit dagboek heb weggelaten. Ik weet eigenlijk niet waarom, waarschijnlijk uit een zekere loyaliteit – niet van mij ten opzichte van hem maar andersom. Toen iedereen in het huis zich tegen mij keerde, hadden ze zich heel gemakkelijk ook tegen hem kunnen keren; en als dat was gebeurd, zou er niets van het hele project terecht zijn gekomen. Door zich staande te houden hield hij de mogelijkheid van mijn eventuele rehabilitatie open. Als ik alleen had gestaan, zou ik mijn zelfbeheersing hebben verloren, en mijn vrienden ook, en waarschijnlijk ook al het andere. X was erg intelligent en subtiel. Ik bracht hem in een onmogelijke situatie en hij maakte er een essentiële situatie van. En nu voel ik me schuldig omdat ik ten opzichte van hem tekort ben geschoten – tekortgeschoten in het geloof dat ik in hem had. Hij heeft me vergeven dat ik hem had bedrogen (dat ik de woede van het huis over hem heen liet komen). Hij zag dat ik hem opofferde, tegelijk met mezelf... Nee, dit komt er niet goed uit. Toen ik hem bedroog, vergaf hij me; toen hij mij bedroog, zette ik hem aan de kant. Zo simpel is het, als dat simpel is. En nu hij weg is, is mijn spijt veel groter dan mijn vertrouwen in hem ooit is geweest. Ik weet nu dat ik hem had kunnen en moeten vertrouwen, tot in een huwelijk aan toe. Hij zou goed voor me zijn geweest, goed in allerlei opzichten waarvan ik me nu pas bewust word. In mijn omgang met de wereld ben ik lang niet diplomatiek genoeg: ik heb behoefte aan een tussenpersoon. X bood zich aan en ik gebruikte hem, maar ik besefte niet wat ik deed. Hoe kon ik zo dom zijn? (Ik moet de voorafgaande zin wel duizend keer hebben opgeschreven.) En toch ben ik nu aan het analyseren: ik zou ook in de auto kunnen zitten om achter hem aan te gaan. Maar in mijn koppigheid wil ik dat híj naar míj terugkeert, al besef ik dat de fout bij mij lag. Het is een domme gok. Om aan mijn koppigheid toe te geven ben ik bereid mijn geluk voor altijd op het spel te zetten. Hoewel ik precies weet wat ik nodig heb, zal ik geen stap verzetten om het te krijgen. Wat ben ik toch dom. Er zijn zoveel verschillende dingen die ik kan doen. Misschien moet ik proberen te bellen. Zijn mobieltje staat vast uit, dat weet ik.

Zijn mobieltje stond uit. Ik wist het.

Achteraf lijken sommige dingen onvermijdelijk: hoe heb ik ooit kunnen denken dat ik niet betrapt werd, als ik elke keer die luidruchtige ladder beklom om naar de zolder te gaan? Het hoorde bij het verhaal dat ik betrapt werd, dat ik een paria werd: dat wilde ik zelf, ondanks al mijn bravoure. Want mijn heldinnen zijn, wat ze ook doen, altijd ikzelf geweest, meestal met een andere kleur haar, opdat de mensen het niet zouden merken. Ik wilde Cecile hier tot mijn heldin maken, maar ze weigerde dat: heroïsch, zou je kunnen zeggen. Als ik een ander soort schrijver was, zou ik die weigering tot iets bijzonders kunnen maken, iets met een grote zeggingskracht. Maar dat kan ik niet, want ik sta mezelf steeds weer in de weg. Ik struikel over mezelf en stuit op mezelf als ik een hoek omga. Ik doe dat nu ook, en ik ben me daarvan bewust, maar ik kan er niet mee ophouden, echt niet. Toch zal ik dat doen. Ik zal ver weg gaan, naar een plaats waar ik niets anders met mijn woorden doe dan koppen koffie bestellen en tegen de hotelmanager zeggen dat ik de kamer nog een week nodig heb.

Ik zal melancholiek gaan winkelen – altijd een genoegen.

Alan heeft Domino in de voorkamer opgesloten om Fleur de kans te geven Audrey uit de tuin te halen. Dat kostte ongeveer een halfuur. Fleurs methode hield in dat ze met regelmatige tussenpozen een hoge, fluitachtige kreet slaakte, twee noten en dalend in toon. Audrey ligt nu weer in haar kattenmandje, met haar meereizende stukje gras naast zich, dat alles op de achterbank van Fleurs auto. Ze gaat Alan naar Londen brengen (dat zeggen ze tenminste: ik denk dat ze regelrecht naar haar huis gaan). Audrey en Domino hebben een autorit van vier of vijf uur voor de boeg waarin ze elkaar kunnen leren kennen.

15.50 uur. Dit wordt mijn laatste biecht met Simona.

~~Ik zal haar vertellen dat ik *Voorbij de vuurtoren* niet zal publiceren, in geen enkele vorm.~~

Daarna ga ik naar de vuurtoren van Southwold.

Waarschijnlijk kan ik er niet in, maar ik vind dat ik het tenminste moet proberen.

NOOT VAN DE REDACTIE

Zoals u zojuist hebt gelezen, had Victoria eind augustus om hoogstpersoonlijke redenen besloten geen romanversie van *Voorbij de vuurtoren* te schrijven. Wij, haar uitgevers, zagen afzien van publicatie niet als een reële optie. Het project had al zoveel belangstelling van het publiek getrokken dat er grote behoefte was aan het 'verhaal van binnenuit'. Daarom werd besloten verder te gaan met wat we al hadden: Victoria's dagelijkse verslag en al het andere materiaal in haar laptop. Bij het samenstellen van dit boek hebben we een of twee erg kleine passages uit de tekst geschrapt, vooral om onnodige herhalingen te voorkomen. Afgezien daarvan is datgene wat u zojuist hebt gelezen (met veel genoegen, naar wij hopen) precies wat Victoria zelf heeft geschreven.

Aangezien er een controverse is ontstaan over de publicatie van dit boek in strijd met de wensen van de auteur, zou ik de zaak graag recht willen zetten door de volgende alinea's te citeren uit Victoria's contract voor een boek dat *Voorbij de vuurtoren* zou gaan heten. (N.B. het contract had betrekking op twee boeken, waarvan dit het tweede was; vandaar dat het wordt aangeduid met 'Boek 2'.)

2(e)

Indien de auteur overlijdt voordat Boek 2 bij de uitgevers wordt ingeleverd of door omstandigheden buiten haar wil verhinderd is de overeenkomst met betrekking tot Boek 2 na te komen, is de uitgever gerechtigd de onmiddellijke inlevering van alle typoscripten en andere materialen met betrekking tot het werk te eisen. Overeenkomstig de subclausule (g) zijn voorschotten die aan de auteur of haar nabestaanden zijn verstrekt niet terugvorderbaar en zal de auteur eveneens een zodanig deel van de royalty's en andere hieronder genoemde betalingen ontvangen als redelijk is op grond van de staat van het werk ten tijde van het overlijden van de auteur of het moment waarop de auteur niet meer in staat was het werk te voltooien, een en ander in overleg met de auteur of haar nabestaanden.

*

Misschien moeten we hier nog iets aan toevoegen:

Op de middag van de laatste dag probeerde Victoria inderdaad naar de vuurtoren van Southwold te gaan. Toen ze later terugkwam, verkeerde ze in een erg slechte stemming en weigerde ze over haar tochtje te praten. Daardoor vermoedde iedereen (alle overgebleven gasten) dat ze haar niet binnen hadden gelaten.

Ze namen afscheid en omhelsden elkaar en beloofden contact te houden. In tegenstelling tot wat je zou verwachten, huilde Victoria niet erg veel.

Victoria was de laatste die vertrok.

REACTIES

In alfabetische volgorde:

Alan
Cecile
Edith
Fleur
Henry
Ingrid
Marcia
Simona
William
X

Alan Sopwith-Wood

Fleur zal verderop haar zegje doen. Maar ik wil je graag zeggen dat we erg gelukkig met elkaar zijn.

Cecile Dupont

Nadat ze haar beloofde reactie niet had opgestuurd, is er telefonisch contact met haar opgenomen. Ze dicteerde het volgende:

Misschien moet ik vertellen wat ik deed en wat ik niet deed.

Zoals je waarschijnlijk hebt geraden, had ik op de middag van donderdag de vijftiende een ontmoeting met een journaliste, Sheila Burrows van de *Mirror*. Ik had contact met haar opgenomen om het verhaal van de geest, níet van het huis, te verkopen.

Toen duidelijk werd dat ze veel meer geïnteresseerd was in de spionage en het 'Big Sister'-aspect van de zaak, trok ik me terug. Ik wist dat ze het verhaal zou schrijven, nu ze het had (al heb ik niet verteld dat je op dat moment op de zolder opgesloten zat). Om tijd te winnen vertelde ik Sheila Burrows dat ik erover dacht haar een exclusief interview te geven. Ze hield zich aan haar woord.
Maar op de een of andere manier ontdekten de televisiejournalisten – die met Marcia praatten waarna jij zo kwaad op haar was – wat er aan de hand was.

Op grond van wat daarna gebeurde, neem ik aan dat ze het van de dominee hadden gehoord. Hij wist alles: Fleur had het hem verteld. Hij keurde het af. Dat was zijn reden.

Toen dat verhaal eenmaal in de kranten stond, wist ik dat ik maar heel weinig tijd had om mijn eigen verhaal te verkopen. Ik moest het verkopen. Ik ben een oude vrouw en het gebeurt maar heel zelden dat ik iets heb waarin mensen geïnteresseerd zijn, voldoende geïnteresseerd om ervoor te willen betalen. Het leek me beter één erg vulgair ding te doen, en een hele tijd fatsoenlijk van de opbrengst te leven, dan elke dag in vulgaire armoede te leven en er spijt van te hebben dat ik niet zo verstandig was om een slaatje te slaan uit één keer onfatsoen.

Als jij in mijn positie had verkeerd, zou je vast en zeker precies hetzelfde hebben gedaan.

Ik belde Sheila en we spraken af dat ze me de volgende avond om zes uur bij het huis zou afhalen.

Ik vond het erg jammer dat ik heb bijgedragen aan je moeilijkheden, maar ik vond dat ik die niet had veroorzaakt. Dat heb jij helemaal alleen gedaan, zoals iedereen zal beamen.

Dus alsjeblieft, je kunt me gerust kwalijk nemen wat ik heb gedaan, maar dan wel alleen wat ik echt heb gedaan.

Verder weet ik niet waar iedereen zich zo over opwindt. Ik heb me geweldig geamuseerd en ik heb enkele heerlijke vriendschappen gesloten waarvan ik hoop te genieten in de tijd die me nog rest.

En dat is alles wat ik over deze aangelegenheid te zeggen heb. Dank je.

Edith Snow

Beste Victoria,
Heel erg bedankt voor een prachtige 'maand aan zee'. De tranen springen me in de ogen als ik eraan terugdenk. Het was de geweldigste tijd van mijn leven. Ik heb Cecile leren kennen en daarna Elizabeth. Ik had nooit gedacht dat mijn leven ooit zo interessant zou worden als jij het maakte. Ma en pa schrijven ook brieven aan jou, maar ik geloof niet dat daar hetzelfde in zal staan. Je hebt me het gevoel gegeven dat ik volwassener was dan ik eigenlijk ben. Ik ben zelfs blij dat je me eerst in de kinderkamer hebt gezet!!! Dat gaf mij en Cecile Dupont de kans om snel vriendinnen te worden. Als ik mijn ogen dichtdoe, ben ik weer helemaal in het huis. Ik voel het overal om me heen; ik ruik het. Als ik mijn hand uitsteek, is het net of ik het kan strelen. Ik wou dat ik in dat huis kon wonen, en als het niet in dat huis kan, dan in een huis dat er heel erg op lijkt, met een vriend of vriendin en alles wat ik nodig heb. Je moet wel erg trots zijn op jezelf en op alles wat je in zo'n korte tijd hebt bereikt. Het was grappig toen we je op de zolder opsloten. Iedereen was uren en uren erg intens in de tuin aan het praten. En omdat ik niet in mijn eentje in het huis mocht achterblijven, mocht ik meepraten. Alan Wood en je zus Fleur About praatten plotseling honderduit tegen elkaar, als tortelduifjes. Ik wist al ver van tevoren dat ze elkaar zouden kussen. Voor iedereen met ogen in zijn hoofd was dat duidelijk te zien. Jij voorspelde het in je synopsis. Goed zo. Maar verder zijn er niet veel van je voorspellingen uitgekomen. Pech gehad. Toen ze me het huis uit hadden gesleurd, was ik nog een hele tijd erg van streek. Het was heel erg dat ze dat deden. Ik verkeerde niet in gevaar en ik was niet gek aan het worden, en het had niets met de duivel te maken. Maar ik kan wel begrijpen dat ze zich zorgen over me maakten. We hebben weer vriendschap gesloten. Bovendien weet ik dat Elizabeth er nog is, want Marcia

heeft me dat geschreven. Ik voel me veel beter nu ik weet dat Elizabeth niet over de hele wereld wordt geblazen door winden die we niet kunnen zien. Ze is verschrikkelijk aardig en ik zal jou altijd en eeuwig dankbaar zijn omdat je me met haar in contact hebt gebracht. Ik ben nu weer op school, en dat is erg saai in vergelijking met de vakantie. Ik denk niet dat een van de andere meisjes zo'n interessante en opwindende tijd heeft gehad als ik.

Veel liefs,

Edith.

P.S.

Ik wist al een hele tijd dat mijn moeder en vader niet van elkaar hielden. Mijn moeder schijnt te denken dat het door jou komt dat ze gaan scheiden, maar ik weet wel beter. Pa doet wel erg stom, hè? Ik ben nu verdrietig, maar op den duur is het beter, denk ik.

Fleur Sopwith-Wood

Ik heb overwogen om al mijn grieven op te sommen, maar dat laat ik aan anderen over. In plaats daarvan wil ik je vragen mijn zuster te vergeven, want zoals ze vroeger zeiden: ze wist niet wat ze deed. Victoria bedoelt het altijd goed. In haar synopsis staat te lezen wat ze hoopte te bereiken: mensen bij elkaar brengen (zoals ze met Alan en mij deed) en degenen die al bij elkaar zijn een heleboel tijd geven om er nog eens over na te denken (zoals bij Simona en William, Ingrid en Henry). Dat kan een vergissing zijn, maar het was niet slecht. Ze hoopt mensen gelukkiger te maken; dat is alles. Victoria heeft altijd gedacht dat ze de wereld kon herscheppen, beter kon maken, als ze maar de macht daartoe kreeg. Ik denk dat ze daarom schrijfster is geworden. Het is duidelijk dat ze haar verbeeldingskracht beter benut wanneer ze met volkomen fictieve personages te maken heeft. Het soort puinhoop dat ze tot stand heeft gebracht, is op zijn eigen manier een overwinning – het is zó'n puinhoop. En zo hebben Alan en ik elkaar gevonden (elkaar voor de tweede keer gevonden) en hebben we de grondslag gelegd voor wat we geloven dat een duurzaam geluk zal zijn. Daarvoor zullen we Victoria altijd dankbaar zijn. Wij waren een van de weinige dingen die uitkwamen zoals ze had bedoeld. (Al kun je vast zelf wel precies zien in welke opzichten ze slaagde en faalde.) Ik heb bewondering voor haar moed, haar bereidheid om alles op het spel te zetten. Die eigenschap heb ik nooit gehad. Natuurlijk kan dit bij de mensen om haar heen tot een staat van semi-permanente woede leiden – als ze niet beseffen dat Victoria zich veel meer interesseert voor de speculaties in haar eigen hoofd dan voor de echte gebeurtenissen in de echte wereld. Ze is een onschuldige die speelt dat ze geraffineerd is. Zolang je dat maar niet vergeet, kun je wel om haar lachen. (Maar nogmaals, dat heb je vast zelf al ontdekt.)

Henry Snow

Beste Victoria,
Ik houd nog steeds van je, en ik wil nog steeds bij je zijn.
Mijn huwelijk met Ingrid was in feite al lang voorbij toen we ons bereid verklaarden deel te nemen aan dat verfoeilijke project van jou. Ik denk dat je gelijk had; het kwam inderdaad voor een deel doordat we *te* geschikt voor elkaar waren. We stonden onder een vreselijke druk, omdat iedereen dacht dat we het beste huwelijk uit onze hele omgeving hadden. (Ik zal niet tegenspreken dat we in elk geval het leukste kind hebben.)

In het afgelopen jaar hebben Ingrid en ik elkaar veel te goed leren kennen. Zoals je weet, was ik op de universiteit niet bepaald promiscue. Jij was de enige met wie ik daar naar bed ben geweest. En dat was maar een paar keer. Daarna heb ik, afgezien van Ingrid, met maar twee andere vrouwen geslapen: een voordat ik trouwde, een kort daarna. Jij kent haar niet. Ik kende haar ook nauwelijks.

Als je met iemand een kind hebt, ben je gedwongen aspecten van die persoon te leren kennen waar je eigenlijk niets van wilt weten, en dan voel je je schuldig omdat je die persoon eigenlijk niet in alle opzichten wilt leren kennen.

Daarom wil ik niet meer getrouwd zijn, of doen alsof ik een oneindige relatie heb. Wat ik wil, is bij jou zijn, zo lang als we bij elkaar willen zijn.

Op dit moment kan ik me niet voorstellen dat ik niet bij jou zou willen zijn. Sinds we uit het huis weg zijn, mis ik je elke minuut van de dag. (Vroeger dacht ik dat het alleen maar een zegswijze was, maar nu weet ik dat het letterlijk waar kan zijn.)

Je zult wel hebben gedacht dat ik je vanaf dag één uit de weg ging, en dat ik me terughoudend, ontwijkend, onbeschoft gedroeg. En ja, daar heb je gelijk in, dat was ook zo.

Maar ik gedroeg me alleen zo omdat ik mezelf ervan had overtuigd dat ik mijn gevoelens voor jou zo duidelijk uitstraalde dat ik ze niet zou kunnen bedwingen.

Ik heb nooit gedacht dat ik een geweldige acteur was, maar ik schijn er wel vreselijk goed in geslaagd te zijn jou te misleiden. Kon je het niet zien? Hoe meer je achter me aan zat, des te meer verstopte ik me in mezelf.

Bijna zodra we daar waren aangekomen, werd Ingrid jaloers op ons. Telkens wanneer ze ons samen zag, stuurde ze me een SMS'je om me een of ander stom karweitje op te laten knappen.

Ik werd nauwlettend gadegeslagen, en ik kon daar niet tegen.

Hoe langer dat doorging, des te erger werd de situatie. Ik was gek van verlangen naar jou, maar kon die hartstocht alleen in onverschilligheid omzetten. Als ik dat niet deed, zou het tot een spectaculaire explosie komen – schadelijk voor Edith, schadelijk voor iedereen.

Op het eind had ik het gevoel dat ik mezelf in een doos binnen mezelf had gezet. Ik was bang dat ik nooit meer in staat zou zijn me door mijn eigen natuurlijke verlangens te laten leiden.

Dus toen ik over die synopsis hoorde, moest ik hem lezen. Ik moest weten hoe je over me dacht.

En toen ik hem las, kreeg ik hoop. Ik weet wel dat je zei dat ik geen hoop moest koesteren, maar ik denk dat je alleen maar de situatie in het huis probeerde te redden. Je had gelijk. Het zou op dat moment veel te ingewikkeld zijn geweest. Maar nu niet meer.

Het is zo'n opluchting dat ik je nu op deze manier kan schrijven – openhartig.

Mijn huwelijk is voorbij, door jou, door dat verrekte boek, en vooral door mezelf. Ik ben me ervan bewust dat Edith dit waarschijnlijk ook leest, weliswaar niet meteen, maar een keer.

Edith, het spijt me. Je moeder en ik hebben het zo lang geprobeerd als we konden, en toen konden we het gewoon niet langer proberen.

Ik denk dat ik, mijn gevoelens voor jou kennende, had moeten eisen dat we je uitnodiging zouden afwijzen.

Uit dit alles zal vast wel iets goeds voortkomen, en dat goeds zou moeten zijn dat wij bij elkaar komen.

Veel liefs,

Henry

PS

Misschien vraag je je af wat er tussen X en mij is voorgevallen, ik bedoel, toen we onder de blauwe plekken terugkwamen. Het was niets, dat zweer ik je: een erg rommelige schermutseling. Toen we over de grond aan het rollen waren, wilde hij me kussen, maar ik stond dat niet toe. Ik vocht hem van me af. Die kus zou agressief zijn geweest, niet teder. X heeft een kant die je volgens mij nog niet hebt gezien. Wees voorzichtig.

Ingrid Snow

Als ik dit afschuwelijke boek lees, herken ik mezelf niet.

Cleangirl? Ik voel me niet clean, ik voel me vies; ik voel me geen *girl* ik voel me een oud wijf.

Je zegt dat ik je de hele tijd buitensloot, maar ik heb zelf het gevoel dat ik de hele tijd werd buitengesloten.

Dacht je deze dingen echt? Het komt zo verbitterd over. We hebben meer gepraat dan jij zegt. We hebben gelachen, lol gehad.

Ik ben vooral blij met de twee eerlijke gesprekken die we hebben gehad – op dag Zeven, woensdag, en dag Tien, zaterdag.

Ik kan je niet vergeven wat je Edith hebt aangedaan, en evenmin wat je mijn huwelijk hebt aangedaan.

Je hebt toegekeken terwijl we aan het vrijen waren! Hoe kon je dat doen?

Het was geen volmaakt huwelijk. Ik heb nooit in zo'n tegenstrijdigheid geloofd. Het 'volmaakte huwelijk' was jouw illusie. Wijzelf hadden de illusie dat we een goed huwelijk hadden.

Toen je dacht dat Henry en ik elkaar hartstochtelijke, seksueel getinte SMS'jes stuurden, had je volkomen gelijk en volkomen ongelijk. Het was niet seksueel; het waren een hartstochtelijke pogingen elkaar niet te gaan haten. We waren aan het onderhandelen; gewone gesprekken waren te pijnlijk. Daar heb je iets van gezien op dag Veertien.

Je hebt Henry verleid. Maar dat was niet erg moeilijk. Om hem te verleiden hoefde je alleen maar als mogelijkheid voor hem aanwezig te zijn.

Vlei jezelf maar niet. Het kwam niet door jóu – hij zag jóu niet. Je was zo doorzichtig als een glasplaat. Hij werd aangelokt door het andere leven dat hij dóór jou zag, een andere plaats waar hij zou kunnen zijn.

Wij kunnen nooit meer vriendinnen zijn.

Marcia Holmes

Waar moet ik beginnen? Ik heb vooral medelijden met Victoria. Ze was een vreselijke bemoeial. En met bemoeials loopt het nooit goed af. Dat zou mijn biologische moeder misschien hebben gezegd, als ze lang genoeg was blijven leven om mijn echte moeder te worden. Ik vind het erg vreemd om te denken dat wat ik voor het eind van dit o zo stompzinnige boek schrijf waarschijnlijk door meer mensen gelezen zal worden dan al het andere dat ik ooit zal schrijven. Misschien moet ik wat van mijn poëzie in deze tekst opnemen. Die is niet zo slecht. Maar nee. Onder deze omstandigheden weet ik eigenlijk niet wat ik moet zeggen: *Hou van elkaar*. Zoiets als grote popsterren altijd zeggen wanneer ze vinden dat ze met een 'boodschap voor de planeet' moeten komen. Er zit diep in mij een grote verleiding om dit kleine platform niet te gebruiken om negatieve emoties uit te zenden. Als ik een beter mens was dan ik ben, zou ik me waarschijnlijk inhouden. Maar dat kan ik niet. Ik ben niet dat betere mens. Wat er ook met Victoria is gebeurd, het spijt me dat ik het zeg, maar ze verdiende het. Zoals ze dan zeggen, boontje komt om zijn loontje. Het kan me eigenlijk niet schelen wat ze over mij zei, en hoe stom dat was. Was ze dan niet intelligent genoeg om te weten hoe het zou overkomen op de mensen die het zouden lezen? Op jullie. Jullie leiden niet allemaal zo'n comfortabel leven, in materiële en andere opzichten, als Victoria schijnt te denken. Iemand zal haar uiteindelijk een 'raciste' moeten noemen, en ik verwacht dat jullie verwachten dat ik dat ben. Maar ik ga dat niet zeggen. Victoria was wel erg Engels en erg eerlijk (te eerlijk, zouden sommige mensen zeggen); het enige dat ze deed, was de dingen zeggen die de meeste mensen denken maar nooit uitspreken. Spastenhellingen! Het is verschrikkelijk wanneer iemand wordt gestraft omdat hij of zij eerlijk is. Per slot van rekening hebben onze ouders altijd tegen ons gezegd dat we dat moesten zijn. En Socrates zei het ook. Daarom kan ik Victoria niet haten, want ze was gewoon de hele tijd een deel van zichzelf dat ze in zich heeft. Ik wou dat dat deel anders was geweest. Maar zou ik willen dat ik niet op haar uitnodiging was ingegaan? Was het dom van mij om naar dat huis te gaan? Nee, ik geloof van niet. Het was een leerzame ervaring voor ons allemaal. Ik heb iets geleerd over waar je thuishoort en waar je niet thuishoort. Ik heb ook veel geleerd over het niet *willen* dat je ergens thuishoort. Er zijn plaatsen in dit land waar mensen je in de gelegenheid stellen te doen alsof je er thuishoort en er zijn andere plaatsen waar ze doen alsof je er niet thuishoort. Maar niemand hoort ergens thuis en iedereen hoort overal thuis. Zo denk ik erover. Als het erom ging dat ik me daar moest thuisvoelen, wil ik dat niet. Ik wil het gevoel hebben dat ik ik ben, waar ik ook ben. En dat gevoel heb ik. Als mensen die naar me kijken iets zien wat ze niet aanstaat, moeten ze maar een andere kant op kijken. Wat ik wil, is erg duidelijk *daar* zijn waar ik ben. Als een demonstrant, als Gandhi – midden op een zandweg zitten en zeggen: *Wij laten ons niet verplaatsen*. Jullie kunnen om me heen lopen, over me heen stappen, maar jullie kunnen niet door me heen stappen! Ik denk dat Victoria heeft geprobeerd door me heen te stappen. En toen dat haar niet lukte, probeerde ze wat ze het op één na liefst wilde. Ze probeerde door me heen te kíjken. Maar het is niet zo gemakkelijk om door mij heen te kijken. Misschien ben ik voor sommige mensen alleen maar zwart aan de buitenkant, maar ik ga ze niet vertellen welke kleur – of kleuren – ik aan de binnenkant heb. En misschien zie ik er een beetje misvormd uit en kan ik me niet zo gracieus bewegen, maar van binnen dans ik op mijn eigen manier. En dat is misschien de manier waarop ik met mijn lichaam dans. (Ik dans *echt*. Je zou me moeten zien. Ik ben er *goed* in.) Maar als ik iets wil vieren, wil ik niet dat iemand me vertelt hoe of waar. Dus nu ga ik iets vieren! Ten eerste ga ik vieren dat ik in dit boek sta, en dat is het geweldigste dat me ooit is overkomen. Ten tweede ga ik vieren dat ik *ik* ben in dit boek. Victoria heeft een aantal ware dingen over mij gezegd, sommige lelijk maar sommige ook waar. Ten derde ga ik vieren dat ik goede vrienden heb gevonden, vrienden van Victoria maar ze wist niet hoe blij ze mocht zijn dat ze ze had. Hallo Simona, jij ondeugende meid, en William, o je had iets moeten zeggen, William, ik ben zo boos op je, hallo trieste Ingrid, hallo dwaze Henry, hallo lieve Edith, doe Elizabeth de groeten van me, als je haar weer ziet, hallo stoute Cecile, hallo mijn aardige, vriendelijke Alan, hallo Fleur die ik toch al de hele tijd spreek, hallo de man die Victoria X noemt, en hallo Elsie en Darren. Mogen jullie er berouw van krijgen! Ten vierde ga ik vieren dat JULLIE daar dit geschrijf lezen. Ik weet niet waarom ik dat zou moeten doen, maar ik ga het toch doen. Het is jullie taak om mij een goede reden te geven om het te doen. Dus doe dat dan ook.

Simona Princip

Afgezien van mijn positie als redactrice heb ik zelf ook een paar dingen te zeggen. Ik ben bang dat anders een groot percentage van dit boek onlogisch zal lijken.

Natuurlijk heb ik Victoria's synopsis meteen na ontvangst opengestoomd en met grote belangstelling gelezen. Zoals iedereen in zo'n geval wilde ik vooral weten wat ze te zeggen had over wat er met mij zou gebeuren. Mijn relatie met William had, geef ik toe, een plafond bereikt: ik wist van zijn ziekte, wist wat die ziekte betekende, en ik zou hem niet uit rancune verlaten. In tegenstelling tot de meeste moderne huwelijken zouden wij bij elkaar blijven 'tot de dood ons scheidt'. En zoals je misschien weet, of niet weet, is dat laatste gebeurd: William is een week geleden gestorven, een dag nadat hij zijn reactie op het boek aan mij had gedicteerd. Allen die hem hebben gekend, rouwen om hem, onder wie vast en zeker ook Victoria.

Het was nogal een schok voor me om te lezen dat ze camera's in het huis had laten installeren, maar ik wist dat Victoria vindingrijk genoeg zou zijn om er op de een of andere manier voor te zorgen dat er dingen gebeurden. Ik wil niet beweren dat ik precies heb voorzien wat ze van plan was. William maakte zich in dat stadium, dus voor het begin, grote zorgen. Hij dacht dat Victoria zou merken wat we deden (haar werk kopiëren); hij dacht ook dat we ons niet 'natuurlijk' zouden kunnen gedragen in het huis, omdat we wisten dat Victoria misschien zag wat we deden. Hij had zich geen zorgen hoeven te maken. Zoals ik hem al voor het begin verzekerde, had Victoria er echt geen idee van hoe 'natuurlijk' gedrag eruitzag. We hebben een beetje een act opgevoerd.

Het was vooral om twee redenen dat ik zo vaak naar Victoria's 'biecht' ging. Ten eerste wilde ik haar dagelijks aanmoedigen; ten tweede moest ik William de gelegenheid geven om haar kamer in te sluipen, en soms naar zolder te gaan, om haar nieuwste werk te kopiëren.

Toen hij daar zo amateuristisch aan het hacken was, wiste William per ongeluk Dag 12. De sukkel. Ik heb Victoria's oorspronkelijke tekst in mijn bezit, inclusief de prachtige passage over het kannibalendiner, maar de stroom van het boek zou te veel worden onderbroken als ik deze passages weer opnam.

Vanaf het allereerste begin was me duidelijk dat Victoria misschien geen zin zou hebben om het project tot het eind toe te volbrengen. Ik wilde niet dat mijn uitgeverij zoveel geld zou verliezen, en ik wilde ook niet mijn reputatie hiervoor op het spel zetten, zonder de garantie dat het project vruchten zou afwerpen. Victoria had elk moment kunnen besluiten de hele zaak op te geven – vooral toen haar oorspronkelijke plan om de gasten haar te laten haten zijn vruchten af begon te werpen. Dat vond ik een van haar briljantste ideeën.

Naarmate de maand vorderde, was het heerlijk om te zien wat Victoria allemaal in het werk stelde. Ik weet zeker dat jullie, beste lezers, daar ook van hebben genoten.

In de tweede week had X het gevoel dat hij tot een beslissing kwam. Afgezien van Victoria, en William en mijzelf, was hij de enige in het huis die van het begin af wist dat er camera's waren geïnstalleerd. Die hele toestand met dat spook bracht de zolder zodanig in de belangstelling dat hij zich gedwongen zag partij te kiezen. Edith en Cecile hadden plannen gemaakt om in de grote slaapkamer te komen en via het verboden luik naar de zolder te gaan. Het was heel goed mogelijk, wist X, dat ze daar met een beetje vindingrijkheid in zouden slagen. Ze hadden hem al om de sleutel van de slaapkamer gevraagd en hij kon eigenlijk geen goede reden bedenken om nee te zeggen. Als ze ontdekten dat hij ook in het complot zat en bovendien Victoria actief had geholpen, zou X in grote moeilijkheden komen. En toen flapte Victoria er tegen Cecile iets uit over Cornwall. De gasten begonnen nu sterk het vermoeden te krijgen dat ze hen echt bespioneerde. Fleur zocht in haar kamer naar microfoons en vond een minuscule cameralens. Daarna begrepen ze al gauw dat Victoria hen hoogstwaarschijnlijk vanaf de zolder bespioneerde. Uiteindelijk was het voor X simpelweg een kwestie van: Aan Wiens Kant Sta Je? En hij was zo verstandig om de kant van de gasten te kiezen. Hij vertelde hun over de installatie op zolder.

Met een beetje hulp van mij, door hem te bedanken voor zijn eerlijkheid, door hem tegenover Marcia te verdedigen, enzovoort, enzovoort, kon ik voorkomen dat de gasten hem eruit gooiden.

Vervolgens besloten we samen dat hij zijn loyaliteit ten opzichte van ons kon bewijzen door Victoria op de zolder op te sluiten; en dat deed hij.

Hij vertelde ons ook hoe we de camera's konden afdekken, zodat ze niets meer registreerden. Hij stelde voor de microfoons aan te laten. Victoria zou denken dat hij de microfoons was vergeten of dat hij ze met opzet aan had laten staan.

In die eerste lange gesprekken in de tuin, terwijl zij veilig opgeborgen zat, namen we een besluit: Victoria zou twee dagen op de zolder blijven, de eerste dag zonder voedsel, enzovoort, de tweede dag met enige voorzieningen. Er waren voor- en tegenstanders, maar uiteindelijk besloten we dat het twee dagen zouden zijn. We gingen erg democratisch te werk. Er werden handen opgestoken en stemmen geteld.

Toen bedacht ik dat het voor de gasten leuker zou zijn als ze iets wisten van wat Victoria in de synopsis over hen had geschreven. Ik las eruit voor en we beleefden een hilarisch en tegelijk gruwelijk uur in de tuin.

Natuurlijk heb ik niet alles voorgelezen. Als Ingrid bijvoorbeeld had gehoord dat Victoria van plan was Henry half te verleiden, of erger nog, dat ze van plan was Edith verliefd te laten worden op X, zou ze meteen in de auto zijn gestapt en zijn weggereden. Nee, in een halfuur las ik een zorgvuldig geredigeerde editie voor. Ik improviseerde een beetje om de hiaten op te vullen.

Daarna waren we niet meer te stuiten. We voerden een aantal grappen voor Victoria op. Fleur en Alan, waarvan de voorspelde romance tot veel hilariteit en ook tot enkele zijdelingse blikken had geleid, waren de eersten die zich aanboden. Samen speelden ze een groot aantal spelletjes. Ze deden alsof ze elkaar koud lieten, terwijl dat niet het geval was. William wilde ook meedoen, en wie was ik om hem een van zijn laatste genoegens te ontzeggen? Henry en Ingrid waren ook enthousiast, al is achteraf moeilijk te begrijpen waarom. Cecile was de grote verrassing. Ze vond dat Victoria erg neerbuigend over haar had geschreven in de synopsis en wilde op een amusante manier wraak nemen. Edith wilde een scène met Elizabeth de geest spelen, maar Ingrid verbood dat. Natuurlijk wist ik dat Victoria daar al veel van had gezien.

We waren het er allemaal over eens dat het vooral leuk zou zijn om af te wachten hoe lang het zou duren voordat Victoria, vrijgelaten van de zolder, het niet meer kon laten om vragen te stellen over de dingen die ze had gehoord toen ze zat opgesloten. We spraken af dat de persoon aan wie ze vragen stelde het onmiddellijk aan alle anderen moest vertellen.

We begonnen ons voor te bereiden op de grappen die we wilden uithalen. Cecile ging daarvoor een tijdje naar haar kamer; ikzelf en William, Henry en Ingrid, Fleur en Alan hielden buiten een paar repetities.

En toen begon het toneelspel... We hadden ons geen beter resultaat kunnen wensen. Ik had persoonlijk gedacht dat Ceciles optreden, het minst natuurlijk van alle, argwaan bij Victoria zou wekken, en dat Cecile dus niet zou moeten beginnen. Maar ze stond erop en achteraf heeft ze gelijk gekregen. Dit zijn zo ongeveer de meest komische passages in het boek, denk ik. Ze vormen op zichzelf al voldoende rechtvaardiging voor wat ik heb gedaan.

Ik had alvast nagedacht over het moment waarop Victoria ontdekte dat ik de gasten had verteld wat er in de synopsis stond. Ik zou de verwijten gewoon over me heen laten komen. Ze kon me er niet uitzetten. Als het eropaan kwam, zou ik de steun krijgen van alle anderen in het huis, X niet uitgezonderd. Het machtsevenwicht was in de loop van deze dagen verschoven, van Victoria naar de rest van ons (en heimelijk naar mij) toe. Ik was degene die het meest wist van wat er gebeurde; ik zal niet alles vertellen, want dat is een van de lessen die ik in deze maand heb geleerd: vertellers zijn ook maar mensen en moeten niet doen alsof ze alwetend zijn.

Toen de synopsis uit mijn kamer werd gestolen, zat ik een paar uur in grote spanning. Maar de volgende dag kon ik zelf een blik in Victoria's dagboek werpen, terwijl ze met Alan naar het ziekenhuis was. Zodra ik wist dat Henry de dief was, en dat ze hem had gesmeekt het stil te houden, en dat ze de synopsis nu zelf had, maakte ik me geen zorgen meer.

Ik besef dat ik ver over het maximale aantal woorden heen ga, maar niemand zal in mijn tekst knippen en ik heb nog een paar belangrijke dingen te zeggen.

Een daarvan is dat William geen perverse naaktloper was. Hij vond het tegen het eind van zijn leven gewoon niet belangrijk meer om zijn lichaam te verbergen. De privacy van dat lichaam was al door zoveel artsen geschonden; het halve artsenbestand van het St Bartholomew had zijn prostaat betast. Hij was er helemaal aan gewend geraakt om naakt te zijn. Maar hij kreeg er geen 'kick' van, zeker niet als Edith hem zou hebben gezien.

William was een geweldige en een moeilijke man, en ik ben blij dat ik met hem getrouwd was. Ik mis hem verschrikkelijk, elke dag. Het was geweldig dat hij dit samen met me heeft kunnen doen. Maar ik denk dat hij het als volgt zag: hij wilde zoveel mogelijk van zijn resterende tijd, zijn remissie, met zoveel mogelijk mensen doorbrengen, en hij wilde niet dat het zijn beste vrienden waren. Hij had liever niet dat mensen wisten dat hij ziek was, want als ze dat wisten, ontstond er een valse, plechtige atmosfeer. Mensen worden vreselijk sentimenteel als het om een terminale ziekte gaat. Ze doen alsof ze heel opgewekt blijven in het aangezicht van de dood, maar dat lukt ze niet. Hij wilde nog wat plezier hebben. Hij was nog erg fit, tot aan de laatste weken. Aan de buitenkant kon je bijna niets merken. Dat verblijf in Southwold was voor hem de ideale gelegenheid om ieder moment ten volle te beleven. Hij was echt bijzonder op alle andere gasten gesteld. Hij was vooral gek op Edith. Door haar wilde hij bijna dat we kinderen hadden gehad.

De vraag die me in talkshows en dergelijke het meest wordt gesteld, is: ‘Heb je geen medelijden met Victoria?’ Het antwoord is een daverend: ‘Nee.’ Ze kreeg precies wat ze wilde, en iemand die daar anders over denkt, is volslagen naïef. Ze is nu beroemd. Haar volgende boek, hopelijk niet uitgegeven bij een andere uitgever en hopelijk met dezelfde redactrice, zal haar een voorschot opleveren dat drie of vier keer zo hoog ligt als in het geval van *Voorbij de vuurtoren*. Ze behoort nu tot dat erg selecte groepje auteurs dat kans heeft gezien tot het publieke bewustzijn door te dringen. Het is ook volslagen naïef om te denken dat je die sprong kunt maken zonder daarbij zelf enigszins uit balans te raken. Het feit dat ze tot op zekere hoogte een karikaturale schurk werd, was de prijs die Victoria moest betalen, en als je haar van tevoren de keus had laten maken, zou ze het faustische pact vast wel hebben geaccepteerd. Ik mag mezelf graag als haar Mefistofeles zien. Per slot van rekening is dit de vrouw die als jong meisje naar de film *Sneeuwwitje en de zeven dwergen* ging en haar moeder na afloop smeekte om een kostuum van de Boze Stiefmoeder voor haar te maken. Ze geniet van haar nieuwe rol; dat kun je gewoon voelen. Het is een fantastische nieuwe ervaring voor haar om in het hele land het onderwerp van lunchpauzegesprekken te zijn. Alle schrijvers dromen ervan om zoveel furore te maken. Ik ben trots op de kleine rol die ik heb kunnen spelen om haar onder de aandacht te brengen. Ze verdient echt alles van wat ze hiermee bereikt.

William Princip

Ik voel me niet erg goed. Ik zal niet veel dicteren.

Ik heb enorm genoten van mijn verblijf in Southwold. Ik had geen betere manier kunnen bedenken om mijn laatste augustus door te brengen.

Victoria, ik heb spijt van wat we met je hebben uitgehaald. Simona wilde absoluut dat we de hele tijd wisten wat je in je schild voerde. Het was leuk, geef ik toe, om de zolder op te kruipen en je werk op mijn floppy te kopiëren. We moesten erg goed oppassen dat we niet betrapt werden als we het op Simona's laptop zaten te lezen.

Ik vind het ook jammer dat je Dag Twaalf bent kwijtgeraakt. Het stuk over het kannibalendiner was erg goed, al heb ik het maar vluchtig gelezen.

Je bent een erg amusante schrijfster en een erg slecht mens. Op een dag zul je, hoop ik, beseffen dat Simona, ook een erg slecht mens, de enige redactrice voor je is.

Ik zou de lezer er graag op willen wijzen dat Victoria zichzelf alle goede dialoogteksten heeft gegeven en dat ze daarvoor van iedereen heeft gestolen, ook meer dan eens van mij.

Dit is genoeg.

X

X heeft niet gereageerd. Hij heeft besloten het manuscript niet te lezen.

TWEE BRIEVEN

Polurrian Hotel
Mullion Cove
Cornwall
November

Beste Simona,
Ten eerste was ik diep geschokt toen ik van Williams dood hoorde. Ik heb oprecht spijt van eventueel verdriet dat ik hem heb aangedaan. Alsjeblieft, laat het me weten als ik iets kan doen.

Ter zake: voordat je me dit manuscript stuurde, dit afschuwelijke ding waarvan ik eigenlijk niet weet hoe ik het moet noemen, was ik hard op weg om je te vergeven.

Ik besloot niet meteen te antwoorden, omdat ik veel te kwaad was. Ik had niets zinnigs kunnen zeggen. Ik hoef je vast niet te zeggen dat ik me bedrogen voel: er zijn te veel mensen in mijn augustusdagboek (zo zal ik het voorlopig noemen) die dat al zeggen en voelen.

Het is een van mijn vele fouten, fouten die ik zou hebben gecorrigeerd als ik het ding in een écht, afgerond boek had kunnen veranderen. Ik zal niet op te veel van de andere fouten wijzen, maar wil alleen zeggen dat ik niet echt geloof dat de geheimen van mensen altijd en alleen van seksuele aard zijn.

Zoals je aan bovenstaand adres kunt zien, heb ik je advies opgevolgd, of als ik mag afgaan op wat jij in een gesprek zei (pagina 267), heb ik mijn éigen raad opgevolgd: ik heb mijn intrek genomen in een goed hotel, zodat ik – de heldin van het verhaal – aan het eind van de roman in alle luxe melancholiek kan zitten zijn. (Dit ís het eind van de roman.)

Ten eerste moeten we de zaken rond *Zelfbeeld* afhandelen. Je ziet dat ik nog steeds weiger de titel te gebruiken die ik er eens aan gaf. Voor mijn gevoel bestaat dat boek niet en zal het ook nooit bestaan.

Je ingrepen in de tekst zijn ronduit gruwelijk. Sommige van je opmerkingen, geef ik toe, zijn erg grappig; andere opmerkingen kwetsen me diep.

Je kleine verslag van de laatste middag, in het huis en elders, zit er helemaal naast. Maar ik vind het niet nodig het te corrigeren, en het is ook zo slecht geschreven.

Ik gíng naar de vuurtoren en ik kwám binnen. Maar wat ik daar zag, is privé. Het hoort bij het boek dat nooit geschreven is; het is de climax. Het was het waard.

Ondanks alles wat de juristen zeggen zal ik nooit, onder geen beding, toestaan dat dit boek wordt gepubliceerd. Dit is mijn laatste woord daarover.

Sinds het eind van augustus zijn er veel dingen gebeurd. Ik vond het natuurlijk fascinerend om de reacties van de anderen te lezen; daar heb ik het eerst naar gekeken. Ik wil daar geen commentaar op geven. Sommige mededelingen van de gasten stemmen me droevig, andere stemmen me blij. Je weet vast wel welke ik bedoel.

Ik ben hierheen gekomen om alleen te zijn, denk ik, en om mijn verdriet de gelegenheid te geven zich ten volle te ontwikkelen. Ik was van plan naar het strand te gaan – een heel ander strand dan bij Southwold; een steile rotswand, een baai in de vorm van een afgeknipte nagel; zwart zand, met grote brandinggolven en rotsplassen, en een schitterende zonsondergang. (Ik neem terug wat ik in het vakantiedagboek heb gezegd; sommige zonsondergangen die ik hier heb gezien zijn volslagen verrassend; schokkend; buitensporig, zo bloeddorstig.)

X had geen idee waar ik was. Sinds het moment waarop hij het huis uit liep hebben we geen contact meer met elkaar gehad. Ik wil hem erg graag weer zien, maar ik ben te trots om hem te bellen. Ik hoopte dat hij, als hij het hele manuscript had gelezen, zou inzien hoe dwaas ik ben geweest, hoe gauw ik mijn pogingen om Henry te verleiden had opgegeven, hoe graag ik bij hém wilde zijn. Dat is niet gebeurd.

Met vriendelijke groeten,
Victoria

Polurrian Hotel
Mullion Cove
Cornwall
December

Beste Simona,
Een motor, een aankomst, een entree! Hij scheurde het parkeerterrein van het Polurrian Hotel op en klonk als een door benzine aangedreven onweersbui. Ik kwam net van een ijskoude wandeling over voornoemd strand. Anders zou het hele incident lang niet zo romantisch zijn geweest.

'Hallo, Victoria,' zei hij.

'X,' zei ik. (Ik zei echt X – dat was hij in mijn gedachten geworden.)

'Kom,' zei hij.

Hij had nog een helm bij zich, een kleinere. Hij hield hem me voor.

'Waar gaan we heen?' zei ik.

'Ergens,' zei hij.

Gelukkig had ik een broek aan. (Jeans, Bretonse trui, wandelschoenen, marineblauw jasje – standaard-outfit voor neerslachtigen.)

Ik stak mijn haar op, schoof de helm over mijn hoofd (hij paste) en ging bij hem op de motor zitten.

We waren binnen een uur in St Ives. Weer een vuurtoren, maar alleen in de verte.

Ik zal je niet precies vertellen wat X tegen me zei toen we over de boulevard liepen, en evenmin wat we zeiden toen we in een gezellig restaurant kreeft zaten te eten, of toen we in het maanlicht op het parkeerterrein naast de motor stonden. Voor jou is het voldoende om te weten dat hij precies de juiste dingen zei; en toen, geef ik toe, nam hij me krachtig in zijn krachtige armen.

Toen we van St Ives terug waren, nam X zijn intrek in mijn hotelkamer. Het was een luxueuze tweepersoonskamer.

Ik weet nu zo ongeveer welke gebeurtenissen X ertoe hebben gebracht om hierheen te komen. En je had mijn verblijfplaats níet aan

Fleur moeten vertellen, al smeekte ze erom. Maar ik zal haar altijd dankbaar blijven omdat ze hem heeft laten weten waar ik was.

En nu ben ik gelukkiger dan ik je kan vertellen. Ik maak me niet druk meer om het boek. Ik heb het hele geval nog eens doorgelezen, in één ruk, en ik heb er geen moeite meer mee dat het verschijnt; het is niet af, het is niet zo bevredigend als ik zou willen, maar in elk geval leeft het. Als ik nu nog probeerde de tekst in een roman om te zetten, zou mijn afkeer van het hele idee er een doodgeboren kind van maken. Ik weet dat je het gaat laten drukken, en dat je denkt dat je me daarmee zult kwetsen, maar dat kun je niet. Ik ben niet meer te kwetsen.

Misschien vind je dat dit naïef klinkt; ik weet al wat voor indruk het waarschijnlijk zal maken, en hoe sterk die indruk is. Ik weet dat mensen, als ze het hebben gelezen, of er alleen maar over hebben gehoord, mij in een ander licht zullen zien: negatiever.

Ik kom niet goed over in het boek; ik kom in moreel opzicht nogal lelijk over. (Daar heb jij wel voor gezorgd.)

Nou, ik heb X. X houdt van me. Verder is er niets dat me iets kan schelen.

Sinds hij hier is, heb ik aan niemand anders gedacht dan aan hem – al is er, moet ik toegeven, een ober waar ik voor zijn komst een oogje op had: jong, slank, hanig en erg leuk om te zien. Ik ben er vrij zeker van dat hij X ook is opgevallen en dat X heeft gemerkt dat ik het merkte. Hij (X) schijnt het geen probleem te vinden. Ik ben er zelfs vrij zeker van dat hij hetzelfde denkt als ik.

We zijn van plan veel plezier te hebben.

Liefs,
Victoria

P.S.

Als je smeekt en smeekt en smeekt, vertel ik je misschien het briljante idee voor mijn volgende boek.